대교출판 어린이 창작열전

大院君의 統治政策

金炳佑

혜안

책을 내면서

　역사적 인물에 대한 평가는 간단하지 않다. 인간의 모든 행위는 자신이 사는 시대에 의해 규정을 받으며, 시대상황이 바뀌면 그에 맞춰 인물의 평가도 달라지게 되기 때문이다. 그러므로 역사는 언제나 재해석·재구성되어야 하며, 이 과정에서 인간이 살아가는 보편성을 찾아야 한다.

　우리는 지금 '정치개혁'의 깃발아래 출범한 참여정부가 개혁의 실패로 국민들과 유리되고 있는 실상을 보고 있다. 이러한 현실은 일관성을 상실한 참여정부의 개혁정책들과, 개혁주체세력들의 이념과 도덕성의 취약성이 적나라하게 드러난 것에서 연유한다. 더구나 국민들은 '보수와 진보' 세력들의 끝없는 갈등과 대립을 보면서 혼돈에 빠졌고, 급기야 희망을 가지기 어렵게 되었다. 개혁과 진보는 이제 식상한 유행어로 국민들의 가슴속에 자리잡고 있을 뿐이다.

　이러한 현상은 개혁을 모토로 했던 문민·국민의 정부시절은 물론이고, 거슬러 올라가 대원군이 집권하던 시기에도 있었다. 대원군은 우리 역사에서 국민으로부터 가장 신망을 받은 지도자였다. 또한 그는 과단성이 뛰어나고 치밀한 정치인이었다는 평가를 받는다. 이런 점에서 그는 이후 지도자들과는 차별성을 갖지만, 개혁정책이 실패하면서 국민들과 유리되는 과정과 권력에서 밀려나는 현상은 동일한 궤적을

가진다고 하겠다.

참여정부도 별반 차이가 없을 것이지만 문민·국민의 정부 실패를 경험하면서 개혁정책이 성공할 수 있는 요인에 관심을 가졌다. 개혁의 성공은 새로운 개혁이념을 토대로 한 개혁주체세력의 형성과 일관된 정책 추진, 그리고 국민에 바탕을 둔 개혁의 추동력에 있다. 이것은 시대를 초월하는 문제이며, 개혁을 이끌어가는 지도자는 언제나 국민들의 삶의 질을 향상시키는 것을 목표로 하기 때문이다.

역사적 조건과 현실은 달랐지만, 대원군이 집권하던 시기에도 현재와 같이 대내의 사회모순과 대외적인 민족모순의 통일적 인식이 요구되었다. 실제로 대원군은 사회적 모순을 개혁하는 정책을 추진하기도 했고, 자주권을 실현하려는 측면을 강하게 보이기도 했다. 그러나 그 속에는 개혁이념의 변질과 함께 개혁주체세력들의 분열과 대립, 반개혁세력들과의 권력투쟁이 자리잡고 있었다. 이와 같은 경향은 오늘날 전개되고 있는 한국의 정치 현실과 유사한 것이었다. 성공한 개혁을 바라는 국민들의 열망은 예나 지금이나 다르지 않다. 필자가 대원군을 주목한 이유가 여기에 있다. 물론 '산천초목을 떨게 하였다'거나 '공명정대'하였다는 선인들의 평가도 관심을 끌기에 충분했다.

원고를 제출하면서 좀더 잘 쓸 수 있었는데 하는 아쉬움이 가득하며, 민망하기 그지없는 심정이다. 그러나 필자를 가르치고 격려해 준 선생님들과 주위 사람들에게 조금이나마 보답하고자 하는 마음과 더 넓은 세상에서 질책을 받으려는 용기를 내게 되었다. 더구나 원고를 정리하여 책으로 내는 것은 나 자신의 학문과 삶에 대한 정리과정이기도 했다.

처음 내는 이 책을 완성하기까지 많은 분들의 학은과 도움을 받았다. 필자는 학부시절 지금은 연세대학교에 계시는 김도형 교수님의 '한국근대사' 강의를 통해 대원군에 대해 관심을 가졌다. 이후 선생님

은 석사과정에서 학문하는 태도와 체계적인 학문연구에 필요한 기초를 다져 주셨다. 박사과정 지도교수인 경북대학교 임병훈 선생님은 학문의 정치함과 존재와 인식의 문제를 일깨워 학위논문을 작성할 용기를 주셨다. 또한 선생님은 논문의 논지를 이해하시면서도 많은 문제점을 지적해 주셨다. 경북대학교 권연웅·이병휴·전현수 교수님과 계명대학교 이윤갑 교수님은 심사를 맡아 지도해 주셨다. 특히 이윤갑 선생님은 학위논문의 목차는 물론이고 논지전개에 대해 토론을 통해 가르침을 주셨다. 선생님의 학은에 깊이 감사드린다.

돌이켜보면 필자는 학부시절 훌륭한 교수님을 많이 만날 수 있었다. 이미 정년하신 정만득·최승희(서울대학교)·김종철 교수님은 내가 가장 닮고 싶은 사표이셨다. 특히 노중국 교수님을 만난 것은 인생에서 가장 큰 행운이었다. 선생님은 학부시절부터 지금까지 학문하는 태도는 물론이고 세세한 개인사까지 지도해 주시고 계시다. 선생님의 가르침은 공부를 마치는 그날까지 지속될 것으로 기대한다. 대구한의대학교 이준구·김세기·김성우·성동환 교수님은 학위논문을 작성할 수 있는 공간과 시간을 배려해 주셨다. 이외에도 학문적 충고와 격려를 아끼지 않으신 한충희 선생님, 배기헌·장의식·양재열 선배님, 그리고 이학로·강판권·배은숙 선생께도 고마운 마음을 전한다.

공부한다는 핑계로 자식 노릇 제대로 못한 가운데 저 세상으로 가신 부모님의 영전에 깊이 머리 숙이며, 그동안 공부할 수 있도록 정신적·경제적 지원을 해준 중형 김병걸 울산시청 서기관 등 형제들에게도 고마운 마음을 전한다. 무능하고 무책임한 남편인데도 언제나 사랑으로 감싸준 아내 강은경, 그리고 사랑스러운 다영, 창균에게도 그동안 함께 하지 못해 미안하다는 말을 전한다.

이 책은 도서출판 혜안의 오일주 사장님의 국학발전에 대한 철학과 용기가 없었다면 세상에 빛을 보지 못했을 것이다. 그리고 난잡한 글

들을 잘 정리해 아담한 책으로 탈바꿈시켜 준 편집부 관계자들께도
감사의 말씀을 전한다.

2006년 10월
김병우

목 차

표목차 |

제1장 서 론

大院君 李昰應은 한국근대의 전환기에 있어서 개혁정치가였지만, 인물과 정권의 성격에 대한 종래의 연구는 보수와 진보·긍정과 부정의 이분법적인 범주를 벗어나지 못하고 있다. 이것은 그의 대내외적 개혁정치의 사실검증과 가치판단 기준의 혼선에서 비롯되었다. 그러므로 對內政策의 경우에는 정책별로 긍정과 부정의 개념이 혼재하며, 對外政策은 대원군이 서양과 서양문명에 대해 개방적이지 못한 점만을 부각하여 부정적으로 평가하고 있다.[1] 그러나 대원군에 대한 평가는 서양중심의 근대화 개념과 기준만으로 보수반동 정치가로 단정할 수만은 없다.

대원군은 대내의 사회모순과 대외적인 민족모순을 통일적으로 인식하고 대응책을 모색·실천의 문제에서 한계가 있었던 것은 분명하

---

1) 大院君 李昰應은 1820년(순조 20) 英祖의 玄孫인 南延君 球의 4자로 안국동에서 태어났다. 남연군은 인조의 3자인 麟坪大君의 6세손이어서 혈연적으로 왕실과 멀지만 恩信君 禛에 入籍하여 宗室이 되었다. 대원군은 헌종과는 칠촌지간, 철종과는 思悼世子의 증손자로 육촌지간이었다. 그는 자식의 왕위계승 이후 세 차례 집권하였다. 첫 번째의 집권은 고종의 등극과 동시에 이루어져 10년간 집권하였고(1864년 12월 8일~1873년 11월 5일), 두 번째는 壬午事變를 계기로 33일간 집권하였다(1882년 6월 10일~7월 13일). 세 번째의 집권은 갑오농민전쟁이 진행되던 시기였다(1894년 7월 23일~11월 23일).

다. 그러나 그는 중세체제의 모순을 현실적으로 인식하고 개혁하려는 정책들을 추진하였을 뿐만 아니라 서양의 개방 강요에 맞서 自主權을 실현하려는 측면도 강하였다. 그의 대외인식·과학기술에 대한 인식의 강도는 閔氏政權보다 구체적이고 적극적이었으며, 鎖國政策은 서양 제국주의 세력들의 침략에 대응하는 자주적인 방안의 하나였다. 그러므로 대원군은 긍정과 부정이라는 이분법적 평가에서 벗어나 통일적인 인식론으로 개혁정치의 실상은 재평가되어야 한다.

종래 대원군2)과 大院君政權의 평가는 개인의 능력과 개혁의지에 대한 당위적인 이해를 전제로 하였다. 그의 개인적인 정치적 능력과 역할이 강조되었고, 정책의 방향과 결과에 따라 긍정되거나 부정되었다.3) 당대의 개화파세력은 대내적 혁신정치의 추진력에 주목하여 대원군을 인걸로 평가하였고, 이것은 서양과 서양문명에 대한 인식여부 문제와 결합되면서 이후 대원군 평가의 기준이 되었다.4) 이후 대원군의 정책은 통일적인 것이 아니라 대내적인 것과 대외적인 것으로 구

---

2) 조선시대 대원군에 봉해진 인물은 4명이었다. 德興大院君(宣祖), 定遠大院君(仁祖), 全溪大院君(哲宗)은 死後에 봉해졌으나, 興宣大院君(高宗)은 생전에 대원군에 봉해진 유일한 인물이다. 일반적으로 대원군이라고 하면 흥선대원군을 지칭하고 있어, 이러한 관례에 의거하여 이하 대원군이라고 칭한다.

3) 朴齊炯 著, 李翼成 譯, 1981, 『近世朝鮮政鑑』, 탐구당 ; 黃玹, 金濬 譯, 『梅泉野錄』 ; 朴殷植, 1944, 『韓國痛史』, 上海, 大同編譯局 ; 李能和, 1928, 『朝鮮基督敎及外交史』 ; 田保橋潔, 1940, 『近代日鮮關係の硏究』.

4) 魚允中은 "대원군은 사람됨이 강건하며 간사하고 음험하다"(「淸季中日關係史料」 제3권, 929쪽[문서번호556] 光緖 8년 8월 11일)고 평가하였고, 金玉均은 "攝政 國父는 성격이 완고하지만 공명정대하다. 관리를 임명하고 면직시키는데 있어서 아주 정대하였다"(『金玉均傳』(上), 144쪽)고 술회하였다. 이것은 개화파세력과 대원군이 대내적 모순에 대한 인식과 방법에 근본적인 차이가 없었음을 보여준다. 이들은 근대국가로의 발전에 대해 대원군에게 강한 여망이 있었으나, 대원군은 그들의 서양문명에 대한 인식과 근대화에 대한 방법론에 동의하지 않았다는 것을 의미한다.

분·인식되었고, 대외정책은 개국이 대세였다는 가치판단이 내재되면서 부정하는 시각이 고착되었다.

대원군은 집권과정과 정책의 내용·추진방향에서 개혁과 보수의 양면성을 지니고 있는 것은 사실이다. 그는 '완매하고 고루한 정치가'5)도, '근대화의 선구자·근대적인 독재정치가'6)도 아니며, 더구나 '민족적일 뿐만 아니라 수구적인 문벌귀족세력보다는 진보적인 정권'7)도 아니었다. 이러한 인식은 당시의 사회적 변동과 정치권력의 사회적 기반을 토대로 분석하거나, 전 사회구조와 연관한 대원군의 정책과 그 성격을 규정한 것이 아니었다. 그리고 대원군 지지세력의 실체와 그들의 조직과 결합력에 대한 이해도 사실검증이 되지 않은채 대원군의 개혁적인 성격 규정에 따라 자의적으로 설명하는데 그쳤다.

대원군정권과 정책에 대해서는 비교적 많은 연구와 성과가 이루어지고, 구체적인 정책에 대한 개별적 연구도 축적되었다. 대원군정권의 武斷土豪에 대한 징치·지방통제책,8) 경복궁 중건9)과 서원철폐정

---

5) 李能和, 앞의 책, 4쪽. 그는 "대원군은 완매하고 고루하며 세계대세에 눈이 어두워 斥外하였고, 그것이 결과적으로 이 국가사회를 遲滯落伍로 만들었으니 그가 역사에 지은 죄과는 지대하다"면서 대원군을 시대착오자로 평가하였다.

6) 李瑄根, 1961,『韓國史 最近世篇』, 을유문화사 ; 1970,「韓國史에 있어서의 近代의 起點」,『韓國史時代區分論』, 韓國經濟史學會 ; 1974,『大院君의 時代』, 세종대왕기념사업회. 이선근은 기본적으로『近世朝鮮政鑑』,『梅泉野錄』,『韓國痛史』의 시각을 그대로 계승하였고, 이러한 입장은 대외정책에서 두드러진다. 그러면서 그는 대원군의 총명·과감한 성격과 豪宕하고 기민한 행동을 강조하여 근대적인 독재정치가의 유형으로 규정하였다.

7) 梶村秀樹, 1964,「朝鮮近代史의 若干의 問題」,『歷史學研究』288 ; 渡部學, 1968,『朝鮮近代史』, 제1장 ; 藤間生大, 1977,「大院君政權의 構造」,『近代 東아시아세계의 形成』(1985,『韓國近代政治思想史』, 한길사).

8) 郭東璨, 1975,「高宗朝 土豪의 成分과 武斷樣態-1867년 暗行御史 土豪別單의 分析-」,『韓國史論』2 ; 井上和枝, 1990,「大院君의 地方統制策에 대하여-高宗朝 土豪別單의 再檢討-」,『李佑成教授停年紀念史學論叢』; 宋언더

책10)에 대한 실상과 한계가 이미 밝혀졌다. 대원군의 정치적 기반과 관련하여 군제와 군비강화에 대한 연구가 진행되었고,11) 삼정개혁은 세원확장책에서부터12) 근대적 개혁에 초점을 맞추고 정부·지배층의 사회개혁에 대한 자세와 입장에 주목한 연구13) 등이 진전되었다. 그

기, 1989,「大院君執政期의 財政政策」,『淑大史論』13·14·15합집 ; 金明淑, 1987,「朝鮮後期 暗行御史制度의 一研究-高宗 5年(1868)의 書契別單을 중심으로」,『歷史學報』115 : 韓㳓劤, 1971,『東學亂 起因에 關한 研究』, 서울대 한국문화연구소 ; 朴廣成, 1979,「高宗朝 民亂研究」,『仁川敎大論文集』14 ; 고동환, 1992,「大院君집권기 농민층 동향과 농민항쟁의 전개」,『1894년 농민전쟁연구2』, 역사비평사.

9) 張大遠, 1963,「景福宮重建에 대한 小考」,『鄕土서울』16 ; 李瑄根, 앞의 책.

10) 金世潤, 1980,「大院君의 書院毁撤에 관한 一考察」, 서강대 석사학위논문 ; 成大慶, 1986,「大院君의 書院毁撤」,『千寬宇先生還曆記念 韓國史學論叢』 ; 金明淑, 1993,『永興 龍江書院 研究」,『韓國史研究』80 ; 이수환, 1994,「大院君의 書院毁撤과 嶺南儒疏」,『嶠南史學』6.

11) 李炳柱, 1977,「大院君의 登場과 軍備强化」,『韓國軍制史 : 朝鮮後期篇』 ; 朴廣成, 1976,「洋擾後의 江華島 防備策에 대하여」,『畿甸文化研究』7 ; 金世恩, 1990,「大院君 執權期 軍事制度의 整備」,『韓國史論』23 ; 裵亢燮, 1998,「大院君 執權期 軍制의 整備와 軍備의 强化」,『韓國軍事史研究』1 ; 安外順, 1994,「大院君 執權期 軍事政策의 性格」,『東洋古典研究』2 ; 李昱, 1996,「大院君執政期 三軍府 設置와 그 性格」,『軍史』32 ; 崔炳鈺, 1989,「高宗代의 三軍府 研究」,『軍史』19 ; 延甲洙, 1996,「丙寅洋擾와 興宣大院君 政權의 對應」,『軍史』33 ; 延甲洙, 1997,「大院君 執權期 國防政策」,『韓國文化』20 ; 연갑수, 1997,「병인양요 이후 수도권 방비의 강화」,『서울학연구』8 ; 연갑수, 2001,『大院君집권기 부국강병정책 연구』, 서울대출판부.

12) 韓㳓劤, 1969,「大院君稅源擴張策의 一端」,『金載元博士華甲紀念論叢』. 동포제의 실시와 호포제로의 전환을 세원확장책 차원에서 검토하였다.

13) 金容燮, 1982,「軍役制의 動搖와 軍役田」,『東方學志』32 ; 1982,「軍役制 釐正의 推移와 戶布法」,『省谷論叢』13 ; 1983,「純祖朝의 量田計劃과 田政釐正의 問題」,『金哲埈博士華甲紀念史學論叢』 ; 1982,「還穀制의 釐正과 社倉法」,『東方學志』34 ; 1980,「民庫制의 釐正과 民庫田」,『東方學志』23·24(1984,「朝鮮後期의 賦稅制度 釐正策」,『增補版 韓國近代農業史研究-

리고 대원군의 개혁정책이 개혁의도와 다른 방향으로 전개되는 일면
들도 밝혀졌다.14) 대원군의 하야문제는 권력내부의 부조화는 물론이
고 대외정책의 변화·고종의 친정의지 등이 강조되었다.15)

　1980년대 접어들어 金容燮의 일련의 연구는 대원군 집권기 근대적
사회변혁의 관점에서 진행되어, 대원군과 대원군정권 연구의 한계를
넘어서는 계기를 만들었다. 그는 농민적 입장에서의 체제개혁적 노선,
지배층 입장에서의 체제유지적인 노선과 부분적인 개혁노선의 흐름
속에서 대원군정권의 개혁노선을 위치지웠다. 이것은 종래의 대원군
정권에 대한 연구시각과 평가에 대한 근본적인 문제의식을 제공하였
다. 이러한 논리에서 대원군 집권기의 민족사적 과제의 해결방안과 실
천여부에 논의의 초점이 맞추어졌다.

　農業改革論·農業政策(上)』, 一潮閣).
14) 이러한 점은 호포법과 사창제의 운영실태에 대한 사례분석에서 드러났다.
　　宋讚燮, 1992, 「19세기 還穀制 改革의 推移」, 서울대 박사학위논문 ; 宋讚燮,
　　2001, 「大院君 執權期 社倉制의 運營實態-충청도 靑山縣 社倉文書 분석」,
　　『古文書硏究』 16·17합집 ; 이종범, 1993, 「19세기 후반 호포법의 운영실태
　　에 대한 검토-전라도 구례현 사례-」, 『동방학지』 77·78·79합집.
15)　鄭喬, 『大韓季年史』 ; 黃玹, 『梅泉野錄』 ; 朴殷植, 『韓國痛史』 ; 李光麟,
　　1983, 『韓國史講座』(近代篇) ; 李瑄根, 1980, 『韓國史-最近世篇』, 震檀學會
　　; 李光麟, 1992, 「閔妃와 大院君」, 『明星王后弑害事件』, 민음사 ; James B.
　　Palais, 1975, 『Politics and Policy in Traditional Korea』, Cambridge,
　　Harvard Press ; 김형수, 2001, 「高宗의 친정과 개국정책연구 : 1873~1876
　　년」, 『이대사원』 33·34합집 ; 김영수, 1990, 「한말 高宗의 정치적 역할에 대
　　한 일 연구」, 서울대정치학과석사논문 ; 1991, 「大院君의 下野와 高宗의 政
　　治的 役割」, 『韓國政治思想』, 박영사 ; 崔炳鈺, 1992, 「大院君의 下野에 대
　　하여」, 『조항래교수화갑기념 한국사학논총』 ; 安外順, 1996, 『大院君執政期
　　權力構造에 관한 硏究』, 이화여대 박사학위논문 ; 金世恩, 2000, 「高宗初期
　　(1864~1873년)의 經筵」, 『震檀學報』 89 ; 安鍾哲, 1998, 「親政前後 高宗의
　　對外觀과 對日政策」, 『韓國史論』 40 ; 殷丁泰, 1998, 「高宗親政이후 政治體
　　制의 改革과 政治勢力의 動向」, 『韓國史論』 40 ; 金炳佑, 2001, 「高宗의 親
　　政體制 形成期 政治勢力의 動向」, 『大丘史學』 63.

이후 대원군과 대원군정권의 통설이 되어버린 일련의 연구결과를 개별적·비판적으로 검토하고자 한다. 成大慶은 대원군정권 성립을 조선왕조가 직면한 사상과 구조의 위기라는 상황에 조응한 필연적 사태로 이해하였다.[16] 그는 대원군정권의 권력구조와 정책을 검토하였고[17] 대원군의 정치적 기반을 추적하기 위해 서원철폐와 과거운영을 분석하였다.[18] 그의 연구결과는 대원군정권의 성격을 安東金氏 외척세도 대신에 宗親璿派를 권력기반으로 하는 또 다른 勢道政權으로 규정하는 것에 귀결되었다.[19]

그는 대원군정권의 성격을 도출하는 과정에서 종친과 선파인·종친부 확대와 권위문제 등을 중요한 지표로 제시하고 종친을 대원군정권의 핵심기반으로 설정하였다.[20] 그럼에도 불구하고 대원군이 새롭

---

16) 成大慶, 1981, 「大院君執政의 原因的 諸狀況에 대하여」, 『人文科學』 10. 그는 대원군 집권의 의의는 대원군이 집권한 다음 그가 추진하고 시행한 제정책이 당시의 봉건왕조 및 지배층의 요망에 전적으로 부응하고 있다는 점에서 찾을 수 있으며, 대원군이 집권하게 된 원인은 물론이고 독재적 정책시행이 가능하였던 조건도 여기에 있다고 주장하였다. 그럼에도 대원군은 1860년대의 조선왕조사 앞에 가로놓인 사상적 위기와 사회경제적 위기의 극복을 위해 현명하게 대응한 것은 아니었다고 설명하였다.

17) 成大慶, 1982, 「大院君 初期執政期의 權力構造」, 『大東文化研究』 15 ; 1984, 「大院君政權의 政策」, 『大東文化研究』 18.

18) 成大慶, 1985, 「大院君政權의 科擧運營」, 『大東文化研究』 19 ; 1986, 「大院君의 書院毁撤」, 『千寬宇先生 還曆記念 韓國史學論叢』, 정음문화사.

19) 成大慶, 1984, 『大院君政權性格研究』, 성균관대학교 대학원 사학과 박사학위논문. 그의 일련의 연구목적은 梶村秀樹와 藤間生大의 '대원군정권은 조선민중의 각계각층의 역량이 결집된 정권'이었다는 추정적 연구를 극복하는 데 있었다. 그는 대원군정권의 과거제를 통해 정권의 핵을 이룬 부분이 종친계통의 인물로 구성되었다는 점과 대원군의 관료등용책은 종래의 지배층의 관리기용과 그 본질상 차이가 없는 인재발탁책이었다는 점을 밝혔다. 따라서 대원군정권은 "종래의 안동김씨 외척세도 대신에 종친선파를 권력기반으로 하는 또 다른 세도였다"는 것이다(위의 논문, 139쪽).

20) 성대경, 위의 논문, 36~37쪽, 43쪽. 그러나 그는 종친부의 권위회복 주체를

게 조직한 정치권력은 왕실중심의 姻婭관계에 있는 양반지배층이 그 핵이었고, 이 대열에는 노론만이 독점적으로 참여할 수 있었다고 설명한다.[21] 이 과정에서 그는 종친과 노론집단의 동질성과 차별성에 대한 논리적인 설득력을 결여하였다. 대원군정권의 정책분석도 계기적·동태적으로 살피지 못하였다. 대원군은 통치정책을 추진하는 과정에서 권력을 강화하였고, 그것은 종래 정치집단의 동참과 저항을 고려한 것이었다. 즉 그는 대원군이 노론집단과의 충돌을 피하면서 그들의 협조를 구하였고, 종국에는 노론집단의 기득권을 해체하기 위한 통치정책을 추진한 성격을 간과한 것이다. 또한 그는 대원군정권의 정책추진 목적과 방향을 정확하게 이해한 것이 아니었기 때문에 정책의 성공여부와 기대치를 토대로 평가할 수밖에 없었던 것이다.

더구나 대원군의 권력행사와 통치정책의 추진기구 즉 대원군의 권력소재를 정확하게 인식하지 못하였다. 이것은 결과적으로 대원군의 지지세력에 대한 이해를 어렵게 만든 요인으로 작용하였다. 대원군이 강력한 정치권력을 행사한 독재정치가였다는 점을 고려할 때 그의 권력은 사저인 운현궁이나 사조직을 통해 이루어지기 어렵다.[22] 이것은

막연한 종친에 설정하였고, 종친부 권위회복의 목적과 정치적 역할을 간과하였다. 이것은 대원군정권의 핵심기반으로 종친과 종친부를 지목한 의도에 부합되지 않는다.

21) 성대경, 위의 논문, 140쪽.
22) 그는 대원군의 권력행사가 어떠한 경로를 통해, 또는 어떠한 공적기구를 통해 실행되었는지에 대해서는 구체적인 설명을 하지 않았다. 그러면서 대원군의 권력(행정)이 운현궁을 중심으로 형성된 사조직에 의해 이루어졌다고 판단하였다. 그의 설명에 의하면 대원군의 사조직은 운현궁의 傔人과 중앙신분 그리고 지방서리의 세 종류이며, 사조직으로 특기할 것은 소위 '千河張安'이란 명칭으로 불리워지는 패거리이다(위의 논문, 37쪽). 그러나 이들은 관료적 경험이 없어 행정력이 전무하며, 장안의 정보수집과 개인적 심부름의 수준을 넘어서기 어려운 인물들이다. 조선왕조의 권력구조와 신분구조상 사적영역인 운현궁에서 이들에 의한 권력이나 행정력 행사는 불가능한 것이

조선왕조의 권력구조와 신분구조를 고려한다면 쉽게 이해될 수 있는 문제이다. 그러므로 대원군의 권력행사와 정치집단은 조선왕조의 합법적인 권력구조와 정치관행·정치집단에서 찾아야 한다.

대원군정권이 보수적·반동적이라는 평가는 팔레(Palais)에 의해 이미 제기되었다.[23] 그는 대원군의 개인적 능력을 중시하여 계략이 뛰어난 인물로 인식하였고, 대원군이 외교정책에 성공을 거두었기 때문에 국내문제를 다룰 수 있는 여유를 가져 난을 진압하고 지방관을 처벌하며 제도를 바꾸는 한편 이교도들을 박해하였다고 이해하였다.[24] 그러나 대원군과 대원군정권은 대원군 개인적 능력만으로 이해될 수 있는 성질의 것이 아니다. 그는 대원군정권의 검토에서 대원군의 개인적 역량, 그리고 권력의 전제성에 대한 관념적 이해에서 출발하였다. 실제적으로 대원군은 집권과 동시에 대내문제의 해결에 주력하였지만, 대외문제와 대내문제는 선후관계에 있었던 것은 아니었다.

팔레(Palais)의 연구는 한국근대의 여명기에 있어서 사회경제적인 이해와 이데올로기, 그리고 정치 삼자 사이의 상세한 연관관계를 강조하는 것이 목적이었다. 그리고 정치문제에 대한 직접적인 분석보다는 경제정책을 통해 대원군 정권의 실패원인을 추적하여 왕권과 신권의 견제와 균형관계를 설명하였다. 그러면서도 종래의 한국의 사회경제적인 연구성과를 전혀 반영하지 않았다.[25] 19세기는 중세사회가 해체

다.

23) James B. Palais, 1975, 『Politics and Policy in Traditional Korea』, Cambridge : Harvard Press(李勛相 譯, 1993, 『傳統韓國의 政治와 政策』, 신원문화사).

24) Palais, 위의 책, 16쪽.

25) Palais는 기본적으로 조선사회의 내재적 발전론을 부정하고 일본인들의 조선사 연구결과를 전적으로 수용하였다. 그 결과 조선후기 신분제도의 해체와 새로운 사회세력으로서의 민중의 성장과 이들의 역할 등을 도외시하여 종래의 역사학계와 경제사학계의 연구성과를 전혀 반영하지 않았다. 팔레의

되는 시기였고 또한 민중들이 성장하면서 이들의 역할이 증대되는 시기였다. 그러나 그는 양반지배층의 위세나 역할을 전혀 변화 없이 지속적인 것으로 이해하여 그것이 독특한 통치방식이었다는 점을 부각하려 하였다.

대원군의 권력소재는 운현궁으로 한정하여 이해하였다. "대원군은 자신의 사저인 운현궁에서 일했음이 틀림없다. 관리들은 그곳을 방문하여 대원군을 만났으며, 기록에는 국왕이 운현궁을 방문한 사실이 자주 나타난다"는 것이다. 따라서 대원군은 이면에서 권력을 행사하였으며 마치 그림자와도 같은 국왕(Shadow King)이었다는 것이다.26) 그리고 1866년 이후 부친과 아들이 양두정치 아래 권력을 나누어 맡았으나 그 경계는 분명하게 그어져 있지 않았다는 것이다.27) 그는 대원군과 국왕의 이러한 관계를 '효'의 개념으로 설명하였고, 청의 건륭제 재위기간 정책결정에 있어서 효도의 중요성을 강조한 사실을 들어 비판적 검토없이 그것을 조선의 대원군에게 그대로 적용하였다. 중국과 조선의 현상을 등치시키는 그의 인식도 문제이지만, 대원군의 퇴진에서 '효'의 개념을 그대로 적용할 수 없다는 모순을 남기게 된다.28) 또한 조선왕조의 정치체제상 양두정치는 불가능할 뿐만 아니라 대원

저서에 대한 서평은 다음 글이 참고된다.(陳德圭, 1976, 「서평」, 『亞細亞研究』 19·20합집 ; 李勛相, 1988, 「譯者의 書評」, 위의 책).

26) Palais, 위의 책, 57~58쪽.

27) Palais, 위의 책, 79쪽.

28) 팔레는 대원군의 하야문제를 언급하면서 하야의 직접적인 요인을 고종 자신이 왕권을 완전히 독자적으로 행사할 수 있다고 선언하기로 결정한 데 있었다고 설명한다. 왕이 유일한 독립적 통치자로 선언하자 대원군은 그 자신의 지위는 불필요하다는 것을 깨달았고 이를 번복할 정치적 지지나 의지를 결연한채 전원으로 은퇴하였다는 것이다(앞의 책, 452쪽). 이 경우 고종과 대원군의 정치적 관계는 설명이 가능할 수도 있으나 '효'라는 도덕적 원리는 실종될 우려가 있다.

군이 국왕처럼 '전교'를 내리거나, 국왕의 권위를 넘어서는 어떠한 행위도 하지 않았다는 점을 고려하여야 한다.

대원군이 왕실의 권위를 회복하기 위해 노력하여 종친부의 지위를 높이고 기능을 강화하였고, 종친부 관료들의 지위와 정치참여, 그리고 종친부의 직무와 종친부 관료들의 정원 등을 언급한 것은 주목된다.[29] 그는 대원군 집권기 종친부의 기능 확대와 조직 확대, 종친부 관원들의 정치적 영역의 확대문제에 주목하면서도 종친부 자체에 대해서는 관심을 두지 않았다. 대원군이 종친부의 권위를 확대한 것을 왕실권위회복 차원에서만 파악하였고, 대원군이 종친부의 직책을 신설한 이유와 목적, 이들의 정치적 역할과 조직 등은 등한시하였다. 특히 종친부의 기구가 통치체제상에서 차지한 위치와 역할 등은 연구대상으로 삼지 않았다.

이러한 한계에도 불구하고 팔레는 종래의 학설을 종합·재해석하여 대원군이 주도한 개혁의 목적과 본질을 조선왕조의 특성과 결부시켰다. 그 결과 대원군의 개혁을 위한 노력의 본질과 목적은 왕권강화에 있었다고 전제하고, 대원군은 근대적인 개혁가가 아니라 실용주의적인 보수정치가에 불과하다는 결론을 도출하였다.[30] 팔레와 성대경

---

29) 대원군은 왕실의 권위를 회복하기 위해 노력하여 종친부의 지위를 높이고 기능을 강화하였다. 1865년 종친부의 최고관리들도 시원임대신, 閣臣들이 모이는 주요회의에 참석하는 것(承候入侍)을 허용하였고, 종친부와 의빈부는 문신, 무신들과 함께 동등한 자격으로 알현하라고 허락을 받았다(Palais, 앞의 책, 69쪽). 종친부는 국왕과 왕비의 의복과 초상화 등 왕실에 관계되는 것 뿐만아니라 역대 국왕의 계보와 왕실 방계 혈연들도 관리, 유지하는 책임을 맡았다. 그리고 관직자가 겸임하는 이 부서의 직함은 정원에 제한이 없었다. 그리고 이들 직책은 한직, 혹은 왕족에 할당되었다. 대원군은 새로운 몇 개의 직책을 만들었다(Palais, 앞의 책, 70쪽)고 지적하였다.

30) James B. Palais, 『Politics and Policy in Traditional Korea』, Cambridge : Harvard Press.(李勛相 譯, 1993, 『傳統韓國의 政治와 政策』, 신원문화사).

의 연구는 종친부 및 종친의 세력결집과 정치적 성장에 주목한다는
점에서 공통점이 있다. 그러나 실제적으로 성대경의 연구는 팔레 인식
의 연장선상에 있다고 할 수 있다.

1990년대 접어들어 19세기 정치사에 대한 인식의 지평이 확장되면
서,31) 대원군 집권기의 정치사적 관심이 제고되었다. 安外順은 대원
군 집권기의 권력구조에 대해 천착하였다. 그는 대원군정권의 인사정
책과 지배세력의 성격, 대원군집정의 정치사회적 배경, 대외인식 등을
정치학적 입장에서 검토하였다.32) 그는 권력기구면에서 의정부와 삼
군부 보다는 종친부에 주목하였다.33) 명목상의 예우기관이던 종친부
가 정비되면서 사실상 정치참여기구로 변신했던 동기는 대원군이 유
일하게 맡고 있는 공식직함이 宗親府有管位였다는 점과 세도정치기
의 외척세력들을 청산하기 위해 종친세력을 지지기반으로 삼아 왕실
위주의 지배기구를 모색한 데 기인한다는 것이다.

그러면서도 종친부의 권력기구적 변화에 대한 구체적인 설명을 하
지 않았다. 그는 종친부의 건물개수와 종친부의 관제개정, 그리고 이
들의 위상변화를 사실로만 정리하고, 종친들에 대한 예우문제에 관심
을 두었다. 종친부의 정치적 역할은 종친등용과 경복궁 중건에 한정하

---

31) 한국역사연구회, 1990, 『조선정치사(1800~1863)』 상·하, 청년사 ; 김선경,
  1990, 「서평 : 조선후기 정치사인식의 확장-『조선정치사(1800-1863)』」, 『역
  사와 현실』 4.
32) 安外順, 1993, 「大院君 執權期 人事政策과 支配勢力의 性格」, 『東洋古典硏
  究』 1 ; 安外順, 1994, 「大院君 執權期 高宗의 對外認識」, 『東洋古典硏究』
  3 ; 安外順, 1994, 「大院君 執權期 軍事政策의 性格」, 『東洋古典硏究』 2 ;
  安外順, 1995, 「大院君政權의 社會經濟的 背景」, 『溫知論叢』 1 ; 安外順,
  1996, 『大院君執政期 權力構造에 관한 硏究』, 이화여대 박사학위논문. 그는
  대원군 집권기 정치세력의 정치이상과 권력의 주체와 배분, 권력행사기구,
  권력에 대한 도전과 그 대응의 실상에 대해 고찰하였다.
33) 안외순, 1996, 위의 논문, 66~73쪽.

24

여 일면적인 이해를 넘지 못하였다. 그리고 이러한 이해를 종래의 통설이 된 왕실권위회복이란 측면만 강조하여 종친부의 동태적인 이해에 나아가지 못하였다. 안외순의 인식은 팔레와 성대경의 논리를 따르면서 일부 보완했다는 의미를 지니고 있다.[34] 이러한 결과는 권력이 언제나 합법적이고 공식적인 권력기구를 통해 실현된다는 이해를 결여하기 때문에 생기는 현상이다. 대원군의 권력행사는 사적 차원에서 행사될 수 없는 성질을 가지고 있다는 점을 간과하고 있다.

연갑수는 대원군의 권력구조와 정책에 대한 치밀한 분석을 하였다. 그는 대원군 집권의 성격과 정치세력의 동향, 서양과의 교섭과 항쟁, 서양의 침략에 대비한 군비증강과 재정확충 등 일련의 연구를 통해 대원군정권의 연구수준을 한 단계 진전시켰다.[35] 또한 그는 국가정책의 기본방향을 '부국강병'이란 인식 틀을 전제로 하여 대원군의 권력구조에 대해 치밀한 분석을 하였고, 이것을 외세에 대한 대응과 밀접하게 연관시켜 일체적인 새로운 인식의 틀을 세웠다. 대원군 집권기와 고종친정기의 정책들은 단절이나 청산이 아니라 계승과 변화라고 강

---

34) 이들의 공통점은 대원군의 권력기반에 대한 이해에서 찾을 수 있다. 그는 대원군 권력기반은 왕족 및 전주이씨 종친세력이라고 단정하였다. 대원군은 자신의 권력을 위해 각계계층 출신의 사람들을 개인적·사조직으로 운용하였고, 그러한 사조직은 운현궁의 家슴(傔人)들과 중인 신분에 속하는 내시와 상궁, 6조 각사의 집리들, 각 지방관아의 서리들이었으며, 이들이 실질적인 집행대리인이었고, 대원군 권력독점체제 형성의 기반조직이었다는 것이다(안외순, 위의 논문, 231~237쪽).

35) 延甲洙, 1992, 「大院君執政의 성격과 權力構造의 변화」, 『韓國史論』 27 ; 1994, 「高宗 初中期(1864~1894) 정치변동과 奎章閣」, 『奎章閣』 17 ; 1996, 「丙寅洋擾와 興宣大院君政權의 對應」, 『軍史』 13 ; 1997, 「大院君 집권기 국방정책」, 『韓國文化』 20, 서울대 한국문화연구소 ; 1997, 「병인양요 이후 수도권 방비의 강화」, 『서울학연구』 8, 서울시립대 서울학연구소 ; 2000, 「大院君과 서양-大院君은 쇄국론자였는가」, 『역사비평』 통권 50(2000년 봄호) ; 2001, 『大院君집권기 부국강병정책 연구』, 서울대출판부.

조함으로써 단절의 일면적 인식을 극복하는 계기를 만들었다.[36]

그러나 종래의 연구시각을 극복한 것은 아니었다. 그는 대원군이 宗親府의 有事堂上으로서 종친부의 권한을 확장시켜 나갔던 인물임을 인정한다. 그래서 종친부가 월권행위를 하고 재정과 군사를 담당하는 권력의 핵심적인 기관에 대해 명령을 내릴 수 있었던 것은 종친부의 배후에 대원군이 있었기 때문이었다고 주장하였다.[37] 그러면서도 종친부의 권한 확대와 위상변화에 대한 구체적이고 계기적인 검토를 하지는 않았다.[38] 이것은 근본적으로 대원군의 권력행사를 사적인 것으로 인식하였기 때문이다. 대원군이 사적인 영역에서 공적인 국가기구를 장악할 수 있었던 것을 세도정치의 관행으로 파악한 결과로 이해된다.[39]

대원군의 권력소재는 어디였는가. 전통적으로 대원군의 권력소재는

---

36) 특히 그는 대원군이 서양의 침입에 대비해 軍備增强과 독자적 무기개발에 노력한 富國强兵政策은 전통적인 사족중심 지배질서에서 벗어나 한국사에서 새로운 시대, 근대를 여는 징표가 될 수 있었다고 주장하였다. 그러나 부국강병이란 초역사적 개념을 제시한 점은 제고의 여지가 많다. 대원군이 부국강병의 의지를 갖고 있었다는 점에 대해서는 수긍할 수 있지만, '부국강병정책' 자체가 통치이념이나 목적이 될 수는 없다. 더구나 종래의 연구자들의 대다수가 주장하고 있듯이 대원군은 시대적 과제의 해결보다는 왕실의 권위, 왕권강화에 치중하였고, 외세에 대한 대응차원에서 확충된 군비나 군사조직의 경우도 통치기반 확대의 측면이 강하다. 그리고 종친우대와 경복궁중건 등에서 표출되는 봉건적 특징을 고려한다면 대원군 집권기의 부국강병책을 근거로 근대의 징표로 삼는 것은 한계가 있다.

37) 연갑수, 위의 책, 14~16쪽.

38) 종친부가 대원군 집권기 대원군의 진흥책에 힘입어 어떻게 변화되었는가에 대한 연구는 남미혜에 의해 이루어졌다(南美惠, 1995, 「大院君 執權期(1863 ~1873) 宗親府 振興策의 性格」, 『同大史學』1). 그러나 그는 종친부 자체에 대한 제도사적인 검토보다는 대원군이 권력을 행사하기 위한 공적인 기관으로 종친부를 사용하였다는 점을 구체적으로 밝혔다.

39) 연갑수, 위의 책, 19쪽.

운현궁으로 이해한다. 대원군이 일상적으로 정사를 보는 곳은 대궐이 아니라 자신의 사저이며 국왕의 잠저인 운현궁이었다는 것이 일반적인 견해이다.[40] 대원군의 대궐 행차에 대한 儀禮는 고종의 즉위와 동시에 정해졌고, 일상적으로 대궐에 출입하였기 때문에 이후의 儀節은 논의할 필요가 없었다고 설명한다.

이러한 인식은 사실과 부합되지 않으며, 논리적으로 인과관계가 성립하지 않는다. 대원군의 권력소재를 운현궁에 설정하고 일상적으로 정사를 보았다면, 대원군은 일상적으로 대궐을 출입할 필요가 없다. 대원군의 공공연한 대궐출입을 국사를 처리한다는 의미보다 국왕이나 대왕대비에게 자신의 의사를 충분히 전달하기 위한 것으로 이해하는 것은 수긍하기 어렵다. 이러한 이해는 대원군의 권력이 전제성을 띠고 있었을 뿐만 아니라 권력이 국가의 공적기구를 통해 행사되었다는 점을 간과하게 되기 때문이다.

대원군이 관료기구 밖의 사적인 영역에서 권력을 행사하였다면, 공적이고 거대한 관료조직과 집단을 일원적으로 통제한다는 것은 불가능하다. 대원군의 권력행사를 정확하게 이해하기 위해서는 그의 권력소재의 문제가 분명하게 밝혀져야 한다. 그리고 대원군의 권력행사는 사적인 영역이 아니라 공적인 영역에서 이루어졌다고 이해하는 것이 사실에 부합된다. 대원군 권력행사의 전제성은 그의 개혁의지와 개인의 역량으로 설명될 수 있는 문제가 아니기 때문이다. 그러므로 대원군의 권력행사는 조선왕조의 권력구조와 정치과정을 통해 해명되어야 한다. 그리고 대원군정권의 개혁정책에 대한 평가도 그 정책의 집행이 어떠한 행정과정, 어떠한 정치과정을 거치는가에 따라 설명되어져야 한다. 이것은 대원군 권력행사의 합법성 여부를 포함하게 될 것이다.

---

40) 연갑수, 위의 책, 32쪽.

대원군의 권력행사가 가능하였던 19세기 후반의 조선왕조의 정치구조는 어떠하였는가에 주목할 필요가 있다. 대원군의 권력행사가 가능할 수 있었던 여지는 바로 여기에 있었기 때문이다. 조선왕조체제에서는 어떠한 권력이라도 왕권을 배제하고서는 전제권을 행사할 수 없다. 이것은 대원군이 합법적인 정치과정과 정치관행의 범위 내에서 권력을 행사하였다는 것을 의미한다. 이런 점에서 대원군 권력행사 방식의 이해가 선행되어야 한다.

대원군의 권력행사는 조선왕조체제에서의 전통적인 왕권행사의 과정속에서 이루어졌다. 이것은 대원군의 권력이 어떠한 절차를 거치는가, 또는 어떠한 경로를 통해 권력이 행사되었는가에 대한 해명을 통해 밝힐 수 있다. 이러한 이해는 대원군의 정치적 영향력을 행사한 공식적인 통로를 분명하게 드러낼 것이다. 그리고 대원군의 정치적 권위는 통상적이고 합법적인 정치관행 위에서 가능하였다는 결과를 가져다 줄 것이다.

다음으로 고려할 문제는 대원군의 권위를 가능하게 한 합법적이고 공식적인 기반이 무엇인가이다. 종래의 연구는 막연하게 종친과 대원군의 개인적 세력들로 설명하였다. 이것은 대원군이 집권과정에서 자신의 권력행사를 위한 합법적인 근거를 마련하였다는 점을 간과한 결과이다. 대원군 권력행사의 합법적 근거는 宗親府였다. 다시 말하면 대원군정권의 핵심적인 기구는 종친부였고, 종친부가 대원군의 권력행사를 가능하게 한 공식적인 통로였다. 그럼에도 종친부의 존재는 소홀하게 취급되거나 배제되었고, 이것은 대원군정권의 실상을 제대로 밝힐 수 없는 한계로 작용하였다.

대원군의 정치세력의 성격과 대원군정권이 추진한 정책에 대한 평가는 새로운 시각과 접근방법을 요구한다. 대원군 집권기 정치세력의 다양화는 그들이 독자적인 정치세력화에 목적을 두지 않았음을 의미

한다. 이들은 대원군의 인사권 행사에 의해 개별적으로 정치에 참여하였고, 안동김씨를 중심으로 한 노론세력들은 여전히 최대집권세력으로 건재하였다. 대원군은 정권을 유지하기 위해서는 이들의 협조가 절대적으로 필요하였다. 대원군이 당시 사회의 정치·경제적 모순을 재지토호와 사림세력의 약화에 초점을 맞춘 것은 이들 노론세력과의 충돌을 최대한 피하기 위한 전략이었고, 또한 재지세력의 약화는 중앙권력을 강화하는 수단이기 때문에 노론세력의 이해와도 합치되었기 때문에 전폭적인 지지를 받았던 것이다. 그러므로 대원군의 개혁정책은 보수적이냐 진보적이냐 문제가 아니라 통치정책의 성격으로 파악되어야 한다. 대원군이 가지고 있던 정치현실의 한계에서는 사회모순을 수습할 방법이 달리 없었던 것이다.

다음으로 대원군의 정치세력 문제는 왕권강화라는 대원군정권의 목표와 반드시 연관되어 검토되어야 한다. 대원군의 정치세력과 정치기반의 핵심은 구조적으로 종친세력이 될 수밖에 없었다. 대원군의 정치기반을 재야시의 인맥이나, 박규수 등과의 관계를 가상적으로 추론하여 역사상의 인물로 설명하거나, 남인과의 관계설정 혹은 앞 시기의 지배집단을 제외한 전 계층이 대원군의 권력배경인 것처럼 논단되어서는 안된다. 이것은 실상에도 부합되지 않을 뿐만 아니라 대원군의 왕권강화책이 봉건지배층의 물질적·권력적 기반을 유지·재건하려는 측면이 강하게 잔존하고 있기 때문이다. 그러므로 대원군의 정치집단은 종친을 정점으로 하여 다양한 정치세력을 결합할 수 있었던 요인에 맞추어 해명해야 한다.

대원군의 권력소재도 명확하게 밝혀져야 한다. 일반적으로 대원군은 공식적인 제도적 장치도 없이 권력을 행사하였다고 인식하였고, 따라서 그의 권력소재는 사적 영역인 운현궁에 설정되었다. 그러나 대원군의 권력행사는 언제나 합법적이었고 공식적인 것이었다. 대원군 권

력행사의 실체는 '大院位分付'였고, 이것을 수행한 기관은 종친부였
다. 이러한 점을 고려한다면 대원군의 권력 소재를 운현궁에 설정하
고, 대원군의 권력을 사적 권력 차원에서 행사되었다는 견해에 동의하
기 어려운 것이다. 대원군의 권력은 宗親府·議政府·三軍府라는 삼
부체제의 유기적 관계를 통해 실현되었고, 종친부를 통해 공식적·합
법적으로 행사되었다. 이것은 대원군의 권력기반의 범위와 한계를 규
정짓는 중요한 요인인 것이다.

　마지막으로 남은 문제는 쇄국정책으로 각인된 대원군의 대외정책
에 대한 이해라고 할 수 있다. 대원군의 대외정책은 현재까지 당시의
동아시아 국가들이 가지고 있던 시대적 한계를 배제한 가운데 이루어
졌다. 그의 대외정책의 평가는 19세기 후반에 밀어닥친 제국주의 열강
들의 개항 압력이 곧 근대화라는 인식의 틀을 벗어나지 못하고 있다.
이러한 결과는 세계화, 문호개방에 역행한 수구적인 쇄국정책만 인식
되게 만들었다. 이러한 인식은 대원군의 서양에 대한 이해여부와 서양
의 침략에 대응한 국방력 강화정책 등 당시의 역사적 조건을 고려하
지 않은 것이다. 그리고 대원군이 쇄국정책을 추진할 수밖에 없었던
궁극적인 이유와 다양한 내정개혁, 국방력 강화정책 등을 유기적으로
검토한 것이 아니었다. 근대전환기에 있어서의 대원군 집권에 대한 역
사적 의미를 추출하려면 대원군이 집권자로서 처한 시대적 상황을 고
려해야만 한다.

　물론 이러한 문제들은 대원군의 2차 및 3차 집권기와의 계기적인
검토를 필요로 한다. 대원군이 하야한 후의 反대원군세력, 구체적으로
는 개화파세력들의 대원군에 대한 인식과 개항 후 삶의 조건의 변화
에서 재집권을 바라는 民들의 입장도 고려되어야 한다. 또한 정치적
상황의 진전에 따른 대원군의 대외인식과 서양에 대한 이해의 변화도
분석의 범위에 포함하여야 할 것이다. 종래의 대원군 대외정책은 이러

한 점을 놓치고 있다.

대원군과 대원군정권의 연구에서 주목해야 될 점은 대원군의 개혁정책의 성격이다. 대원군의 권력장치는 강제력을 강화하는 과정에서 성립했고, 이것을 통치정책을 통해 실현했다. 대원군은 통치정책을 추진하는 과정에서 정치적 권위와 권력행사의 정당성을 확보했다. 그의 권력은 종친부 재건책, 의정부체제 확립, 경복궁 중건, 삼군부복설, 『대전회통』의 편찬 등 일련의 정책을 통치차원에서 추진했다. 이 과정에서 그의 권력은 강제성을 가지게 되었으며, 정치권에 대한 억압과 통제가 가능하게 되었다.

그러므로 대원군의 개혁정책은 사회적 모순에 대한 근본적인 개혁을 지향한 것이 아니라, 정치권을 통제·장악하려는 통치가 목적이었다. 대원군은 이러한 통치정책의 선후를 조절하면서 권력기반의 외연을 확대했고, 권력의 강도를 높였다. 그리고 대원군 통치정책의 결정과 집행과정에서 종래의 정치세력들은 대원군에게 강제되어 갔다.

본서는 대원군의 정책을 통치차원에서 이루어진 정책으로 인식하고, 그러한 이해를 바탕으로 논지를 전개했다. 그리고 대원군의 정치적 권위는 물리적인 권위는 물론이고 정신적 권위가 결합되어, 정치권이 그 속에 흡수되어 가는 특징을 지니고 있다고 보았다.

필자는 이러한 문제의식을 토대로 다음과 같이 연구주제와 연구방향을 설정하였다. 일반적인 사실은 『高宗實錄』, 『承政院日記』, 『備邊司謄錄』 등 관찬자료와 『梅泉野錄』 등 개인적 문집에 의거하였다. 대원군에 대한 지극히 개인적인 문제는 묘지명41)과 「略傳」을 이용하였

---

41) 대원군은 光武 2년(1898년) 2월 20일에 죽었다. 고종은 中樞院 一等 議官이었던 李淳翼에 묘지명을 지을 것을 지시하였다. 이 묘지명은 詔勅을 받든 이순익이 3월에 撰한 것이다(『興宣大院君誌文』, 藏書閣 番號 2-4024). 이순익은 묘지명에서 대원군을 "儀容이 端肅하고 性度가 峻正하며 德行이 昭著하고 事業이 鬼磊하여 國乘(國史)에 備載할 것이 輿頌에 播溢하여 구구하

다. 가장 중요한 종친부와 대원군의 권력행사에 대한 문제는 『宗親府
謄錄』을 최대한 활용하였다. 『종친부등록』은 대원군의 정치적 행적과
종친부와 대원군의 권력행사를 적나라하게 보여주기 때문이다.

제2장은 대원군의 집권배경과 과정을 조선왕조의 권력구조와 정치
관행에서 검토하였다. 그 결과는 哲宗의 왕위계승과 수렴청정권의 행
사가 高宗의 왕위계승과 수렴청정, 나아가 대원군의 권력장악과 논리
와 구조면에서 동일하다는 것이다. 이 과정에서 철종조의 권력운용방
식과 왕권·종친세력과의 상관관계를 통해 종친세력들이 결집할 수밖
에 없는 당위성을 검토하였고, 이러한 권력구조 속에서의 종친들의 정
치적 존재형태와 정치적 역량을 고찰하였다. 이것은 대원군이 집권하
면서 종친들이 권력의 주체로 부상할 수 있었던 원인과 대원군이 정
치기반을 종친에 설정한 이유를 분명하게 설명해준다.

아울러 대원군 권력 장악의 과정을 철종시대 그의 현실인식과 권력
진입의 모색을 통해 검토하였다. 대원군은 일찍부터 종친부 유사당상
으로 독특한 상황분석과 인식으로 집권을 위한 합법적인 근거를 마련
하였다. 그의 정치적 처신은 집권세력과 충돌·갈등의 소지가 전혀 드
러나지 않는 절묘한 것이었으며, 왕권강화에 대한 개혁입장과 방안을
모색하는 과정에 있었다. 그가 집권 후 왕권강화라는 정권의 목표와
정치기반의 통일성을 기할 수 있었던 원인이 바로 여기에 있었다.

제3장은 대원군의 집권과정·정치적 위상과 권력소재를 분석하였
다. 이 과정에서 대원군의 정치적 위상과 국정운영의 상관관계, 그리
고 대원군이 공적인 관료기구를 통해 공식적·합법적인 권력을 행사
하였다는 점을 명확하게 하였다. 그러므로 대원군이 공식적·합법적
으로 국가정책을 결정하고 집행할 수 있었던 조건들을 면밀하게 추적

게 문자로써는 다할 수 없다"고 평가하였다. 묘지명은 가장 긍정적인 대원군
평가자료의 하나이다.

하였다. 그리고 대원군의 권력소재가 宗親府였음과 종친부가 대원군의 권력의지를 실현한 기구였음을 밝혔다.

제4장은 대원군의 통치기구 개편의 결과인 삼부체제의 정비과정과 정치적 역할을 분석하고, 이 과정에서 통치정책 추진과정과 정치적 성격을 계기적으로 검토하였다. 종친부·의정부·삼군부의 관제 및 조직의 개편 내용과 정부의 업무처리에 대한 체계와 과정상의 변화를 추적하고, 종친부에 의해 추진된 대원군 통치정책의 추진과정과 정치집단과의 상관관계를 권력강화와 한계 차원에서 고찰하였다. 이것은 대원군의 통치정책이 기존집단과의 역관계속에서 시기성이 고려되었고, 권력강화의 수단으로 기능하였다는 점을 밝히기 위한 것이었다.

제5장은 대원군 집권기 정치세력 구성의 변동을 검토하였다. 대원군은 중앙의 통치기구의 개편을 통해 권력을 장악하였고, 국왕의 인사권을 행사하여 정치세력을 재편하였다. 이것은 통치정책과 표리관계를 이루면서 진행되었고, 그 과정에서 정치세력들은 연합과 갈등의 모습을 보였다. 대원군을 중심으로 한 정치세력의 離合集散의 전체적인 특징과 성격도 역시 밝혀졌다. 대원군 통치정책의 성격은 바로 여기에 있었다. 이러한 인식과 맥락을 같이하여 종친세력들의 실질적인 정치역량과 한계도 검토하였다.

제6장에서는 대원군의 하야와 정치세력의 동향을 분석하였다. 대원군이 권력을 떠나는 요인은 대내정치의 失政과 정치세력간의 갈등에만 있었던 것은 아니다. 그러므로 대원군의 하야문제는 그가 지향한 개혁정치의 목적과 국왕인 고종과의 정치적 관계의 검토가 필요하다. 그리고 대원군의 퇴진에 있어서는 宗親府와 종친세력, 대원군 지지세력들의 대응과 한계도 매우 중요한 요소이다. 이것은 대원군의 퇴진이 일시에 전격적으로 이루어진 원인을 분명하게 한다.

대원군은 한국근대의 전환기에 있어서 가장 중요한 개혁정치가였

다. 그는 전적으로 수구적인 인물이 아니었다. 그의 개혁정치는 근대를 지향하고 있었다. 그렇지만 19세기 후반 조선사회가 처한 시대적 과제를 해결하려는 입장과 방법에서는 개화파와 일정한 차이가 있었다. 개화파들은 전통을 극복과 청산의 대상으로만 파악하고 개화와 근대화를 만병통치약으로 여겼지만, 대원군의 개혁정치는 전통을 토대로 현실적으로 백성들의 삶의 질을 높이려는 방향의 사회모순의 제거에 있었던 것이다. 다만 대원군은 대내의 사회모순과 대외적인 민족모순을 통일적으로 인식하고 대응하지 못한 한계는 분명히 있었다.

이제 대원군의 전체상은 새롭게 조망되어야 한다. 이것은 그의 전 생애와 정치사상, 그리고 세 차례의 집권과정과 목적의 계기적 검토가 선행된 후 가능할 것이다. 여기서는 연구범위를 그의 집권과 정체성이 가장 극명하게 드러나는 일차집권기에 한정하여 새로운 전체상을 조망하는 토대를 만들려고 하였다. 대원군의 제2차와 제3차 집권기의 검토를 통해 새로운 大院君像을 만드는 것은 지속적인 과제로 삼고 있다.

제2장 철종조의 권력운영과 종친세력

제1절 철종조의 국정운영과 종친세력

1. 수렴청정과 정치세력의 변동

정치는 권력을 둘러싸고 전개되며, 정치권력은 합법적으로 물리적 강제력을 행사할 수 있기 때문에 권력행사는 언제나 公的이고 합법적인 공간에서 이루어진다. 이러한 정치권력은 국가의 공적 기구를 통해서 행사되며, 그 행사의 실제는 정책결정권과 관료들에 대한 인사권에 있다.

조선시대 국왕의 정치권력은 議政府 등 국가의 통치기구를 통해 이루어졌다. 그것은 국왕이 의정부체제를 통해 국정을 결정하고 인사권을 행사했기 때문이다. 그러므로 조선시대 의정부는 공적이며 합법적인 최고의 官府였던 것이나 조선후기에 이르러 의정부의 지위와 역할은 備邊司로 이관되었다. 이것은 국왕권의 약화에 따른 정치적 권위와 권력의 소재가 분리되는 과정이었다.

비변사는 변방에서 발생하는 국정관련 사항을 중앙에서 효과적으로 처리하기 위해 만든 임시기구였다. 그러나 세도정치가들은 비변사를 상설기구로 변화시켰고, 종래 의정부가 행사하던 정책과 인사결정권을 흡수하여 실제적인 정치권력을 행사하였다.[1] 이것은 국왕과 의

정부 중심의 조선조 기본통치구조의 변질을 가져왔으며, 국왕은 비록 정치적 권위를 가지고 있었지만, 권력의 소재가 세도정치가들에게 있었다는 현실을 반영한다. 이것은 국왕의 권력과 권위의 약화로 귀결되었고, 정치권력 행사의 부당성으로 이어졌다.

세도정치가들은 비변사를 정치권력의 소재로 만들었다. 이들은 비변사 구성원을 都提調와 提調로 형성하게 하여 권력행사의 기반으로 삼았다. 時·原任大臣들은 都提調로, 例兼·前任職은 提調 및 副提調로 비변사에 참여하였다. 그러므로 비변사는 의정부의 전·현직 대신들과 육조의 판서 및 四都留守는 물론 군사권을 행사하는 군관 직임자들이 포함되어 강력한 관료장치를 이루어 긴밀하게 결합하였다. 게다가 비변사의 句管堂上이 지방의 통치와 관련된 업무를 처리하면서 비변사는 중앙과 지방의 인사·행정권까지 행사하였다. 그러므로 19세기 勢道執權勢力들은 비변사가 일상적을 활동할 수 있는 권력장치로 만들었으며, 비변사는 국정의 총괄권을 행사하는 정치활동의 공간이 되었다. 그러나 이것이 조선의 통치체제를 근본적으로 해체할 수는 없었다.

조선의 통치구조는 국왕을 정점으로 제도화되었고, 국왕이 행사하는 통상적으로 제도화된 강제력은 어떤 경우에도 부정되지 않았다. 세도집권세력들이 비록 비변사를 중심으로 권력을 독점하였지만, 권력행사에서 제도화된 통치구조의 범위를 넘어서지 않았다. 비변사를 통한 권력행사는 의미와 성격에 상관없이 언제나 합법적인 공간에서 이루어졌고, 그 누구도 국왕의 권위와 절대권을 부정하지 않았다. 즉 비

---

1) 李載浩, 1971, 「朝鮮備邊司考-特히 그 機能의 變遷에 對하여-」, 『歷史學報』 50·51 ; 潘允洪, 1990, 『朝鮮時代 備邊司 硏究』, 국민대 박사학위논문 ; 오종록, 1990, 「비변사의 조직과 직임」·「비변사의 정치적 기능」, 『조선정치사(1860-1863)』 하, 청년사 ; 李在喆, 2000, 『朝鮮後期 備邊司 硏究』, 集文堂.

변사가 국정을 독점·처리하면서 권력의 소재가 되었지만, 국왕의 정
치적 권위를 부정하지는 않았다는 것이다. 이들의 권력행사는 국왕의
정치적·이데올로기적 권위에 의해 유지되었고, 국왕의 裁可라는 형
식을 통해서만 가능했다.

그러므로 국왕은 언제나 권력체제의 정점에 존재했다. 그는 次對를
통해 대신들로부터 국정을 보고 받았고, 대신들은 국왕의 裁可를 받
아 국정을 집행했다. 이 과정에서 국왕은 독자적이고 절대적인 권력을
행사하지는 못했다. 이것은 국왕이 정책을 입안하고 실행에 필요한 각
종 정보를 전달하는 관료들이 없었기 때문이다. 세도정치가들은 정치
적 결정이 집단 구성원 전체의 요구에 부응해야 한다는 의식을 공유
하면서 국왕권보다는 상대적으로 비변사를 비대하게 만들었던 것이
다.

국왕의 정치적 판단에 필요한 정보, 정책 효과에 대한 두뇌와 수족
이 되어야 하는 관료들은 비변사에 집중되었다. 이것은 비변사가 권력
을 집중·행사할 수 있는 기반이 되었고, 세도집권기 정치적 관행으로
굳어졌다. 더구나 幼沖한 국왕의 왕위계승과 이에 따른 垂簾聽政의
정치형태는 이러한 권력행사를 심화시켰고, 수렴청정을 행사한 대왕
대비의 정치력 부재는 이것을 고착화시켜 純祖이후 哲宗代까지 지속
되었다.

수렴청정권은 왕위계승자의 지명권을 포함하여 합법적으로 권력을
장악하고 행사할 수 있었다. 純元王后는 憲宗이 죽자 수렴청정권을
행사하여 철종을 지명했고,[2] 친정가문인 외척에게 권력을 집중시켰

---

2) 헌종 사후 수렴청정권은 그의 모후인 趙大妃(神貞王后)가 행사하는 것이 순
   리였다. 그러나 집권세력인 安東金氏들은 궁중서열을 내세워 수렴청정권을
   순원왕후가 행사하게 만들었다. 이에 순원왕후는 이들을 배경으로 독단적으
   로 왕위계승자를 지명했고, 이것은 안동김씨 세도집단의 권력장악, 유지와
   결부되었다.

다. 新王체제 성립기 왕권 강화와 기반 확대는 종실·종친들에 의해 이루어진다. 그런데 종실이나 종친들의 급부상은 왕위계승의 정통성 문제와 결합될 경우 가장 위협적인 세력이 되는 한계를 내포하고 있다. 그러므로 이들은 권력의 핵심에서 배제되는 것이 일반적인 현상이었다.

반면에 국왕의 외척세력들의 정치적 역할과 비중이 증대되는 경우가 많았다. 이것은 국왕 입장에서는 왕권의 기반 확대가 필요하였고, 외척의 입장에서는 왕권에 의지한 권력장악이 절실하였기 때문이다. 이들은 서로 다른 입장에서 이해관계를 충족시킬 수 있었다.3)

이러한 권력구조는 勢道政權의 정치적 관행이 되었다. 세도집권세력들은 국왕에게 정치적 기반을 제공했고, 반대급부로 국왕은 이들에게 권력행사의 권한을 주었다. 이것은 외척세력들의 정치적 역할과 비중을 증대시키는 요인으로 작용했다. 그러므로 이들의 권력행사는 국왕의 권위를 능가할 수 없었고, 다만 권력남용과 專制가 있었다. 이들은 국왕의 존재를 의식하였고, 권력행사는 정치기구와 관행의 범위를 넘어설 수 없었다.4)

---

3) 19세기 후반부 권력을 독점한 勢道政治集團은 政策對立이나 朋黨을 기반으로 성립한 것은 아니었다. 당시의 정치집단의 존재는 정치적 주도권을 둘러싼 정권쟁탈전의 의미를 넘어서지 못하였고, 정치적 입지에서도 기본적인 차이가 없었다. 그러므로 권력진입과 행사에서 국왕과의 관계, 즉 외척이라는 신분이 중요한 변수로 작용했다. 國王은 권위와 권력을 행사할 기반으로 외척이 필요했고, 정치집단은 권력장악과 행사에서 왕실의 외척이라는 조건이 필요했던 것이다.

4) 이때부터 王의 外戚이라는 혈연성이 정권장악의 명분으로 작용했다. 순조·헌종·철종년간 金祖淳, 朴準源, 趙萬永, 金逌根, 趙寅永과 趙秉龜, 趙秉鉉, 金左根 등이 권력을 장악한 것은 이 때문이었다. 이들은 모두 국왕의 외척이라는 동질성이 있으며, 국왕의 권위에 의지하여 권력을 전단했다. 그러므로 이들은 때에 따라 정치적 대립보다는 연합하는 모습을 보였다.

따라서 垂簾聽政權은 新王의 정치기반 확대와 권력의 향방을 결정
하기도 했다. 이것은 수렴청정권을 행사한 대왕대비 친정가문의 정치
기반의 확보와 권력장악으로 나타났다. 헌종 사후 純元王后는 이러한
정치행위를 전형적으로 보여준다. 그는 정치권 내부에서 왕위계승자
문제로 분열되던 정치권을 통합하고, 그 과정에서 권력의 향방을 친정
가문에 집중시켰다. 이것은 신정왕후 대신 장악한 순원왕후의 수렴청
정권에 대한 취약점과 철종의 왕통·가통 승계의 정통성 문제를 동시
에 해결하려는 정치적 선택이었다.5)

純元王后는 판부사 정원용을 봉영대신으로 삼으면서, 院相에 權敦
仁을 임명했다.6) 그는 영조의 혈맥을 잇는다는 명분하에 江華의 元範
을 지목하였으나, 그의 결정은 헌종의 왕통계승과 순조의 가통계승에
서 모순되었다. 그가 순조의 가통을 강조한 것은 수렴청정권 행사에
대한 명분과 합법성 때문이었다. 수렴청정권은 국왕의 母妃가 행사할
수 있으며, 국왕권과 동일시 되었다.7) 순원왕후가 잇달아 친정가문 세

---

5) 헌종 사후 왕위계승자 문제는 정치집단의 장래와 결부된 중대한 사안이었
다. 안동김씨를 중심으로 한 정치세력들은 강화도의 元範을 주장하였지만,
이들의 대척점에 있던 權敦仁 등은 完昌君 時仁의 아들인 李夏銓을 추대하
여 정치권은 분열되어 있었다(『近世朝鮮政鑑』15~17쪽). 이것은 왕통과 가
통 계승의 명분과 정통성을 바탕으로 한 정치적 대립이었다. 안동김씨세력
들은 이러한 정치적 변동에 대비하여 사전에 철저한 준비가 있었으며, 그 결
과는 신정왕후를 대신한 순원왕후의 수렴청정권 확보로 귀결되었다.
    순원왕후는 헌종이 죽은 당일에 원범을 지목했고(철종 즉위년 6월 9일), 안
동김씨세력과 정치적 이해를 같이하던 判府事 鄭元容을 봉영대신으로 지목,
봉영하게 했다. 철종은 3일 뒤 冠禮를 거쳐 仁政門에서 즉위했다. 이 과정에
서 정원용은 안김세력들과 정치적으로 결합하였고, 안김세력은 철종년간 정
원용의 정치적 지위를 보장해 주었다.
6) 당시 時原任大臣의 정치적 서열은 領府事 趙寅永, 判府事 鄭元容·權敦仁
    ·朴晦壽, 左議政 金道喜 등의 순이었다. 최상위인 조인영이 院相이 되는
    것이 순리이지만, 순원왕후는 권돈인의 정치적 입장을 고려하였다.
7) 垂簾聽政期 大王大妃의 정치적 지위와 권위는 왕권과 동일하며, 정치체제

력들의 정치력 확대와 국가권력 독점의 수순을 밟는 것은 철종의 왕
위계승에 대한 반대세력들의 정치적·혈연적인 논쟁을 염려했기 때문
이다.[8]

철종이 즉위하자 判府事 權敦仁은 禮論문제를 제기했다. 그는 철
종의 內三殿 位號 加上에 있어서의 존칭문제를 거론하면서 정치적
공세를 폈다.[9] 그러나 대왕대비가 趙寅永의 獻議를 채택·시행하는
과정에서 권돈인이 적극적인 대응을 하지 않으면서 충돌이 발생하지
는 않았다. 종래 정치집단들은 정권교체기 권력의 향방을 관망하였을
뿐 논쟁에 뛰어들지는 않았기 때문이다. 이러한 정치권의 동향은 예조

와 정치운영의 중심이었다. 그러므로 대왕대비는 모든 정치행위의 중심에
위치하며, 국왕의 권한과 권위를 이용하여 정치적 향배를 결정할 수 있다.
그러므로 정치세력들은 국왕교체기에 수렴청정권에 집착하며, 수렴청정권
확보 여부는 그들의 정치적 운명과 직결되는 문제였다. 純元王后는 純祖 초
년 貞純王后의 수렴청정을 통해 대왕대비의 정치적 지위와 권위를 경험하
였다. 정순왕후는 심지어 '女主', '女君'을 자칭하였고, 그러한 정순왕후에게
관료들은 北面했다(『純祖實錄』 순조 즉위년 12월 병인, 원년 10월 을축, '主
上幼沖 女君臨朝', '女君臨政').

8) 철종은 왕통과 가통계승의 상반된 논리가 전제되면서 처음부터 국왕으로서
의 독자성 확보에 한계가 있었다. 그는 혈통상 헌종의 叔 반열이었기 때문에
姪을 계승한다는 것 자체가 왕위계승 정통성에 대한 시비를 불러올 소지가
있었다. 이것은 국왕으로서 행해야 할 典禮 문제의 타당성에 대한 논쟁을 불
러왔고, 정치세력들의 정치적 운명과 연계되어 간단한 문제가 아니었다. 정
치세력들은 政策對決이나 朋黨의 논리가 아니라 儀禮를 통해 치열한 정치
적 공방을 거듭했기 때문이다. 이들의 목적은 禮論論爭을 통한 권력장악에
있었다.

9) 『哲宗實錄』 철종 즉위년 6월 9일. 領府事 趙寅永은 大王大妃殿(純祖妃)과
王大妃殿(翼宗妃)의 徽稱을 더 높일 필요가 없으며, 中宮殿(憲宗妃)에만 大
妃殿으로 가상할 것을 주장하여 궁중의 기존질서를 유지하고자 하였다. 이
것은 순원왕후와 안김세력들의 정치적 입장을 지지하는 것으로 보일 수 있
다. 그러나 判府事 權敦仁은 이의를 제기하여 반대 입장을 분명히 하였으나
대신들과 館閣당상들로부터 적극적인 지지를 받지는 못했다.

가 열흘 뒤에 보고한 儒賢들의 收議에서도 드러난다.10)

　정치세력들의 본격적인 갈등은 公除를 전후에서 시행된 魂殿과 徽定殿의 祝式 형식을 둘러싸고 표출되었다. 이것은 철종의 왕통과 가통 계승이 완결되지 못하였기 때문이다. 純元王后는 왕위계승의 정당성을 규정해야만 했고, 또한 이것이 반대세력들의 정치적 공세를 차단할 수 있는 유일한 길이었다. 그는 이를 위해 두 가지 방법을 동시에 진행했고, 이 과정에서 정치권은 親안동김씨(안김)와 反안김으로 양분되어 갔다.

　순원왕후는 일차적으로 철종의 왕통과 가통문제를 정리했다. 그는 이를 위해 정치세력들의 입장 정리를 요구했고,11) 정치세력의 대다수는 안김세력에 동조하는 태도를 보였다. 이러한 상황에서 철종이 叔으로서 姪을 계승한 문제가 정치적으로 봉합되었고,12) 동시에 안김세

---

10)『哲宗實錄』철종 즉위년 6월 16일. 祭酒 洪直弼, 副司直 宋近洙와 宋來熙 등의 헌의가 대표적이다. 이들이 제의한 내용은 조인영의 방안과 차이가 없었다. 이것은 이미 안김세력들이 재야의 여론을 통일·장악하고 있음을 의미한다.

11)『哲宗實錄』철종 즉위년 7월 12일. 예조를 통한 獻議에 참여하여 견해를 피력한 자는 領府事 趙寅永, 判府事 鄭元容·權敦仁, 左議政 金道喜, 祭酒 洪直弼, 副司直 宋來熙 등이었다. 그러나 奎章閣 提學 金學性, 知春秋 尹定鉉, 奎章閣 直提學 趙秉駿, 同春秋 洪義錫·李源益·李景在 등은 헌의에 참여하면서도 의견을 내진 않고 관망했다. 이러한 상황에서 대왕대비는 '皇姪'·'皇姪妃'로 호칭하는 것은 儒臣의 의논을, '嗣王 臣'의 호칭은 大臣의 논의를 따르게 하라고 결정했다.

12) 판부사 권돈인이 반대하는 가운데, 시원임대신들은 '帝王은 繼統을 중시한다'는 논리를 피력하여 철종의 왕통과 가통을 정당화했다. 이들은 순조에 대해 '皇考'와 '孝子'로, 翼宗에 대해서는 '皇兄'과 '孝嗣'라 칭할 것을 주장했다. 이들의 논리는 제왕가는 承統을 중시하기 때문에 숙부로 조카를, 형이 아우를 잇더라도 모두 부자의 도리가 있다는 것이다. 더구나 祭酒 洪直弼은 효정전에는 '皇姪', 휘정전에는 '皇姪妃'라 칭해야 한다고 주장했다. 대왕대비는 홍직필의 제의에 따라 '황질'·'황질비', 대신들이 주장한 '嗣王 臣'의

력들과 정치권, 재야세력들과은 정치적으로 결합되었다. 어차피 왕통과 가통문제는 통일적으로 해결될 문제가 아니었다.

한편으로 순원왕후는 비협조적인 정치인들에 대한 정치적 공세를 강화했다. 권돈인과[13] 그 무리들이 대상이었다. 이들은 철종의 예론과 무관한 정치적 공격을 받았다. 前正言 姜漢赫은 趙秉鉉과 尹致英을 지목하여 조정을 脅制하고 君父를 멸시하였다고 성토하였고,[14] 掌令 李廷斗는 李應植과 李能權, 申觀浩, 金鑵 등을 탄핵했다.[15] 大司憲 李景在는 金興根을 탄핵한 徐相敎를[16] 拿鞠嚴覈할 것을 제의했다. 그가 尹致英의 사주를 받아 誣逼하였다는 것이다.[17] 이들은 모두 헌종 말기 金祖淳 가문과 정치적 대립관계에 있으면서, 權敦仁·趙秉鉉과 정치적 입장을 함께 한 인물들이다.

호칭을 수용했다.

13) 판부사 권돈인은 祝式논의는 조선에서 처음 있는 일이며, 중국에서도 드문 일이기 때문에 古今을 절충하여 一代의 전례를 갖추어야 한다고 주장했다. 그는 특별한 방안을 제의하지는 않았지만, 철종의 왕위계승에 대한 부당성을 우회적으로 피력했던 것이다.

14) 趙秉鉉은 헌종 12년부터 권력의 핵심이 되면서, 金祖淳 가문과 정치적 경쟁관계를 유지했다. 헌종 말기 조인영과 권돈인이 정권을 장악하면서 金興根과 金左根을 일시적으로 정계에서 축출하였으나, 이들은 조병현이 헌종 13년 10월 前正言 尹行福에 의해 權奸으로 지목되어 賓廳과 三司의 탄핵을 받아 유배되면서 정치적으로 위축되었다(『哲宗記事』 철종 즉위년 8월 ; 『憲宗記事』 憲宗 13년 10월).

15) 『哲宗實錄』 철종 즉위년 7월 14일.

16) 헌종 13년 조병현이 유배되자, 徐相敎는 金興根을 탄핵했다. 그는 김흥근이 "조정을 주무르고 임금의 권한을 억눌렀다"고 공격했고, 이 과정에서 김흥근이 삭직되었다. 이때 헌종은 서상교의 입장을 고려하여 김흥근에 대한 三司의 탄핵을 기다리지 않고 전격 처리했다. 이것은 안김집단의 정치세력의 확대에 대한 憲宗의 견제심리가 작용한 것이다. 이때 영의정인 鄭元容은 김흥근을 두둔하여 이후 안김집단과의 정치적 제휴의 길을 열어 놓았다(『憲宗實錄』 헌종 14년 7월 戊子).

17) 『哲宗實錄』 철종 즉위년 7월 15일.

순원왕후는 이러한 정치적 공방을 '公憤이 아니다'거나 '誇張'으로 치부하면서, 이들에 대한 삼사 중심의 대간들의 탄핵을 유도했다. 이것은 정적인 권돈인의 인책을 끌어내기 위한 것이었다.18) 그는 兩司의 연차와 합계, 三司의 合辭를 거쳐 시·원임대신들의 요구를 수용하는 형식을 취했다.19) 순원왕후는 정치적 타결로 일단락 지으려 했지만,20) 삼사와 금오, 시·원임대신들의 강한 반발에 부딪쳤다. 결국 조병현이 圍籬, 윤치영 등이 안치되었고, 전라감사 남병철의 탄핵으로 권돈인이 향리로 물러났다.21) 이로써 反안동김씨계 정치세력들이 약화되었기 때문에, 안동김씨계는 정권과 군권을 중심으로 권력을 독점할 수 있었다.22)

---

18) 『哲宗實錄』 철종 즉위년 7월 16일. 조병현 일파에 대한 탄핵은 대사간 임백수, 집의 신좌모, 사간 목인배의 단독상소와 전날 대사헌에 임명된 이돈영이 제기했다. 권돈인은 이날 箚子형식으로 引責疏를 올렸고, 이 과정에서 신관호가 관련된 醫員의 궁중출입문제를 설명했다. 그런데 이에 대해 대왕대비는 만만과당의 일로 단정하면서도 오히려 대사헌 이경재를 파면했다.

19) 탄핵상소를 주도한 인물은 대사헌 이돈영, 대사간 임백수, 집의 신좌모, 사간 목인배, 장령 이정두, 지평 조광춘, 헌납 박준수, 정언 안희수, 교리 서당보, 부교리 윤행모, 윤욱, 수찬 이유겸, 부수찬 송정화, 장령 신태운 등이었다. 판부사 권돈인을 제외한 영중추부사 조인영, 행판중추부사 정원용, 좌의정 김도희, 행판중추부사 박회수 등도 여기에 가담했다. 이들은 철종 즉위년 7월 16일부터 21일까지 집중적으로 상소했다.

20) 『哲宗實錄』 철종 즉위년 7월 23일. 대왕대비는 尹致英 등은 減死島配, 趙秉鉉은 島置, 李能權 등은 島配할 것을 지시했다.

21) 『哲宗實錄』 철종 즉위년 8월 2일. 권돈인은 신관호의 행적과 연계되어 정계를 떠났다.

22) 조병현의 무리로 지목된 이들은 모두 武弁들이었다. 이들은 元戎의 印綬와 總戎의 節符를 차례로 돌려가며 차지하였다고 비판받았다. 또 大道의 兵使 자리를 몇 년 동안 역임하면서 해독을 백성에게 미치게 하였다고 지적 받았다. 그리고 철종의 봉영시에 배위행차보다 먼저 강화에 도달한 점도 지목되었다. 그러므로 이들은 군사관계를 독점하면서 반안김세력의 군사적 기반을 형성하였고, 철종의 왕위계승에 반대하였던 것이다. 이들은 철종의 즉위에

순원왕후는 인사권을 행사하여 정치세력을 재편했다. 그는 영의정
鄭元容과 우참찬 金左根을 중심으로 정권과 군권을 장악하게 했다.[23)]
정원용은 순원왕후의 권력에 협조했고, 영부사 조인영, 공조판서 趙秉
駿 등은 조병현과 그 당여들에 대한 탄핵에 편승했다. 조인영은 조병
현 탄핵에 소극적이었지만, 시·원임의 연차에 수차 참여하였고 서상
교의 처벌을 요구하기도 했다.[24)] 이것은 풍양조씨계 정치집단의 분열
을 극명하게 드러내 정치적 수세에 몰릴 경우 혈연적 기반이 무너질
수 있다는 사실을 보여준다. 그리고 이들이 독자세력 구축의 명분과
힘이 상실되면서, 수렴청정기 권력변동의 실상을 보여준다. 반면 수렴
청정권과 연계된 정치집단은 권력을 매개로 혈연적 기반을 강화하기
도 했다.

철종의 왕위계승 정통성 문제가 해결되었다고 반대세력의 존재가
사라진 것은 아니다. 영의정 권돈인의 정계은퇴는 이들의 정치력을 약
화시켰지만, 궁중 내 趙大妃(翼宗妃)의 존재는 정치적 위협요소가 되
기에 충분했다. 조대비의 지위와 역할 변화는 이들의 정계 복귀와 연
결될 수 있기 때문이다.[25)] 순원왕후와 안김세력은 이들의 연결고리로

반대하였기 때문에 탄핵되었으며, 안김세력은 이들을 정치적으로 제거하기
위해 탄핵을 주도하였던 것이다. 그리고 정치권력의 장악에는 군권이 필연
적인 요소로 작용하고 있음을 알 수 있다.

23) 순원왕후는 철종 즉위년 7월 12일에 좌변포도대장에 윤의검, 7월 15일에 훈
련대장에 홍재룡, 금위대장에 유상필, 어영대장에 이경순을 임명하여 치안과
군권을 장악했다. 그리고 7월 28일에 총위영을 총융청으로 개명하고, 서상오
를 총융사에 임명하여 보완했다.

24) 『哲宗實錄』 철종 즉위년 8월 25일.

25) 조인영의 아들인 趙秉夔는 철종 즉위년 8월 11일 이조참의가 되었다. 조인
영·조병기·조병준은 혈연상 조대비의 직계이고, 조병현은 趙得永의 아들
이었기 때문에 혈연상 차이가 있다. 그러므로 당시 정치세력 기반으로서의
혈연성은 일정한 寸數의 범위에 제한되었고, 이것은 후일 안동김씨계의 정
권장악에서도 같은 현상이 나타났다(한국역사연구회, 1990, 『조선정치사』,

趙秉鉉을 지목했고, 그의 부침은 정계개편과 연결될 수 있었다. 순원
왕후와 안김세력들은 양사의 합계와 연차를 이용하여 조병현 일파를
숙청하여 加棘·圍籬安置시켰다.26) 이후 조병현이 賓廳의 七啓를 통
해 賜死되었다.27)

순원왕후는 이 과정에서 안김중심으로 정치세력을 재편했고,28) 안
김세력은 권력독점 기반을 확보했다.29) 순원왕후는 金興根의 放免勅
敎에서 誣陷을 천명하여 정치적 입장을 표출하기도 했다. 권돈인은
이들의 권력독점이 일단락된 뒤에야 정계에 복귀할 수 있었다.30) 그

333쪽, <부표 13, 풍양조씨계 가계도> 참고).

26) 『哲宗實錄』 철종 즉위년 8월 10일, 17일, 20일.

27) 『哲宗實錄』 철종 즉위년 8월 23일.

28) 순원왕후는 헌종년간에 유배 간 김흥근을 철종 원년 1월에 방면하고, 講官
·漢城判尹에 임명했다. 그리고 동년 9월에는 윤상도 옥사의 배후인물로 지
목되던 김양순의 일을 정계시켜 이들의 정치적 입지를 확대시켰다.

29) 철종 즉위년 정계에 진출한 안김집단의 구성원은 다음과 같다. 김좌근은 즉
위년 7월 25일 의정부 우참찬, 김병기는 11월 15일 홍문관 부제학, 김보근과
김대근은 겸동지실록사가 되었다. 김대근은 11월 21일 홍문관 부제학, 김좌
근은 12월 17일 선혜청 당상관이 되었다. 이후 김좌근은 12월 26일 규장각
제학, 원년 1월 13일 김흥근과 함께 강관이 되었다. 동년 1월 김흥근은 판윤,
2월 김병기는 이조참의, 김수근은 이조참판이 되었다. 김좌근은 동년 4월에
총융사, 김수근은 공조판서가 되었다. 동년 5월과 7월에 김보근이 형조판서,
김병기가 규장각 직제학, 김좌근은 10월과 11월에 금위대장과 예조판서가
되었다. 철종 2년 김흥근은 이조판서를 거쳐 좌의정, 김좌근은 훈련대장이
되어 인사권과 군권을 장악했다. 안김집단은 의정부와 육조의 전 관직에 배
치되었고, 이들은 점진적으로 권력을 장악했다. 특히 김좌근은 군권에 집착
했다.

30) 『哲宗實錄』 철종 원년 10월 6일. 당시 권돈인은 우의정, 조인영은 영의정이
었다. 그러나 조인영은 그해 12월 6일에 사망하여 독자적인 정치적 입지를
확보하지 못했다. 그는 비록 순조의 知遇를 받아 헌종을 8년간 輔導하였지
만, 정치적 영향력은 미미했다. 그러나 그의 사망은 趙大妃(翼宗妃) 직계세
력의 도태를 가져왔다. 이것이 안김세력과 일정한 협력관계를 이루게 한 원
인으로 이해된다. 이후 조병기와 조병준 등이 정치적으로 부침했지만, 조대

러나 그는 정치적으로 자유롭지 못하였다.[31]

영의정 권돈인은 眞宗의 桃遷典禮문제에 정치적 운명을 걸었다. 진종의 조천은 철종 왕위계승의 정당성에 대한 완결을 의미한다. 시·원임대신과 儒賢은[32] "帝王家는 大統의 次序로 代數를 삼아야 함"으로 "진종을 5세로 조천하는 것이 상례임"을 강조했다. 그러나 권돈인은 일관되게 조천에 반대했다. 그는 진종천묘는 묘수에 구애받지 말 것을 주장했다.[33] 그는 진종을 조천하지 않으면 五廟의 제도에 어긋나지만, 高祖와 曾祖는 조천의 범위에 들지 않는다는 것이다. 진종은 철종의 皇曾祖이기 때문에 親等이 다하지 않은 상태에서 조천하는 것은 예에 어긋난다는 것이 요지였다.[34] 순원왕후는 2품 이상과 유현에게 收議할 것을 재차 지시했다. 이것은 정치권과 재야의 협조를 구하는 정치적 제스쳐였다.

桃遷을 둘러싼 예론논쟁은 예론 자체에 있는 것이 아니라 정치적

비는 정치기반이 미약했다. 그의 친정조카 趙成夏와 趙寧夏는 너무 어렸다. 그러므로 조대비의 정치력은 위축되었고, 이러한 상황에서 권돈인이 철종 2년 2월 영의정이 되었다.

31) 『哲宗實錄』 철종 2년 5월 23일. 전 대사헌 李魯秉은 작년 봄 銓曹의 襃貶과 정에서 영의정 권돈인이 假引儀 權中本의 中考에 點下하지 못하도록 영향력을 발휘했고, 鄭時浚이 사심에 의해 체직되었다는 사실을 들어 그를 탄핵했다. 대왕대비는 대신을 무함한 죄로 이노병을 투비했으나, 권돈인은 전례 참여를 거부했다. 이러한 권돈인에 대한 탄핵은 이후 일어날 헌종 桃遷문제를 둘러싼 예론논쟁을 조기에 진화하려는 정치적 의도가 있었다.

32) 『哲宗實錄』 철종 2년 6월 9일. 桃遷에 찬성한 시원임대신은 영부사 정원용, 판부사 김도희·박회수, 좌의정 김흥근, 우의정 박영원 이었고, 유현으로는 祭酒 홍직필, 부사직 성근묵이었다.

33) 권돈인의 이러한 입장은 이미 철종 즉위년 피력되었다. 그는 철종의 혼전과 휘정전 축식문제가 논의될 때 헌종과 철종의 관계를 一代로 규정했고, 따라서 전례로 갖추기 어렵다고 했다. 진종의 조천에 반대한 것은 이러한 논의의 연장에 있었다(『哲宗實錄』 철종 즉위년 7월 12일).

34) 『哲宗實錄』 철종 2년 6월 9일.

명분을 확보하기 위한 것이다. 정치권과 재야는 안김집단의 입장을 지지했다. 그 결과 반대의견은 전현직 관료들에게서 나오지 않았다. 이들은 공통적으로 桃遷은 "제왕가는 승통을 중하게 여기는 것이 고금의 通誼"라고 일관되게 주장했다. 이것은 조천문제가 일단락되는 명분이 되었다.35) 이것은 사실 종래의 혼전과 휘정전 축식의 결정구조의 재현이었다. 순원왕후와 안김세력들은 권돈인의 異論제기가 철종의 왕위계승 부당성과 연결되어 정치권에 미칠 파장을 염려했다.36) 이것은 그들의 정치적 존립과 명분에 대한 위협이기 때문이었다.

안김세력들은 성균관 유생들과 삼사를 동원했다. 성균관 유생들은 권당으로 맞섰고, 사헌부 장령들은 상소를 통해 영의정 권돈인이 제기한 조천 異論을 논박했다.37) 이후 양사의 聯疏와 옥당의 연차가 이어지면서 권돈인은 영의정을 사직했다.38) 그런데 이들의 주장과 행동이 일치한 것은 아니었다. 성균관 유생들은 전례 異論문제에 한정했지만, 대간들은39) 권돈인의 평생사로 탄핵 범위를 확대했기 때문이다. 안김집단들이 전례문제를 정치쟁점화하고, 권돈인과 정치집단을 무력화하려는 의도였다고 이해된다. 예론 자체는 개인적 소양이지만, 상황에

---

35) 『哲宗實錄』 철종 2년 6월 15일.
36) 『哲宗實錄』 철종 2년 6월 24일. 祭酒 홍직필은 혼전과 휘정전의 축식 논의 과정에서 잘못이 있었음을 시인했다. 그럼에도 대왕대비는 정치적 파장을 고려하여 서둘러 봉합했다. 홍직필의 예론에 대한 잘못이 공감대를 불러올 경우 권돈인의 주장은 설득력을 얻게 되고 정치권은 동요할 수 있기 때문이다.
37) 『哲宗實錄』 철종 2년 6월 16일, 18일.
38) 『哲宗實錄』 철종 2년 6월 19일.
39) 권돈인을 탄핵한 대간은 대사헌 吳取善, 대사간 兪章煥, 집의 홍희종, 지평 김석희·홍종서, 정언 김영수·정환익, 교리 이휘규·이정신, 부교리 이홍민·서당보, 수찬 유진한, 부수찬 송겸수·박규수, 정자 김병국 등이었다. 이들의 정치적 입장이 동일한 것인지에 대해서는 알수 없으며, 탄핵과정에서 견해가 일치했는지에 대해서도 불분명하다.

따라서는 정치적 부침과 연계되었던 것이다.

순원왕후는 언관 인사를 통해 정치적 타결책을 모색했다.[40] 그러나 교체된 대간들도 한결같이 권돈인의 처벌을 요구했고, 급기야 삼사의 합계에서 철종 즉위시 권돈인의 不敬문제가 거론되었다.[41] 이 과정에서 혼전과 휘정전 축식의 잘못을 시인한 洪直弼의 상소가 돌출하면서 정치권은 상호간 긴장했다.[42] 홍직필의 자인은 예론에 대한 논쟁의 방향을 돌릴 수도 있는 문제였다.

순원왕후는 권돈인의 삭탈관직·門外黜送으로 정치권을 압박하고, 효정전과 휘정전 축식의 屬稱 문제를 일단락 지었다.[43] 그리고 순원왕후와 안김집단은 정치적 공세를 강화해 金正喜를 탄핵하고[44] 권돈인를 낭천현에 중도부처 시켰다.[45] 이들의 당여로 김정희 형제들과 吳圭一, 趙熙龍 등이 絶島에 유배되었다.[46] 이 과정에서 수렴청정권에 의한 정치세력 변동은 일단락되었다.

순원왕후 수렴청정기 정치세력의 변동과정에서 언관들은 두드러진

---

40) 『哲宗實錄』 철종 2년 6월 22일. 대사헌은 徐左輔, 대사간은 李玄緒로 교체되고, 李承輔는 集議, 金會明과 趙達永은 장령. 尹堉과 洪鍾雲은 持平, 閔致庠과 權應夔는 正言이 되었다.

41) 『哲宗實錄』 철종 2년 6월 23일. 삼사의 合啓는 권돈인의 개인비리와 邪說발론을 언급하고, 헌종 승하시 청대하여 定策할 때 그가 時相에게 "이는 原任의 일이 아니다"고 미루었다는 점을 폭로했다. 이는 권돈인이 판부사로 있으면서, 철종 즉위에 대한 부당성을 제기하였다는 사실을 의미한다.

42) 『哲宗實錄』 철종 2년 6월 24일.

43) 『哲宗實錄』 철종 2년 7월 4일.

44) 『哲宗實錄』 철종 2년 7월 12일. 金正喜는 校理 金會明에 의해 祧遷儀禮에 參涉한 죄목으로 탄핵 받았다.

45) 『哲宗實錄』 철종 2년 7월 13일. 권돈인은 삼사의 끈질긴 요구로 인해 순흥부에 원찬되었고, 이후 정치적 활동을 마감했다(『철종실록』 철종 2년 10월 12일).

46) 『哲宗實錄』 철종 2년 7월 22일.

활동을 하였다. 이들은 삼사의 직책과 상소라는 합법적인 방법으로 정
치세력의 재편에 참여했다. 순원왕후는 이들의 합법적인 정치활동을
수용했고, 언관들은 균형과 비판이라는 본래의 의미에서 멀어졌다. 이
들은 언제든지 집권세력의 정치적 이해를 반영할 수 있게 되었다. 이
것은 집권세력에 대한 비판·견제세력이 존재할 수 있는 공간을 없앤
것이다.

이후 정치권력은 안김집단에 의해 독점·유지되었다. 순원왕후의
수렴청정권은 이것을 가능하게 한 배경이었다. 金興根과47) 金左根
의48) 정치적 역할이 부각되었다. 안김집단에 협력한 鄭元容을49) 제외
하면 독자적 세력의 형성이나 권력 진입이 차단되었다. 이에 안김은
독점권력 영속화의 방안으로 국혼을 이용했다.

순원왕후는 철종의 中宮殿 초간택을 熙政堂에서 거행하고,50) 안김
집단의 金汶根 딸을 중궁으로 간택했다. 그의 중궁전 간택은 안김집
단의 정치적 이해를 관철하는 것이었다.51) 이로써 안김집단은 권력과

---

47) 金興根은 金祖淳의 조카로 철종 2년 2월 좌의정이 되었고, 권돈인이 축출되
    자 정치를 주도했다. 그의 歷官은 앞의 주 30) 참조.
48) 金左根은 김조순의 아들이며, 안김집단의 가장 핵심적인 인물로 부상했다.
    그는 순원왕후 철렴 이후 철종 3년 4월 우의정, 4년 2월 영의정이 되면서 국
    정을 전단했다. 그의 歷官은 앞의 주) 27 참조.
49) 정원용은 철종년간 영의정, 호위대장(원년 2월 21일)을 거쳐 철종말년까지
    누차 상직에 제배되면서 안김의 권력집단과 정치적 이해관계를 같이 했다.
50) 『哲宗實錄』 철종 2년 윤8월 3일.
51) 『哲宗實錄』哲宗 2년 윤8월 24일. 순원왕후는 전날인 23일 희정당에서 대혼
    을 발표하고, 金汶根은 永恩府院君에 봉작되어 領敦寧府事가 되었다. 그는
    승후입시하여 시원임대신·각신들과 면대했다. 순원왕후는 金汶根에게 중
    궁에 대한 지속적인 輔導를 당부하면서 "승지의 오른쪽에 있는 사람이 府院
    君인가?"하고 물었다. 순원왕후와 김문근은 모르는 사이였다는 것이다. 김문
    근은 재간택일에 동부승지에 임명되었다. 이것은 안김가문의 정치적 합의로
    그의 딸이 중궁에 간택되었음을 보여준다.

국혼을 독점했고, 국왕의 권력과 정치기반은 약화되었다. 수렴청정기 정치세력의 변동은 철종의 다양한 정치기반을 축소했고, 안김을 중심으로 정치권이 단일화되면서 왕권의 독자성과 자율성은 제한되었다.

2. 철종 친정기 정치세력의 구성

순원왕후는 철종 2년 말에 撤簾했다.[52] 그는 철렴의 명분으로 국왕의 성년을 강조했지만, 실제적으로는 친정가문의 권력독점과 정치세력의 재편이 완료되었고, 권력독점과 유지에 대한 기반이 확립되었기 때문이다. 그는 수렴청정이 철종과 宗社를 위한 것이었다고 강조하여 자신에 의해 일어난 정치적 변동에 대한 정당성을 부여했다.

철종은 국왕체제를 회복하고 大小公事에 대한 總攬과 결단권을 행사하게 되었다. 그러나 국왕은 독자적으로 권력을 행사할수 없었다. 이것은 외척세력을 중심으로 한 권력구조의 변동에 원인이 있었다. 당시 왕실의 외척집단은 安東金氏(純元王后)와 豊壤趙氏(趙大妃, 翼宗妃), 南陽洪氏(憲宗妃, 洪在龍의 딸) 등 세 가문이 있었다. 그런데 순원왕후는 수렴청정기 안김의 대척점에 존재했던 풍양조씨계열의 약화에 진력했고, 이후 이들의 정치력은 현저히 약화되었다. 이 과정에서 관료집단은 이합집산하여 정치세력 상호간 견제와 비판이 어렵게 되었다. 안김세력이 권력을 독점하고 있는 상황에서 철종은 독자적인 정치세력을 형성할 수가 없었다.

풍양조씨계 핵심정치인은 趙寅永과 趙萬永의 아들인 趙秉龜였다. 이들은 헌종 친정기 국왕의 권위에 의지하여 정치적으로 우위를 점하면서 안김세력들과 대립했다. 조인영은 순조의 유촉을 받아 국정을 주도했고, 헌종 12년 조병구가 죽자 趙秉鉉이 권력의 중심에 위치했다.

---

52) 『哲宗實錄』 철종 2년 12월 28일.

안동김씨계 핵심정치인은 金逌根의 아들인 金左根과 그의 6촌 형인
金興根이었다. 김좌근은 中批로 공조·병조·이조판서를 거쳤지만
나이가 어려 정치력 발휘에 한계가 있었고, 오히려 김흥근이 정국운영
의 중심에 있었다. 이들을 중심으로 양 집단은 상호간 정치적 공방을
통해 경쟁관계를 유지했다.

순원왕후는 철종의 수렴청정기를 통해 이러한 정치세력을 재편했
고, 안김세력들의 정치적 우위를 확고하게 했다. 헌종의 모후인 趙大
妃는 수렴청정권을 장악하지 못했고, 이 때문에 조대비계 정치집단은
정치적 수세에 몰리게 되었고, 급기야 약화·해체되는 위기에 처했다.
그러므로 수렴청정권을 통한 왕위계승 지명은 정치세력 재편의 결정
적 요인이었다. 풍양조씨계는 정치적 반격을 할 수 있는 명분과 입지
를 확보할 수 없었고, 정치집단은 중립 차원을 넘어 安金집단을 지지
했다. 심지어 풍양조씨계 조인영마저 안김에 대한 협조없이는 가문의
명맥을 유지할 수 없는 처지였다.

安金集團은 조인영 등 일부 풍양조씨계의 정권참여를 허용했다. 그
결과 조인영은 안김의 권력독점 속에서도 영의정이 되었고,53) 그의
아들 趙秉夔, 조만영의 아들 趙秉龜, 조카 趙秉駿, 6촌 趙翼永 등은
판서와 비변사 당상관이 되었다.54) 조인영은 사망할 때까지 비변사의

---

53) 조인영은 철종 원년 10월 4일 안동김씨계 鄭元容이 사직한 이틀 뒤 영의정
  이 되었다. 그러나 그는 12월 6일에 사망하여 정치적 역량을 발휘하지 못했
  다. 그는 영부사의 자격으로 수차의 차대에 참여했으나 조병현과 그 무리들
  에 대해 변명을 하지 않았다. 그는 오히려 이들의 죄를 청하는 모습을 보였
  다.

54) 풍양조씨계 정치인들의 철종년간 歷官은 다음과 같다. 趙翼永은 철종 즉위
  년 9월 한성판윤을 거쳐 수차례 판의금부, 철종 3년 병조·예조판서, 11년 1
  월 형조판서(2회)가 되었다. 趙秉駿은 철종 1년 6월 형조판서, 2년 4월 수원
  유수, 11월 중비로 병조판서가 되었다. 이후 철종 3년 12월 황해감사, 6년 2
  월 공조판서, 판의금부사, 8년 6월 경상감사가 되었다. 趙秉夔는 철종 즉위

都提調에 있었고, 조기영은 무임소, 趙鶴年은 공시당상, 조병준은 호
서구관으로 재직했다. 이들의 정치적 활동은 대체로 철종친정기에 이
루어졌는데, 안김의 독주에 대한 견제와 조대비의 역할을 고려한 것이
다.

이 과정에서 풍양조씨계 정치인들의 혈연적 기반은 축소되었다. 조
병준은 철종 6년 비변사 유사당상이 되면서 정치활동의 범위가 확대
되었으나, 조인영과는 혈연적으로 거리가 멀었다.[55] 이것은 정치집단
으로서의 가문의 범위가 축소되어 가는 현실을 반영한다. 이러한 현상
은 권력을 독점해가는 안김집단의 경우에도 동일하게 나타났다.[56] 이
러한 권력 내부의 분화는 권력의 속성이 분화가 아닌 독점에 있다는
사실을 보여준다.

정치집단이 형성되는 과정에서 혈연성은 중요한 요인이지만, 혈연
에 기초한 정치적 결집력은 약화되었다. 안김가문이 정치집단으로서
결속력이 약화되자 철종은 그 여지를 이용하여 독자적 권력행사를 할
수 있는 여건을 마련했다. 더구나 이러한 현상은 대원군이 집권하는
과정에서 가문과 상관없이 다양한 정치집단이 등장할 수 있는 배경이
되었고, 이들은 시기와 정책에 따라 이합과 집산이 가능하게 되었
다.[57] 대원군 집권기 정치세력의 형성은 이러한 배경속에서 가능했다.

년 8월 이조참의, 4년 3월 중비로 이조참판이 되었다. 이후 5년 10월 개성유
수, 6년 10월 황해감사가 되었다가 7년 7월 중비로 병조판서가 되었다. 趙然
昌은 철종 3년 이조참의가 되었으나 이후 별다른 관직을 역임하지 못했다.
그는 철종 말기에 두드러진 활약을 보여 철종 10년과 13년 두차례 한성판윤,
10년 형조판서, 11년 경기와 황해감사가 되었다. 13년 형조판서, 14년 예조판
서가 되었다. 趙鶴年은 철종 2년 윤8월 판의금부사가 되었다.

55) 한국역사연구회, 1990, 『조선정치사』, 333쪽, <부표13, 豊壤趙氏(道輔系)家
系圖>.

56) 위의 책, 329쪽, <부표9, 安東金氏(尚憲系)家系圖> ; 330쪽, <부표10, 安東
金氏(尚容系)家系圖>.

철종은 친정과 동시에 조대비계 세력들에 대한 정치적 복권을 단행했다. 그는 "慈敎를 받들어 4년 동안 海島에 유배시켰으면 죄를 족히 징계한 것이다"면서 權敦仁과 함께 탄핵된 尹致英과 李應植 등의 방면을 지시했다. 이러한 철종의 지시는 안김집단의 저항을 받았다. 政院과 三司, 玉堂, 시원임대신들은 강력하게 항의했고, 심지어 우의정 李憲球와 金左根은 사직으로 위협했다. 심지어 정원과 삼사, 의금부는 국왕의 명령을 거부했다.58) 그러나 철종은 권돈인과 김정희 사건의 停啓를 명하고,59) 조병현에 대해 赦宥와 蕩滌을 단행했다.60) 국왕은 안김의 권력독점을 약화시킬 수 있는 대체세력이 필요했고, 이것을 조대비와의 정치적 협력을 통해 실현하고자 한 것이다. 그러므로 철종의 독자적 정치세력화의 가능성은 있었고, 조대비와 지지세력들은 정치력을 회복할 여지도 있었다.

대비(憲宗妃)를 배경으로 한 남양홍씨계는 소수집단으로 존재했다. 洪在龍은 헌종의 國舅로서 철종 말기까지 다양한 관직을 역임했고,61) 특히 비변사의 수석당상으로 안김집단과 정치적 협력관계을 유지했다. 그러므로 이들의 정치적 부침과 관료생활은 비교적 순탄했다.62)

---

57) 金炳佑, 1991,「大院君 執權期 政治勢力의 性格」,『啓明史學』2.
58) 철종은 3년 1월부터 이들에 대한 방면을 지시했으나 집권세력들은 조직적으로 저항했다. 그러므로 이들의 방면문제는 철종 8년 1월에 완결될 수 있었다. 이 과정에서 조병현의 무리로 지목된 김정희는 유배지에서 죽고, 그의 부친 金魯敬은 철종 8년 4월 3일 복관되었다. 申觀浩와 金鑵은 철종 11년과 12월에 捕盜大將으로 敍用되었다(『哲宗實錄』철종 3년 1월 30일 ; 3년 2월 4일 ; 4월 30일 ; 8월 13일 ; 9월 3일 ; 4년 3월 2일 ; 10월 10일 ; 12월 28일 ; 8년 1월 4일 ; 4월 3일 ; 11년 5월 10일 ; 12년 9월 30일 ; 14년 9월 17일).
59)『哲宗實錄』철종 3년 9월 3일.
60)『哲宗實錄』철종 4년 10월 10일.
61) 洪在龍은 어영대장, 총융사, 훈련대장을 번갈아 맡았고, 철종 7년 화성유수를 거쳐 총융사, 훈련대장에 보임되었다. 그는 1862년 광주유수가 되었으나 이듬해 죽었다. 이때 그는 비변사 수석당상직을 맡고 있었다.

특히 洪在龍은 훈련대장 · 어영대장 등을 역임하면서 안김세력의 군사적 기반이 되었다. 그러나 이들은 독자적인 정치세력으로 성장하지는 못했다.

철종조 정치권력은 안김집단이 독점했고, 정치세력의 주류를 형성했다. 이들은 비판과 견제를 허용하지 않았고, 다른 정치세력의 성장을 철저하게 차단했다. 국정의 주도권은 金興根과 金左根 · 金炳冀 부자가 장악했다. 김흥근은 순원왕후의 수렴청정기에 정치적으로 복권되었고, 동시에 강관 · 한성판윤 · 이조판서를 거쳐 좌의정 · 영의정이 되었다.63) 철종의 國舅인 金汶根은 議政이었으나 국정의 전면에 나서지 않았고, 다만 유사시 禁衛大將으로 활약했다.64) 그러면서 국무를 장악하고 있던 비변사를 통해 정치력을 행사했다. 안동김씨계는

---

62) 남양홍씨계 정치인들의 주요 歷官은 다음과 같다. 洪鍾應은 형조판서(즉위년 7월 20일, 10년 8월 19일), 예조판서(3년 6월 2일, 6년 4월 8일, 11년 8월 7일), 공조판서(6년 10월 3일), 병조판서(9년 1월 2일), 이조판서(11년 1월 15일, 14년 1월)를 역임했다. 洪耆燮은 형조판서(1년 4월 25일, 9월 18일), 공조판서(5년 윤7월 3일), 예조판서(5년 10월 15일)를 역임했다. 洪在喆은 병조판서(2년 1월 6일, 2년 7월 5일, 5년 4월 19일, 6년 2월 26일), 공조판서(5년 4월 19일), 예조판서(5년 윤7월 2일, 13년 12월 10일), 이조판서(11년 1월 3일)를 역임하고, 11년 12월 경기감사가 되었다. 洪學淵은 2년 1월 공조판서, 6년 7월 이조판서를 역임했고, 洪鍾英은 2년 9월과 7년 9월 두 차례 형조판서를 지냈다. 재야의 산림이었던 洪直弼은 3년 7월에 형조판서에 보임되었으나 곧 사망했다. 洪說謨는 9년 6월 예조판서, 10년 3월 공조판서, 12년 8월 형조판서, 13년 12월 이조판서를 지냈다. 洪遠燮은 13년 11월 강화유수가 되었다.

63) 김흥근은 철종 3년 1월 15일 영의정이 되었으나 3월 17일에 사직했다. 이후 김좌근은 4월 26일 우의정이 되면서 국정주도권을 잡았다. 김흥근은 다만 전직의정으로서 비변사의 도제조였으나 정치세력의 형성과 집단화, 그리고 국정에 개입하지 않았다. 그러므로 구의 정치력은 현저히 약화될 수밖에 없었다.

64) 『哲宗實錄』 철종 3년 1월 13일 ; 8년 9월 6일. 金汶根이 금위대장이 된 것은 철종 친정초기와 순원왕후 사망 직후의 불안정한 정국 때문이었다.

비변사를 통해 권력을 장악했고, 비변사는 이것을 제도적으로 뒷받침해 주었다. 그러므로 김문근은 죽을 때까지 비변사의 도제조로 존재했다.

金左根은 김흥근의 뒤를 이어 비변사의 도제조·제조가 되어 비변사를 장악했고, 의정이 되면서 국정을 주도했다.65) 의정은 비변사의 도제조를 겸임하고, 국왕과의 次對에서 의정부와 비변사를 대표한다. 차대에서 국왕이 특별지시(儀禮문제 등)가 없으면 議政兼備邊司 都提調가 관료집단을 대표한다. 국왕은 이를 통해 국정을 보고받고, 정책결정과 집행에 대해 裁可했다. 그런데 철종시기 의정부 삼정승이 모두 있는 경우가 드물었고, 대체로 一人體制가 유지되어 권력편중이 심했다. 그 중심에 김좌근이 존재했고, 특히 의정 역임자가 모두 친안김세력이었다.66)

---

65) 김좌근은 김조순의 회갑을 맞아 6품직에 서용하라는 순조의 명에 의해 出仕의 길이 열렸다. 친형인 金逌根이 헌종 6년 12월 사망하자 그 위치를 계승했고, 이조참판을 거쳐 중비로 공조·병조·이조판서가 되었으나 나이 때문에 정치적 영향력 행사에는 한계가 있었다. 그러므로 헌종년간 안김세력의 대표자는 金興根이었다.

66) 철종년간 영의정을 역임한 자는 총5명이며, 金左根이 가장 장기간 영의정에 있었다. 영의정을 거친 인물을 시기적으로 살펴보면 정원용(즉위년 8월 5일~1년 10월 4일), 조인영(1년 10월 6일~1년 12월 6일, 사망), 권돈인(2년 2월 2일~2년 6월 19일) 김흥근(3년 1월 15일~3년 4월 26일), 김좌근(4년 2월 25일~6년 11월 26일, 9년 4월 1일~10년 1월 12일), 정원용(10년 1월 12일~11년 1월 24일, 12년 5월 30일~12년 10월 20일), 김좌근(12년 11월 1일~13년 4월 19일), 정원용(13년 10월 19일~14년 9월 8일) 김좌근(14년 9월 8일~고종연간)의 순이다.
철종연간 좌의정을 역임한 자는 총 7명이며, 趙斗淳이 최다최장 역임했다. 이들은 김도희(즉위전~1년 1월 15일), 정원용(1년 10월 6일~1년 11월 11일), 김흥근(2년 2월 2일~3년 1월 15일), 박영원(3년 1월 15일~3년 4월 26일), 이헌구(3년 4월 26일~4년 2월 25일), 김도희(7년 5월 16일~8년 3월 21일), 조두순(10년 4월 1일~10년 5월 5일), 박회수(10년 5월 5일~11년 윤 3

56

그렇다고 안김집단만이 국정을 운영하고 독자적으로 정권을 유지
한 것은 아니었다. 비록 金左根과 안김세력들이 의정부와 비변사를
장악했지만,[67] 다른 가문세력의 협조없이는 권력을 유지할 수 없었다.
洪在龍 가문이 안김정권에 협력했고, 소론계 鄭元容과 趙斗淳 등이
정권에 참여했다. 정원용은 안김집단으로부터 실무적 관료로 인정받
았다. 그는 철종의 즉위와 동시에 영의정이 되었고, 이후 김좌근과 교
대로 영의정 직책을 독점했다. 김좌근은 국정운영의 위기상황을 영의
정 정원용을 통해 극복했고, 정원용은 실무차원에서 국정을 처리하면
서 안김집단과 정치적 협력체계를 유지했다. 이러한 정치운영은 비변
사를 통해 국정을 장악할 수 있는 제도적 장치 때문이었다.

정원용은 철저하게 보수적 성향을 지닌 관료였다. 그는 학문적으로
는 기호남인학파와 같이 '六經古文'을 바탕으로 하면서 漢代의 학풍
을 연구하기도 했다. 그래서 그는 가장 존숭되고 본받아야 할 인물로
北宋의 李沆을 제시했다. 이는 그가 '不更法度'와 '守志不變'하는 현
상 유지의 보수적 입장을 지킨 것과 관계가 있었다.[68] 그의 이러한 정
치적 이해관계와 입장은 임술민란의 처리과정에서도 드러났다. 그는
정부관료로서는 임술민란의 발생원인을 가장 정확하게 인식했지만,[69]

월 23일), 조두순(11년 10월 9일~12년 1월 16일), 박회수(12년 1월 16일~12
년 5월 30일, 졸), 조두순(12년 10월 3일~13년 10월 19일, 14년 9월 8일~고
종 즉위)의 순으로 역임했다.
철종년간 우의정을 역임한 자는 총 5명이며, 趙斗淳이 최다 최장 역임했다.
이들은 권돈인(1년 10월 6일~2년 2월 2일), 박영원(2년 2월 2일~3년 1월 15
일), 김좌근(3년 4월 26일~4년 2월 25일), 조두순(4년 6월 1일~6년 10월 20
일), 박회수(6년 11월 26일~7년 2월 1일) 조두순(7년 2월 1일~7년 10월 21
일) 박회수(7년 10월 21일~8년 2월 1일) 조두순(8년 2월 1일~9년 4월 1일,
11년 3월 23일~11년 10월 7일)의 순으로 역임했다.
67) 한국역사연구회, 1990, 『조선정치사』, <부표23. 1800-1863(순조-철종연간)의
비변사 당상 역임자>, 777쪽.
68) 한국역사연구회, 1990, 『조선정치사』, 713쪽.

그 해결책으로 제시된 삼정이정책 자체를 무의미하게 만들었다. 이것은 그가 정치운영을 포함하여 사회모순에 대한 근본적인 변화를 모색한 것이 아니라 실무관료로서, 안김집단의 대리 역할에 만족하고 있었다는 사실을 보여준다. 그러므로 정원용은 개혁적 성향을 가진 인물이 아니었다.

반면 조두순은 金左根과 함께 국정을 이끌었다고 평가할 수 있다. 그의 의정 역임은 언제나 김좌근과 맥을 같이했다. 그는 철종 4년 6월 김좌근의 뒤를 이어 우의정에 발탁되어 영의정 김좌근과 함께 했고, 김좌근이 영의정에서 勉副된 7년에 다시 우의정으로 장기간 의정부와 비변사를 대표했다. 조두순과 안김집단과의 정치적 관계는 그가 장기간 독상체제로 있었던 것에서도 나타난다.[70] 趙斗淳은 독단적으로 국정운영의 방향을 결정할 수는 없었지만, 다양한 정치집단의 조율과 균형을 이루는데 일정한 역할을 했다.[71]

趙斗淳의 정치적 역할은 그의 가계와 상관관계가 있다. 그는 정조의 탕평책을 충실히 수행한 徐有隣의 아들인 徐俊輔의 사위였고, 학문실력은 洪奭周에 비교될 정도였다. 정치적 입장에서는 안김집단과 근본적으로 차이가 있었으나 당시의 정치세력의 역관계와 권력구조 속에서 독자적인 정치활동은 불가능했다. 그가 선택할 수 있는 것은

---

69) 안병욱, 1986, 「19세기 壬戌民亂에 있어서의 鄕會와 饒戶」, 『韓國史論』 14, 202쪽.

70) 趙斗淳은 철종 7년 2월 1일 우의정이 되어 左議政 金道喜가 임명되는 5월 26일까지 독상으로 있었고, 8년 2월 1일에 우의정이 되어 좌의정 金道喜가 면부되는 3월 21일부터 金左根이 영의정이 되는 9년 4월 1일까지 독상으로 있었다. 그 후 철종 11년 3월 23일 우의정이 되어 좌의정 朴晦壽가 면부되는 11년 윤3월 23일부터 독상이 되었고, 11년 10월 9일에 좌의정이 되어 12년 1월 16일까지 독상으로 재직했다.

71) 한국역사연구회, 1990, 앞의 책, 717쪽. 조두순은 탕평정치를 긍정하고, 그러한 측면에서 활약한 인물로 평가된다.

안김집단과 밀착된 상태에서 실무관료로서의 충실한 역할뿐이었다. 그는 철종 말기 농민항쟁의 위기속에서 독자적인 대응방식을 거론했으나 권력구조가 이것을 허용하지 않았다. 그의 현실인식에 바탕한 三政改善論은 대원군에 의해 채택·시행되었다.[72]

안김집단은 정국운영·인사·재정·군권을 독점했다. 이것은 관료제도 운영의 폐쇄성을 심화시켜 정치세력의 성장과 분화를 막았고, 반대세력의 존립과 정치참여를 합법적으로 봉쇄했다. 안김집단의 권력독점은 金炳冀와 金炳學 형제들이 이조와 호조, 병조와 선혜청 당상을 장악하면서 주도했다. 그리고 비변사의 유사당상과 구관·제언·주교당상을 독점했다.[73] 이들이 세도를 유지할 수 있었던 것은 이와 같이 비변사와 육조를 동시에 독점했기 때문이다. 그리고 국왕의 외척집단이라는 신분적 관계와 인사권의 독점운영이 그 배경이었다.

철종조의 권력집단은 이와 같이 구성면에서 제한적이고, 권력의 독점과 유지가 최대의 목적이었다. 그러므로 당시의 시대적 변화요구를 수용하지 못했다. 이것은 후일 권력집단이 내부적으로 붕괴되는 요인으로 작용했고, 대원군이 집권하면서 국왕의 고유권한을 강화하는 과정에서 균열되었다. 이러한 측면은 철종친정기 국정운영의 방향과 농민항쟁으로 표출된 사회변동, 특히 삼정문제에 대한 대응방식에서 구체적으로 드러난다.

철종은 친정하면서 국정방향을 민생에 설정했다. 이것은 수렴청정기와의 차별적인 정책을 통해 정치권과 민심을 수습하고 안김집단의

---

72) 金炳佑, 1991, 「大院君 執權期 政治勢力의 性格」, 『啓明史學』 2.

73) 철종년간 비변사의 도제조와 전임당상은 안김가문의 12촌 범위내에서 독점했다. 비변사 도제조는 김문근, 金興根, 金左根, 당상은 金大根, 金輔根, 金炳弼, 金洙根, 金炳學, 金炳國, 金漢淳, 金炳德, 金炳㴭, 金炳地, 金炳雲, 金永根, 金橋根, 金炳朝, 金炳喬, 金炳冀 등이 독점적으로 장악했고, 이들은 상피규정의 적용을 받지 않았다.

정치적 기반을 약화하려는 철종의 의지에서 비롯되었다. 또한 철종은 이러한 변화를 통해 국정운영의 독자성과 주도권을 장악하려 했다. 그래서 "만기총람의 급선무는 만 백성의 일로 삼아야 한다"고 강조하고, "民隱에 관계되는 일은 널리 자문하여 구제할 계책을 강구할 것"74)을 지시했다. 그러나 철종은 거지무리의 증가와 흉년으로 인한 삼남지방의 流離현상을 수령과 부세 관장 신하에게 일임했을 뿐이다.75)

철종은 사회개혁에 대한 의지가 분명하지 않았고, 그러한 정치력을 발휘할 능력이 없었다. 그는 사회문제를 적극적이고 주도적으로 해결하려는 것이 아니라, 관료들이 처리해 줄 것으로 기대했다. 당시의 정치관료들도 철종의 이러한 국정운영에 대해 소극적으로 대응했다. 좌의정 이헌구가 '外邑의 都結폐단을 금단할 것'76)을 제의할 정도였고, 적극적으로 民隱을 해결할 방안을 강구하지 않았다. 이러한 현상은 근본적으로 철종의 정치력 부재가 원인이고 배경이었다.

철종이 삼정문제를 직접 거론한 것은 3년 10월이었다. 그러나 정치집단은 철종 5년 11월까지 삼정문제에 대한 정책제의를 하지 않았다.77) 철종이 "軍政·糴政·田政은 국가의 大政인데 현재 三政이 모두 병들어서 민생이 고달프고 초췌해졌다"면서 斂散의 법도 붕괴로 糴政이 가장 큰 폐단이다는 인식은 있었다. 그런데 그는 중앙관료들에게 총체적인 개혁방안 마련을 지시하지 않았다. 이것을 오히려 수령들에게 맡겼다. 수령들은 대민접촉을 통해 矯抹방책을 수립하고, 道伯이 취합하여 承政院에 보고하게 했다. 그러면서 삼정 교구와 감독·운용의 책임은 묘당에 위임했다.78) 이것은 철종이 중앙집권세력들을

---

74) 『哲宗實錄』 철종 3년 1월 15일.
75) 『哲宗實錄』 철종 3년 2월 10일.
76) 『哲宗實錄』 철종 3년 8월 29일.
77) 『哲宗實錄』 철종 5년 10월 15일.
78) 『哲宗實錄』 철종 3년 10월 22일. 수령과 감사들이 제출한 실태 및 교구방안

제압하지 못한 현실을 반영하는 것이다.

철종은 사회변동과 모순이 국가정책의 부재에 있다는 사실을 알지 못했다. 그리고 안김을 위시한 중앙집권세력들은 민생문제를 수령의 善治여부와 연관하여 이해했다.[79] 이 과정에서 안김집단의 권력독점은 괘서사건[80]과 경평군의 총체적 비판[81]으로 위기를 맞았다. 그리고 안김집단은 철종 13년 농민항쟁으로 최대의 위기를 맞았다. 金左根과 金炳冀 부자가 정치적 책임을 지고 일선에서 물러났다. 그러나 권력구도와 정치세력의 구성에는 아무런 변동이 일어나지 않았다. 안김세력들의 장기집권이 비판적 세력의 성장을 철저하게 막았고, 또 실제적으로 이들에게 맞설 정치세력이 형성될 여지가 없었기 때문이다.

농민항쟁의 위기속에서 안김과 협력세력들은 오히려 三政釐整廳의 총재관으로 결집력을 강화했다.[82] 그러므로 三政紊亂에 기인한 농민

에 대한 종합적인 검토와 대책 마련이 승정원에서 이루어진 것인지, 묘당에서 이루어진 것인지는 명확하지 않다. 그리고 지방은 列邑의 糴穀폐단을 심각한 문제로 보고하지 않았다. 철종은 斂散의 폐해가 없는 지역이 더 많았다는 보고를 다행스럽게 여겼다. 그러면서 지방감영에 폐단 근절의 자율권을 부여했다. 그는 폐단을 바로 잡는 과정에서 혹 발생하게 될 常經 위배문제는 진실로 백성에게 이롭게 할 경우에는 문제 삼지 않을 뜻을 밝혔다. 그러므로 철종은 대민정책을 철저하게 수령들에게 의존한 것이다. 이것은 국왕이나 묘당이 근본적인 제도개혁을 통한 폐단을 제거하려는 의지가 없었음을 의미한다.

79) 『哲宗實錄』철종 7년 11월 20일.
80) 『哲宗實錄』철종 11년 9월 10일.
81) 『哲宗實錄』철종 11년 11월 2일.
82) 三政釐整廳 總裁官은 領府事 鄭元容, 判府事 金興根・金左根, 左議政 趙斗淳 등 최고위 관료들이며, 모두 비변사의 도제조였다. 당상은 判敦寧 金炳冀(호남구관), 知事 金炳國(주교사, 유사, 호서구관), 경기감사 洪在喆, 上護軍 李景在(공시, 경기구관), 호조판서 金學性(무임소), 상호군 趙得林(공시, 관동구관), 이조판서 鄭基世(북관구관), 대호군 趙徽林(유사)・申錫愚(유사)・金炳德(관서구관)・李源命(영남구관)・洪祐吉(해서구관)・南秉吉

들의 자기변혁을 위한 투쟁조차도 정치집단의 변화를 가져올 수 없었
다. 이것은 안김집단의 권력독점이 얼마나 강고하였는지, 그리고 제도
적으로 뒷받침되고 있었는지를 보여준다. 더구나 국왕이 배제된 채 이
정청이 혁파되면서 업무가 비변사로 이관되었다. 이러한 결정은 안김
을 중심으로 비변사의 독단적인 결정에 이루어졌다.[83] 안김집단의 권
력구조와 정치세력의 성격을 단적으로 보여준다. 안김집단은 삼정이
정에서 표출된 지배층의 반발과 사회구조의 변화를 원하지 않았다. 이
것은 권력기반의 해체와 연결될 수 있다는 위기를 의식했기 때문이다.

안김집단은 철종년간 비변사를 중심으로 권력를 제도적으로 독점
하고, 비변사란 공적기구를 통해 합법적으로 권력을 행사했다. 이들은
국왕의 독자적 권력행사는 제한하였으나 국왕의 권위를 손상하지는
않았다. 그리고 국왕의 절대권을 부정하지도 않았다. 이들의 정책 결
정과 인사권 행사는 비변사에서 독자적으로 이루어졌다. 그러나 언제
나 차대를 통해 국왕에게 보고했고, 재가를 받는 형식을 취했다. 그러
므로 이들의 권력행사는 공적기구를 통해 합법적으로 행사되었다고
할 수 있다. 그러나 권력과 정치세력의 구성이 특정가문에 집중되었기
때문에 사회적 변화를 수용할 수 없는 한계를 내부적으로 지닐 수밖
에 없었다. 이러한 한계는 대원군이 집권과 동시에 삼정개혁을 적극적

(유사,제언), 형조판서 金炳湜(유사)였고, 鄭基世와 南秉吉은 구관당상이었
다. 이들은 모두 비변사의 유사당상이었다(『哲宗實錄』 철종 13년 5월 27
일 ;『備邊司謄錄』 철종 13년 5월과 6월 座目). 三政釐整廳의 당상은 철종
13년 6월 23일 보완되었다. 領敦寧 洪在龍・金汶根, 知事 金輔根, 병조판서
尹致秀, 廣州留守 南秉哲, 상호군 洪鍾應・徐有薰・洪說謨・李謙在・徐戴
淳, 예조판서 金大根, 좌참찬 金炳喬, 守判府事 徐憲淳 등이 이정청의 요청
으로 당상에 보임되었다. 이들 역시 모두 비변사의 당상들이다.

83) 『備邊司謄錄』 철종 13년 윤8월 19일. 비변사는 삼정에 관한 업무를 비변사
가 주관하겠다는 보고를 했고, 철종은 윤허가 아니라 '知道'라고만 대답하여
이러한 사실을 알 수 있다.

으로 추진하면서 사회적 지지기반을 확대할 수 있는 배경이었다.

3. 철종의 국정운영과 종친세력

조선의 국왕은 권력의 정점에 위치하며, 국가권력은 국왕권과 연계되어 있다. 그러므로 국왕은 독자적인 국정운영과 절대권을 행사할 수 있다. 조선후기 세도정권기 집권세력들이 권력을 독점했더라도 국왕의 권위는 부정할 수 없다. 특히 안동김씨 세도세력이 철종조 권력을 독점·장악할 수 있었던 것도 국왕의 권위 때문이고, 국왕의 권위가 이들의 권력장악을 합법적으로 보장했다. 이들은 국혼을 통해 국왕의 권위를 독점했고, 또한 왕실의 권위를 자신들의 권력기반화 했다.

국왕의 권위는 정치과정이나 정치관행에서 늘 강조되었고, 집권세력들은 국왕의 정치적 위상을 강화했다. 왕위교체기 수렴청정은 일차적으로 왕위계승의 정통성과 신왕의 권위강화에 주력했다. 이것은 국왕의 권위강화와 정치기반의 확대라는 명분 때문이었고, 이 과정에서 정치권력은 외척에게 일임되었다. 그러나 국왕과 왕실의 권위 강화는 형식적인 것에 머물렀고, 이러한 결과 종친세력은 정치적·사회적으로 약화되었다. 이것은 왕위계승의 정통성과 정치기반이 허약한 국왕일 경우 심하였다. 외척보다는 종실·종친들이 왕통에 대해 더 위협적인 존재였기 때문이다. 그러므로 수렴청정권을 행사하는 대왕대비는 자신의 친정가문인 외척집단을 권력의 핵심에 두었다.

철종은 국가권력 구조면에서 최고의 지위에 있었다. 안김집단은 형식적이지만 국왕의 절대적 위상을 강화했다. 이들은 권력을 행사하는 과정에서 국왕과 왕실의 권위를 우대했다. 이러한 현상은 국왕과 왕실집단들에 대한 존호가상에서 단적으로 드러난다. 특히 선대 국왕에 대한 世室의 의례는 대표적인 사례로 들 수 있다.[84]

그런데 철종은 사후 세실되지 않았다. 그는 재임 중 비변사에 의해 堯舜에 비견될 정도로 尊崇되었지만,[85] 이것은 관념적인 것에 불과했다. 그러므로 철종시대 국왕의 존숭과 前王에 대한 세실은 당대의 안 김집단의 권력유지 차원에서 이루어졌다. 그러므로 실제적인 국왕의 위상과 차이가 있으며, 철종은 정치운영에서 관념적인 위치에 상응하는 정치력을 발휘하지 못하였음을 의미한다. 더구나 고종 즉위 후 집권한 대원군은 철종의 정치적 위상과 권위를 강화할 필요가 없었다.

국왕과 대신들은 국정보고와 협의·결정을 차대에서 했다. 비변사가 국정 결정권을 장악했다 하더라도 공식적·형식적인 국왕의 재가는 필요했던 것이다. 이것은 정치운영과 국정결정을 합법적으로 보장하기 때문이다. 차대에 참여하는 시·원임대신들은 모두 비변사의 도제조직을 맡고 있었다. 차대에는 시·원임대신들이 전원 참여하지만,[86] 원임대신들의 차대불참이 관행이었다. 차대는 상위 의정이 국정을 보고하고 결재를 받았다. 그러므로 정치운영은 체제상 국왕과 의정부 중심이었다.

그런데 의정부의 議政들은 賓廳 곧 국정논의를 위한 의정부 회합을 하지 않다. 『備邊司謄錄』에 의하면 빈청은 날마다 의정의 '身病'과 '未差' 또는 '無時急 稟定事'로 '不得來會之意'라고 보고했다.[87] 이것은 의정들이 의정부에서 별도의 모임을 갖고 국정을 논의할 필요가 없었다는 것이다. 의정들이 차대를 주도한 것은 정치관행이었고, 국정

---

84) 순조의 세실은 헌종 원년에 이루어졌고, 헌종은 領敦寧 金汶根의 요청으로 철종 10년에 世室되었다. 이것은 철종의 권위에 의한 것이 아니었다(『哲宗實錄』 철종 10년 9월 14~15일 ; 10월 12일).

85) 『承政院日記』 철종 10년 9월 14일.

86) 趙寅永, 鄭元容, 權敦仁, 金道喜, 朴晦壽, 金興根, 朴永元 등이 차대에 참여하였다. 이들은 모두 의정부의 삼정승에 임명되었다.

87) 『備邊司謄錄』에는 '賓廳啓'의 동일한 내용을 반복적으로 기재하고 있다.

의 결정은 이미 비변사에서 이루어졌다. 그러므로 철종대의 차대는 비변사가 결정한 국정을 형식적으로 추인(裁可)하는 절차에 불과했다. 비변사는 국정운영의 주도권을 장악했지만, 국왕과 의정부체제 자체를 해체시킬 수는 없었다.

국왕의 독자성을 보장하는 정치기반은 없었다. 비변사 중심의 권력구조는 국왕체제를 용납하지 않았고, 그러한 정치세력은 존립할 수 없었다. 국왕중심의 권력구조는 형식적일 뿐이며, 이것은 권력행사에 그대로 반영되었다. 정치세력의 구성면에서 군주중심의 정치질서를 지향하였던 남인세력의 몰락이 가져온 필연이었다.[88] 그러므로 국왕의 권력기반을 이룰 수 있는 세력은 국왕과 동질의 혈연성을 가진 왕실·종친집단 밖에 없었다. 그러나 이들은 정계진출에 제한을 받았고, 결과적으로 정치세력화가 이루어지지 않았다.

그러므로 철종의 독자적 정치운영은 한계가 있었다. 그는 비변사 결정에 대한 형식적인 승인을 했을 뿐이다.[89] 철종은 차대의 자리에서 국정에 대해 협의하거나 반론을 제기하지 않았다. 이것은 국정운영의 주도권이 국왕에게 있는 것이 아니라 비변사를 중심으로 한 집권세력들이 장악했음을 보여준다. 그러므로 국왕 권력행사의 독자성은 제한되었다.

철종의 인사권 행사에서 독자적인 국정운영의 일면을 보였다. 이것은 비변사의 천망이 아닌 特旨, 즉 '中批'의 형태로 행사된 인사권에 한정된다. 수렴청정기 중비로 발탁된 인물은 兵曹參知 姜繼遇,[90] 예

---

88) 유봉학, 1983, 「18세기 南人분열과 畿湖南人 학통의 성립」, 『한신대논문집』 1. 남인들의 사상적 입장은 국왕권 강화에 있었고, 이들은 국왕권에 의지하여 권력을 장악하려는 경향을 보였다. 그러므로 신권중심의 정치질서를 수립하려는 세도집권자들에 의해 몰락했다.

89) 『哲宗實錄』의 차대기사는 국왕의 정책결정을 "대신의 주청에 따른 것"으로 기재하고 있어 이러한 사정을 반영하고 있다.

조참판 金炳冀,[91) 병조판서 趙秉駿[92) 등이었다. 그런데 이들은 모두 안김계와 풍양조씨계이다. 그러므로 이것은 철종의 독자적인 중비가 아니었고, 오히려 순원왕후에 의한 것으로 이해된다. 순원왕후는 이때 풍양조씨계와 정치적 연대를 통해 정권을 안정화하려 한 것이다. 이것은 안김집단의 권력독점이 완결되지 않았기 때문이다. 그러므로 수렴청정기 중비는 철종의 독자적 인사권 행사가 아니었다.[93)

철종의 독자적인 중비는 친정기에 가능했다. 철종은 친정하면서 총 51명에 대해 중비형식의 인사권을 행사했다. 그런데 이들 중에는 안김이 19명으로 가장 많고, 풍양조씨계는 5명이었다.[94) 특히 안김세력 중에서는 金炳學 형제와[95) 김병기[96)가 중첩적으로 발탁되었다.[97) 이 외

---

90) 『哲宗實錄』 철종 1년 1월 4일.

91) 『哲宗實錄』 철종 1년 9월 2일.

92) 『哲宗實錄』 철종 2년 12월 17일.

93) 純元王后가 투비죄인 李鶴秀를 석방하고, 도총관에 特授하거나(1년 7월 22일), 황해감사 洪耆燮(원년 12월 1일)을 특명으로 擬望한 것은 이 같은 맥락에서 이해해야 한다.

94) 풍양조씨의 趙秉夔는 5회 중 4회에 걸쳐 중비되었다. 그는 金左根의 4촌 매부로 안김집단과 혈연적 연계성이 강한 인물이다. 그는 이조참판이 되었지만, 대체로 도총관, 병조판서, 총융사 등 군권과 관련된 직책을 받았다. 이것은 풍양조씨계가 군사적 기반을 안김과 분점하였다는 사실을 알게 한다. 그는 조대비의 정치적 입장보다는 안김집단의 협력세력, 또는 두 가문집단의 정치적 연결고리 역할을 담당했고, 이것은 풍양조씨계열의 정치적 몰락을 막는 발판으로 작용했다.

95) 김병학은 2차례에 걸쳐 한성우윤과 이조참판에 중비되었으나(8년 1월 4일 ; 8년 1월 15일), 정치력이 확대된 것은 아니다. 金炳國은 가장 많이 중비된 인물이다. 그는 6차례 걸쳐 이조참의(4년 2월 1일), 호조참판(5년 1월 4일), 강화유수(5년 10월 16일), 예조판서(7년 3월 21일), 병조판서(7년 6월 30일), 호조판서(9년 1월 12일)에 임명되었다. 그러므로 그는 인사·군사·재정의 중요관직을 두루 거쳐 가장 주목되는 인물이었다.

96) 김병기는 김좌근의 아들로 2회에 걸쳐 평안도관찰사(3년 10월 9일)와 어영대장(13년 윤8월 6일)에 임명되었다. 김병기의 관직이력과 비변사의 직임을

에는 안김집단과의 혈연성이나 정치적 동맹관계에 있는 인물이거나[98] 전·현직 대신의 자제들이었다.[99] 이러한 인물들의 면모를 볼 때 철종의 중비는 독자적 권력기반의 구축과 거리가 있다. 철종은 안김집단의 내부적 결속과 정치체제의 구축, 원로정치인들에 대한 예우를 위해 중비 인사권을 행사했다.

철종의 중비는 독자적인 인사권 행사가 아니었다. 중비의 대상에서 국왕의 측근으로 성장할 인물은 처음부터 배제되었다. 중비의 대상은 비변사의 당상들이었고, 중비로 맡게 된 의정부 직임은 형식적인 것이다. 이것은 안김집단이 반대세력의 성장을 철저하게 봉쇄한 것이며, 국왕과 신진 정치세력간의 접촉을 차단한 것이다. 철종은 안동김씨 집단을 배제하거나, 그들과의 대립을 통해서는 정권 자체를 존립할 수 없었다.

철종이 안김집단의 견제없이 자유롭게 접촉할 수 있는 인물은 종친

고려할 때 중비는 그에게 있어서 별다른 의미가 없다.

97) 안김집단으로 中批의 대상이 된 자는 이조판서 金洙根(3년 1월 5일), 황해관찰사 金淵根(7년 2월 22일), 이조판서 金輔根(7년 7월 2일), 호조참판 金炳弼(11년 11월 25일), 전라감사와 개성유수 金炳地(11년 12월 23일, 13년 1월 10일), 경상감사 金炳㴭(14년 2월 5일) 등이었다.

98) 知敦寧府使 洪直弼(3년 1월 5일), 병조판서 李鶴秀(3년 10월 9일), 승지 宋達洙(5년 10월 20일), 도총관과 병조판서 南秉哲(7년 5월 15일, 9년 2월 11일)과 이조참판 南秉吉(11년 5월 5일) 등이 이들이다. 홍직필과 송근수는 안김집단의 재야적 기반이었고, 이학수는 金魯敬의 질서였으나 金祖淳의 조카인 金橋根과 함께 탐진모리를 했던 인물이다. 그는 성균관 유생들의 탄핵을 받아 귀양을 갔으나, 순원왕후가 수렴청정하면서 석방, 都摠管에 특제되었다. 그는 한성판윤과 예조·형조·공조판서 및 수원유수가 되어 안김집단에 협력했다. 南秉哲은 金汶根의 외질로 그의 총애를 받아 철종 2년에 승지가 되었으며, 안김집단의 세도정치에 적극 협조한 인물이다. 南秉吉은 그의 동생이다.

99) 이조참의 李秉文(6년 11월 23일)은 좌의정 李憲球의 양자로 유일한 종친이다. 병조참판 鄭基世(11년 9월 28일)는 영의정 鄭元容의 아들이다.

뿐이다. 이들은 의례를 통해 국왕과의 접근이 용이했고, 철종은 독자
적 권력기반을 종친에 설정할 수 있었다. 종친세력은 외척세력의 비대
와 권력독점에 대한 대응세력으로서의 가능성을 내포하고 있었다. 이
것은 세도집권세력들이 권력을 가문에 집중시키고, 가문의 혈연성을
기반으로 권력을 유지하는데 대한 대응이었다. 종래 왕실과 종친세력
의 성장은 왕권과 직결되는 문제였기 때문에 신중할 수밖에 없는 본
래의 한계가 있었다. 그러나 철종대에 이르러 종실은 이미 열악한 처
지였고, 권력을 독점한 안김집단이 외척으로 존재했기 때문에 그러한
위험 요소는 상대적으로 미약했다. 종친세력은 정치·사회적으로 급
격하게 몰락하여 철종 말기 정치집단으로서 성격이 무의미할 정도였
기 때문이다.

철종 초기 종친으로 비변사 당상에 참여한 자는 모두 6명이었다.[100]
이들 중 李憲球가 영남구관(철종 1년 10월~3년 1월), 李敦榮은 유사
당상(철종 1년 5월~3년 9월), 李景純은 예겸당상(철종 1년 1월~3년
1월)이었다. 李是遠은 개성유수에서 체직되면서 비변사에서 배제되었
고, 李鼎信은 철종 1년 9월 이후 명단에서 누락되고 있다. 이들은 정
부직임을 맡을 경우 짧은 기간에 그쳤고, 더구나 주요관직이 아니었
다. 그러므로 이들은 정치력을 발휘할 수 없었다.[101] 안김집단이 이들
의 정치력을 견제한 결과인지는 명확하지 않지만 철종 말기 종친출신
들의 비변사 참여는 극히 제한되었다.

철종 10~12년 종친으로 비변사에 참여한 자는 李圭徹·李寅皐·
李敦榮뿐이었고, 13년 10월 李景純이 예겸당상이 되었다. 철종 14년

---

100) 종친 李鼎信, 李憲球, 李敦榮, 李景純, 李是遠, 李穆淵 등이 비변사 당상에
　　 참여했다.
101) 이헌구는 철종 즉위면 8월 이조판서, 1년 6월 예조판서, 2년 2월 이조판서를
　　 거쳐 3년 1월에 우의정이 되었다. 李敦榮은 철종 1년 3월 형조판서가 되었
　　 고, 李穆淵은 1년 8월과 2년 1월에 형조판서가 되었다.

비변사에 남아있는 종친은 이인고와 이돈영뿐이었다. 의정부 직임에
임명된 종친은 더 소수였다. 이것은 정치구조 내 종친세력들의 위상을
말해준다.102) 이들이 국왕권과 직결되었다 하더라도 정치운영의 결정
권을 장악할 수는 없었다.

종친세력의 결집은 종친 내부에서 태동되었다. 興宣君은 종친부 유
사당상이 되자 종친들의 정치적·사회적 위상강화를 통해 결집을 주
도하고, 정치기반을 확대했다.103) 그는 안김집단의 권력독점 속에서
이들의 정치적 이해를 수용했고, 정치적으로 대립하지 않았다. 그는
종친부 당상관으로 궁중의례에 참여·주관하면서 철종·조대비와 긴
밀하게 접촉했고, 정치적 입장을 정리했다. 그의 활동은 철종 및 조대
비와 정치적 교감 속에서 가능했다. 더구나 철종이 그의 활동을 묵시
적으로 동조하였기 때문에 안김집단의 정치적 탄압을 피할 수 있었다.
안김의 입장에서는 조대비 세력의 성장에 주목했지만, 왕실과 종친의
경우는 상대적으로 관대했다.

홍선군의 형제들은 종친부의 당상관이었고, 정치권에서 가장 모범
적인 종친으로 인식되었다.104) 이러한 이해는 안김집단의 공통된 견
해였으며, 영의정 金左根은 남연군의 厚德懿節을 칭송할 정도였
다.105) 순원왕후는 풍계군의 입후문제를 해결하는 과정에서 종친을
우대했다.106) 이와 같이 안동김씨세력들이 왕실과 종친의 권위 신장

102) 李敦榮은 철종-고종년간 宗親府堂上을 역임했다. 그는 다른 인물과 달리
비변사의 예겸당상은 물론이고 유사당상·경기구관당상·공시당상을 거치
고 있어 철종년간 안김집단과의 정치적 관계를 짐작하게 한다. 그의 정치적
이력은 대원군 집권기 중요한 역할을 하게 되는 배경이었다. 이헌구는 철종
1년 10월부터 영남구관이 되었으나 3년 2월부터 우의정·좌의정이 되어 장
기간 당연직 비변사 도제조로 있었다.
103) 金炳佑, 2002,「興宣君의 宗親 및 宗親府 再建策」,『朝鮮史硏究』11.
104)『哲宗實錄』철종 3년 7월 10일, '副校理 金永秀의 上疏'.
105)『高宗實錄』고종 1년 1월 10일.

에 관대한 것은 이들과 협조체제를 구축함으로써 궁중 내 반대세력의
성장을 막으려는 의도였다. 이들의 관심은 조대비계 정치집단의 결속
에 있었다. 만약에 조대비와 종친세력들이 정치적으로 결합할 경우 그
파괴력은 대단한 것이기 때문이다.

철종은 왕에 등극한 지 7년만에 공개적으로 종친에 대한 관심을 표
명했다. 그는 德興大院君의 祠宇 작헌례시 本宗 有官爵者의 입시와
사손입참을 지시했다.107) 이로써 종친들은 자유롭게 궁중을 출입하게
되었고, 종친부를 중심으로 결집할 수 있게 되었다. 철종은 한단계 나
아가 국왕 친행 작헌례의 경우는 사손입시를 정식화했다. 이제 종친들
은 작헌례를 통해 국왕과 직접적인 접촉이 가능했고, 이것은 철종이
종친들이 정치활동을 할 수 있는 길을 열어 준 것이다. 이러한 변화를
주도한 인물이 바로 종친부 유사당상인 흥선군이었다.

흥선군은 종친부 중심의 종친세력 결집을 구상했다. 문제는 종친부
가 아무런 직사를 가지지 못한데 있다. 그래서 흥선군은 종부시가 주
도하던『璿源修補』의 주도권을 장악하려 했다.108) 그러나 흥선군의
구상은 종부시와 정치권의 견제를 받아 유사당상에서 파직되었다.109)
철종은 다시 흥선군을 유사당상에 임명했다. 이것은 안김집단에 대한
견제와 종친들의 정치적 입장을 고려한 철종의 의지에서 나온 정치적
선택이었다. 그리고 조대비가 막후에서 일정한 역할을 하였을 것으로
추정된다.

---

106)『哲宗實錄』철종 2년 12월 19일.
107)『哲宗實錄』철종 7년 3월 3일. 당시 敦寧參奉은 李夏銓이었고, 敦寧都正은
  李祖植이었다. 철종은 이하전을 동돈녕, 閑良 李禹銓은 加設南行部將에 제
  수하고, 參班儒武들에게는 紙筆과 弓矢를 賜給하여 종친우대의 의지를 보
  였다.
108)『宗親府謄錄』철종 8년 1월 '各道了'.
109)『宗親府謄錄』철종 8년 정월 各道了, 348쪽.

홍선군의 재등장은 때맞추어 일어난 안김세력의 권력분화와 맞물렸다.[110] 철종은 김병학 형제를 중비하면서,[111] 한편으로 反안김세력들의 정치복권을 단행했다.[112] 이것은 철종의 독자적 결정이 아니라 철종과 조대비, 그리고 홍선군과 김병학 형제들의 정치적 제휴·연합이 복합적으로 작용했다. 이것은 이후 권력구조의 변동을 예고했다.

순원왕후는 철종 8년 8월 사망했다. 趙大妃 神貞王后는 존호가 가상되면서 궁중 내 최고의 지위에 위치하게 되었다. 그는 이제 권력의 향방을 변화시킬 수 있었다.[113] 이러한 정국의 변화는 철종과 홍선군, 홍선군과 조대비, 홍선군과 김병학 형제들이 정치적으로 결합할 수 있는 토대가 되었다.

철종은 독자적인 정책결정이 가능했다. 그는 왕이 된 지 9년만에 本生 伯兄을 '懷平君'에 봉작했다.[114] 이것은 홍선군이 추진한 종친부의 위상강화가 배경이 되었으며, 정치권의 변동이 있기에 가능했다. 한편으로 국왕권에 의지하여 종친부와 종친은 독자적인 정치행위가 가능해졌다. 이것은 종친부의 위상강화, 조대비 및 홍선군 중심의 종친들이 정치적으로 결합한 결과였다.

안김은 神貞王后의 권위강화와 정치활동에 대한 즉각적으로 대응

---

110) 尹孝定, 『韓末秘史』, 8~9쪽. 金炳學과 金炳冀 간의 불화가 생기면서 안김들은 내부적으로 분열의 조짐을 보였다.

111) 『哲宗實錄』 철종 8년 1월 4일, 3월 21일. 김병학은 한성우윤, 김병국은 예조판서가 되었다.

112) 『哲宗實錄』 철종 8년 1월 4일, 15일 ; 4월 3일. 철종은 대신들의 조직적인 반대에도 불구하고 李能權, 李應植, 金鑣, 申觀浩, 徐相敎를 석방했다.

113) 『哲宗實錄』 철종 8년 11월 7일. 趙大妃의 보령 51세를 기념하는 존호가상 문제가 논의되는 차대에 영부사 鄭元容, 우의정 趙斗淳 등 시원임대신들과 예조당상이 참여했다. 정원용과 조두순은 다른 당상관들과 달리 존호가상을 적극적으로 지지했다. 이들은 이후 권력변동을 감지한 것이다.

114) 『宗親府謄錄』 철종 9년 11월 12일.

했다. 이들은 조대비의 정치활동과 관련하여 권돈인을 탄핵했다. 이 과정에서 영의정 김좌근도 자유롭지 못하였다. 이것은 이들의 권력독점이 약화되고 있다는 사실을 반영한다.[115] 종친인 慶平君은 이러한 변화를 이용하여 안김의 권력독점과 폐해에 대해 총체적으로 비판했다. 이것은 반안김세력 형성의 단초가 되었다. 그러나 그는 대사헌 서대순의 논척으로 문출되고,[116] 정치권의 조직적인 반발로 풍계군의 양자 지위마저 박탈되었다. 이러한 틈새를 이용하여 홍선군은 정치권·궁중·종친간의 거중조정을 통해 정치영역을 확대했다.[117] 그리고 그는 이 과정에서 정치적 명분을 축적했다. 안김집단이 홍선군에게 우호적이었던 것은 조대비의 성장을 우려했기 때문이다.

안김집단은 종친 중 李夏銓을 위험한 인물로 인식했다. 이하전은 왕위계승을 둘러싸고 철종과 경쟁관계에 있었고[118] 국왕의 입장에서도 부담스러운 존재였다. 특히 안김은 철종 이후에 대한 대안이 부재한 상태였고, 또한 정권을 연장하려는 이들의 입장에서는 왕위계승자에 대해 집착하지 않을 수 없었다.[119] 이하전은 反안김적 성향이 명확하였기 때문에 안김집단의 표적이 되었다. 김순성의 역모사건은[120] 이하전을 사사하기 위한 정치적 사건이었다.[121] 이하전이 사사되자

---

115) 『哲宗實錄』 철종 10년 1월 4일, 7일, 12일. 권돈인은 대사간 李鼎信의 탄핵으로 연산현에 중도부처되었고, 영의정 김좌근은 이 사건과 연계되어 물러났다.

116) 『日省錄』 철종 11년 11월 1~2일.

117) 그는 종친부의 유사당상으로 益平君이 신병을 들어 거부하고 있던 豊溪君 立后문제를 신속하게 처리했다. 이것은 안김집단에 대한 회유와 철종의 정치적 입장을 고려한 선택이었다.

118) 『近世朝鮮政鑑』上, 29쪽.

119) 『哲宗實錄』 철종 13년 2월 8일~16일. 안김세력들은 철종의 병이 깊어졌다고 판단하고 輪番入直과 別入直의 형태로 철종을 통제했다. 별입직에 참여한 인물은 김병기·김병국·김병주·김병필 등이었다.

120) 『日省錄』 철종 13년 7월 17일.

안김집단은 정적을 완전히 제거한 것으로 판단했다. 그 결과 홍선군의 혈육은 종친 중 혈통 상 왕위계승에서 가장 유리한 위치를 점할 수 있었다.

홍선군은 종친부의 유상당상으로 종친부의 위상강화와 종친들의 권위회복에 주력했다. 이것은 종친들의 정치적 활동과 연계되었고, 이들의 정치적 성장과 안김집단의 독점력이 약화되는 계기를 만들었다. 또한 종친들은 철종의 정치적 기반을 형성했고, 그의 독자적 정치운영의 배경이 되었다. 철종은 이러한 종친들의 존재를 인식했고, 이들의 정치활동의 배경을 만들어 주었다. 그러므로 철종 말기 안김집단의 권력독점에 대한 대항세력은 현실적으로 종친세력 외에는 대안이 없었다. 그러므로 이들은 대원군이 집권하면서 곧바로 새로운 권력의 주체로 부상할 수 있었다.

제2절 홍선군의 종친부 활동과 현실인식

1. 『璿源譜略』 修補와 종친세력의 정비

홍선군은 종친세력의 정비와 종친부의 위상강화에 주력했다. 그가 종친부 유상당상이 되자 곧 바로 『선원보략』 수보와 종친부의 건물 개·보수를 추진한 이유가 여기에 있었다. 『선원보략』 수보는 宗親璿派人들의 정치 및 사회적 지위 향상을 통해 내부적인 결속력을 강화하고 정치기반 확보를 위해 절대적으로 필요한 것이다. 홍선군은 조선후기 이래 宗親府와 宗簿寺의 무력화가 종친들의 정치·사회적 몰락, 그리고 왕권 약화의 배경이 되었다고 인식했다.

홍선군은 헌종 7년 종친부 당상관이 되었고, 고종이 즉위하여 집권

---

121) 『哲宗實錄』 철종 13년 7월 23, 27일 ; 8월 11일.

할때까지 종친부에서 활동했다.[122] 종친부는 그에게 정치활동의 공간
을 제공했고, 그의 형제들은 종친부를 장악했다. 안김은 정권을 독점
한 반면에 흥선군 형제들은 종친과 종친부를 장악한 것이다. 이는 정
권과 종실의 분점으로 보이며, 또한 종실과 외척으로 정치적 연계가
가능한 것이었다. 안김은 흥선군 형제들을 통해 왕실과 종친의 동향을
무마하면서 종친으로서의 활동을 보장해 주었다. 순원왕후가 헌종 초
기 수렴청정기 南延君에게 '榮僖'라는 시호를 전격 처리한 것은[123] 이
러한 사실을 단적으로 보여준다. 아울러 이것은 조대비계와의 정치적
연대를 염려한 결과이기도 했다.

　헌종년간 흥선군 형제들은 종친부 당상관으로 정부의 당연직 제조
직임을 역임했다.[124] 이들은 宗戚執事,[125] 謝恩兼冬至正使,[126] 왕실

---

122) 흥선군은 헌종 9년 20세가 되자 封君되었고, 都摠府 도총관을 여러 차례 역
　　임했다. 그는 헌종 13년 冬至兼謝恩正使가 되었으나 체직상소를 올렸고, 그
　　의 형제들과 함께 종친부 당상관으로 활동했다. 이들은 종친부 당상관으로
　　廚院提調, 司饔院提調를 겸직했고, 經筵에도 참여했다. 안김집단은 이들 형
　　제들을 모범적인 종실로 인정했다. 특히 흥선군은 종친이었지만 안김중심
　　정치권의 견제를 전혀 받지 않았다. 안김집단은 경평군과 이하전을 적대시
　　한 반면 흥선군 형제들에게는 우호적이었다. 이것은 조대비 세력의 성장에
　　대한 일종의 대비책으로 이해된다. 흥선군은 철저하게 정치권과의 대립적
　　충돌을 피하고, 조대비 등 궁중 내부세력과 정치적 교감을 이루는 등 절묘하
　　게 처신했다. 흥선군의 이력과 정치적 동향은 金炳佑, 2002,「興宣君의 宗親
　　및 宗親府 再建策」,『朝鮮史研究』11 참조.
123)『宗親府謄錄』헌종 2년 12월 丙申, 456쪽. 순원왕후는 남연군 시호를 결정
　　하는 과정에서 정치권의 논의를 철저하게 배제했다. 종래 남연군은 정치인
　　들로부터 무뢰배로 비난을 받아 近宗之列에도 들기 어려운 처지였다. 이러
　　한 상황에서 안김집단은 정치와 왕실의 분리책을 구상했고, 흥선군 형제들
　　을 통해 종실을 무마하려 했다(『純祖實錄』순조 16년 7월 庚申, 前正言 李
　　履熙 上疏).
124) 이들은 廚院, 典醫, 司饔院, 典設司, 司圃署, 造紙署 등의 提調직을 역임하
　　였다.
125) 孝顯王后가 사망하자 흥선군 형제들은 宗戚執事로 참여했다(『宗親府謄錄』

의 酌獻禮,[127] 朔望問安[128] 등을 통해 종친부 업무를 독점했다. 이것은 왕실과 연계를 강화할 수 있는 기반이었다. 홍선군의 종친부 유사당상은 이러한 배경에서 나온 것이다.[129] 그러므로 홍선군은 독자적으로 영역을 구축하고 종친세력을 정비할 수 있었다. 그러나 철종이 즉위하고 안김세력이 권력을 독점하게 되자 홍선군의 활동영역은 축소·위축되었다.

철종이 등극하자 종친부 당상관은 인적구성면에서 변화가 있었다. 永平君과 益平君, 慶平君이 당상관에 진입했다.[130] 이러한 종친부 인적구성의 확대는 홍선군 형제들의 종친부 장악력을 약화시켰다. 이들은 조대비를 배경으로 종친부에 배치되었고, 이것은 정치권이 종친부를 주목하게 했다. 이들은 反안김적 성향이 강하였기 때문이다. 실제로 慶平君은 宗簿寺 중심의 『선원보략』 수보를 주도하면서 종친세력을 결집했다.[131] 조대비 등 궁중세력이 종부시 중심의 세력결집 움직

헌종 9년 8월 25일, 26일, 459쪽).

126) 興完君과 興宣君은 동지정사에 차임되었으나, 이들이 실제로 중국에 다녀오지는 않았다.

127) 홍완군은 경우궁 작헌례에 참반하고, 홍선군은 총관으로 시위했다 홍선군은 동월 21일의 종묘한식제 고유제의 헌관과 인릉 행행시 총관이었고, 10월 3일 각기 종묘동향대제 초헌관, 영녕전 초헌관이 되었다. 그러나 홍완군은 헌종 14년 5월 18일 未時에 죽었다(『宗親府謄錄』 헌종 13년 2월 12일, 462쪽 ; 470쪽 ; 476쪽).

128) 홍선군 형제들은 삭망, 탄일, 동지 등 각종 문안을 독점했다. 홍선군의 독자적인 문안도 상당수 있어 그의 독자적인 왕실세력과의 연계문제를 고려할 수 있다(『宗親府謄錄』 헌종 13년 2월 24일~7월 18일, 462~478쪽).

129) 『宗親府謄錄』 헌종 13년 2월 11일, 462쪽.

130) 헌종이 죽자 이들은 종척집사로 장례문제에 참여했고 永平君은 곧 顯祿大夫에 加資되었다. 이후 종친부 당상관 頒綠명단은 언제나 永平君, 興寅君, 興宣君, 益平君, 慶平君의 순으로 기록되어 이들의 위상을 짐작할 수 있다(『宗親府謄錄』 철종 즉위년 7월 1일 ; 2년 8월 6일, 307쪽).

131) 『哲宗實錄』 철종 2년 12월 19일.

임을 보이자 안김집단은 종부시 중심의 종친들에 대한 탄압으로 대응
했다. 이들은 종친들이 『선원보략』 수보 명목으로 자유롭게 궁중을 출
입하는 행태와 이 과정에서 일어날 수 있는 궁중세력들과의 결탁을
놓치지 않았다.

철종 3년 의금부는 比安縣監 趙錫疇와 宦妾의 결탁사건의 수사에
착수했다.[132] 이것은 政望圖點의 계획이 사전에 누설되었다는 것이
이유였다. 副校理 金永秀는 宦妾의 탈법을 종친들의 起居문제와 연
계시켰다.[133] 그는 "宗臣의 承候에는 定例가 있다"면서 종친들의 중
궁 무상출입을 문제시 했다. 이것은 일부 종친들의 정치적 활동을 제
약하기 위한 것이며, 이로써 종부시 중심의 종친세력은 극도로 위축되
었다.

한편 철종조 趙萬永 가문의 퇴조와 金左根의 정국 장악은[134] 조대
비계 종친들의 무력화를 가져왔다.[135] 반면 홍선군은 종친부의 중심

---

132) 『哲宗實錄』 철종 3년 7월 8일, '義禁府啓'. 金永秀의 상소는 의금부의 보고
   에 의한 후속조치였다. 의금부는 2일 전 比安縣監 趙錫疇와 宦官 李泰亨,
   都兪和와의 결탁과 이 과정에서 정부인사에 대한 정보가 교환되었다고 보
   고했다. 철종은 南衙와 北寺는 서로 통할 수 없는 금령이 있는데도 政望圖
   點 계획이 누설되고 있는 실정을 개탄하고, 조석주가 내시들과 인연하여 수
   작한 것은 士夫가 할 일이 아니라고 질타한 후 田廬로 추방하고 환관은 도
   배시켰다.

133) 『哲宗實錄』 철종 3년 7월 10일 ; 『宗親府謄錄』 철종 3년 7월, '副校理金永秀
   上疏', 320쪽. 그의 상소문 중 "오늘날 興寅君이나 興宣君도 못하는 짓인데
   이들 한두 명의 종친"이라고 한 점에서 특정인을 지칭하고 있음을 알 수 있
   다.

134) 철종 2년 6월부터 權敦仁과 金正喜는 정치적 탄핵으로 유배를 갔고, 3년 4
   월에는 金左根이 우의정이 되면서 정국의 주도권을 잡았다.

135) 철종의 朔望承候에 益平君과 慶平君이 지목되었다. 그러나 이들은 정치권
   의 견제를 받아 경평군과 영평군은 沐浴呈辭(堤川, 通津), 益平君은 父母墓
   所 掃墳(楊洲) 등의 이유를 내세워 지방으로 내려갔다(『宗親府謄錄』 철종 3
   년 7월 15일 ; 8월 28일 ; 9월 초6일, 321~323쪽).

인물로 부상했다. 이것은 안김의 후원과 배후 역할 때문이었다. 홍선군과 경평군은 현실 인식면에서 입장이 달랐다. 경평군은 종부시 중심의 반안김적 성향이 강했고, 『선원보략』 수보에 집착했다. 그러나 홍선군은 종친부를 중심으로 안김집단과 정치적 대립을 피하면서 종친들의 위상강화에 주력했다. 그러므로 홍선군은 안김집단과 최대한 협력하는 모습을 보였다. 이것이 그가 종친의 대표주자가 된 배경이며, 안김집단은 그를 가장 모범적인 종친으로 인식했다.

홍선군은 종친부 중심의 종친세력 정비에 진력했다. 그는 종친부의 위상강화와 『선원수보』를 통해 종친선파인들의 사회적 지위향상·내부적 결속력을 강화하려는 복안을 가지고 있었다. 이러한 그의 구상은 철종 7년을 전후하여 구체화되었다. 그는 종친부를 통해 재야의 선파후예들에 대한 신역탈급을 지시하면서[136) 종친세력의 정비를 본격화했다.

홍선군은 종친선파인들의 사회적 존재양상을 정확하게 인식했다. 종친과 선파인들은 조선후기 이래 집권세력의 억압으로 위상이 추락했고, 지방에서는 이서배들의 作奸으로 몰락했다. 이들은 국가적 보호권에서 배제되어 國役면제의 예우조차 받지 못한 실정이었다.[137) 璿源後裔는 代數를 막론하고 雜役에 편재되지 않는 것이 昭載法典이고

---

136) 『宗親府謄錄』 철종 8년 1월 19일, '草記', 348쪽.
137) 조선후기 신분제가 동요되었으나 선파인은 일정하게 우대를 받았다. 따라서 신분상승을 도모하는 자들은 璿派를 자칭하거나 戶籍을 위조하기도 하여 사회문제가 되기도 했다. 선파인들은 국역를 면제받았고, 이들은 국역기피를 위한 수단으로 삼았다. 숙종은 숙종 13년 紀綱紊亂을 들어 이들을 처형하여 강력하게 대처했지만, 평안도에서는 집단적인 호적 허위기재 사실이 발각되기도 했다. 순조 7년(1807)의 호적조사에서는 무려 166명이 허위로 호적을 기재한 사실이 발각되어 충격을 주었다. 정부는 이들에 대한 추쇄를 통해 국역을 부과했고, 심지어 본관이 全州라도 내력이 분명치 않을 경우 군역을 부과했다.

受敎定式이었지만, 양반신분 유지조차 어려운 경우도 많았다.138) 조선후기 상품화폐경제의 발달과 신분제의 해체, 지방관과 이서배들의 작간은 선파인들이 군역을 위시한 잡역에 시달리게 만들었다. 이러한 선파인들의 잡역침탈은 전국적인 현상이었다.

璿派人은 流落遐鄕하여 僅保璿脉의 처지였다. 이들은 不學과 農業資生으로 凌侮를 당하고, 이러한 처지는 大君의 후손도 예외가 아니었다. 또한 이들은 자신이 선파의 후예인줄 모르고 있는 실정이며, 설령 璿源錄에 入籍이 되어 있어도 군역 등 잡역에 편입되는 것은 다반사였다.139) 이것은 지방의 아전들이 법망의 해이함과 사회경제적 변화 속에서 선파인들에게 이중삼중으로 역을 부과했기 때문이다. 이러한 任掌輩와 吏役輩의 침탈잡역은 선파후예들을 몰락하게 만들었다.

한편 璿派人들이 冠冕之繼를 하지 못한 것에도 원인은 있었다. 따라서 洞掌輩와 該邑吏輩들은 선파인을 자의로 軍案에 入錄하였고,140) 兒名을 변경하여 군역에 混疤하거나,141) 阿只名을 지어 牙兵之役을 부과하기도 했다.142) 심지어 大君의 후예나 璿派班閥에게는

---

138) 『宗親府謄錄』에서 찾을 수 있는 종친부의 지방관청에 대한 공문내용은 대다수가 선파인들의 軍役頉下 및 잡역부과에 대한 頉給을 지시하고 있다.

139) 『宗親府謄錄』 헌종 15년 3월, '忠淸監營了', 285쪽. 李日千은 益安大君의 후예로 祖父때부터 旗物之役에 충당되었고, 자신은 疤丁에 혼입되었다. 그의 家承에 의하면 天潢餘派로 조부가 이미 기종을 지냈다. 그래서 璿源錄廳에 의뢰하여 發關除役된 지가 10여 년이 지났다. 그런데 다시 근년에 疤丁되어 禁衛軍에 속하게 되었다. 그러나 아전들이 법망의 해이함을 타고 作奸하여 선파후예들을 잡역에 편입시켰다. 『宗親府謄錄』에 의하면 이러한 현상은 전국적으로 나타난다.

140) 『宗親府謄錄』 헌종 15년 9월, '廣州府了', 291쪽. 심지어는 官廳에 誣告하거나 假名으로 군역에 편입하는 경우도 있었다(『宗親府謄錄』 철종 2년 9월, '忠淸監營了', 310쪽).

141) 『宗親府謄錄』 철종 2년 7월, '忠淸監營了', 307쪽.

空官을 틈타 陞五之役을 부과하기도 했다.[143] 이러한 현상은 이들의 사회경제적 몰락에서 기인하는 것이지만 종부시가 선파인들에 대한 身役頉給문제를 방기한 책임도 있었다.[144] 이것이 흥선군이 종친부 중심의 종친세력을 정비를 추진한 이유였다.

홍선군은 선파인의 신역탈급 정책을 일관되게 추진했다.[145] 그러나 지방관청은 종친부의 신역탈급의 지시를 제대로 이행하지 않았다.[146] 종친부의 無滯頉給의 關飭에 대해 몇 일만에 橫侵의 폐단이 재발되거나,[147] 오히려 종친부의 탈급지시가 선파인들의 受侮見辱을 배가시키는 경우도 있었다. 幼學 李順漢 등은 讓寧大君 후손이지만 見疤軍伍하여 受困이 막심했다. 종친부는 李順漢 堂內 6인의 군역을 탈급하도록 지시하였으나,[148] 頉免은 고사하고 오히려 이들은 受侮見辱이 전보다 배가된다고 更呈하였다.[149] 德興大院君 10대손인 李湜은 流落鄕谷하여 門運이 漸衰하여 簪纓없는 처지로 전락했고, 該邑의 公

---

142) 『宗親府謄錄』 철종 4년 3월 '忠淸監營了', 327쪽.

143) 『宗親府謄錄』 헌종 15년 9월, '通津府直關', 291쪽.

144) 『宗親府謄錄』 철종 7년 11월 19일, '草記'. 홍선군은 종친부 유사당상이 되어 선파종친에 대한 잡역침탈의 폐단을 막기 위해서 修補를 상세하기 정리할 필요성을 제기했다. 이 과정에서 그는 宗簿寺 소관사항인 이러한 업무를 종친부가 관장해야 한다고 생각했다. 이것은 홍선군이 종부시가 고유 업무를 방기한 것을 비판하는 것이며, 종친부 중심의 종친세력 통합에 대한 의지를 표명한 것이다.

145) 『宗親府謄錄』에 의하면 종친부는 철종 원년 通津府, 畿營, 甘浦縣, 漢山郡, 江原監營, 開城府, 忠淸監營에 선파인의 신역탈급을 지시했고, 2년에는 江原監營, 忠淸監營, 黃海監營에 같은 지시를 했다. 이것은 홍선군에 의해 선판인에 대한 신역탈급이 광범위하게 진행되었다는 사실을 보여준다.

146) 南美惠, 1995,「大院君 執權期 宗親府 振興策의 性格」,「同大史學」1. 202쪽, 주 13) 참조.

147) 『宗親府謄錄』 헌종 15년 9월, '通津府直關', 291쪽.

148) 『宗親府謄錄』 철종 원년 6월, '江原監營了', 297쪽.

149) 『宗親府謄錄』 철종 2년 3월, '江原監營了', 303쪽.

兄輩들의 私嫌을 받아 風憲之帖에 見疵되어 수곤이 막심했다.150) 종
친부는 橫侵嚴治와 風憲之帖의 환수를 지시했으나, 오히려 이식이
捉囚되어 수모견욕이 전보다 배가되었다.151)

이러한 현상은 종친부와 종부시의 위상하락에 원인이 있었다. 특히
법제상 최고아문인 종친부는 하급기관이나 지방관청을 통제할 수 없
었다. 그러므로 선파 후예들에 대한 군역・잡역의 頉下와 이서배들에
대한 엄치의 효과를 기대할 수 없었다. 홍선군이 종친부 재건에 고심
한 것은 종친부의 이러한 현실을 직시했기 때문이다. 종친부의 권위가
회복되지 않고서는 근본적으로 해결될 수 없는 문제였다.

지방관청은 信憑할 文籍이 없다는 이유로 종친부의 頉給지시를 거
부하기도 했다. 종친부나 종부시도 정확한 선계를 파악하지 못하였
다.152) 종부시는 式年마다 璿派譜錄을 작성하고, 선파인은 식년마다
종부시에 수단을 제출해야 한다. 그러나 종부시가 본연의 임무에 소홀
하고, 선파인들은 사회경제적으로 몰락하면서 수단을 제출하지 않았
다. 홍선군이 종부시의 선원수보의 관리를 종친부에 이관하려는 또다
른 이유였다.

宗親璿派人의『璿源譜略』의 교정과 개수는 본래 宗簿寺의 업무였
다. 철종 초기『선원보략』의 개수작업이 있었다.153) 종친부는 전국의

---

150)『宗親府謄錄』철종 원년 4월, '畿營了', 295쪽.
151)『宗親府謄錄』철종 원년 6월, '畿營了', 297쪽.
152)『宗親府謄錄』철종 원년 10월, '江原監營了', 300쪽 ; 철종 2년 9월, '江原監
   營了, 311쪽. 江原道 平康縣 楡津面 楡淵里 거주 幼學 李成俊은 呈單에서
   讓寧大君의 후예라고 밝혔지만, 該邑은 그가 每式年에 收單하지 않아 상고
   할 문적이 없다고 했다. 이에 종친부는 탈급을 지시하면서 그를 孝寧大君
   자손으로 기재하였다.
153)『哲宗實錄』철종 1년 5월 27일 ; 3년 4월 3일 ;『宗親府謄錄』철종 3년 4월
   초2일, 317쪽. 철종 1년 선원보략 발문 제술관 이하의 관원에게 차등을 두어
   시상했고, 철종 3년 선원보략발문제술관 이하에 대한 시상도 있었다. 제술관

식년 수단인과 幼學童蒙들에게 구례를 회복하여 별도의 成冊을 만든
다는 사실을 發關하고, 매 읍에서는 별도로 有司 1인을 정하고, 8월의
大科赴擧시까지 來呈하게 했다.[154) 그러나 이 과정에서 홍선군은 소
극적으로 대응했다. 이것은 경평군과 영평군의 역할증대[155)와 비종친
계열의『선원보략』주도에 대한 불만과 정치권의 변동이 있었기 때문
이다.[156) 따라서 일부 종친들은『선원보략』의 수보를 계기로 정치적
압박과 제지를 받으면서 위축되었다.[157)

　益平君이 校正官에서 頉稟되자[158) 慶平君이『선원보략』수보를
주도했고, 여기에 일부의 정치세력이 가담했다.[159) 이때 홍선군은 典
設과 司圃提擧를 사임했다.[160) 이 과정에서 영의정 김좌근은 종부시

겸 예조판서 조두순, 제조 상호군 이돈영, 서사관 영평군, 교정관 경평군 등
이 그들이었고, 서사관 홍인군과 교정관 홍선군은 日淺勿論으로 제외되었
다. 이러한 사실은 홍선군이 종부시 주관의 선원보략에 참여하지 않고 있다
는 현실을 보여준다.

154)『宗親府謄錄』철종 3년 4월, '慶尙道全羅道忠淸道平安道江原道黃海道京畿
華城府開城府廣州府江華府了', 318쪽. 그러나 지방관청은 9월이 되어도 來
呈하지 않았다. 宗親府는 八道監營에 대해 科期가 10월로 연기된 사실을 상
기하고, 내달 赴擧時까지 제출할 것을 지시했다(같은 책, 철종 3년 9월, '八
道監營了', 323쪽).

155)『宗親府謄錄』철종 3년 4월 16일, 318쪽. 철종은 경평군에게 百官을 친수하
고, 영평군을 사용원제조로 임명했다.

156) 영의정 金興根은 철종 3년 3월 17일 사직했고, 4월 26일 좌의정 朴永元도
사직했다. 김좌근이 이때 우의정이 되었고, 이 과정에서 정치세력이 교체되
었다. 그러므로 홍선군은 이러한 정치권의 변동과정에서 안김집단과 일정한
교감이 있었다.

157)『哲宗實錄』철종 3년 7월 10일, '副校理 金永秀의 上疏'.

158)『宗親府謄錄』철종 4년 2월, '宗簿寺了', 326쪽.

159)『宗親府謄錄』철종 4년 2월 29일, '宗簿寺都監提調以下別單', 326쪽. 宗簿
寺 提調 領敦寧 金汶根, 璿源派譜 跋文製述官兼戶曹判書 趙斗淳. 國祖御
帖書寫官 永平君, 慶平君 등이 그들이며, 益平君은 日淺勿論으로 제외되었
다.

主簿를 蔭職으로 전환했다.161) 이러한 조치는 흥선군의 행보와 종부시의 위상 약화를 위한 것이었다. 안김은 종부시 중심의 『선원보략』 개수와 종친세력의 결집을 차단하고, 흥선군과 종친부의 위상강화를 선택한 결과였다. 안김은 종부시가 비대해질 경우 趙大妃의 세력이 강화될 것으로 판단했고, 그래서 흥선군 중심의 종친부 위상강화로 대응한 것이다. 즉 왕실과 종친의 권위신장보다 조대비계 정치집단의 결집이 더 위협적이라고 판단한 것이다. 흥선군은 이러한 동향을 고려하여 『선원보략』 수정 진상에 참여하지 않았다.162)

흥선군은 처음부터 종친부가 주관하는 『선원파보』를 구상했다. 그는 선파인들의 신역탈급에 주력하면서 선파인 문적의 필요성을 절감했고, 선파인 탈역 문제는 수보만이 유일한 방안이자 근본 대책으로 인식했다. 그러므로 흥선군은 종부시의 식년수정 업무를 종친부로 이관하는 방안을 강구했다. 그는 종친부가 주관할 경우 기천만이나 되는 선파 流落遐鄕者의 침역을 막을 수 있고, 世系單子의 淆雜冒入의 폐단을 막을 수 있다고 확신했다.163)

흥선군은 종친부의 권위회복을 위해 건물 개·보수사업을 시작하고, 동시에 世系式年修正權의 移管을 추진했다. 이것은 선파후예의 신역탈급은 종친부가 주관하지만 세계의 식년수정은 종부시가 주관한다는 전제가 있었기 때문이다. 그는 최근 선파인들의 支裔가 昌蕃하고 流落遐鄕者가 幾千萬이나 되는 현실을 직시했다. 종친부가 침역

160) 『宗親府謄錄』 철종 4년 3월, '三堂上興宣君上疏', 326쪽.
161) 『哲宗實錄』 철종 4년 5월 20일. 영의정 김좌근은 종부시 主簿는 임시 蔭窠로 삼고, 각 陵,殿의 別檢 4窠는 蔭令을 陞作시키고, 典籍 4과는 參下의 자리로 삼으며, 四廳의 末仕는 병조에 환송하고, 南行部將은 예에 의해 區處할 것을 요청·시행했다.
162) 『宗親府謄錄』 철종 4년 11월 19일, '宗簿寺都監提調二下別單', 331쪽.
163) 『宗親府謄錄』 철종 7년 11월 19일, '草記', 348쪽.

에 대해 頒免토록 발관했지만 다시 침역을 당하고 있고, 紛競의 근원은 세파가 寢久微晦하여 考信할 바가 없는데서 연유했다. 또한 虛實이 相蒙하는 상태에 이른 것은 종부시가 식년 수보할 때 審愼하고 교정하지 않았기 때문이었다. 그러므로 홍선군은 종부시의 존재와 역할을 비판하고 부정한 것이다.

홍선군은 종친부 중심의 矯抹방법을 구상했다. 그는 식년수보의 世派를 細考할때, 종친부가 먼저 세계단자를 상고할 것을 제의했다. 종부시는 종친부가 이첩한 결과를 토대로 수보하면 된다는 입장이었다. 이러한 방법으로 양사가 相知한다면 이후 淸雜冒入의 폐단은 없어질 것으로 확신했다. 이것을 종부시가 영원한 著式으로 삼고, 만약에 세계단자에 종친부의 紙尾가 없다면 시행하지 말아야 한다고 주장했다.

철종은 홍선군의 방안을 수용했고, 그 결과 종친부는 세계 식년 수정을 주도했다. 종친부는 이러한 내용을 종친부의 감결로 전국에 發關하여 세부사항을 전달했다. 이것은 홍선군이 사전에 치밀한 준비와 철종과의 협의가 있었기에 가능했다.[164]

홍선군은 準考의 대상으로 종친부와 선원록청이 성책한 수단에 한정했다. 그리고 종친부 단자는 宗印으로 차별화해 憑考防奸의 기준을 마련했다. 이로써 各道 各邑은 종친부가 별봉하여 내려 보낸 宗印을 기준으로 교정하고 그 결과를 上送해야 했다. 특히 종친부는 이러한 批旨와 關子의 뜻을 등사하여 관부의 벽에 걸어두게 했고, 성책이 지체되면 해당 公兄을 상사가 엄치하도록 지시했다.

이것은 홍선군과 종친부의 지시가 매우 강경함을 의미한다. 홍선군의 이러한 노력에도 불구하고 실제적으로는 선원보략 수정업무가 종친부로 이관되지 않았다.[165] 지방관청도 종친부의 지시를 이행하지

---

164) 『宗親府謄錄』 철종 7년 11월, '各道了', 349쪽.
165) 『哲宗實錄』 철종 7년 12월 1일. 『선원보략』을 수정할 때 宗簿提調 이하 관

않았다. 철종 8년 정월 종친부가 각도에 보낸 관문은 이러한 실상을 보여준다.[166] 여기에 의하면 열에 한 둘은 오히려 상송하지 않았고, 8, 9구는 선원록청에서 면제받았다고 주장했기 때문이다. 특히 이들은 長遠을 핑계 삼거나 前式의 선원록청을 선호하고 변경된 종친부의 新式의 수정을 부정했다. 지방의 수령이나 선파인들은 종친부의 격식을 거부한 것이다.

이러한 과정에서 중친부와 종부시 간에 위상과 역할변화를 둘러싸고 분쟁이 발생했다. 종부시와 종부시 중심의 정치세력들의 불만이 표출된 것이다. 이들은 종부시의 종친부 속사화와 정치세력의 약화를 우려했다. 上護軍 趙秉駿은 종친부 유사당상의 월권을 지적하고, 修補와 頉役의 업무가 종친부로 이관되는 부당성을 제기했다.

……신이 지금 다시 욕되게 提擧하는 것은 이것이 문란의 폐단이 있고, 신이 황공하고 부끄러움을 이기지 못하기 때문입니다. 차례대로 종부시의 掌攷을 고찰해 보니, 매 식년 선파선보 수정할 때 외도의 각 파 세계는 본관이 門長의 상송을 보관하고 있습니다. 그런데 혹 賤役에 見疤을 당하는 자가 있으면 선원록을 溯考하여 명확하게 그 내력을 안 연후에 제역하기 위해 행관하는 것이 수교에 실려 있습니다. 그런데 종친부가 홀연히 선파탈역으로서 그들의 소관이라고 말하는 것은 무슨 근거인지를 알 수 없습니다. 수보와 탈역은 모두 종부시의 소관입니다. 지금 이에 양부에 분속하는 것은 오히려 이치에 맞지 않습니다. 또 派單을 먼저 종친부에 아뢰고(올리고) 移牒하여 거행하는 것은 소재수교에도 어긋납니다. 종반을 규찰해야 할 아문이 도리어 종친부의 속사가 되니 사체를 헤아려볼 때 부당합니다. 지금부터 수보와

원에게 차등 시상하라는 지시가 내려지고, 監印인 宗簿寺의 正 白宗佺은 加資되었다.
166) 『宗親府謄錄』 철종 8년 정월, '各道了', 349~350쪽.

탈역은 전처럼 전적으로 종부시에 속하게 하는 것이 마땅합니다.[167]

조병준은 종친부의 선파탈역은 법식에 없기 때문에 철종 7년 11월
草記를 위법으로 규정했다. 그는 『선원파보』 수보와 선파인 탈역은
종부시의 업무이기 때문에 양부분속은 이치에도 맞지 않으며, 더구나
派單을 종친부를 거쳐 이첩하는 것은 昭載受敎에 어긋난다는 점을
강조했다. 이것은 宗班을 규찰하는 종부시가 종친부의 속사가 되기
때문이다. 그러므로 철종은 이러한 종부시의 입장을 고려하지 않을 수
없었다. 그는 "종부시의 掌攷가 이미 이와 같다면 向日 초기는 수교
에 어긋남이 있다. 사체를 헤아려볼 때 殊涉妄率이다"라고 하여 종친
부 유사당상 홍선군을 파직했다.[168]

종친부 위상을 강화하려는 홍선군의 의지는 좌절되었다. 종부시와
종친부 구성원은 동일한 종친이었지만 통합보다는 갈등의 모습을 보
였다. 이것은 종친부와 종부시의 배후에 각기 다른 정치집단이 있었기
때문이다. 그런데 홍선군은 열흘 뒤 종친부 유사당상에 복귀했다. 이
것은 철종과 안김의 영향력과 정치적 역할 변화와 맞물렸다.[169] 특히
순원왕후의 죽음은 홍선군에게 反轉의 기회를 주었다.[170]

---

167) 『宗親府謄錄』 철종 8년 정월, 22일, '護軍趙秉駿所奏', 350~351쪽.
168) 『宗親府謄錄』 철종 8년 1월 22일, 350~351쪽. 慶平君이 다음날 유사당상이
     되었다.
169) 『宗親府謄錄』 철종 8년 2월 초1일, 351쪽.
170) 『宗親府謄錄』 철종 8년 8월 초4일, 357쪽. 순원왕후가 죽자 홍선군은 종척집
     사로 장례에 참여했다(『哲宗實錄』 철종 8년 8월 4일). 이날 藥院에서는 순
     원왕후의 처소에 輪番입직했고, 안김집단들도 별입직의 형식으로 순원왕후
     의 사망에 대비했다. 순원왕후는 養心閣에서 죽었고, 안김세력은 궁성을 扈
     衛하면서 만일에 대비했다. 우의정 조두순은 삼도감 당상관과 낭관을 차출
     했고, 자신이 총호사가 되었다. 익평군 희는 守陵官이 되었다. 이날 별입직
     을 선 인물은 안김의 핵심인물로 金左根, 金炳冀, 金賢根, 尹宜善, 金炳㴋,
     金炳地, 金炳國, 金炳弼 등이 그들이다.

신정왕후는 이제 왕실의 최고위에 위치했다. 그는 안김세력에 대응할 수 있는 세력을 규합하기 위해 종친세력을 정비할 필요가 있었다. 이것은 자칫하면 안김집단과의 충돌이 야기되었기 때문에 처신에 신중했다. 신정왕후는 안김집단과 정치적 대립을 무마하고, 그들과 일정한 협력체제가 가능한 인물을 탐색했다. 그가 주목한 인물이 바로 흥선군이었다. 흥선군은 궁중출입이 자유로운 상태였기 때문에 신정왕후와 정치적 논의가 가능했다. 이 과정에서 신정왕후와 흥선군은 종친세력의 정비를 통해 안김세력에 대응할 정치기반을 모색했다. 이것이 신정왕후 조대비와 흥선군의 정치적 제휴가 가능했던 이유였다.

그러나 이들의 정치적 지향과 목적은 달랐다. 신정왕후는 왕실을 축으로 종친선파인이 결합되면 왕권의 기반이 공고해질 것으로 인식했다. 그리고 이것이 자신은 물론이고 세도정권에 대응할 수 있는 배경이 될 것으로 생각했다. 그리고 그의 입장에서는 흥선군이 추진하는 종진선파인들의 정치세력화에 반대할 명분과 이유가 없었다. 더구나 이것은 자신의 정치기반 강화와 직결되는 문제였다.

흥선군은 현실적으로 조대비의 정치적 후원이 절실한 입장이었다. 그는 정치적 기반이 약했고, 권위가 있었던 것도 아니기 때문이다. 더구나 안김집단의 현실적 권력을 부정할 수 없었다. 흥선군은 신정왕후의 후원과 동시에 정치권의 협력도 필요했다. 그래서 그는 신정왕후와의 정치적 연대와 안김과의 정치적 협력을 별개로 생각했다. 그는 안김집단과의 적대적 관계를 원하지 않았고, 종부시 주관의 『선원보략』 개장에 불참한[171] 이유가 여기에 있었다.

---

171) 『哲宗實錄』 철종 12년 2월 22일. 선원보략 改張時 宗簿提調이하에게 차등 시상하지만 흥선군은 제조의 명단에서 누락되었다. 제조로는 上護軍 徐有薰, 跋文製述官 廣州留守 南秉哲, 國朝御牒書寫官 興寅君, 纂修監印校正官 完平君, 纂修監印 正 林翰洙 등의 명단이 보인다(『宗親府謄錄』 철종 12년 2월 22일, 375쪽).

홍선군의 이러한 정치적 인식과 선택은 종친부 중심의 선원수보권 확보로 이어졌다. 이제 종친부는 직사를 가지면서 권위를 회복하게 되었고, 홍선군이 급선무로 인식했던 선파인의 신역탈급·『선원수보』가 추진되게 되었다. 이후 홍선군은 안김집단과 신정왕후의 정치적 입장을 조율하거나, 양 세력의 완충역할을 하면서 정치적 기반을 확보했다. 이것이 고종 즉위과정에서 양쪽에서 거부하거나 저항하지 않은 배경이 되었다.

철종은 傳敎를 통해 선파인 각파세보의 복구 수정권을 宗親府에 부여했다.[172] 이로써 종친부는 직무를 가진 아문으로 변화했고, 실권을 보장받았고, 종부시를 장악할 수 있게 되었다. 홍선군은 종친부 업무를 위해 구성원을 증원했고,[173] 종부시의 조직을 흡수했다. 그리고 종부시에 대해 위격문제를 제기하고, 비변사와도 관계를 재정립했다. 이것은 종친부 아문의 체통을 嚴立하려는 홍선군의 의지가 작용한 것이다.

홍선군은 철종 11년 宗簿寺가 보낸 文簿를 환송하고, 移文의 違格를 추궁했다.[174] 정3품아문인 종부시가 정1품아문인 종친부에 牒呈을 사용하지 않고 移文한 것은 격식에 어긋났다. 이에 종부시는 즉각 반발했으나,[175] 홍선군은 최고권력기구인 비변사에 협조를 당부했다. 비변사는 종친부의 입장을 지지하고 문부거래의 體例를 강조했다.[176]

---

172) 『宗親府謄錄』 철종 11년 11월 30일, '傳曰 璿派人各派世譜令宗親府復舊例修正', 25쪽.
173) 『宗親府謄錄』 철종 11년 12월 초6일, 25쪽. 종친부는 종부시의 예에 의거하여 幼學 李時重, 金承根, 宋欽淸, 嚴錫濟, 金正根, 洪衍謨 등을 假郎廳에 차하할 것을 요구하고, 兵曹는 이들을 司勇에 임명했다.
174) 『宗親府謄錄』 철종 11년 12월 21일, '宗簿寺了', 25쪽.
175) 『宗親府謄錄』 철종 11년 12월 23일, '宗簿寺回通', 25쪽.
176) 위와 같은 날, '備邊司回通'.

이것은 비변사가 정1품아문으로 종친부가 최고아문임을 공인한 것이다. 이로써 종부시는 종친부 속사가 되었고, 종친부는 종친 및 선파인의 통제권을 확보했다.

흥선군은 각파세보 작업177)을 본격적으로 추진하기 위해 전국에 발관했다.178) 종친들에게는 별도의 '諸宗氏座下'란 통문을 보냈다.179) 종친부는 通文幾度를 동봉하여 각도가 주관하고, 각 읍 각파 문장은 世系를 祥修하여 別有司를 택정하여 내년 봄 과거가 있기 전에 상송하게 했다.180) 흥선군은 수보 1款이 종친부의 급선무임을 강조하고 재정을 확보하기 위해 명하전 수렴을 잊지 않았다. 동시에 직방 일원을 증원하고181) 물력을 各邑에 요청했다.182) 별유사의 망통에 의거하 순천부사 李寅夔 등 38명이 택정되었다.183) 그는 별정유사들에게 祥

---

177) 선파인의 대수가 멀고 한미해진 사람들이 隊伍와 雜役에 輒疤되는 폐단이 만연하고, 수교에 의한 발관엄칙도 한갓 문구로 돌리는 경우가 10에 8, 9가 되는 현실에서 선파수보는 가장 확실한 선파인의 사회적 지위를 확보하는 방안이다. 흥선군이 선파수보에 진력한 것은 군역 및 잡역의 침어를 막을 수 있다는 확신 때문이다.

178) 『宗親府謄錄』철종 11년 12월 25일, '八道監營四都留守濟州喬洞水營了', 25 ~26쪽.

179) 『宗親府謄錄』철종 11년 12월 25일, '通文', 26쪽. 흥선군은 乙丑年부터 回祿하니 簡帙이 거의 蕩殘에 이르러 항상 개탄스럽지만, 다행이 聖衷이 극명하여 지금 11월 30일에 전교하여 종친부가 선원 각파 세보를 복구 수정하게 되었다고 전제하고, 聖旨를 抃讀하여 衆議을 博採하였으니, 수보 一款은 우리 종친의 급선무이며, 왕이 친람할 것이니 諸宗氏座下들은 世系를 祥修하여 別有司를 택정하고 名下錢을 收斂하여 明春 科時에 상송하여 문란함이 없게 하라고 당부했다.

180) 과거가 있기 전에 보고하라는 지시는 선파인들을 과거를 통해 흡입하려는 의도였다.

181) 『宗親府謄錄』철종 11년 12월 26일, 26쪽.

182) 『宗親府謄錄』철종 11년 12월 28일, '發關各邑料求請', 26쪽.

183) 『宗親府謄錄』철종 11년 12월 29일, '別有司望', 26~27쪽.

修世系와 명하전 수합을 거듭 지시했다.[184]

홍선군은 특정히 收單收錢 유사를 지명하여 지방에 보냈고[185] 시
역일자를 확정하면서 인력을 보충했다.[186] 종친부는 선원각파의 회동
준비를 하급관청에 지시했다.[187] 종친부의 감결은 하급관청을 지배했
고, 홍선군은 종친부에서 직접 회동좌기를 주관했다.[188] 이 과정에서
종친부는 독자적인 영역과 위치를 확보했다.

홍선군은 종친부 역원배들에 대한 시상을 통해 타 관청과 차별을
시도했다.[189] 종친부의 典簿는 필역까지 董役을 위해 공회참여를 면

---

184) 종친부는 철종 12년 정월 해주판관에게 波譜扶助로 百兩을 독촉하는 것을
   필두로 북병영에 발관하여 禮木을 구청하고, 동년 2월 23일 箕營에 선파인,
   文蔭武監留兵士 이하 예목의 액수를 정하여 상송케 했다. 2월 25일 각파 종
   손에게 통문하여 回報·移報가 없다고 추궁하였고, 수보가 종친부의 급선무
   임을 재차 강조했다. 이러한 내용의 지시는『종친부등록』에 산견되어 나타
   난다(『宗親府謄錄』철종 12년 정월 21일, 23일, : 2월 23일, 25일, 26일, 27~
   28쪽).
185) 孝寧派인 東純을 동파의 收單收錢 유사로 차송하여 황해도 소재 효령파 단
   자 수전을 빨리 수송할 것을 지시하였고, 관망하거나 지체할 경우에는 종친
   부 초기로 감죄할 뜻을 분명히 하였다. 이런 점에서 종친부가 어느 정도 권
   한을 회복한 것으로 보인다.
186) 『宗親府謄錄』철종 12년 3월 초3일, '甘結'. 종친부는 시역일자를 3월 10일
   로 정했다.
187) 『宗親府謄錄』철종 12년 3월 초8일, '甘結' ; 초9일, '甘結', 28~29쪽. 종친부
   는 선원각파의 회도에 대한 준비를 호조·전설사·제용감·사재감·장흥고,
   中部其人·지의계, 司瓮司에 지시했다. 다음날 繕工監에는 선원파보 회동
   시 堂上所坐 交倚踏掌 각 1좌의 진배를 준비하게 했고, 호조·공조·예빈시
   ·瓦署에는 10일 회동 좌기시 당상낭청 소용 황필 8량과 진묵 8정, 현석 8
   箇, 膠末 3升, 土火爐 5箇 등의 물건을 진배하게 했다. 또한 刻手匠, 蹄刻匠,
   印出匠 등이 주접할 假家 8칸을 기일 내 조성토록 하였고, 각색공장들의 所
   排空石 30立, 網口空石 20立, 剪板書板 각 3坐와 잡물 준비와 大樻子 2부,
   중궤자 3부를 교체케 했다.
188) 『宗親府謄錄』철종 12년 3월 10일, 29쪽.
189) 녹사 2인은 2냥씩, 서리방에는 10냥, 사령방에는 10냥을 받았고, 군사 3명에

제받았고, 璿派續報에 참여하는 각색공장들은 犯夜勿禁帖을 종친부
가 출급하고, 다른 관청이 침범하지 못하게 했다.190) 이로써 종친부
구성원들은 지위와 상관없이 타 기관의 지배를 받지 않게 되었다.

그러나 종친부의 선파수단과 명하전 수합은 계획대로 진행되지 못
했다. 종친부는 선파수단과 명하전, 예목전의 督捧上送를 거듭 지시
했다.191) 평안감영은 선파인들의 예목전이 전무한 상태에서 각읍에
예목전 상송을 독촉했다.192) 일부 선파출신 지방관의 禮木秩이 追入
되었지만,193) 명하전 수합과정에서 부정이 발생하기도 했다. 명하전의
횡령과194) 몰수사건이 있었고,195) 심지어 선파인이 속임을 당해 종친
부 關字圖를 出事하는 사태가 벌어지기도 했다.196)

선원각과 수단의 수합도 예외는 아니었다. 楊洲牧의 密春君 자손은
入譜조차 하지 않았고,197) 함경도의 경우는 1/5정도만이 入單했다.198)
이렇게 되자 흥선군은 일시에 수보하는 것이 물리적으로 어렵다고 인
식했다. 그래서 그는 수합된 총 72파를 중심으로 수정·교정을 추진했
다. 흥선군은 일차적으로 덕흥대원군 이하 13파를 수정진상의 대상으
로 선정하고199) 진상 일에 필요한 제반요소를 점검했다.200)

게는 1냥씩 별도로 사급되었다.

190) 『宗親府謄錄』 철종 12년 6월, '甘結', 34쪽.

191) 『宗親府謄錄』 철종 12년 4월~12월, 29~34쪽. 종친부는 철종 12년 4월부터
12월까지 지방관청에 지속적으로 지시했다.

192) 『宗親府謄錄』 철종 12년 4월, '平安監營了', 30~31쪽. 평안도의 경우 2월에
도내 선파인들에게 예목전을 독봉케 하였으나 수납의 실정은 전무했다.

193) 『宗親府謄錄』 철종 12년 4월, 6월, '追入禮木秩', 30~32쪽.

194) 『宗親府謄錄』 철종 12년 4월 초3일, '鳳山郡直關了', 29쪽.

195) 『宗親府謄錄』 철종 12년 8월 21일, '夫餘縣直關了', 33쪽.

196) 『宗親府謄錄』 철종 12년 8월 초2일, '潭陽府直關了', 33쪽.

197) 『宗親府謄錄』 철종 12년 4월 초6일, '楊洲牧直關了', 30쪽.

198) 『宗親府謄錄』 철종 12년 4월, '咸鏡監營了', 30쪽.

199) 『宗親府謄錄』 철종 12년 12월 2일, 34쪽.

철종은 13파에 대한 선원세보를 진상 받고 교정당상 이하를 시상했
다.201) 그리고 종친부가 나머지 제파들에 대해 신속하게 수정할 것을
지시했다. 종친부는 이러한 국왕의 전교를 전국에 유포하고, 관망하던
선파인을 독려했다. 이 과정에서 흥선군은 정치적 의도를 드러냈다.
그는 이번 수보가 식년수단과 다르다고 강조했기 때문이다.202) 그러
나 선파인들은 수차의 발관에도 불구하고 관망하는 태도를 취했
다.203) 황해도의 경우 입단이 1/5 정도였고, 평안도는 기한 來呈한 사
람이 없었다.204) 함경도의 경우 선파인 문음무 監留병사들이 예목을
봉상하지 않았다.205) 춘천부의 海安君派는 名錢 150냥을 납부하지 않
았다.206)

　이러한 결과는 종친부를 경제적으로 어렵게 만들었다. 명전을 전량
납부한 곳은 순천부뿐이었다.207) 선파인들의 禮木秩이 추입되지 않은
것은 아니지만208) 절대적으로 부족했다. 이러한 현상은 선파인들의
경제적 몰락에서 기인했다.

　흥선군은 종친부를 중심으로 종친과 선파인들을 정비했다. 그러나

---

200) 『宗親府謄錄』 철종 12년 12월 초3일, '甘結', 34쪽.
201) 『宗親府謄錄』 철종 12년 12월 5일, 35쪽. 역원들에 대한 시상은 12월 18일에
　　있었다. 이들은 일년 동안 근로한 공로로 인해 書吏 15인은 각50냥, 유사사
　　령 2명과 거행군사방직 3명은 각10냥, 사령방은 50냥을 파보청에서 지급받
　　았다(『종친부등록』 철종 12년 12월 18일, 35쪽).
202) 『宗親府謄錄』 철종 12년 12월 6일, '八道監營四都濟州喬桐了', 35쪽.
203) 『宗親府謄錄』 철종 13년 정월 13일, '淮陽府了', 35쪽.
204) 『宗親府謄錄』 철종 13년 3월 14일, '黃海監營了', '平安監營了', 37쪽.
205) 『宗親府謄錄』 철종 13년 2월 28일, '北營了', 36쪽.
206) 『宗親府謄錄』 철종 13년 8월, '春川府了' ; '交河郡了', 39~40쪽.
207) 『宗親府謄錄』 철종 13년 9월 10일, '順天府了', 43쪽. 순천부는 명전 200여
　　냥 전량을 납부했다.
208) 『宗親府謄錄』 철종 12년 12월 27일, 13년 4월, 5월, 6월, 8월, 윤8월, 9월, 35
　　~47쪽.

전국의 선파세력을 결집하는 것은 현실적으로 어려웠다. 종친부는 선원파보를 위한 도감을 2년간 운영하였으나 선파인 수단제출은 1/3을 넘지 않았다. 종친부는 식년수단이 아니라는 점을 거듭 강조하고, 미수보로 인한 遺漏之弊를 막기 위해 各道該邑에 지시했다.[209] 그러나 수단입정이 漫漶하여서 종친부는 遺漏를 막기 위한 방안을 강구했다.[210] 그러나 선원파보의 완전한 수정은 대원군의 집권을 기다려야 했다. 이것은 대원군이 추진한 종친세력 정비와 정치세력화가 얼마나 어려운 일이었는가를 단적으로 보여준다.

2. 종친부 재건활동을 통해 본 흥선군의 현실인식

종친부는 법제상 최고아문으로 의정부보다 상위에 위치하였지만 職事와 실권이 없는 예우아문이었다. 반면에 정3품아문인 종부시는 『璿源譜牒』의 편집과 기록의 업무와 종실의 비위에 대한 조사와 규탄의 직무를 맡았다. 종친부와 종부시의 이 같은 분리와 종부시에 직무를 한정한 것은 종친선파인들의 정치적 결합을 차단하려는 목적에서 비롯되었다. 그렇다고 종친선파인들의 사회·경제적 특권을 부정한 것은 아니다.[211]

---

209) 『宗親府謄錄』 철종 13년 윤8월 18일, '八道四都濟州喬桐了', 40쪽.
210) 『宗親府謄錄』 철종 14년 정월 22일, '八道監營了' ; '四都濟州喬桐了', 62쪽.
211) 宗親府는 조선초기에 在內諸君府가 세종년간에 개칭된 것이며, 요속인 典籤司가 府中의 잡무를 처리할 뿐 실권은 없었다. 반면에 宗簿寺는 종친의 규찰과 선원보첩의 편찬을 맡으면서 직사를 가졌다. 재내제군부는 태종 14년에 종부시에 예속되었다. 이것은 재내제군부의 실질적인 기능을 강화하여 종친의 비위규찰을 전담케 하기 위한 것이다. 또한 종친들의 범법에 대한 대간의 탄핵을 피하고, 종친의 위신과 권위수호를 위한 안전판을 마련하려는 취지였다. 그러나 세종 10년 宋制를 본받아 종친부와 종부시가 분리되었다 (金成俊, 1985, 「朝鮮初期의 宗親府」, 『韓國中世政治法制史研究』, 一潮閣).

종친은 封君되어도 3·4대가 지나면 관직에 진출할 수 있다.212) 조
선초에도 이들의 정치적 참여를 위해 宗親科가 실시되었고,213) 이들
의 정계진출은 국왕의 정국주도와 왕권강화의 기반이 되었다. 또한 종
친들은 종친부를 통해 의례를 주관·참여함으로써 국왕과 지근거리에
서 국정을 논의하기도 했다. 따라서 정책건의나 정보교환에서 국왕과
가장 유리한 위치에 있었다. 그러나 이것은 정치집단을 불안하게 만드
는 요소가 되었다. 또 전국에 산재한 선파인들은 국왕의 사회적 기반
이 되어 국왕의 정책에 대한 효과나 여론을 결집하기도 했다.

조선후기 세도정권이 수립되자 국왕권의 약화와 맥락을 같이하여
종친부와 宗親璿派人들은 몰락했다. 세도정권은 권력을 자신의 가문
에 집중하면서 왕실와 종친세력의 정치적 활동공간을 축소시켰다. 이
러한 결과는 종친부가 조선후기에 이르러 독립된 건물조차 유지할 수
없게 만들었고, 급기야 종친부는 최고아문으로서의 권위와 위상을 상
실했다.214) 또한 종부시는『선원보략』과 선파인 신역탈급에 소극적으
로 대응하여 직무를 유기했고, 그 결과 선파인들은『선원보첩』에 의해
보장받던 왕족으로서의 사회적 특권을 상실했던 것이다.

종친부의 건물은 종친부의 권위와 위상 하락을 단적으로 보여준다.
종친부는 百司之首이며 莫嚴重地였으나,215) 건물은 修補되지 않아

---

212)『大典會通』卷1,「吏典」, '宗親府條'.
213) 성종 15년(1484) 宗親科의 절목을 정하고 式年 다음해에 시험을 실시, 종친
   을 등용했다.
214)『宗親府謄錄』헌종 13년 5월 25일. 종친부의 甘結을 하급기관인 호조가 거
   부한다는 것은 종친부의 위상을 단적으로 보여준다.
215)『宗親府謄錄』철종 4년 2월, '郎廳稟目', 326쪽 ; 13년 3월, '戶曹了', 392쪽.
   흥선군은 종친부는 百司之首라고 주장하고, 아문의 모양을 갖추기 위해 낭
   청 및 驅從의 구비를 요구했다. 이후 철종 13년 莫嚴重地인 종친부가 무뢰
   배들이 무상으로 출입하는 곳이 되었으니 수개할 것을 제의하였다. 이러한
   과정에서 종친부는 백사지수와 막엄중지의 위상과 지위가 정치권에 인식되

무너질 지경이었다. 특히 奉安閣·大廳·郎廳은 지나치게 퇴락하여 御諱御押을 庫直廳에 옮겼고, 무뢰지배들이 무상으로 출입하는 곳이 되었다.[216] 그리고 종친부는 列星의 御諱御押奉安은 물론이고 曝晒 조차도 어려운 실정이었다.[217] 이것이 정1품 최고아문인 종친부의 실상이었다.

홍선군은 유사당상이 되어 종친부 건물의 개·보수에 집착했다. 이 것은 종친부의 권위와 위상이 건물의 보존과 상관관계에 있다고 홍선 군이 판단했기 때문이다. 홍선군은 헌종 말기 종친부 건물의 개·보수 문제를 구체화했다.[218] 헌종은 즉시 看審籌摘 후 改建修葺을 지시했다. 그러나 호조가 전면적인 보수작업에 대해 國役未了 財力不足을 들어 반대했다. 호조는 대문과 좌우협랑, 내삼문은 徐待明春 擧行할 것으로 입장을 정리했다.

종친부는 최고아문의 위엄이 사라진 지 오래였다. 이미 거지와 무 뢰배의 무상출입처로 전락했고,[219] 이들이 御諱樻子를 훔쳐가다가 체포되기도 했다. 壬癸兩年(헌종 8, 9년)은 혼란한 시기가 아님에도 거지와 몰락한 양민들이 종친부를 배회하기도 했다. 이러한 종친부의 현실에 대해 홍선군은 주관이 없는 殘司라도 이 같은 지경에는 이르지 않을 것이라고 통탄했다. 이 과정에서 그는 종친부 건물 개·보수는 정치권의 협력없이는 불가능하다고 판단했다.

었다.

216)『宗親府謄錄』헌종 13년 8월, '草記' 및 '戶曹了', 468쪽.

217)『宗親府謄錄』헌종 13년 7월, '捧甘各司', 468쪽. 종친부는 포쇄를 위해 호조
·공조·繕工監·長興庫·濟用監 其人과 典設司·司僕寺·司宰監·禮賓
寺·北部·地衣契 등에 협조를 지시하였다.

218)『宗親府謄錄』헌종 14년 8월, 479쪽 ; 15년 3월, 486쪽. 홍선군은 종친부의
건물 개보수에 대한 요구가 수용되지 않자 유사당상직을 사임했고, 헌종은
度支經用이 어렵다는 이유를 들어 후일을 기다릴 것을 요구했다.

219)『宗親府謄錄』헌종 13년 8월, '戶曹了', 469쪽.

홍선군은 헌종 14년 3월 종친부 건물 개·보수의 착공을 호조에 요청했다.[220] 그러나 호조는 수차에 걸친 종친부의 移文에 반응하지 않았다.[221] 이때 홍선군의 형인 興完君이 사망하자, 그는 종친부 건물의 개·보수에 전력할 수 없었다.[222] 대신 새로 임명된 종친부의 典簿가 국왕의 윤허를 근거로 건물의 개·보수를 추진했다.[223] 그러나 종친부의 奉安閣을 제외한 다른 役事는 冬寒으로 중지되었다.

홍선군은 헌종 15년 2월 종친부의 개건과 개축의 不日始役을 재강조했다.[224] 그러나 호조는 여전히 냉담했고, 홍선군은 한계를 절감했다. 그는 이러한 현실에 대해 "年識이 淺蔑하고 또한 유사당상직임을 濫叨하여 책임을 다하지 못해 항상 愧懼하고 淵谷에 떨어지는 것 같다"고 자책했다. 이 과정에서 홍선군은 종친부 자체에 대한 성찰과 지향할 방향에 대해 고뇌의 결단을 내렸다. 그는 종친부의 개혁과제와 방안을 종합적으로 제시했다.[225]

홍선군은 종친부의 한계가 일차적으로 재정에 있다고 판단했다. 종친부는 원래부터 留儲와 재력이 없었다. 그러므로 독자적인 건물의 修補는 불가능했고, 事體가 他司와 달랐지만 지위를 유지할 수 없었다. 비록 종친부 내 奉安閣이 개건되었지만 郎廳은 모두 무너져서 役員이 있을 곳이 없어 마치 비어있는 땅과 같았다. 그러므로 흉년이 들

---

220) 『宗親府謄錄』 헌종 14년 3월, '戶曹了', 475쪽.
221) 『宗親府謄錄』 헌종 14년 7월, '戶曹了', 478쪽.
222) 『宗親府謄錄』 헌종 14년 5월 18일, '禮曹了' ; 6월 15일, '興宣君上疏'. 홍완군은 헌종 14년 5월 18일 사망했고, 홍선군은 장례문제를 들어 廚院직임마저 사직했다.
223) 『宗親府謄錄』 헌종 14년 8월, '宗親府典簿以有司堂上之意啓曰', 479쪽. 金檍은 8월 7일 典簿에 임명되고, 9일에 肅拜했다. 이 사이에 그는 종친부의 당면문제를 홍선군과 상의했고, 추진했다.
224) 『宗親府謄錄』 헌종 15년 2월, '戶曹了', 485쪽.
225) 『宗親府謄錄』 헌종 15년 3월, '興宣君昰應上疏', 486쪽.

면 거지무리와 도적들이 모여들어 난장판을 이루기에 안성맞춤이었
다.

홍선군은 종친부의 권위를 회복하기 위해 모범적으로 조성하고 重
地가 無曠하게 만들어야 했다. 그는 內三門과 上下 員役處로 최소 40
칸 정도는 營建해야 한다고 판단하고, 스스로 힘이 없지만 전력하겠
다고 다짐했다. 그는 일단 이러한 사업이 新刱이 아님을 강조해 정치
권의 우려를 불식시키고, 遵守의 방법과 수리의 규칙를 제안했다. 그
러나 헌종은 '度支經用이 심난하니 후일에 논의하자'며 종친부 재건
에 소극적이었다.

이와 같이 종친부가 존립하기 어려운 처지에서 철종이 등극했고,
종친부는 더 심각한 재정난에 봉착했다. 호조는 종친부의 물품 요청을
거부했고,[226] 심지어는 창호지조차 부족해 유지가 어려웠다.[227] 問安
廳의 문고리는 한번도 교체하지 않아 부서져 있었고,[228] 서북쪽 담장
30칸은 큰 비로 모두 허물어져 거지, 閑人, 잡인들이 무상으로 출입했
다.[229] 심지어 병조의 水工들이 왕자대군의 朝房에 돌입하여 員役에
게 흉욕을 보이기도 했다.[230] 이것은 그동안 종친들이 종친부에 상주
하지 않았고, 집무를 보지 않았다는 사실을 보여준다. 홍선군은 이러
한 종친부의 실상을 직시했다.

이것은 종친부가 百司之首에 위치했지만 직무가 없었기 때문이다.

---

226) 『宗親府謄錄』 철종 1년 9월, '戶曹了' ; 철종 2년 9월 '戶曹了', 299쪽.
227) 『宗親府謄錄』 철종 즉위년 9월, '戶曹了', 291쪽.
228) 『宗親府謄錄』 철종 1년 7월, '戶曹了', 8월 '戶曹了', 298쪽.
229) 『宗親府謄錄』 철종 2년 8월, '戶曹了', 208쪽.
230) 『宗親府謄錄』 철종 3년 9월, '刑曹了', 322쪽. 종친부의 朝房은 곧 왕자대군
의 조방이다. 한잡인이 무시로 들어오는 것은 일체 금단되며, 무상출입할 수
없는 것이 受敎定式에도 실려있다. 그런데 홀연히 병조 水工 張孟로이 조방
에 돌입하여 창호를 타파하고, 員役을 능욕하면서 날뛰는데 거리낌이 없었
다. 종친부는 그를 체포하여 법률에 의가하여 刑配시키도록 했다.

그러므로 종친들이 종친부에 존재할 이유가 없었고, 구성원들도 열악했다. 郎廳 1員과 各項文蹟 및 驅從 1명이 있을 뿐이었다. 재력의 부족으로 文籍과 驅從은 減下되었고, 공적인 일도 書吏의 口告에만 의지했기 때문이다. 종친부는 공적으로 해야 할 일들이 많았지만 진실로 어려움을 면치 못했다.[231]

홍선군은 일차적으로 役員黜陟을 단행했다.[232] 그러나 집권세력의 협력 없이는 재력과 인원을 보충할 방안이 없었다. 그는 정치권의 동향, 특히 안김집단의 정치적 입장을 세심하게 살폈다. 안김집단은 궁중 내 조대비 세력의 성장을 우려하고 있었다. 조대비가 일부의 종친들과 결탁하여 종부시 중심으로 세력을 결집하려는 움직임이 있었기 때문이다. 홍선군은 이러한 틈새를 이용하여 안김과의 정치적 협력을 모색했다. 이것은 홍선군이 종친부 재건과 자신의 정치적 지향을 위해 선택할 수 있는 유일한 방법이었다.

종친부의 재건에 절대적으로 필요한 것은 재력이었다. 종친부가 문적과 구종을 전례대로 구비하려면 疏簡 및 軍士雇立錢 42냥과 구종 일년 料布 60냥 등 도합 102냥이 필요했다. 임시변통으로 약채 80냥을 획출해도 22냥이 부족한 실정이었다. 철종은 종친부에 대한 물력을 지원했다. 종친부는 자체적으로 해결할 방안이 없었다.[233] 그래서 홍선군은 집권세력과 타협하면서 종친부의 활동영역을 확대했다. 안김집단은 조대비와 종부시의 존재 때문에 암묵적으로 홍선군을 지원했다.

비변사는 종친부 역원들의 자유로운 궁중출입을 협조했다.[234] 이 과정에서 종친부는 하인들이 18명으로 증원되었고, 공적인 업무와 사

231) 『宗親府謄錄』 철종 4년 2월, '郎廳稟目', 326쪽.
232) 『宗親府謄錄』 철종 4년 정월 19일, 325쪽.
233) 『宗親府謄錄』 철종 4년 5월, '稟目', 327쪽.
234) 『宗親府謄錄』 철종 4년 9월, '備邊司', 330쪽.

환이 증대되었다. 이는 대원군과 종친부의 업무가 비대해졌고, 안김집
단의 정치적 협력이 순조롭게 진행되기 때문이다. 비변사는 종친부의
하례배들의 병조 印牌 요구를 수용했다. 그래서 종친부 인배 5명에 대
해 병조에 각인해 줄 것을 통보했다. 이로써 종친부의 下隷들은 五上
司의 下隷들과 같은 위치에 서게 되었다.235) 이는 종친부가 오상사의
지위를 회복하였음을 의미하며, 이것은 비변사가 협조해 주었기에 가
능했다.

이것은 향후 종친부의 지위와 역할의 변화를 예고했다. 종친부는
역원이 증대되면서 閒司에서 탈피하고, 홍선군에 의해 구체적인 사업
들이 전개되었다. 이를 위해 홍선군은 종친부의 물리적 공간을 확보해
야 했다. 종친부가 百司之首의 지위와 권위회복에서 절대적으로 필요
한 조건이었다. 홍선군은 정치권의 협조를 기대했다.

홍선군은 종친부의 건물실태 조사를 정부에 요청했다. 종친부의 朝
房은 頹落했고, 內宗廳과 부속건물은 顚仆되었으며, 外宗廳은 허물어
져 초라하기 짝이 없었다.236) 호조가 의지가 있다면 개수하지 않을 수
없을 것이라고 판단했다. 그러나 홍선군의 기대는 무너졌다. 종친부의
건물이 철종 13년까지 중건되지 않았기 때문이다.237)

---

235) 그동안 五上司의 하례들은 병조의 烙印이 있어 使役之際에 별도의 碍限이
없었다. 그러나 宗親府의 경우에는 단지 府牌만 있고 일찍이 信府를 기록한
흔적이 없어 공역, 특히 야간 使役에 防限이 심엄하여 왕래가 어려웠다. 그
리고 단지 본부패만 있어 無賴한 假出과 因緣으로 冒入의 淆雜 폐단을 禁
抑하기 어려웠다. 이러한 폐단을 막고, 사환에 無碍之地를 위해 실제수를 들
어 병조의 낙인을 요청하였다.
236) 『宗親府謄錄』 철종 4년 7월, '戶曹了', 328~329쪽.
237) 『宗親府謄錄』 철종 13년 3월, '戶曹了', 392쪽. 여전히 한잡무뢰배들이 출입
하고, 이에 대한 금단이 제대로 이루어지지 않았다. 莫嚴重地의 입장에서 민
망할 지경이었다. 그리하여 호조에 計士를 보내 일일이 籌摘하여 不日修改
할 것을 요구하였다.

그러나 이 기간에 종친부의 위상은 변화가 있었다. 흥선군은 철종 4년 종친부를 百司之首라고 표현했지만, 철종 7년이 되면 莫嚴重地가 되었기 때문이다. 이것은 종친부의 지속적인 선파들의 身役면제와 璿源修補의 직무 획득이 가져온 결과였다.[238] 이로써 종친부는 자체의 위상과 권위회복은 물론이고, 종친세력의 성장과 정치세력화의 배경이 되었다. 급기야 종친부는 종부시에 대해 월권을 행사하면서,[239] 종친들의 정치세력화 기반을 확보했다.

종친부는 철종 8년 새로운 전기를 맞았다. 純元王后가 사망하고[240] 안김세력은 내분에 휩싸이면서[241] 종친부의 위상강화를 위한 유리한 여건이 조성되었다. 흥선군은 안김세력과 협력체제를 구축하고, 종친부의 재건과 선원파보의 수보문제를 통해 종친세력을 정비해 나갔다. 그가 정치적 교감을 이룬 집단은 다양했다. 철종과 조대비, 그리고 일부의 안김세력이 그들이다. 그러나 그의 정치적 행보는 정치권에 표면화되지 않았다.

철종은 종친부의 위상회복과 종친선파인들의 정치적 결합을 기대했다. 이것은 흥선군과의 정치적 결합을 강고하게 만들었으며,[242] 다른 한편으로 흥선군은 조대비와 김병학 형제들과 정치적 협력체제를 구축했다. 이 과정에서 철종은 伯兄에 대한 군호를 봉작했고[243] 안김

---

238) 『哲宗實錄』 철종 7년 11월 19일.

239) 『宗親府謄錄』 철종 8년 정월 25일, '上護軍趙秉駿上疏'. 이 상소를 계기로 흥선군은 파직되었으나 2월 1일 유사당상에 再敍用되어 철종의 신임이 지대하였음을 알 수 있다.

240) 『宗親府謄錄』 철종 8년 8월 초4일.

241) 尹孝定, 『韓末秘史』, 8~9쪽.

242) 철종이 흥선군의 아들로 大統을 잇게 하였다거나, 김병학 형제들과의 정치적 연대, 그리고 신정왕후와의 정치적 동맹은 종친부를 중심으로한 흥선군의 개인적 활약에 따른 정치적 선택의 문제였다.

243) 『宗親府謄錄』 철종 9년 11월 12일. 철종은 本生 伯兄에 대해 天顯之倫를

집단은 저항하지 않았다. 이러한 정치적 사건의 배후에 홍선군과 종친부가 존재했다.

종친부는 종친들이 안김척족세력들에 대한 비판이 가능할 정도로 정치력과 위상이 강화되었다. 慶平君에 의해 제기된 안김세력에 대한 총체적인 비판은 전례없는 일이었다. 그는 안김집단과 대립했으나 결국 종친에서 門黜되었다. 그리고 안김집단은 金順性의 역모사건으로 반격했다. 종친세력은 정치세력이 형성되지 않은 상태에서 권력을 독점한 안김집단의 정치적 압박을 감당할 수 없었다.

홍선군은 이러한 정치적 현실을 정확하게 인식했다. 그는 안김집단의 정치적 이해를 관철시키면서 종친부와 종친들이 처한 위기를 반전시켰다.[244] 이 과정에서 그는 왕실의 입장도 고려했다. 홍선군은 종친부가 안김의 적대세력이 아님을 주지시켜 정치적 견제를 피하는 방법을 선택한 것이다. 그리고 홍선군은 국왕과 神貞王后, 그리고 안김세력의 정치적 역관계의 균형을 이루게 했다.

철종과 안김집단은 홍선군과 종친부가 종부시가 주관하던 璿派人各派世譜의 복구 수정권을 맡게 했다.[245] 이로써 종친부는 職務를 가진 衙門이 되었고, 종친과 정치권의 중심에 위치했다. 홍선군이 추진한 종친부 재건책, 즉 璿派의 신역면제와 선원보략 수보의 종친부 직무화에 대한 결실이었다. 그는 종친부 낭청 6명을 증원하여 조직을 확

들어 '懷平'이라는 君號를 봉작하였다.

244) 홍선군은 철종 11년 11월 11일 유사당상이 되어 豊溪君 入后問題를 신속히 정리하였다. 안김세력과 신정왕후의 정치적 조율을 통해 자신의 입지를 강화하였다. 이것이 가능하였던 것은 일차적으로 홍선군이 종래 비정치적인 행보를 보였고, 정치권의 견제를 가장 적게 받았기 때문이다. 이 시기 宗親府의 堂上官은 興寅君, 興宣君, 益平君이었다.

245) 『宗親府謄錄』 철종 11년 11월 30일, 傳'曰 璿派人各派世譜令宗親府復舊例修正', 25쪽.

대하고[246] 종부시의 세계단자를 인수했다. 그리고 宗簿寺와 비변사와의 관계를 재정립했다.

홍선군은 종부시와의 위격문제를 통해 정1품 최고아문의 위치를 확보했다. 이것은 종친부와 의정부·비변사·육조 등과의 관계를 재정립하는 계기가 되었다. 비변사는 종친부가 최고아문임을 공인했고, 종친부는 체례를 강조했다.[247] 홍선군이 정치적 변화와 정치세력의 역관계를 철저하게 분석·이용한 결과였다. 이것은 종친부의 합법적 정치활동의 기반을 확보하는 것이기도 했다.

홍선군은 선파인 각파 세보작업을 본격화하면서[248] 종친부 인력을 보강했다. 종친부는 假郞聽 6원을 증원하고, 1명의 房直을 추가로 加差하였다. 그리고 종부시의 방직군사를 종친부에 배속시켰다. 또한 군사를 증원하고[249] 장무관을 劃出했다. 구성원들의 사기진작을 위해 녹사·서리방·사령방들에게 시상했다.[250]

종친부는 이제 독자적인 기구로 변모했다. 종친부는 이조에 지시하여 典簿·각색공장은 타사의 간섭을 배제시켰다. 또한 홍선군은 원역 加出 문제에 대한 조정의 요구를 거부했다. 한편으로 호조[251]와 균역청[252]에 재정을 요구하면서 독자적 최고아문의 지위를 확보했다.[253]

---

246)『宗親府謄錄』철종 11년 12월 초6일, 25쪽.

247)『宗親府謄錄』철종 11년 12월 23일, '私通宗簿寺', '備邊司回通', '私通宗簿寺', 25쪽.

248)『宗親府謄錄』철종 11년 12월 23일, '八道監營四都留守濟州喬桐水營了', 25~26쪽.

249)『宗親府謄錄』철종 11년 12월 25일, '私通兵曹祿色'; '兵曹祿色回通', 26쪽.

250)『宗親府謄錄』철종 12년 3월 10일, 29쪽.

251)『宗親府謄錄』철종 13년 9월, '戶曹了', 397쪽. 홍선군은 종친부 당상관 舖陳(鋪) 중 案息地衣가 아직 未題한 사실을 알리면서 포진과 안식지의의 긴용을 요구하였고, 서리 5명의 료포가 실제로 아무런 도움이 되지 못하고 있다고 토로하였다. 그러면서 구례를 회복하여 상하의 처지를 準數할 것을 요구하였다.

홍선군의 종친부 위상강화정책이 결실을 맺고, 이것은 홍선군의 정치
활동을 보장하는 배경이 되었다. 이 과정에서 홍선군은 정치기반을 확
대했다.

그러나 종친부가 심각한 재정위기를 극복한 것은 아니었다. 종친부
는 여전히 선원각파 보역으로 인해 재정적 위기가 있었고, 결국 홍선
군은 癸亥條(철종 14)를 당기지 않을 수 없었다. 이것은 그가 3년 전
부터 추진해오던 선원각파 譜役이 재력 부족으로 진행되지 못하였기
때문에 내년분의 급대전 1천 16냥을 미리 지출하는 것이었다. 그러나
당시 균역청도 재정적으로 압박을 받아 쉽게 해결될 문제가 아니었
다.254) 주목할 점은 종친부가 내년도 분의 예산을 미리 搬移해줄 것을
요구할 수 있다는 것이며, 이것은 바로 종친부의 권위가 상승한 현실
을 반영한다.

종친부는 종친과 선파인의 권위의 상징이다. 홍선군은 종친부의 건
물 개·보수에 이어 종친부로 하여금 선원수보를 관장하게 했다. 종친
부는 이제 한사가 아니라 직무를 가진 아문으로 변모했고, 五上司의
위치를 회복하면서 최고아문의 지위를 확보했다. 동시에 하급기관에
지시를 하거나, 균역청에 내년도 예산을 미리 집행할 것을 요구하기도
했다. 심지어 종친부는 朝令을 거부할 수도 있었다. 그러나 종친부가

---

252) 『宗親府謄錄』 철종 13년 윤8월, '均役廳了', 397쪽. 홍선군은 均役廳에 재정
　　지원을 요구했다. 종친부의 연례급대는 1,016냥인데 매년 588냥씩 分半하여
　　丁巳(철종 8)로부터 임술(철종 13)에 이르러 6년조가 豫下되었다. 금년조
　　508량은 10월이 되어야 옮겨올 것이지만 지금 종친부의 公用이 甚急하다고
　　강조하고 보역의 비용을 위해 不日內로 지출해줄 것을 요구했다.
253) 『宗親府謄錄』 철종 13년 윤8월, '戶曹了', 396쪽.
254) 『宗親府謄錄』 철종 13년 11월, 12월, '均役廳了', 401~403쪽. 종친부는 심각
　　한 재정적 위기 속에서 癸亥條 給代錢 1천16량을 搬移支出하여 보역의 궁
　　핍을 면하려 했다. 그런데 종친부가 지속적으로 요구한다는 점에서 종친부
　　와 균역청은 각기 재정이 부족했다는 사실을 알 수 있다.

최고아문의 권위를 회복했다 하더라도 정치권력을 행사할 수는 없었다. 이것은 홍선군의 집권을 기다려야 했다. 그러나 홍선군은 이 과정에서 종친부의 권력기구화 및 종친과 선파인들의 정치세력화의 기반은 마련한 셈이다.

제3장 대원군의 정치적 위상과 종친부

제1절 대원군의 집권과정과 정치적 위상

1. 대원군의 권력장악과 각 세력의 인식

철종은 재위 14년 12월 8일 창덕궁에서 后嗣없이 죽었다. 대왕대비 神貞王后는 大寶를 장악하고 수렴청정권을 행사하게 되었다. 그는 철종의 후계자로 흥선군의 2자 命福을 지목하고 翼成君의 爵號를 내렸다. 그런데 신정왕후는 익성군을 자신의 아들로 삼아 철종이 아닌 翼宗의 대통을 잇게 했다.

철종의 외척으로 권력을 장악했던 안김세력은 철종의 후계에 대한 대책이 없었다. 영의정 金左根은 奉迎大臣으로 지목되면서 대안을 제시하지 않았고, 오히려 신정왕후의 전교를 적극적으로 수행했다.[1] 그는 翼宗의 大統繼承에 대한 명분이나 계보문제 등 이의를 제기하지 않았다. 익종 및 신정왕후는 종래 안김집단과 정치적 적대관계였음에도[2] 어떠한 반응도 보이지 않았다. 이것은 이들의 중간에 흥선군이

---

[1] 『高宗實錄』 고종 즉위년 12월 8일. 대왕대비는 영의정 金左根을 봉영대신으로 지목했고, 도승지 閔致庠과 종친을 대표한 興寅君은 翼成君의 入宮에 주도적으로 참여했다.

[2] 익종은 대리청정시기 안김세력을 견제하기 위해 反외척세력을 결집했고, 이러한 정국운영으로 신정왕후 친정가문이 정치적 우위를 점했다. 그러나 이

존재했기 때문이다.

홍선군은 철종조 종친부 유사당상이 되어 의례를 주관했고, 종친부 재건과 종친세력의 정비에 주력했다. 이 과정에서 신정왕후와 정치적으로 결합했고, 한편으로는 철종의 정치적 배경이 되기도 했다. 특히 그는 안김집단이 趙大妃系 정치집단과 대립구도를 형성하던 현실을 직시했고, 경평군과 이하전 사건 처리를 통해 정치적 대립을 완화시켰다. 이 과정에서 그는 양측으로부터 정치적 신뢰를 구축했다. 그는 안김집단과 정치적 대립보다는 오히려 협조를 받았고, 이를 바탕으로 종친부 중심의 종친들의 정치세력화에 주력할 수 있었다. 그리고 이하전이 제거되자 홍선군 형제들이 왕위계승에서 가장 유리한 위치를 점했다. 이들은 철종과 가장 가까운 혈연관계에 있었기 때문이다. 그러므로 신정왕후와 홍선군은 정치적 연대가 가능했고, 신정왕후가 수렴청정권을 장악하면서 실현되었다.

신정왕후가 철종의 후사로 지명할 수 있는 혈통의 범위는 南延君 계열뿐이었다. 따라서 왕가의 계보 상 홍선군의 자식은 당연히 왕위계승 후보자가 되었고, 이것이 정치권의 반대를 받지 않은 이유였다.[3] 신정왕후는 헌종의 대통을 잇게 할 수도 있었다. 그러나 命福은 계보 상 헌종과 같은 반열이었고, 익종과 철종보다는 한 대 아래였다. 신정왕후는 왕통과 대통을 분리하고, 각각 익종과 철종을 계승하게 했다. 이러한 정치적 선택은 신정왕후와 홍선군의 사전 준비에 있었다.

들은 철종이 순조를 계승하고, 純元王后가 수렴청정권을 행사하면서 제기된 典禮문제 등을 통해 몰락했다. 그러므로 철종년간은 안김세력의 독주에 저항할 조직이나 인물이 없었다. 이런 점에서 신정왕후와 안김세력은 정치적으로 적대적인 감정을 가질 수밖에 없었다(金明淑, 1997, 「19세기 反外戚勢力의 政治動向」, 『朝鮮時代史學報』 3 ; 한국역사연구회, 1990, 『조선정치사(1800-1863)』상, 94~122쪽).

3) 成大慶, 1984, 『大院君政權性格硏究』, 성균관대학교 박사학위논문, 24쪽.

신정왕후는 남편인 익종과 아들인 헌종 사이에서 고뇌했다. 그는
명분과 정치적으로 유리한 선택을 해야만 했다. 헌종이 죽었을 때 신
정왕후는 모후이면서도 수렴청정권을 행사하지 못했다. 그 결과 수렴
청정권을 행사한 순원왕후가 독단으로 철종을 지명했고, 헌종이 아닌
순조의 대통을 잇게 했다.4)

철종의 순조 계승은 叔이 姪을 계승하는 계보상의 문제를 야기했
다. 그러나 수렴청정권을 장악한 순원왕후가 禮訟論爭를 둘러싼 정치
적 갈등을5) 정치적으로 해결했다.6) 이 과정에서 순원왕후의 친정가문
인 안김세력이 대립적인 정치세력들을 제거하고 권력을 독점했다. 신
정왕후의 친정가문과 연계된 정치세력은 약화되었고, 그는 궁중 내 지
위가 위축되면서 견제를 받았다. 수렴청정권은 국왕교체기 권력의 향
방을 결정할 수 있는 유일한 수단이었다. 신정왕후는 이러한 정치적
경험을 토대로 익종의 대통을 선택한 것이다.7)

흥선군은 철종년간 종친부 유사당상으로 종친부 위상을 강화했고,
璿源修補를 통해 宗親璿派人들의 내부적 결속력을 다져 정치적 기반
을 확보했다. 순원왕후가 죽은 후 궁중에서 최고위에 위치한 신정왕후
는 철종 사후를 염려했다.8) 만약 嗣王이 철종의 대를 잇는다면 安金

---

4) 『哲宗實錄』 철종 즉위년 6월 9일.
5) 한국역사연구회, 1990, 『조선정치사(1860-1863)』 상, 119쪽 참조.
6) 『哲宗實錄』 철종 2년 6월 15일. 純元王后는 親等이 다하지 않았는데 갑자기
   調遷을 논의하는 것은 천리와 인정에 미안한 일이지만, 帝王家는 承統(王
   統)을 중하게 여기는 것이 古今의 通誼이니 眞宗을 부득이 조천하지 않을
   수 없다는 비답을 통해 조천문제를 마무리했다.
7) 고종이 헌종의 대를 이을 경우 수렴청정권은 헌종비인 孝定王后 洪氏(洪在
   龍의 딸)에게, 철종의 대를 이을 경우 哲人王后 金氏(金汶根의 딸)에게 돌
   아갈 수도 있다. 신정왕후는 취약한 정치적 기반을 고려해 흥선군과 정치적
   연대를 도모했고, 이들의 정치적 결합은 혈연적 관계를 기반으로 한 왕가의
   대통 계승에 있었다.
8) 헌종비 洪氏는 翼豊府院君 洪在龍이 이미 죽었고, 그의 아들 洪淳馨은 나

의 전횡 속에서 익종·헌종의 후사는 물론이고 자신의 지위도 위험한
것이다. 이러한 처지는 홍선군도 마찬가지였다. 이들이 비밀스럽게 계
책을 준비한 것은[9] 동일한 처지가 기반이 되었으며, 현실인식과 대응
을 공유할 수 있었다. 신정왕후가 철종 사후 신속하게 大寶를 장악하
고 수렴체제를 주도한 것은 이들이 준비한 대응책에 있었다.[10]

　신정왕후는 익종과 고종, 철종과 고종의 관계를 규정하지 않았다.
그는 "興宣君嫡己第二子命福 入承翼宗大王大統"이라고만 했고, 王
統문제는 천명하지 않았다. 고종의 傳國之統은 '重固舊邦維新之大命'
이라는 명분하에 규정되었다.[11] 신정왕후는 "大統(大倫)은 翼宗을,

이가 정치적으로 영행력을 행사하기에 한계가 있었다. 安金세력은 왕위계승
에 대한 사전의 대비책이 없었다. 이것은 南延君 후손을 제외하고는 특이한
인물이 없었다는 점과, 자신들에게 대항할 만한 정치세력이 존재하지 않는
다는 안이한 판단 때문이었다. 철종은 今上(高宗)에게 뜻을 두고 있었으며,
諸金은 그를 임금으로 세워 도우려고 했다. 金興根은 홍선군이 있어 두 임
금을 섬기게 될 것이니, 아예 興宣君으로 모시는 것이 좋겠다고 했다. 金炳
學은 친족들의 무사를 위해 자기의 딸을 왕후로 간택할 것을 홍선군과 약속
하였다고 한다(황현 지음, 허경진 옮김, 『매천야록』, 23~24쪽).

9) 金義煥, 1987, 「새로 발견된 「興宣大院君略傳」, 『史學硏究』 39, 370~371쪽.
　홍선군은 대궐안의 궁녀 환관과 결탁하여 궁중의 일을 정탐했고, 이들을 통
해 신정왕후에게 비밀리 계책을 전달했다. 趙大妃는 대원군의 계책을 듣고
기뻐하며 더불어 서로 도모할 것을 허락하고 밀계를 약속하여 변을 기다렸
다고 한다.

10) 『高宗實錄』 즉위년 12월 8일. 신정왕후는 철종 사후 즉시 수렴청정체제를
시행했다. 그는 院相으로 領中樞府事 鄭元容을 임명하고, 그의 제의를 받아
준비된 언문지시문을 내렸다. 영의정 金左根은 翼成君으로 봉해진 고종의
나이를 묻고 있어 사전의 정보가 부족했다. 대왕대비는 십여 세라고 대답했
다. 김좌근은 수렴청정에 대한 規例문제를 제기하고, 대왕대비는 기유년의
규례대로 하라고 지시했다. 예조는 즉시 수렴청정의 절차를 작성했다. 대왕
대비가 기유년의 규례를 지목한 것은 안김세력의 반발을 무마하기 위한 계
책이었다.

11) 『高宗實錄』 고종 1년 1월 10일. '維新之大命'은 국정운영의 지표였다. 이것

傳國之統은 正純翼憲의 四廟가 철종에 이르렀으니 主上이 계승하면
貳統이라고 의심할 것이 없다"고 강조했다.[12] 이러한 가통과 왕통의
분리방안은 기유년 철종의 즉위과정에서 순원왕후가 사용한 방안이었
다.

신정왕후는 安金의 동향을 고려했다. 그는 예조에 '嗣位後宗廟魂殿
祝式'에 대해 대신과 유신 및 館閣堂上과 在外儒賢들의 의견을 收議
토록 지시했다. 예조는 정치권의 견해를 종합하여 보고하였고, 신정왕
후는 영의정 김좌근의 제안을 선택했다.[13] 그러므로 대왕대비의 傳敎
에 대해 안김과 조대비의 타협 혹은 그 배후인물로 대원군을 상정하
는 것은[14] 이해하기 어렵다. 오히려 권력축의 변동을 의식한 김좌근
이 대원군의 입장을 고려했기 때문이다.[15]

은 大王大妃의 교서를 통해 '咸與維新之義'로 구체화되었다.

12) 『高宗實錄』 고종 즉위년 12월 30일.

13) 『高宗實錄』 고종 즉위년 12월 30일, '禮曹啓'. 신정왕후는 12월 22일 축문형
식에 대한 의견을 받아들일 것을 예조에 지시하자, 영부사 鄭元容과 판부사
金興根, 영의정 金左根, 좌의정 趙斗淳 등이 견해를 피력했다. 이 중 대왕대
비는 영의정 金左根의 방안을 선택했다.

14) 연갑수, 2001, 『大院君집권기 부국강병정책 연구』, 22쪽. 연갑수는 대왕대비
의 전교가 풍양조씨 세력과 안동김씨 세력이 모두 수긍하면서 공존할 수 있
는 타협안이며, 이러한 정치적 배후에 대원군이 있었다고 설명했다. 그러나
대왕대비의 전교는 정치집단의 이해관계를 바탕으로 한 것이 아니라 대왕대
비와 대원군의 사전협의에 의한 대책이었으며, 수렴청정권의 권위에 의해
실현된 것으로 이해되어야 한다.

15) 『高宗實錄』 고종 1년 1월 10일. 신정왕후가 咸與維新을 표방하자, 김좌근은
오히려 대원군 집안의 위상강화를 제안하면서 대응했다. 그는 "南延君은 덕
이 높고 처신을 잘하여 임금의 집안 중에서 특출한 분이었다. 착한 일을 많
이 한 덕에 경사를 맞이하는 것이 오늘에 이르러 더욱 빛나게 되었다. 조상
에 대해 벼슬을 추증하는 일도 일반적인 전례를 따라서 할 것이 아닌 것만
큼 대원군의 생가 쪽의 증조부·증조모에게도 특별히 벼슬을 추증하는 은전
을 베풀고 외가 쪽에도 또한 3대에까지 벼슬을 추증하는 것이 좋을 것 같습
니다."라고 주청했다.

신정왕후와 대원군의 정치적 동맹의 강화는 혈연적 유대가 그 기반이었다. 대왕대비는 대통을 잇는 국왕의 어머니로서, 대원군은 국왕의 생부로서 왕실가문의 의식을 확대하게 했다.16) 대원군은 이러한 혈연적 관계를 토대로 집권 명분을 '高宗의 輔政'으로 제시했다. 그러므로 그는 자신의 공식칭호인 '大院君'보다는 '國太公'이란 칭호를 더 즐겼고,17) 그의 명령은 언제나 '大院位分付'였다.

대원군은 명복의 입궁과 동시에 封爵되었고, 신정왕후는 대원군의 詣闕에 필요한 위의를 마련했다.18) 신정왕후가 대원군의 대궐출입을 위한 위의를 마련한 것은 그를 정권에 참여시키기 위한 것이었다. 다음날 대원군은 종친부를 통해 종부시의 문부와 제반거행권을 장악했다.19) 이것은 대원군이 종친부를 통해 권력에 진입·장악하겠다는 의지를 드러낸 것으로, 그가 종친의 일원이면서 국왕의 생부라는 존재적 지위가 있었기 때문이다.

종친부는 대원군의 威儀를 독자적으로 처리했고, 대원군의 권력행사를 위한 기반을 마련했다. 대원군의 권력행사는 종친부를 통해 관철되었다. 그는 관계적 지위를 가질 수 없기 때문에 의정부나 비변사와 같은 공적기구를 직접 장악할 수 없었다. 그리고 그는 집권을 위한 정치세력이 형성되어 있었던 것도 아니었다. 그가 종친부를 통해 권력을 행사하려 한 것은 이러한 권력구조와 정치세력들의 동향을 정확하게

16) 대원군이 집권하여 "천리를 지척으로 삼게 하겠다"고 한 것이나, 宗親科를 통해 전주이씨를 십만으로 늘렸다는 것은 이러한 가문의식의 확대를 의미하는 것이다(『梅泉野錄』, 26쪽, 39쪽).
17) 成大慶, 1982, 「大院君保定府談草」, 『鄕土서울』 40, 132쪽.
18) 『宗親府謄錄』 고종 즉위년 12월 초9일, 462쪽. 고종은 12월 8일 입궁했고, 대원군은 다음날 9일 봉작되었다. 그의 威儀가 봉작과 동시에 시행된 것은 이러한 사정을 반영하는 것이다.
19) 『宗親府謄錄』 고종 즉위년 12월 11일.

인식한 대응이었다. 그가 종친부를 선택한 것은 최고권력을 장악한 안
김세력들과의 정치적 충돌과 저항을 피하는 방법이었다.

그러나 대원군은 종친부를 통해 공적기구를 장악했다. 종친부는 '甘
結'로 하급관청에 권력을 행사했고,[20] 대원군은 철종의 장례를 주관하
면서 권력기구와 정치집단을 통제할 수 있는 기반을 구축했다.[21] 그
는 국왕의 인사권을 행사하여 삼도감에 종친세력을 배치했고,[22] 정치
세력의 재편을 단행하였다.[23] 대원군은 권력행사를 통해 공적기구와
정치세력에 대한 통제를 확대했다.

대원군은 국가의 권력체계를 三府체제로 재편했다. 삼부는 宗親府
·議政府·三軍府가 그것이다. 대원군에 의해 종친부는 권력기구로
부상하여 최고아문이 되었다. 의정부는 비변사 폐지정책에 의해 종래
의 권위와 기능을 회복하고, 삼군부는 고종 5년에 복설되어 대원군 정
권의 무력적 기반이 되었다. 삼부 중에서 대원군이 권력의 중심축으로
삼은 것은 종친부였다. 그는 국왕의 지위와 권위 때문에 공적인 국가
권력을 직접 장악·통제할 수 없었다. 그래서 종친·국왕의 생부라는
한계를 극복하기 위해 종친부를 이용하여 간접적으로 공권력을 장악

---

20) 『宗親府謄錄』 고종 즉위년 12월 13일, 427쪽.
21) 『高宗實錄』 고종 즉위년 12월 27일. 신정왕후는 철종의 장례를 주관하는 삼
   도감 대신들에게 대원군과 상의할 것을 지시했다. 대원군은 장례문제를 대
   신들에게 직접 지시하지는 않았지만, 이들을 통제할 수 있는 명분을 가지게
   되었고, 삼도감에 대한 통제가 가능했다. 이것은 이후 공적기구에 대한 통제
   가 가능하게 되는 계기였다.
22) 삼도감에 참여한 종친은 국장도감의 이돈영 뿐이었으나 대원군은 인사권을
   행사하여 산릉도감에 임백경, 빈전도감에 이최응과 이의익을 추가로 임명했
   다.
23) 대원군은 이재원·박규수·이흥민·조성하·이승보·조봉하 등을 도승지로
   발탁하고, 이경재·이돈영·서대순·이인고 등을 의정부에 배치하였다. 이
   러한 정치세력의 재편과 변동은 제4장을 참고하라.

하고 권력을 행사했다. 이것은 국왕과 갈등을 일으키지 않으면서 국왕
의 전제권을 행사하는 합법적인 토대가 되었다. 그의 권력행사에 정치
집단의 조직적인 반발, 저항이 없었던 이유가 여기에 있었다.

대원군이 집권하면서 추진한 정책의 목표는 시대적 모순을 근본적
으로 해결하려는 것이 아니었다. 그가 실시한 정책은 고도의 정치성을
띠고 있었고, 그것은 권력을 장악, 강화하려는 목적이 우선되었다. 그
에 의해서 결정되고 집행된 정책들은 강제력을 바탕으로 했으며, 그것
이 정치세력들과 백성들 전체의 관점에서 우선시되었다. 그러므로 대
원군 집권기 정책들은 이러한 통치의 성격이 강하며, 삼부체제의 성
립, 경복궁 중건, 서원철폐 정책 등이 대표적인 그의 통치정책이었다.

이러한 대원군의 통치정책은 초기에는 종친부를 통해 추진되었다.
그는 민심수습차원의 내정개혁을 통해 권력의지를 표출했고, 그것을
종친부의 '대원위분부'의 형식으로 실행했다. 종친부의 '대원위분부'는
무단토호 징치와 서원시책이 주류였다.24) 이것은 그가 추진한 내정개
혁 중 가장 성공한 정책으로 평가된다. 그는 이 과정에서 전제적인 권
력을 행사했지만, 공적인 권력장악 문제로 국왕과 정치집단의 저항을
받지는 않았다.

종친부는 대원군의 권력 강화와 기반의 확대를 위해 경복궁 중건을
추진했다. 경복궁 중건정책은 새로운 정치질서를 수립하려는 대원군
의 의지에 의한 통치정책이었다. 그는 경복궁 중건 추진의 권한을 신
정왕후로부터 확보했다.25) 이것은 대원군이 국가의 공적기구를 완전
히 장악하지 못한 현실을 반영하지만, 이는 곧 대원군이 권력을 행사
하는 방식이기도 했다. 경복궁 중건은 대원군이 구상한 정책이며, 종

---

24) 延甲洙, 1992,「大院君 執政의 성격과 權力構造의 변화」,『韓國史論』27,
    228~229쪽.
25)『高宗實錄』고종 2년 4월 2일.

친부가 주도하고, 영건도감이 실행했다. 대원군은 의정부를 장악한 것이 아니라 종친부와 영건도감을 장악하여 경복궁 중건정책을 추진한 것이다.

대원군의 권력 장악과 권력행사에 대한 부정적인 반응은 없었다. 국왕과 대원군, 대원군과 신정왕후, 대원군과 정치집단 간 정치적 갈등은 드러나지 않았다. 이것은 대원군이 국왕체제 즉 의정부와 육조를 직접 장악하지 않았기 때문이다. 그는 종친부를 통해 국정을 장악하고 권력을 행사했으며, 통치정책을 실행했다. 국가의 공적기구에 대해서는 국왕의 인사권을 통해 통제권을 행사했다. 국왕은 공식적인 국정결정권과 집행권을 가지고 있었기 때문이다. 이러한 대원군의 권력행사는 국왕과 관료 상하 간에 정치관행이 되었다. 대원군의 권력 장악과 통치정책은 이러한 구조 속에서 합법성과 정당성을 구축했다. 국왕은 이러한 대원군의 권력행사에 대한 명분과 정당성을 부여했기 때문이다.[26]

대원군의 권력 장악과 행사에서 집권 안김세력은 저항하지 않았다. 이것은 대원군의 정치적 행보와 대원군의 존재가 안김집단의 이해와 결합되었기 때문이다. 안김집단의 대원군에 대한 인식은 개인 간 편차가 심했다. 그리고 대원군과 안김집단의 정치적 입장은 근본적으로 차이가 있었다. 안김집단은 왕실의 戚臣이었고, 흥선군은 宗室이기 때문이다.

이들의 공통점은 왕실과 연계된 혈연적 기반이었다. 그러므로 이들은 왕권강화에 반대할 이유가 없었다. 안김은 강화된 왕권을 토대로 권력 장악과 유지를 지향했고, 대원군은 통치질서의 수립을 통해 척신세력을 제압하려 하였다. 왕권을 독점하는 쪽이 권력을 장악할 수 있

---

26) 『高宗實錄』 고종 3년 2월 27일.

다. 그러므로 안김집단은 대원군의 왕권강화 차원의 권력행사 자체를 부정할 수 없었고, 대원군의 의중을 정확하게 파악하지 못했다.

안김집단은 전체적으로 대원군을 우호적으로 인식했다. 대원군과의 개인적 관계가 두텁고, 홍선군 시절 정치적 활동을 보장해 주었다. 그들은 바로 金左根과 金汶根 및 金炳學, 金炳國 형제들이었다. 대원군은 南延君 墓를 遷葬할 때 金炳冀 문하의 孫德重을 통해 김씨 권력의 도움을 받아 普德寺의 땅을 빼앗아 그곳에 葬禮하기도 했다.[27]

대원군을 반대하는 안김세력도 있었다. 金炳冀, 金興根, 金氏戚屬인 南秉哲,[28] 沈履澤 등이 그들이다. 홍선군은 비록 재주와 지략은 뛰어났으나 재야시절 방탕하고 무뢰한과 잘 어울렸다. 그리고 그는 욕을 먹어도 수치스럽게 생각하지 않아 사람들이 朝官으로 여기지 않을 정도였을 정도로 인식되었기 때문이다.[29]

그러나 이러한 홍선군의 행동은 戚臣의 발호와 전횡에서 살아남기 위한 하나의 선택이었다. 그는 매양 김씨들에게 아첨했으나[30] 김씨들은 그 사람됨을 좋지 않게 여겨서 모두 냉정하게 대하였다. 김병기와 남병철은 홍선군의 장자 李載冕의 과거부탁을 거절했고,[31] 심이택은 姻戚의 誼가 있는 沈承澤 집안의 제사에 참여한 홍선군에게 모욕을 주기도 했다.[32]

---

27) 金義煥, 1987, 앞의 글, 368~370쪽,

28) 朴齊炯 著, 李翼成 譯, 1981,『近世朝鮮政鑑』上, 18쪽. 南秉哲이 권세를 부리자 김병기가 싫어하여 전라감사로 보내니 남병철이 분함을 품었으나 표출하지는 못하였다. 남병철은 전라감사 시절 암행어사와의 충돌과 횡포로 인해 파직되었고, 이후 직제학이 되었으나 김병기와 원한이 깊어졌다고 한다. 이러한 현상은 안김세력 내분의 일단을 엿보게 한다.

29)『近世朝鮮政鑑』上, 26 : 金義煥, 1987, 앞의 글, 367쪽.

30) 홍선군은 김좌근의 집을 방문하여 애첩인 나합에게 절을 하였고, 김좌근은 이를 기뻐하며 특별한 애증을 가지고 금백을 후하게 주었다고 한다.

31)『近世朝鮮政鑑』上, 26~30쪽.

김흥근은 처음에는 흥선군을 옹립할 것을 주장하다가 甲子年에 대원군이 정권을 잡자 "예부터 임금의 私親은 政事에 참여하지 않았으니 私第로 돌아가게 해서 종신토록 부귀를 잃게 하지 않는 것이 좋겠다"고 하여 대원군의 권력 장악에 반대했다. 그래서 대원군은 흥근을 가장 미워하였고 그의 농장 수십 경과 三溪洞의 별장을 빼앗았다고 한다.[33]

대원군과 안김세력은 정치적으로 타협이 있었다. 이것이 헌종년간 흥선군의 형제들이 종친부 당상관을 독점하게 했다. 그리고 近宗之列에 들기도 어려운 처지였던 남연군의 諡號가 榮僖로 정해지기도 했다.[34] 철종 초기 정치권은 흥선군 형제들을 가장 모범적인 종친으로 인식했다.[35] 이에 흥선군은 慶平君이 탄핵을 받고 문출되자 豊溪君 입후문제를 해결하여 안김의 정치적 입장에 호응했다.

안김세력은 고종의 즉위와 대원군 집권과정에서 조직적인 저항을 하지 않았다. 이들은 경평군과 이하전은 위험한 종실의 정치인으로 인식한 반면, 흥선군의 파격적인 행동으로 관심을 두지 않았던 점도 고려했다. 그러므로 이들은 대원군이 집권하는 과정에서 "興宣은 성품이 좋지 못한데 만약 太上의 존귀함을 믿고 조정 정사를 잡아서 어지럽게 하면 반드시 국가의 큰 우환이 될 것이다"고 걱정했다. 철종비의 경우는 본가의 세력이 강성함을 믿고 반드시 "철종의 후사를 잇게 될 것이다"고 생각했다.[36]

이것은 안김세력이 대원군의 실체를 정확하게 인식한 것이 아니었다. 이들은 대원군을 외로운 종실의 일인이며 몰락한 왕족 정도로만

---

32) 『近世朝鮮政鑑』上, 68쪽.
33) 『梅泉野錄』, 23~25쪽.
34) 『宗親府謄錄』헌종 2년 12월, 465쪽.
35) 『哲宗實錄』철종 3년 7월 10일.
36) 『近世朝鮮政鑑』, 32~33쪽,

생각했고, 그의 정치력의 유무에 대해서는 의심하지 않았다. 신정왕후가 흥선군의 제2자를 익종의 대통자로 지명했을 때도 異論을 제기하지 않았다. 이들은 대원군의 정치참여에 대한 우려를 威儀문제로 해결하려 했다. 대원군은 높은 지위만 보장하면, 실제로 억제할 수 있다고 생각했다.37) 대원군과의 정치적 협력과 이같이 대원군을 인식했기 때문에 이들은 고종 즉위에 반발하지 않았다.

이들의 정치적 저항은 대원군이 공적기구를 장악하기 시작한 고종 5년 이후에 나타났다. 대원군이 삼군부를 복설하면서 직접 관료기구를 장악하자, 관료체제와 권력행사, 정치운영 방식에 현격한 변화가 나타났다. 더구나 대원군은 고종 7년이 되면서 왕권에 의지한 권력행사에서 탈피하여 직접 의정부와 육조체제를 장악·통제했다. 그러므로 대원군과 국왕, 대원군과 관료집단 상호간의 긴장과 위기가 발생했고, 안김세력은 반대원군 정치세력과 협력했다.

이렇게 되자 일반관료들도 대원군을 새롭게 인식하기 시작했다. 이들은 대원군의 권력행사 방식을 문제 삼은 것이 아니라 관료제도 자체와 전통적인 관료중심의 정치체제가 위협 받는다고 생각했다. 국왕도 대원군의 권력구조와 권력행사 방식을 위협적으로 인식했다. 이것은 국왕 존재의 독자성과 국가권력기구의 정점의 지위가 위협을 받을 수 있기 때문이다. 결과적으로 대원군이 직접 관료기구를 장악하고 권

---

37) 『高宗實錄』 고종 즉위년 12월 13일 ; 『近世朝鮮政鑑』, 42~44쪽. 김흥근은 "內朝와 外朝의 체통에 관한 사례가 매우 엄격해서 신들이 大院君과 접할 기회가 없을 것이라" 하였고, 金左根은 "이미 서로 마주칠 때가 없을 터이니 예의 규범을 미리 강구할 필요가 없다"고 하였다. 이들은 처음부터 대원군의 정치참여 문제를 고려하지 않았다. 김좌근은 대원군의 의복은 大君의 제도와 같게 하며 그 儀仗은 조금 높여 조정에서 尊屬을 높이는 뜻을 보이며, 主上은 매달 초승에 雲峴宮에 覲親하며 일체 政事로써 수고롭게 하지 말아서 편케 봉양하는 절차를 만들자고 주장하였고, 김흥근도 같은 논의를 하였다고 한다.

력을 행사하자 국왕과 관료집단은 저항했던 것이다.

일반관료들은 처음부터 대원군의 권력장악을 부정한 것은 아니다. 관료집단은 대원군의 종친부 위상강화와 권력행사에 반대할 명분이 없었다. 그리고 이들은 농민항쟁을 경험하면서 안김집권세력을 불신했다.[38] 농민항쟁기간 안김집단은 대책수립에 대한 필요성은 인식했으나, 근본적인 대책·대응책을 수립하지 않았기 때문이다.

영의정 김좌근은 "還耗가 中外의 經費로 삼고 있는데, 당초 창설할 때의 법규는 한때의 權宜에 의한 정사에 불과한 것"이므로 "지금은 방백과 유수들은 물론이고 널리 探訪하여 대책을 세울 것"을 제안했다.[39] 진주 按覈使 朴珪壽는 특별히 하나의 局을 설치하고, 적임자를 선발하여 위임시켜 釐正방략을 강구할 것을 건의했다.[40] 이로써 三政釐整廳이 설치되고[41] 철종의 三政策問이 내려졌다.

삼정이정청의 총재관은 비변사의 도제조와 당상으로 구성했다. 이들은 應旨三政疏를 분석하여 종합적인 대책을 마련했다. 좌의정 조두순은 이것을 '罷還歸結'로 집약했다. 이것이 정부의 개혁방안인 '삼정이정책'이었다. 그러나 삼정이정청의 총재관들이 전적으로 합의하지는 않았다.[42] 철종은 정치권의 논란을 감안해 영부사 정원용에게 별도의 방안을 마련할 것을 지시하기도 했다.[43]

---

38) 임술농민항쟁이 발발하자 영의정 김좌근은 철종 13년 4월 19일 총체적 책임을 지고 물러났다. 그의 아들 김병기는 5월 2일 재정을 총괄하던 호조판서직에서 물러났다. 그러나 비변사는 10월 29일 三政釐整廳을 혁파하고 삼정업무를 비변사에 이관했다. 또한 삼정이정이 현실에 부합되지 않는다는 이유로 舊規로 복귀시켰다. 다음해 2월 7일 김병기는 호조판서, 9월 8일 김좌근은 영의정에 복귀하면서 정치적 사면을 받았다.

39) 『哲宗實錄』 철종 13년 4월 15일.

40) 『哲宗實錄』 철종 13년 5월 22일.

41) 『哲宗實錄』 철종 13년 5월 26일.

42) 『哲宗實錄』 철종 13년 윤8월 11일.

안김집단은 비변사를 통해 이정청을 설치하고 제도개선에 착수했으나, 기본적으로 사회변화를 수용하려는 의지는 없었다. 안김집단과 그들을 둘러싸고 있던 보수관료들은 변화보다는 안정을 선택했기 때문이다. 특히 영의정으로 복귀한 鄭元容은 철저한 실무관료이며, 사회개혁에는 관심이 없었다.[44] 그는 언제나 更張보다는 현상유지에 정치력을 집중시켰다. 이러한 정치집단의 이해관계는 결과적으로 개선과 개혁을 포기하게 만들었고, 舊規로 복귀하게 했다.

정부 내 관료집단의 일부는 새로운 지도자의 출현을 기대했다. 이들은 농민항쟁에 대한 근본적인 변화를 기대했으나, 안김집단은 이들의 희망을 충족시킬 수 없었다. 이들이 새로운 권력질서를 모색한 흔적을 찾기는 어렵지만, 집권세력에 대한 내부적 불만이 누적된 것은 확실해 보인다. 이들은 관료로서 위기를 감지했고, 외침에 무너지는 중국의 변화는 그러한 위기요인을 증폭시켰다.

北京함락은 관료집단의 불안을 증폭시켰다. 그러면서 후사 없는 철종의 사망이 이들에게 새로운 희망과 기회를 가지게 했다. 이들은 안김집단과 차별되는 새로운 권력집단·권력행사의 방식을 갈구했던 것이다. 그러므로 이들은 새로운 정치지도자의 출현을 기대했다.

고종의 즉위와 대원군의 권력 장악은 이들의 기대에 부응하는 성격이 강했다. 그러므로 이들은 대원군의 권력행사를 적극적으로 수용한

---

43) 『哲宗實錄』철종 13년 8월 17일.
44) 『哲宗實錄』철종 13년 11월 경술. 정원용은 농민항쟁의 원인에 대해 가장 정확한 인식을 하고 있으면서도 사회변통에 관심이 없었다. 그는 농민항쟁에 대해 완고하고 어리석은 백성들의 못된 습성'이라고 규정하고 엄중한 처벌을 주장할 정도였다. 그러므로 안김집단은 국가적 위기시에 언제나 그를 전면에 포진하여 위기 관리형 관료로 활용했다. 삼정이정청의 혁파와 三政의 舊規 회복은 이러한 정원용의 정치인식과 정책결정에 대한 영향력이 안김집단의 권력유지에 대한 이해관계와 맞아 떨어진 결과였다.

것이다. 이러한 관료집단 내부의 변화 내지는 동요가 있었기 때문에 이들은 대원군의 집권과 함께 정치 관료로 성장할 수 있었고, 또한 대원군의 통치정책 시행을 둘러싸고 이합집산이 가능했다.45) 이와 같은 관료집단의 대원군에 대한 인식은 대원군의 집권과 권력행사의 또 다른 배경으로 작용했다.

2. 대원군의 정치적 지위와 국왕과의 관계

대원군은 둘째 아들 命福의 입궁과 동시에 봉작되었고, 신정왕후는 대원군의 詣闕에 필요한 威儀를 三營을 통해 마련했다.46) 대원군은 공식직책인 宗親府 有司堂上과 造紙署 提調직을 사임하여47) 관계상 지위가 없어졌다. 그러나 그는 종친부를 장악하고, 宗簿寺의 文簿와 諸般擧行을 주관하면서 권력을 장악했다. 종친부는 그의 정치적 의지를 하급기관에 시달했다.48) 종친부의 '甘結'은 하급기관으로 하여금 종친부에 존재한 대원군과 시사당상들의 소요물품을 진배해야만 했다.

대원군은 봉작과 동시에 공적기구를 장악했다. 이것은 종친부의 역할이 컸다. 대원군은 신정왕후와 사전에 예우문제를 협의했으나, 합리적인 방안을 마련하지 못했다. 이것은 대원군이 합법적·공식적 직책을 가질 수 없는 제도적 한계 때문이었다. 그는 국왕의 생부라는 존재적 지위와 종친의 지위를 통해 한계를 극복하고자 했다. 그가 종친이며 국왕의 생부로서 법제적 제한을 받지 않는 곳은 현실적으로 종친

---

45) 金炳佑, 1991, 「大院君 執權期 政治勢力의 性格」, 『啓明史學』 2.
46) 『宗親府謄錄』 고종 즉위년 12월 초9일, 462쪽. 三營은 각 장교 1인과 巡牢 5雙을 정하여 받들라는 大王大妃의 지시를 받았다.
47) 종친부 유사당상은 대원군의 친형인 興寅君 李最應이 맡았다.
48) 『宗親府謄錄』 고종 즉위년 12월 10일, 433쪽.

부 밖에 없었다.

　종친부는 법제상 최고아문이며 종친들의 禮遇衙門이다. 종래 종친 부는 종친세력의 몰락과 종친부의 무명무실로 실권이 없었다. 대원군 은 헌종·철종년간 종친부 유사당상이 되어 종친부의 위상을 강화하 고, 종친세력들의 정비에 주력했다. 그 결과 종친부는 최고아문의 지 위를 확보하였고, 제한적이지만 하급기관에 대한 통제권이 구축되었 다. 이것은 대원군 집권을 위한 준비였다. 그러므로 그는 봉작과 동시 에 종친부를 통해 하급기관을 통제할 수 있었다.

　종친부는 대원군의 위의를 주도했고, 대원군이 존재하면서 최고아 문의 권위를 일시에 회복했다. 그 결과 종친부는 공적기구에 권력을 행사할 수 있었다. 종친부는 '甘結'로 대원군의 위의준비를 시달했고, 병조와 호조는 이러한 종친부의 지시를 적극적으로 수행했다.[49] 대원 군의 권력의지는 종친부의 '감결'로 실현되었고, 직접 공적기구에 명 령을 내리지는 않았다. 이것은 그의 관계적 지위와 명분 때문이었다.

　신정왕후와 집권세력은 대원군의 위의 마련에 입장을 달리 했다. 수렴청정권을 장악한 신정왕후는 고종 즉위 당일 희정당에서 대신들 과 대면하고 대원군의 위의문제를 거론했다. 그는 "大院君 封爵은 國 朝의 初有之事여서 凡事를 大君의 예로써 거행함이 마땅한데, 대군 이 출입할 때 八人輿를 타면 대신들이 모두 경의를 표하므로 대원군 이 완강히 사양한다" 면서 대원군에 대한 예우의 합당한 방안을 요구 했다.[50] 이것은 신정왕후가 사전에 대원군과 협의가 있었다는 점을 시인한 것으로 대원군의 지위에 대한 법적·제도적 장치가 없는 문제

---

49) 『宗親府謄錄』 고종 즉위년 12월 11일, 427쪽. 종친부는 호조와 병조에 甘結 을 보내 대원군의 引陪使令 2명, 疏箚奇別書吏 1명, 軍士 1명을 준비하게 했다. 그런데 대원군은 인배사령과 전인배사령 1명을 親差하여 독자적 인사 가 가능했다.

50) 『日省錄』 고종 즉위년 12월 13일.

를 정치적으로 해결하려 한 것이다.

신정왕후는 대원군과 대신들과의 相逢之時를 고려했다. 하지만 집권한 안김세력들은 대원군의 예우문제를 소극적으로 대응했다. 이들은 대원군과의 정치적 관계와 모범적인 종친의 일원으로 인식한 대원군관을 극복하지 못했다. 그러므로 대원군이 형식적인 예우가 아니라 실제적으로 경의를 받는 위치를 요구하고 있다는 사실을 간파했다. 사실 신정왕후가 이 문제를 공식적으로 제기한 것은 대원군이 권력을 행사하겠다는 의지가 강했기 때문이다.

대원군의 공식적인 관계는 종친부의 最高位인 '大君'의 지위였다. 大君은 종친부를 총괄할 수 있다. 신정왕후는 법제상 대군의 예우에 합당한 조치를 취하게 하고, 종친부는 大君在任에 따른 조직을 갖추었다.51) 그러므로 대원군은 합법적으로 종친부를 장악했다. 그러나 그가 신정왕후와 사전에 협의하려 한 것은 공식적·합법적인 대군의 지위가 아니었다. 그는 정치적 활동이 보장되는 합법적 지위를 구상했고, 그것이 법제상 불가능했기 때문에 관료집단에 공개한 것이다. 대원군은 종친으로서의 대군이 아니라 합법적·공식적으로 국가권력기구를 장악할 수 있는 지위와 권위가 필요했던 것이다.

대원군은 스스로 대군 이상의 지위를 과시했다.52) 그의 실제적인

---

51) 『宗親府謄錄』고종 즉위년 12월 13일, 15일, 433~434쪽. 종친부의 典籤은 李鎬俊이 낙점되었다. 대왕대비는 대원군궁에 주는 토지결수와 邸宅을 해당 관청이 규례대로 시행하게 하였고, 이에 호조는 『大典通編』의 규정에 의거 免稅田 1,000결의 田土價로 銀子 2,000냥을 보내며, 宮庄未備前에는 戶曹의 太 一百石과 宣惠廳 米 一百石을 5년 기한으로 수송할 것을 보고했다.

52) 『宗親府謄錄』고종 13년 4월 9일. 종친부는 호조와 병조에 대한 지시에서 大院位가 전에 所帶한 문배사령 2명과 구종 4명은 대군의 예에 의해 마련된 것이지만, 位號가 대군과는 소중하고 차이가 있으니 동례로 거행할 수는 없다고 밝혔다. 그러나 이 시기는 대원군이 하야 후의 전례였다. 이것은 대원군의 집권초기의 인배사령과 구종 숫자와 차이가 있기 때문이다. 대원군은

정치적 지위는 철종을 위해 지은 '大院君製進輓章'에 나타난다. 종친
부는 그의 輓章에 대해 '不爲抄啓而不書臣字'하고 '不踏啓還下' 하니
都監郞廳이 儀仗을 갖추어 陪進하라고 지시했다.[53] 종친부의 이러한
명령은 대원군이 신하의 지위에 있지 않으며, 통치자의 위치에 있다는
것을 천명하는 것이다. 대원군이 토지결수와 저택의 재정지원을 거부
한 것은 이러한 이유였다.[54] 이러한 대원군이 종친부에 존재했기 때
문에 종친부는 '甘結'로 하급관청에 권력을 행사할 수 있었다.[55]

그렇다면 대원군의 실제적인 지위는 무엇인가? 대원군의 정치적,
존재적 지위는 국왕의 至親이며, 종친부의 最高位였다. 종친부는 法
制的으로 최고의 衙門이었고,[56] 그 아문의 정상에 대원군이 있었
다.[57] 그는 법제적, 관계적 근거가 있었던 것은 아니지만, 국왕과의 관

하야 후에 실제적인 대군의 위치로 전락하였다.

53) 『宗親府謄錄』 고종 즉위년 12월 13일, 433쪽.

54) 『宗親府謄錄』 고종 즉위년 12월 18일, 428쪽. 신정왕후는 대원군의 固辭를
儉約의 뜻으로 높이 평가하고 최소한의 운현궁 운영경비 즉 度支月送 米10
석, 錢100냥을 지원하였다. 이러한 대왕대비의 지시는 대원군의 지위를 의도
적으로 은폐하면서, 대원군의 정치참여의 형식적인 명분을 축적하였다.

55) 『宗親府謄錄』 고종 즉위년 12월 13일, 427쪽. 종친부는 재정과 군권을 담당
한 기관에 교자구종의 선발과 대령을 지시했다. 이것은 대원군이 종친부에
있었기 때문에 가능했고, 訓練都監・禁衛營・御營廳・摠戎廳・宣惠廳・戶
曹・兵曹 등이 종친부의 지시를 이행했다.

56) 『宗親府謄錄』 고종 3년 1월 3일, 8일, 516쪽. 종친부는 天漢殿을 봉안하기
때문에 제반거행이 他司와는 차이가 있다고 강조하고, 모든 文簿에 종친부
의 宗字을 반드시 陞書하라고 지시하였다. 또한 사도팔도에 지시하여 종친
부는 어보어첩을 敬藏하고, 천한전을 봉안하는 곳이기 때문에 敬謹하는 바
가 타사와는 自別하니, 다음달 초1일부터 시작하여 모든 문부에 종친부의
종자를 반드시 極行으로 쓰게 하였다.

57) 『宗親府謄錄』 고종 1년 9월 21일, 29일, '甘結', 460쪽. 종친부는 大君位가 사
용하는 印信刻字는 본래 宗簿寺의 印文으로 조성된 것인데 오래되어 마모
되었고, 종부시가 이미 혁파되었기 때문에 이 인문은 사용할 수 없다면서,
다시 종친부의 字號로 改鑄할 것을 지시했다. 그리고 이것은 大院位가 사용

계가 결합되면서 정치적으로 최고의 지위에 위치했다. 대원군에 대한 호칭이 언제나 '大院位'였던 것은 이 때문이다.58) 이것은 정치를 포함해 그가 왕실가문의 대표자임을 의미하며, 대왕대비가 수렴청정 기간에 대원군에게 국정운영권을 넘겨줄 수 있는 배경으로 작용했다.

대원군의 정치적 지위는 일단 철종의 장례과정에서 확인된다. 대왕대비는 철종의 장례를 주관하고 있던 三都監의 대신들에게 철종의 절검을 강조하면서 대원군과 장례절차를 논의하게 했다.59) 이것은 철종의 節儉생활과 대원군의 검약이 동일시되면서 국정참여의 계기를 만들었다. 그러나 이것은 표면적인 명분에 불과하고, 실제로는 대원군이 대신의 지위를 능가하는 종친들의 대표자 즉 최고아문인 종친부의 최고위의 자격으로 국정에 참여할 수 있게 되었다. 대원군은 摠護使인 영의정보다 정치 위계상 상위에 위치했다.60)

할 인신이기 때문에 그 소중함이 각별함으로 銀으로 印信을 新鑄하게 했다. 또한 사용되는 銀子와 匠料는 禮曹文移를 기다려 정부의 銀印鑄에 의거하여 마련하고 수송하며, 소요되는 은자의 량은 인신의 대소를 보고 실제로 들어가는 양으로 할 것등 구체적인 지시를 했다. 한편 宗親府는 호조와 병조에 지시하여 大院君이 專用하는 인신을 은으로 제작하게 하고, 종친부의 공사당상이 사용하는 인신은 단지 改鑄만 하여 차별성을 드러내게 했다.

58) 대원군은 실제적으로 宗簿寺와 宗親府를 관장했으며, 종친부는 언제나 '大院位' 또는 '大院位大監'으로 칭하였다. 일반적으로 종친부의 종친 당상관인 경우 ＊＊君 대감을 칭하지만, 대원군의 경우에는 반드시 '位'자를 사용하여 차별성을 드러냈다. 이것은 종친 중 최고위를 의미한다.

59) 『日省錄』고종 즉위년 12월 27일. 대왕대비는 "철종이 재위 14년 동안 조석으로 정사를 하면서 爲民一念으로 興作之擾와 豊亨之擧가 일찍이 없었다는 사실은 국인이 모두 알고 있는 것이니 지금 終事之地에 어찌 감히 평일의 節儉의 盛德을 仰體하여 백성들에게 遺澤을 입게 하지 않겠는가. 浮文으로 濫費가 있는 것으로 權減할 수 있는 것은 모두 별도로 單付하여 들이도록 세도감에 분부하라, 그리고 勞民之事와 관계되는 일은 省約之意에 힘쓰도록 畿營에 신칙하라"고 했다. 이에 정원용은 "자교가 이와 같으니 만만 欽仰하며 삼가 마땅히 상의하여 奉承하겠다"고 했다.

신정왕후는 수렴청정을 행사하면서도 대원군에게 직접 장례문제를 지시하지 않았다. 그는 대신들에게 대원군과 상의할 것을 요구했고, 총호사라 하더라도 종친의 대표자가 국왕의 장례를 주관한다는 명분을 거부할 수 없었다. 대원군 자신은 스스로 "내가 本國에 있을 때 宰相의 윗자리에 있어 太公으로 自尊하였다"고 했다.[61] 중세적인 정치질서를 고려한다면 국왕의 생부라는 권위와 법제적 최고아문인 종친부의 실질적인 수장이었던 대원군이 가질 수 있는 법제적 관계는 어떤 의미에서는 무의미한 것이다. 대원군은 공식적인 직위가 필요하지 않았고, 국왕이나 대왕대비로부터의 공식적인 승인도 정치관행에서 필수적인 요소는 아니었다. 대원군을 지칭하는 용어가 다양하게 사용되었던 것은 이러한 맥락에서 이해하여야 한다.[62]

당대의 정치인들도 대원군의 존재가 文武百官과는 다르다고 인식했다. 雲峴宮은 국왕의 사저였기 때문에 즉위와 동시에 개수되었다.[63] 대원군은 雲峴宮에 老安堂과 老樂堂의 건물을 지었다.[64] 고종

---

60) 『高宗實錄』 고종 즉위년 12월 8일. 摠護使는 영의정 金左根이었고, 殯殿都監 제주는 金鍾國, 洪鍾應, 金炳德, 國葬都監 제조는 金炳冀, 金炳學, 李敦榮, 山陵都監 제조는 尹致義, 金大根, 吳取善이었다. 그러나 12월 13일 高宗의 즉위와 수렴청정 의식을 거행한 後 興寅君 最應은 殯殿都監 당상관, 李宜翼은 國葬都監 당상관, 任百經은 山陵都監 당상관으로 보완되었다.

61) 成大慶, 1982, 「大院君의 保定府談草」, 『鄕土서울』 40, 132~133쪽. 문답자인 吳汝綸은 "閤下는 太上之尊이니 蔡澤이 재상자리를 빼앗는 것과는 비교가 않된다"고 하여 大院君의 정치적 지위를 규정짓는 단서를 제공하였다.

62) 대원군의 정치적 지위를 알려주는 관계적 칭호는 없으며, 공식적 칭호는 국왕의 아버지를 의미하는 '大院君'이다. 그러나 대원군을 지칭하는 용어는 다양하게 사용되었다. 大院位大監, 國太公, 大院位, 大院君, 雲峴, 雲峴大監, 閤下, 雲峴宮 등이며 이러한 용어는 大院君의 정치적 위상을 알려준다.

63) 『高宗實錄』 고종 1년 1월 7일. 호조는 신정왕후의 지시에 의해 大院君宮 第宅의 新建과 修補에 家舍價錢 17,830냥을 지급했고, 운현궁의 보수공사가 진행되었다.

64) 『承政院日記』 고종 1년 9월 24일. 고종은 雲峴宮의 개·보수가 완공되자 운

의 지시로 前 대제학 金炳學은 老樂堂의 기문을 짓고, 좌의정 趙斗淳은 老安堂의 上樑文을 지었다.[65] 이들은 공통적으로 대원군을 '大院君閤下'라고 지칭했고, 특히 조두순은 대원군의 지위를 '冠百僚烈位之上'으로 표현했다. 이것이 바로 당시 執權官僚들이 공통적으로 인식한 대원군의 정치적 지위였다.

대원군은 대신들과 같은 관계상의 문무백관과 차별성이 있었다. 이것은 국왕과의 혈연적 관계 때문이다. 대원군의 지위에서 가장 중요한 요소는 국왕과의 혈연성에 있었으며, 이것을 제도적, 관계상으로 설명하기는 어렵다. 대원군은 이 점을 분명히 인식했고, 또한 강조했다. 그가 스스로 '國太公'이란 칭호를 가장 선호한 이유였다. 그러므로 대원군 집권기 정치적 기반은 종친선파인에 있었고,[66] 대원군의 권력소재는 종친부였다.[67]

대원군은 경복궁 중건정책을 추진하면서 '국태공'의 칭호와 권위를 형성했다. 그는 이 과정에서 고종 2년 3월 秘計를 사용하여 경복궁 중건의 당위성을 역설하고,[68] 반대론을 차단하기 위해 '東國의 逆賊'론

현궁을 방문했다. 이때 대왕대비와 왕대비가 동행하였고, 시원임대신들도 참석하였다. 이것은 대원군의 정치적 위상을 짐작하게 한다. 고종은 운현궁의 敬謹門과 恭勤門을 新件한 호조판서 李敦榮에게 품계를 올려주고 전호조판서 金炳冀도 시상했다. 경근문은 고종의 전용문이고 공근문은 대원군의 전용문이다. 이것은 고종과 대원군의 지위와 궁궐출입를 위한 것이었다.

65) 老樂堂 記文은 朴珪壽가 작성했다. 金炳學은 "우리 大院君閤下의 功은 임금을 잘 길러 주셨고, 백성들을 다스리는데 협찬하여 아름다운 소문과 명예가 온 누리에 넘쳐흐르고 있다"라고 하여 대원군의 정치적 지위와 권력행사를 정당화했다. 대원군의 정치참여가 국왕의 통치에 대한 협찬, 즉 輔政에 있었음을 단적으로 보여준다.

66) 成大慶, 1984, 앞의 논문.

67) 金炳佑, 2003, 「大院君의 宗親府 强化와 '大院位分付'」, 『震檀學報』96.

68) 『高宗時代史』고종 2년 4월, 115쪽. 고종 2년 3월 의정부를 수리하면서 글이 새겨진 돌이 하나 발견되었는데 내용으로 볼 때 세상 사람들이 대원군의 秘

을 폈다.[69] 그의 정치적 의도는 경복궁 중건의 영건도감 인적 구성에서도 확인된다.[70] 대왕대비는 경복궁 중건을 대원군에게 위임하였고,[71] 대원군은 경복궁 중건을 주도하면서 지위를 확보하기 위해 壽進寶酌의 참언을 이용하기도 했다.[72] 고종은 경연을 마치고 石瓊樓 아래에서 발굴된[73] 銅器를 공개하고, 규장각 提學과 玉堂에 銘을 짓게 했다. 이것은 대원군의 권위를 정당화시키는 계기가 되었다.

計라고 생각했다. 그 돌의 전면에는 "癸未甲元 新王雖登 國嗣又絕 可不懼哉 景福宮殿 更爲刱建 寶座移定 聖子神孫 繼繼承承 國祚更延 人民富盛"이라 적혀 있었고, 후면에는 "東方老人秘訣 看此不告 東國逆賊"이라고 쓰여 있었다.

69) 대원군이 사용한 秘訣은 당시의 시대적 상황을 반영하고 있다. 그는 임술농민항쟁 이후 흩어진 민심을 참언으로 수습하려는 것이다. 대원군은 정감록으로 대표되는 반국가적 민심의 향배를 참언으로 국왕 내지 왕조체제에 재흡수하려는 의도가 분명히 있었다. 이런 점에서 대원군은 사회적 동향을 정확하게 인식하고 있었다고 평가할 수 있다.

70) 『高宗實錄』 고종 2년 4월 3일~5일. 경복궁 중건 지시는 고종 2년 4월 3일에 있었고, 영건도감의 인적구성은 4일, 재정마련과 노역이용에 대한 대책은 5일에 발표되었다. 영건도감의 도제조는 영의정 조두순, 좌의정 金炳學이었고, 제조는 흥인군 최응, 좌찬성 김병기, 판부사 김병국, 겸호조판서 이돈영, 대호군 박규수, 종정경 이재원이었다. 부제조는 대사성 이재면, 부호군 조영하, 조성하였다. 훈련대장 임태영, 금위대장 이경하, 어영대장 허계, 총융사 이현직, 이포장 이주철은 추가로 제조에 임명되었다.

71) 『高宗實錄』 고종 2년 4월 3일. 대왕대비는 "이같이 막대한 일을 나의 精力으로서는 不逮하기 때문에 모두 大院君에게 맡겼으니 매사를 반드시 議定하여 시행하라"고 지시하였다 영의정 조두순은 마땅히 하교에 의거 시행하겠다고 하였다.

72) 『承政院日記』 고종 2년 5월 4일. '수진보작'은 경복궁 석경루 아래에서 발굴한 銅器안에 있던 螺酌에 씌어진 시의 제목이다. 시의 내용은 '華山道士 소매 속에 있던 보배를 동방의 국태공에게 獻壽한다. 靑牛가 十廻하여 白巳節에 개봉하는 사람은 바로 玉泉翁이라' 였다.

73) 『承政院日記』 고종 2년 5월 4일, 6일. 銅器의 최초 발견자는 朴慶會였고, 그는 五衛將을 거쳐 僉知中樞府使가 되었다.

講官으로 참여한 박규수는 수진보작을 해석하여 대원군의 지위를 강화했다. 그는 "이것이 우연이 아니며 대원군에게 바치며 祝壽하기 위해 太公에 비유한 것"이라고 설명했다. 이로써 대원군은 국가의 尊屬 즉 國太公이라는 최고의 지위를 확보하게 되었으며, 국태공은 대신들과의 차별성을 의미했다. 그러므로 일반적인 관계를 통해 대신들과 비교하여 설명할 수 없다. 그렇다고 전제왕조에서 국왕과 동일한 위치에 설 수 있는 것은 아니다. 그러므로 그는 국왕처럼 傳敎를 내리지 않았다. 그러나 百官의 상위에 위치했고, 최고 관부인 종친부의 수장으로서 정책을 결정하거나 집행할 수는 있었다. '大院位分付'라는 분부체제가 바로 그것이었다. 그는 '대원위분부'를 통해 국가의 공적 기구를 장악하고 권력을 행사했다.

대원군의 정치적 위상은 고종의 嘉禮를 통해 구체화되었다. 신정왕후의 撤簾선언은74) 대원군이 국정을 독점할 수 있는 계기가 되었다. 신정왕후는 고종비의 간택에서 주도적인 역할을 하였지만,75) 대원군은 가례를 직접 주관했다.76) 대원군은 고종의 가례를 통해 국태공의

---

74) 『高宗實錄』고종 3년 2월 13일.

75) 고종의 嘉禮에 대한 禁婚令은 고종 3년 1월 1일 내려졌다. 이후 2월 25일 僉正 閔致祿의 딸, 幼學 金遇根의 딸, 縣令 趙冕鎬의 딸, 令 徐相祖의 딸, 龍岡縣令 兪初煥의 딸이 초간택에 뽑혔으며, 29일의 재간택에서는 민치록의 딸만 남았다. 대왕대비는 3월 6일 민치록의 딸과의 혼사에 대해 빈청의 의견을 물었다. 정원용, 金左根, 조두순, 이경재, 金炳學, 유후조는 동의와 함께 축하했다.

76) 閔妃의 간택은 외척세력의 출현을 막으려는 대원군의 의지였다(李瑄根, 1963, 『韓國史』(最近世·現代篇), 343~344쪽). 대원군은 삼간택이 끝나면서 興寅君의 궁궐을 이용하게 하고(고종 3년 1월 16~17일), 혼인장소를 운현궁에 설정했다. 이러한 결정들은 국왕의 가례를 주관하려는 대원군의 구상에서 나온 것이다. 『梅泉野錄』은 "孝宗 2년에 世子(憲宗)의 가례를 효종의 잠저인 於義洞 본궁에서 치루었고, 이후 국왕이나 세자의 가례는 모두 이곳에서 이루어졌다. 그러나 대원군은 운현궁에서 가례를 치르게 함으로써 국왕

126

존재를 유감없이 표출했다. 대원군의 지위는 가례를 마치고 환궁하는 행렬에서도 드러났다. 그는 왕비보다도 상위인 국왕 다음에 위치했기 때문이다.

대원군이 정무를 처리한 물리적 공간은 종친부였다.[77] 그러나 雲峴宮은 물론이고[78] 公德里 별장에서도 국정을 보고 받고 처리했다.[79] 고종은 대원군에게 품정할 일이 있는 경우에는 편리에 따라 다녀오게 하였고, 병조판서와 각 영의 장신들은 공덕리 별장에 나가 그에게 품지했다.[80] 고종도 공덕리의 대원군을 覲親함으로써[81] 그의 정치적 지위를 강화시켜 주었다.[82] 따라서 대원군이 존재하는 곳이 곧 권력의

의 생부에 대한 지위와 위상을 높였다"고 기록하여 이 점을 분명하게 지적했다.

77) 대원군의 집무처는 종친부의 '我在堂'이었다.

78) 대신이나 관료들이 운현궁에 보고한 대표적인 사례로는 奏請使인 유후조가 청국의 예부상서와 나눈 필담의 내용을 보고한 것과 주청부사인 서당보가 한인관료들과의 대담내용을 보고한 것이다. 강화유생 심유경도 필담의 주선 경위를 운현궁에 보고하였고, 평안도관찰사가 운현궁에 보고하는 경우도 있었다(연갑수, 앞의 책, 88쪽 참조). 그러나 이러한 운현궁의 보고는 대원군과의 사적관계를 토대로 한 정보차원이며, 국가정책의 성격을 띠는 것은 아니었다.

79) 『承政院日記』 고종 7년 7월 19일~21일. 영의정 金炳學은 대원군에게 稟旨할 일이 있다고 보고하고, 고종은 병조판서와 각 영의 장신, 좌우포도대장의 경우에도 품정할 일이 있으면 從便進去하게 하였다. 실제적으로 병조판서 이경하와 금위대장 이장렴은 공덕리를 다녀왔고, 그 다음날 총융사 이주철은 대원군에게 품지하기 위해 공덕리에 나아갔다. 이들은 밀부를 찬채로 나아갔다는 점에서 대원군의 행차소는 궁궐 내 성격의 의미를 띤다.

80) 『承政院日記』 고종 7년 8월 25일. 대원군의 공덕리 행은 사전에 영의정 金炳學과 협의가 있었다.

81) 『承政院日記』 고종 7년 10월 8일. 고종은 효창묘를 배알하고 공덕리에 갔다.

82) 당시는 특별한 국정처리가 없는 시기였다. 그렇다면 이들이 품지한 일은 일상적인 정무처리로 이해할 수 있다. 판서와 장신들의 공덕리 정무보고는 국정의 책임자가 고종이 아니라 대원군임을 강하게 시사한다. 국가정책의 논의와 결정이 국왕과 의정이 아니라 대원군과 의정간에 이루어지는 구조였다

소재였다. 그러나 대원군은 공식적인 직책을 가질 수 없었다. 그의 유일한 관계적 지위는 종친부의 최고위였다.[83] 그의 국정참여는 관계적 지위를 통한 것이 아니었다. 그는 '大院君'에 대한 법제적 지위와 규정을 만들지 않았다.[84] 대원군의 입장에서는 그것이 불필요한 것으로 생각했다.

대원군은 스스로 관료적 입장에 있다고 생각하지 않았다. 그러면서 동시에 통치권을 행사할 수 있는 존재로 인식했다.[85] 관료집단의 경우에도 그러한 존재로 대원군을 이해했다. '대원위분부'는 관료나 관서의 저항을 받지 않았기 때문이다. 이 과정에서 대원군은 철저하고 지속적으로 국왕과의 혈연성과 왕실의 가문의식을 확대했고, 급기야 이것이 그의 통치기반을 이루었다.

대원군의 권력은 종친부에 집중되었고, 그 결과 종친부의 정치적 역할은 확대·강화되었다. 대원군은 최고아문인 종친부의 권위를 배경으로 명령을 하달했고, 국왕과의 상충을 피했다. 이것이 국왕인 고종이나 대왕대비와의 정치적 갈등이 노출되지 않은 이유였다. 그러므로 대원군의 정치적 지위는 이러한 관념적인 범주의 지위였다.

대원군은 幼沖한 국왕의 輔政이란 명분으로 권력을 장악·행사했다.[86] 이 과정에서 그는 국왕의 권위와 공적체제를 철저하게 유지시

고 이해할 수 있다.

83) 延甲洙, 1992, 「大院君執政의 性格과 權力構造의 변화」, 『韓國史論』27, 218쪽. 종친부의 최고위는 宗親府句管位이지만 대원군은 구관위로 불린 적은 없다.

84) 조선의 大院君은 덕흥大院君과 전계大院君이 있었으나 이들은 사후였다. 그러므로 이들에 대한 규정을 마련할 필요가 없었을 것이지만, 興宣大院君은 엄연히 생존해 있기 때문에 그에 대한 종친부의 관제나 『大典會通』에서는 규정을 마련해야 했다. 그러난 그러한 흔적은 어디에도 없다.

85) 成大慶, 1982, 「大院君의 保定府談草」, 『鄕土서울』40, 136쪽. 淸의 吳汝綸은 대원군을 '一州之主'로 이해하였다.

켰다. 이러한 대원군과 고종의 정치적·권력행사의 방식에서 대원군의 권력행사의 정당성·합법성이 있었다. 또한 그의 권력행사가 전제성을 가졌지만 관료집단과 관료조직의 저항을 받지 않았다. 이런 점에서 고종과 대원군, 대원군과 정치세력간의 정치적 관계를 이해할 수 있다.

대원군과 고종의 정치적 관계는 그의 측근인 金奎洛이 남긴『雲下見聞錄』에 단서가 있다. 그는『雲下見聞錄』에서 대원군의 치적을 찬양하면서 '輔護聖躬 享千乘之養'이라 했다.[87] 이것은 대원군의 정치적 행위가 聖躬의 輔護에 목적이 있었음을 분명히 한다. 그러므로 대원군은 "幼沖한 국왕을 위해 10년간 輔政하였고, 나라를 부강하게 만들려고 하였다"고 회상했던 것과 일치한다.[88] 이러한 성격은 대원군과 고종의 관계를 '周公과 成王'의 역할로 표현한「我笑堂記」에서도 나타난다.[89]

대원군과 고종은 혈연을 매개로 한 정치적 輔政의 관계였다. 보정은 국왕을 도와서 나라를 다스리며 또한 그러한 일을 하는 재상을 의미한다. 그런데 국왕의 생부라는 점이 문제였다. 제도적 규정이 부재한 상황에서 국왕의 생부는 단순한 종친에 불과하기 때문이다. 안김세력들은 內朝와 外朝의 체통을 강조하면서 예의규범의 制定에 소극적이었고, 또한 대원군을 명예로운 인물로 만들지 않은 것은 이유가 여

---

86) 대원군이 실권하게 되는 것은 이러한 輔政관계의 해체에서 비롯되었다. 대원군은 스스로 고종이 성인이 되어 보정을 그만두었다고 술회하였고, 고종은 성인이 되었다고 선언하면서 대원군의 정사참여를 거부하였다는 것은 상관성이 있다(朴周大, 1980,『羅巖隨錄』, 107쪽, 112쪽 참조).

87) 金奎洛, 1990,『雲下見聞錄』, 10~15쪽(栖碧外史海外蒐佚本, 아세아문화사).

88) 成大慶, 1982,「大院君의 保定府談草」,『鄕土서울』40, 135쪽.

89) 申櫶,『申櫶全集』,「我笑堂記」(아세아문화사), 197쪽. 申櫶은 "大院君閤下가 聖主를 扶翊하고 王家에 勤勞로 한 것은 周公이 成王에게 한 것과 같다"면서 대원군 집권의 정당성을 부여하였다.

기에 있었다.90) 대원군은 제도적 장치가 없는 허점을 오히려 이용했다. 그는 국왕의 생부라는 점을 이용하여 종친부의 권위를 강화했고, 종친선파인들에게 혈연성을 강조하면서 그들을 정비했기 때문이다. 종친부가 실제적인 최고아문이 되었던 것은 국왕의 생부가 존재했기에 가능했고, 대원군은 종친우대책을 통해 정치기반을 확대했던 것이다.

왕조국가의 국왕은 공적으로는 관료집단의 수장이지만, 사적으로는 가문집단의 대표자이다. 고종은 가문집단의 대표자의 지위와 권한을 대원군에게 위임했다. 이러한 관계는 종친에 대한 업무를 주관하는 宗簿寺와 宗親府의 권한을 대원군에게 넘겨주면서 성립되었다. 그러므로 대원군이 제일 먼저 장악한 권한은 종친부와 종부시를 통한 왕실 가문의 수장권이었다. 따라서 고종은 관료집단의 수장권을 누리게 된 반면에 대원군은 국왕의 생부로서 종친집단의 수장의 지위를 차지했다.91) 이러한 측면은 대원군의 고종에 대한 輔政이 일단 宗親府의 최

---

90) 『勉菴集』卷3,「辭戶曹參判兼陳所懷疏」癸酉十一月三日 ; 『近世朝鮮政監』上, 42~44쪽. 대원군의 퇴진에 결정적인 영향을 미친 崔益鉉의 상소는 이러한 점에서 시사하는 바가 많다. 그는 대원군을 지칭하여 "그 어떤 자리에 있지 않고 오직 親親의 列에 속한 사람은 다만 그 지위를 높이고 그의 녹을 중하게 하고 그와 좋아하고 미워함을 같이만 하시고, 나라 정사에는 간여하지 말도록 하시기를 바랍니다"라고 하여 대원군의 정치적 은퇴를 종용했기 때문이다.

91) 『宗親府謄錄』고종 1년 1월 25일 ; 2월 3일, 437~438쪽. 宗親府가 殯殿에 進香할 때 종친의 文武蔭官들이 참반하는 것은 古例였다. 고종은 상경한 종친 수령들도 참반하게 지시했다. 종친부는 진참자들의 명단을 작성하고 제반준비를 하였다. 종친부 진향문은 예문관이 제진하였지만, 대원군이 押班했다. 이것은 대원군이 종친부의 수장이라는 점을 보여준다. 이때 참여한 대표적인 종친은 左參贊 李敦榮, 行大護軍 李寅皐, 漢城判尹 李圭徹, 行護軍 李章五, 李容殷, 李承輔, 李寅夔, 李寅爽, 李周喆, 李敦益, 都承旨 李載元, 行副護軍 李升洙, 李寅命 등 100명이 넘었다. 이들은 모두 종친부 관제 교정당상관으로 흡수되었다.

고위에서 출발하였다는 점에서도 확인된다.[92]

대원군은 정치권력을 행사할 지위를 획득한 것은 아니었다. 그는 종친부의 최고위를 통해 제도적 장치를 초월하는 방안을 모색했다. 그러므로 그는 국왕의 지위와 권위를 통해 자신의 지위와 권위를 대외적으로 표방할 필요가 있었다. 이것은 그가 제도적 개혁에 필요한 절차와 명분을 축적할 필요가 없었기 때문이다. 다시 말하면 그는 정치운영 내지는 정치관행의 문제에서 접근하는 방식을 택한 것이다.

대원군과 국왕과의 정치적·혈연적 관계는 儀禮를 통해 정치권에 과시되었다. 대원군이 국왕과 공개적으로 동석한 것은 고종 1년 4월 永禧殿과 景慕宮 展拜의 자리였다.[93] 고종은 宗廟展謁에 참례한 종친선파인들에게 화목을 강조하고, 『璿源續報』의 開刊을 독려했다. 그는 永禧殿 전각에서 奉審하려다가 版位에서 도승지 李載元에게 대원군을 영입하도록 명령했다. 그리고 景慕宮에서도 廟門으로 나아가면서 승지 申正熙에게 대원군을 영입하게 했다. 고종은 단독으로 奉審한 것이 아니라 대원군을 모시고 함께 봉심한 것이다.

대원군이 고종과 함께 봉심함으로써 국왕과의 정치적 관계와 지위를 드러낸 것이다. 대원군은 儀禮에서 국왕과 동일한 지위는 아니라도 그와 유사한 위치에 있었다. 최소한 종친가문 수장의 지위는 확인

---

92) 『高宗實錄』 고종 1년 4월 11~12일. 대원군은 정부기구의 개편을 추진하면서 종친부를 가장 우선시 했다. 종친부는 유사당상인 이최응의 상소를 계기로 종부시와 합설하였고, 대원군은 종친부 관직제도의 정리를 통해 자신의 집권준비를 위한 주변정리를 마쳤다.

93) 『承政院日記』 고종 1년 4월 18일, 21일. 영희전은 태조·세조·원종·숙종·영조·순조의 影幀을 봉안·제사를 지내는 곳이다. 경모궁은 正祖의 아버지 莊獻世子를 莊祖로 追崇하기 전에 그 神位를 모셨던 궁이었다. 고종은 종묘참배에 종친부의 당상관이 선파인으로 在京 文蔭武儒生을 거느리고 남신문 밖에서 참례할 것을 지시했다. 그리고 종묘 참배시에 매년 歲首, 太廟 展謁 및 親祭시 선파인이 의례히 입참하는 것을 정식으로 삼았다.

된다. 이러한 그의 지위가 정치권으로 전가되었으며, 고종은 대원군이 보정을 행할 수 있는 권위를 보장하였던 것이다. 따라서 대원군은 정치세력을 재편할 수 있었다.[94]

대원군의 이러한 지위가 정치권에 각인된 것은 고종 1년 9월이었다. 고종은 등극 후 처음으로 운현궁에 覲親을 갔다. 그는 운현궁과 대궐출입을 위해 금위영 담장을 이미 헐었다.[95] 국왕 자신은 물론이고 대원군의 지위에 대한 배려였다. 이날 고종은 대왕대비와 왕대비를 동행했고, 운현궁의 영화루에서 정치인들을 접견했다.

이것은 고종과 대왕대비, 그리고 대원군 3인의 정치적 결합을 재천명하기 위한 것이었다. 고종과 대왕대비가 친임한 것은 국왕의 잠저라는 상징성보다는 운현궁의 주인인 대원군의 정치·사회적 지위 강화를 위한 배려 때문이다. 그러므로 이날의 고종 행차는 대원군의 집권과 권력행사에 대한 정당성을 정치권에 노정시키기 위한 의도적 행차였다. 국왕의 어머니인 대왕대비도 국왕의 생부인 대원군의 정치적 輔政을 공개적으로 확인해 주었다.

따라서 대원군은 국왕의 생부인 '국태공'의 칭호를 선호했다. 그런데 고종이나 대왕대비는 한번도 대원군에게 명령을 내리지 않았다. 대원군의 보정은 단순한 국정의 보정이 아니라 자율권을 가지는 보정의 권한이며 지위였다.[96] 이에 대원군의 정치적 지위와 보정의 범위는

---

94) 고종은 비변사를 廟堂으로 바꿀 것을 지시하면서 懸板을 좌의정 趙斗淳에게 쓰게 하였다. 비변사를 중심으로 한 세도세력의 기반은 해체되었으며, 이러한 변화를 의식하여 영의정 金左根은 사임하였다.

95) 『高宗實錄』 고종 1년 6월 6일. 운현궁과 금위영에 막혀있는 담장을 헐고 특별히 문을 만들어 행차하기 편리하도록 하라고 호조에 지시하였다. 왕을 위한 경근문과 대원군을 위한 공근문을 나란히 세우게 한 것도 대원군과 고종의 지위 때문이었다.

96) 대왕대비와 고종이 국정운영권을 대원군에게 넘긴 이유는 자신들의 한계점에서 찾아야 한다. 12세인 고종은 노회한 정치인들을 상대로 하여 국정을 장

확대 재생산이 가능하였고 전제권을 가질 수 있었다.[97]

　대원군의 정치적 전제권은 합법적인 정치과정과 관행의 범위 내에서의 권력행사였다. 그러므로 대원군은 국왕의 권위를 능가하는 정치적 행위를 하지 않았다. 국왕이나 대왕대비와 동석하여 국정을 처리하거나 명령을 내리는 경우도 없었다. 이것은 전례문제와도 결부되지만 국왕의 권위를 손상하지 않기 위한 것이다. 국왕이나 대왕대비가 직접 지시를 내리지 않은 것은 대원군과 관료와의 차별성을 고려한 것이다. 이들은 고위관료들을 통해 간접적으로 정책결정을 위임하고, 대원군의 지시를 받게 했다. 고종은 대원군의 정치적 지위와 정당성을 부여하기 위해 운현궁으로 지속적으로 觀親했다. 이것은 私親에 대한 효의 실천이라는 의미를 넘어서는 정치적 행위였다.

　대원군은 권력행사에서 국왕체제와 권위를 침해하지 않았다. 그리고 국가의 공적기구 즉 의정부나 육조체제를 직접 장악하지 않았다. 국왕이 대원군에게 직접 명령을 내리지 않은 것에 상응하여 대원군은 의정부체제에 직접 권력을 행사하지 않았다. 그는 언제나 종친부를 통

악한다는 것은 현실적으로 불가능했다. 그래서 대원군은 보정을 명분으로 삼을 수 있었다. 대왕대비는 수렴청정이라 하여도 정치적 경험이 부족하고, 더구나 그를 보좌해줄 측근이 너무 허약하였다. 친정조카인 趙寧夏와 趙成夏는 나이가 어렸고, 관료적 경험도 부족했다. 이들은 거대한 정치집단인 안동세도집단을 통제하기에 역부족이었다. 그리고 본인 스스로가 여인이어서 조선조 정치구조에서 전면에 나서기 어려웠다. 그래서 그는 국왕의 생부인 대원군을 정치적 파트너로 선택했다. 대원군은 이미 종친부 유상당상으로서 다양한 정치적 감각을 익혔기 때문이다.

97)『梅泉野錄』에서는 "갑자년부터 계유년에 이르는 10년 동안 온 나라가 떨고 무서워했으며 백성들은 서로 경계하고 조정의 일을 말하지 않았다. '王若曰' 대신에 '대원위분부' 다섯 글자만이 안팎에 시행되었다"라고 했다. 대원군은 자신의 지위를 높이거나 권위를 강조하지 않았지만 종친부를 통한 '대원위분부'는 국정 전반을 포함하고, 전 국민을 대상으로 한 국왕의 '전교'와 같았다.

해 권력을 행사하였고 통치정책을 실행했다. 이러한 통치구조가 가능한 것은 종친부의 권력기구화 및 '대원위분부' 체제에 있었다. 그러므로 종친부의 권력행사는 국왕의 권위와 무관하게 정치관행이 되었다. 그리고 종친부의 '대원위분부'를 국가의 공적기구가 수행함으로써 대원군의 권력행사는 합법성과 정당성을 보장받았고, 국왕은 물론이고 관료들과 정치적 갈등을 야기하지 않았다. 국왕과 대원군은 종친부를 통해 상호간 권력의지를 교환했다.

고종은 대원군을 신하의 예로서 대하지 않았다. 그는 고종 2년 8월 德山으로부터 상경하는 대원군을 迎覲하기 위해 崇禮門 밖에 나갔다.[98] 대원군 영근 장면은 정확하게 알 수 없지만, 고종이 직접 대원군을 迎覲하는 것 자체가 단순한 사친의 예를 넘어서는 정치적 행위였다. 고종에게 있어서 대원군은 사친이나 신하가 아니라 정치적으로 그 이상의 의미가 있었다. 이것이 고종과 대원군의 또 다른 정치적 관계였다.

고종은 의례를 통해 대원군과 동석할 경우에도 예우에 각별했다. 대원군은 종친이나 신료들과 동석하여 侍立하지 않았다. 고종은 예우를 갖추어 대원군을 맞이했고 함께 봉심하는 모습을 정치권에 보였다.[99] 대원군은 이러한 의례에 적극적으로 참여하려는 의지가 있었

---

98) 『承政院日記』 고종 2년 8월 30일. 좌부승지 이장렴은 강어귀에서 대원군 행차를 모셨고, 도승지 조석원은 고종 영근시 대원군을 인도했다. 영근소에 입시한 자들은 기록이 빠져 있어 정확하게 알 수 없지만, 조정의 2품 이상은 전원 참석했을 것으로 추정된다.

99) 『承政院日記』 고종 3년 2월 6일, 9월 20일. 고종은 종묘에 나가 전알할 때 도승지 이재면에게 대원군을 맞이하라고 지시하고 사배례 후 함께 각 실을 봉심했다. 영희전 작헌례를 친행하면서 도승지 정기회를 보내 대원군을 맞이하기도 했다. 시·원임 대신들은 승지 조병호에게 명초하여 참석하게 했다. 고종의 대원군과 시·원임대신들에 대한 예우는 차별이 뚜렷했다. 이것은 대원군의 정치적 지위를 짐작하게 하는 하나의 지표이다.

다.100) 고종과 대원군은 의례를 통해 시·원임 대신들에게 대원군의 위상과 권위를 강조하였던 것이다.

이러한 고종과 대원군의 관계는 국왕의 陵幸에서도 나타난다.101) 국왕의 왕릉행차는 표면적으로는 유교적 의례를 중시한다는 점에서 국가적 행사이지만, 이 과정에서 왕위계승의 정당성이 과시되고, 왕실 가문집단의 우월성이 강조되기도 했다. 고종의 陵幸은 대부분 대원군의 정치적 의지가 반영되었고, 대원군은 국왕의 능행을 통해 고종과 자신의 혈연적 관계를 과시하여 자신의 정치적 입장을 강화했다.

대원군 집권기 고종은 모두 14차례 왕릉을 참배했고, 그 가운데 11차례는 대원군이 동행했다.102) 그리고 親祭때 고종은 初獻官이었고 대원군은 亞獻官이었다. 아헌관은 왕위 후계자인 왕세자나 의정부, 돈녕부의 시·원임 고위관료들이 담당하기 때문에 정치적으로 매우 중요한 자리였다. 대원군은 亞獻官을 자청했고,103) 이것을 통해 국왕과의 정치적 관계 내지는 자신의 정치적 위상을 강화시키는 계기로 활용했다.104)

특히 대원군은 고종의 혈연적 관계에 주목하여 綏陵 친제에는 언제나 아헌관이 되었다. 이것은 수릉이 익종의 왕릉이며 고종이 익종의

---

100) 『承政院日記』 고종 3년 3월 24일. 대원군은 고종 3년 4월 3일에 실시될 예정인 고종 친제의 종묘 하양대제와 책보를 직접 올리는예를 행할 때 아헌관을 자청하였다. 이에 대해 고종은 '知道'(알았다)고만 대답함으로써 대원군의 직접적인 의지가 반영되고 있었음을 알 수 있다.

101) 金世恩, 2002, 「高宗初期(1863~1873) 陵幸의 意義」, 『朝鮮의 政治와 社會』, 集文堂.

102) 金世恩, 위의 논문, 412~413쪽의 <표 2> 고종 1년(1864)-10년(1873) 왕릉 친제 때 아헌관과 종헌관, 참조.

103) 『承政院日記』 고종 5년 3월 9일 ; 7년 3월 11일, 13일. 대원군은 고종 5년의 건릉, 현륭원 친제시 아헌관을 자청하였고, 고종 7년 3월의 인릉·건릉·현륭원 친제시에 고종은 도승지로 하여금 대원군을 나아가 맞이하게 하였다.

104) 고종의 陵幸過程에서의 대원군 역할은 金世恩, 앞의 논문, 참조.

대통을 계승하였기 때문이다. 대원군은 홍선군 시절 수릉의 遷葬都監의 代尊官을 역임한바 있다.[105] 그리고 대원군과 익종은 고종에 대해 至親이라는 공통점이 있다. 대원군이 수릉 親祭時 亞獻官이 되었던 것은 이러한 법제적이고 혈연적인 관계를 강화하기 위한 수단이었다. 고종은 이러한 대원군을 신하의 예우로 대할 수는 없었다.[106] 대원군과 고종은 군신이면서도 군신으로 대우할 수 없는 관계였다. 대원군은 거의 국왕과 같은 위치에 존재했고,[107] 고종은 이러한 대원군의 국정 장악과 권력행사를 용인했다. 대원군과 고종의 관계는 정책결정과 국정운영의 과정에서 구체적으로 드러난다.

3. 대원군의 국정운영과 정책결정의 실제

대원군의 권력행사와 국정운영의 특징은 종친부의 '大院位分付'에 있다. 『宗親府謄錄』에서 확인되는 최초의 '대원위분부'는 고종 즉위일에 내려졌다. 이날 종친부는 종친부 부례들에 대한 하급기관 관속들의 任意推治를 금지하는 '대원위분부'를 시달했다.[108] 숙종 이래 종친부

---

105) 『宗親府謄錄』 헌종 12년 4월 2일, 461쪽.
106) 고종은 親祭에 亞獻官이나 終獻官으로 참여한 宗臣이나 大臣에게 언제나 지위에 따라 大豹皮 등 差等施賞을 하였지만, 대원군은 시상의 대상이 아니었다. 이것은 대원군의 지위가 일반적 신하의 지위와는 차이가 있다는 것을 의미한다.
107) 『承政院日記』 고종 8년 2월 10일. 대원군은 국왕을 대신하여 대신들에게 輦子를 내려주었다. 판중추부사 이유원, 영의정 金炳學, 우의정 홍순목 등은 이것이 "모두 성상의 뜻이 있는 것", "성상의 뜻이 있다는 말씀", "성상의 사랑을 반포하여"라고 하여 대원군의 下賜행위를 임금의 행위와 등치시켜 이해했다.
108) 『宗親府謄錄』 고종 즉위년 12월 13일, 428쪽, "'甘結'右甘結惕念擧行事 大院位大監敎是分付內 自今以後 府隷中干係賣贓與毆打債訟等者 只呈進來狀後 依訟理推治是遣 官屬則勿爲進來任意推治事分付敎是置 以此惕念擧

의 吏隷들은 사적의 治罪에서 벗어났고, 또한 사적인 사역의 대상이 아니었다. 그리고 대신의 아문도 直囚할 수 없었다.[109] 그러나 세도집권기 종친부는 유명무실했고, 정치적 위상과 예우가 약화되었다. 그러므로 대원군은 종친부의 독립성과 권위를[110] 회복하기 위한 조치가 필요했다.[111]

대원군은 철종장례를 주도하면서 국정운영에 참여했다. 院相인 정원용은 대원군의 국정참여에 적극성을 보였고,[112] 대원군은 이미 척족세력의 다수가 참여한 三都監에 영향력을 행사했다.[113] 그러나 그는 철종의 장례를 독자적으로 주도한 것은 아니었다.[114] 그는 국정참

行爲旀".

109) 『宗親府謄錄』 '肅宗 戊寅 啓稟' ; '英宗 癸丑 下敎', 86쪽.

110) 대원군은 위의를 갖추는 것이 사적차원의 일로 생각해서 '大院位分付'를 행사하지 않았다. 그러나 대원군은 종친부에 존재하고 있었기 때문에 종친부의 권위보다는 국왕의 생부라는 '대원군'의 지위가 이것을 가능하게 했다.

111) 『宗親府謄錄』 고종 1년 1월 18일, 20일, 甘結, 437쪽. 대원군은 종친부의 약채전 봉상을 정부와 중추부의 예에 의거하여 구례회복할 것을 '대원위분부'로 시달했다. 이것은 만약에 몇 냥 몇 전이라도 加受나 欺隱의 폐단이 있을 시에는 원악지에 정배할 것을 병조에 지시할 만큼 강경했다.

112) 『日省錄』 고종 즉위년 12월 27일. 신정왕후의 지시는 시원임대신들이 모두 참석한 자리에서 내려졌다. 그러므로 대원군은 공식적으로 이들보다 상위에 위치할 수 있게 되었다. 정원용은 "자교가 이와 같으니 만만 欽仰하며 삼가 마땅히 상의하여 奉承하겠다"고 했다

113) 『高宗實錄』 고종 즉위년 12월 8일. 총호사에는 영의정 김좌근이 임명되었고, 빈전도감은 김병국, 홍종응, 김병덕, 국장도감은 김병기, 김병학, 이돈영, 산릉도감은 윤치희, 김대근, 오취선이 제조로 참여하고 있었다. 그러나 고종이 즉위한 12월 13일 대원군은 홍인군 이최응을 빈전도감, 이의익을 국장도감, 임백경을 산릉도감의 당상관에 추가로 임명하여 영향력이 행사될 수 있는 기반을 만들었다.

114) 『承政院日記』 고종 즉위년 12월 17일, 20일 ; 1년 1월 18일, 21일 ; 2월 5일, 14일. 철종의 장례는 대왕대비가 직접 관장했다. 그는 철종의 능자리 후보지 중 "제일 좋은 곳에 자리를 잡으라"고 산릉도감 당상관에게 지시했다. 이후 임백경이 능자리를 보고 돌아와 보고를 하자 재차와 3차는 김병학과 김병국

여의 계기와 명분을 얻었을 뿐이다.

대원군은 國葬보다는 정치권의 개편과 신왕 등극에 따른 민심수습 차원의 통치정책의 추진에 주력했다. 그의 권력행사는 국왕의 인사권을 통해 정치세력들을 재편하는 과정에서 그 성격이 단적으로 드러난다. 그는 친위세력들을 국왕의 주변에 배치하고,[115] 의정부와 육조의 판서에 대한 인사를 단행했다. 의정부는 李景在, 李敦榮, 徐馨淳, 李寅皐가 전진 배치되면서[116] 趙斗淳 중심의 의정부체제를 구축했다.[117]

대원군은 육조를 통해 인사권·재정권·군사권을 장악했다. 종친인 李敦榮은 호조판서로 대원군 집권과정에서 재정을 담당했고, 병조와 군영대장에는 親대원군계 인물들이 포진했다.[118] 인사권을 장악하기

이 함께 다녀오라고 지시했다. 또한 철종의 장례과정에서 상여를 메는 군정의 선발과 이에 대한 운영상의 폐단을 엄칙하였고, 산릉도감에서 제의한 능의 규모와 경계표석에 대한 승인을 직접했다. 그리고 장례비용의 지원금으로 내탕금 3,000냥을 경기감영에 주었고, 능이 사용할 3년치 소요물품을 위해 내탕금 5,000냥을 경기감영에 수송하게 했다. 이러한 지시는 대왕대비가 직접 내렸다.

115) 고종 1년간 승정원의 도승지를 역임한 자는 이재원(5번), 박규수(3번), 이흥민(2번), 조성하, 이승보, 조봉하 등이었다. 민치상은 도승지로 고종의 봉영에 참여하였고, 고종 1년 4월 다시 도승지가 되었다. 조성하는 동부승지, 이재원은 경연동지로 특탁되었다. 그리고 조봉하는 대원군의 둘째 사위인 조정구의 조부였다.

116) 李景在는 고종 1년 1월 2일 우의정이 되었으나, 이달 21일에 조두순을 대신하여 奏請使가 되어 중국으로 떠났다. 李敦榮은 고종 1년 1월 12일 의정부 좌참찬이 되었다. 당시의 좌참찬은 김보근이었지만, 이경재와 친사돈간이어서 상피차원에서 사임했다. 徐馨淳은 공조판서를 거쳐 우참찬이 되었다 李寅皐는 고종 1년 4월 20일에 좌참찬이 되었다. 이들은 모두 친대원군 세력이었다.

117) 『高宗實錄』 고종 1년 6월 15일. 영의정 조두순, 좌의정 이유원, 우의정 임백경이 임명되면서 의정부에 대한 인사가 마무리 되었다. 조두순은 삼군부 복설과정에서 결정적인 역할을 하였다.

위해 金炳學을 이조판서에 임명하고, 종친인 李承輔를 참판에 보임했다.[119] 朴珪壽와 趙成夏·李載元은 여러 직책을 거치면서 정치력을 발휘했다.[120] 대원군은 처음부터 安金척족세력이나 노론세력들에 대한 해체를 목적으로 하지 않았다. 이들과 정치적 갈등이나 충돌을 피하였고, 따라서 안김과 노론적 기반은 여전히 유지되었다.

중앙권력기구의 중·하급직에 대한 인사도 단행했다. 이것은 정권교체기의 권력누수를 방지하고, 신왕체제의 권력기반을 확대하기 위한 조치였다.[121] 지방통제력을 강화하기 위해 金永爵, 趙在應, 洪淳穆, 朴承輝 등을 감사 및 유수직에 배치했다.[122] 수령직에 대해서도 광범위한 인사가 단행되었다.[123] 이 과정에서 조대비계열의 정치세력

---

118) 김병기는 호조판서로 안김집단의 재정을 장악하였지만, 고종 1년 3월 9일 이돈영으로 교체되었다. 정기세는 고종 1년 1월 24일 병조판서가 되었다가, 6월 25일에 신헌과 교체되었다. 총융사에는 이경하가 배치되었고, 훈련대장은 김병국이 맡고 있었다. 이경순은 고종 1년 2월 20일 배왕대장 겸 좌포장이 되었다. 그러나 대원군이 군영대장직을 완전히 장악하는 것은 고종 2년 3월이었다. 이때부터 훈련대장 임태영, 금위대장 이경하, 어영대장 허계, 총융사 이현직이 대원군정권의 무력적 기반을 이루었다.

119)『高宗實錄』고종 1년 1월 25일.

120) 박규수는 고종 1년 1월 1일 加資되면서 동지의금부사, 한성우윤, 병조참판, 도승지, 경연관 등을 역임하고 예조판서가 되었으며, 조성하는 동부승지로 특탁된 후 홍문관 부제학, 대사성, 이조참의, 예조참의를 역임했다. 조영하는 규장각 대교를 거쳤으나 두드러진 활약은 없었다. 대원군의 친조카인 이재원은 경연동지로 특탁된 후 한성좌윤, 도승지, 형조참판 등을 역임했다. 이외에도 친대원군계열인 신헌과 임태영·허계 등이 형조판서를 역임하였다.

121)『承政院日記』고종 1년 1월 10일, 15일, 20일, 26일 ; 3월 16일의 인사 관계 기록 참조.

122)『承政院日記』고종 1월 10일, 12일, 16일 ; 2월 15일 ; 3월 9일. 金永爵은 開城留守, 趙在應은 京畿監司, 洪淳穆은 黃海監司, 朴承輝가 江原監司, 金炳冀가 廣州留守에 임명되었다.

123)『承政院日記』고종 1년 1월 21~22일의 인사기록 참조. 이후에도 지속적인 지방관들에 대한 인사이동이 있었다. 영의정 김좌근은 이러한 지방관들의

이 급성장한 것은 아니지만, 안김의 핵심세력들은 권력의 중추에서 배제되어 갔다.[124]

대원군은 정치세력의 재편과 권력구조의 변화를 동시에 추진했다. 이것은 비변사의 국무독점이라는 폐단을 시정하는 차원에서 접근했다. 대왕대비는 "의정부와 비변사를 모두 廟堂이라고 칭하면서도 文簿를 비변사에서만 거행하는 것은 이상하니 이후에는 각자가 文簿를 거행하는 것이 좋겠다"고 하여 비변사의 권위를 부정했다.[125] 대원군은 비변사가 세도정권의 정치적 기반이라고 인식했기 때문에 자신의 권력행사를 위해 비변사 체제를 약화·해체해야만 했다. 이것은 안김 중심의 세도정권의 기반을 해체하는 문제와 직결되는 문제였다. 동시에 종친부를 비변사의 정치·권력 위치에 두려는 목적을 실현하는 과정이었다. 그러나 그는 비변사 중심의 정치관행 자체를 부정하지는 않았다.

영의정 金左根은 비변사 중심의 국무독점 현상을 인정했다. 이 문

교체에 대해 불만을 표시했다. 그는 "백성들의 폐단을 제거하기 위한 급선무로 고을 원들을 오랫동안 고착시키는 것보다 심한 것은 없다면서 원이 자주 갈리면 백성들이 불안해지며 또 신임 원이 교체된 원보다 나은 것도 아니다"라고 주장하면서 임기 보장을 요청했다.

124) 戶曹判書兼摠戎使 김병기는 광주유수로 좌천되면서 권력의 핵심에서 밀려났고, 친안김계열인 형조판서 沈宜冕, 예조판서 金炳德, 공조판서 金大根은 판서직에서 물러났다. 영의정 김좌근은 고종 1년 4월 18일에 사직했고, 이를 계기로 안김척족세력은 급격하게 약화되었다.

125) 『承政院日記』 고종 1년 1월 13일. 영의정 金左根은 "조정의 기밀문서를 비변사가 전담, 관리하였고 의정부가 관여하지 못한 것은 사실이지만, 이것은 어디까지나 수백 년 간의 由來之事이기 때문에 연후에 상의하겠다"면서 소극적으로 대응했다. 반면에 좌의정 조두순은 "지당한 것이며 상의하여 품달하겠다"는 적극성을 보였다. 이후 김좌근은 영의정을 사직하고, 조두순은 영의정이 되었다. 이것은 대원군 집권초기의 정치기구의 개편과 연관성을 가지고 있다.

제는 고위권력집단 내부에서 논란을 빚었지만, 김좌근은 결국 諸僚相
들과 비변사 변통의 방안을 상의하여 확정하지 않을 수 없었다. 그는
이에 대한 節目을 만들 것을 제의하였고[126] 비변사가 여전히 우위에
위치한 '本司政府擧行條件分掌節目'을 보고했다. 분장절목은 비변사
의 사무를 의정부에 분속하게 하였지만 문부에 대한 주관은 여전히
비변사가 가지고 있게 하였다. 이것은 오히려 대원군의 의도와 상반된
방안이었다. 비변사가 의정부를 흡수·통합하는 변통방안이 제시되었
기 때문이다. 이것은 비변사 중심의 정치관행이 뿌리가 깊다는 것이
며, 反대원군적 기존세력이 비변사에 잔존한 현실에서 나온 것이다.
대원군은 공적 권력기구를 장악하지 못했으며, 정치집단에 대한 통제
력도 미약했던 것이다.

대원군은 이들에 대한 정치적 사정을 단행했다. 향리로 추방한 金
始淵을 제주목에 圍籬安置 시키고,[127] 反대원군 입장의 沈履澤 처벌
을[128] 통해 정치권에 대해 강한 메시지를 보냈다. 대원군의 정치적 의
도는 심이택의 처벌방식과 과정에서 여지없이 드러난다.[129]

---

126) 『承政院日記』 고종 1년 2월 10일.
127) 『高宗實錄』 고종 1년 1월 10일. 金始淵은 全羅監司와 松都留守로 재직할
   때 세금을 가혹하게 착취하고, 삼정에 기인한 침학평민이 극심했다. 당시의
   兩司연찰은 그의 죄목을 자세하게 열거하여 논죄했다. 전라감사 정건조는
   그가 전라감사 재직시 포흠한 환자곡과 양향곡이 1만 6,042섬이나 된다고 보
   고하기도 했다.
128) 『承政院日記』 고종 1년 3월 3일~4일. 宗親인 暗行御史 李應夏는 심이택이
   의주부윤에 재임하면서 탐장한 죄상을 보고했다. 이날 대왕대비는 암행어사
   가 올린 초안을 도로 내주면서 정서하여 보고하게 하였다. 이것은 사전에 계
   획된 정치적 사정차원임을 보여준다.
129) 대원군은 심이택을 대로에서 엄형하고 곤장 30대를 친 다음 제주목에 위리
   안치하게 했다. 문제는 심이택이 곤장을 맞을 때 백관들이 모두 서서보고,
   또한 상경하여 하직하지 않은 수령들도 모두 함께 이 장면을 보도록 조치한
   데 있다. 이것은 수령의 직무를 강조하는 본보기라는 것이 명분이었지만, 실

동시에 沈宜冕의 부정과 感古堂 훼손 및 무단점유 문제도 제기했다.[130] 그런데 이 과정에서 대원군은 삼사와 승정원의 국청요구를 거부하면서, 대간들의 교체를 통해 서둘러 종결했다.[131] 이 과정에서 정치권은 상호간에 긴장했다. 대원군은 기존세력들의 조직적인 저항을 염려했고, 反대원군계열은 자신들에게 미칠 정치적 파장을 두려워 했기 때문이다. 그러나 대원군은 인사와 문책을 통해 정치구조의 전면에 부상하였고, 권력체제를 의정부 중심으로 개편할 수 있었다. 대원군이 의정부 중심체제로 전환하려는 것은 국가정책의 결정과 집행을 합법적인 절차를 통해 실현하려는 의도였다. 이것은 종래 비정상적인 권력기구인 비변사에 의한 정책결정과 집행의 관행을 바로 잡는 것이며, 곧 국왕중심체제 의사결정 구조로의 전환을 의미한다.

의정부는 이러한 대원군의 정치적 입장을 지지했다. 대원군은 일차적으로 宗親府와 宗簿寺의 合設을 추진했다.[132] 대원군의 兩司合設 구상에 대해[133] 의정부는 적극적으로 호응했다.[134] 종친부는 준비된 관제개정의 별단을 보고하였다. 이것은 대원군이 이미 종친부를 중심으로 국정에 참여하고, 그의 정치적 의지가 관철되고 있었음을 의미한다. 그러나 그는 정치와 권력구조의 전면에 위치할 수는 없었다. 아직

제적으로는 대원군이 반대세력들에게 보내는 강한 메시지였다.

130) 『承政院日記』 고종 1년 3월 5일.

131) 『承政院日記』 고종 1년 3월 14일. 김시연은 위리안치 대신에 가극, 심의면은 공주목 찬극, 심이택은 제주목에 가극되었다.

132) 『高宗實錄』 고종 1년 4월 11일, '興寅君李最應上疏'.

133) 고종은 비답에서 "減司合府之論은 이미 잠저에서 들어온 지 오래되었다"면서 "敦宗睦親의 아름다움을 위해서라도 합설되어야 한다"면서 묘당에 품처하게 하였다.

134) 『承政院日記』 고종 1년 4월 12일. 의정부는 "宗簿寺가 閒司된 지 오래되어 일과 권리가 일치하지 않았으며 興寅君의 상소는 修理明晰하고 事體甚重하다"면서 적극적으로 지지했다.

은 그의 정치적 기반이 확립되지 않았기 때문이다.

　대원군은 독자적으로 종친부의 건물에 대한 중수를 추진했다.[135] 그리고 의정부 체제의 구축을 위해 의정부의 건물도 중수했다.[136] 의정부는 정치적 위상의 추락과 함께 건물도 황량한 모습이었다. 의정부의 권위회복을 위해서도 건물 중수는 시급했다.[137] 이러한 과정을 거쳐 비변사는 의정부에 합치되었다.[138] 의정부가 권위을 회복하면서 국왕체제는 확립되었다.

　의정부는 體統과 沿革에 관계되는 규례를 회복하면서 정치의 중심부에 위치하게 되었다. 대원군은 의정부체제를 통해 당대 사회·경제적 모순을 지방세력의 존재와 비리에 설정했다. 그는 재지토호와 사림세력을 해결해야 할 모순으로 인식한 것이다. 이것은 중앙집권세력들과 이해를 같이한 것이다. 재지세력에 대한 탄압은 중앙권력을 강화하는 수단이며, 이것은 중앙중심의 노론세력들의 이해와도 합치되었기 때문이다. 그러므로 대원군은 이미 京華巨族化된 노론을 중심으로 한 중앙세력들과 갈등을 일으키지 않았고, 토호와 사림에 대한 통제 및 그들의 기반에 대한 해체가 가능했다.

---

135)『高宗實錄』고종 2년 2월 20일. 종친부는 대원군의 주도적인 역할로 중건되었다. 고종은 "왕이 되기 전에 종친부의 건물이 황량하게 무너지고 자빠졌다는 말을 듣고 심히 개탄하였다"고 하면서, "대원군이 선뜻 공사를 시작하여 옛 모습을 회복하게 되었다"고 격찬하면서 종친부의 현판을 친필로 써 내려보내어 권위를 회복하게 했다.

136)『高宗實錄』고종 2년 1월 27일.

137)『高宗實錄』고종 2년 2월 9일. 대왕대비는 "원칙을 의논하고 나라를 운영하며 전체 관리를 통솔하여 규율을 세워나가자면 의정부가 군색스러워서는 안 된다"고 강조했다. 대왕대비와 대원군의 정치개편 구상은 일치하였다.

138)『高宗實錄』고종 2년 3월 28일. 대왕대비의 지시로 인해 중앙과 지방의 사무는 의정부로 집중되었고, 비변사는 의정부의 대기처소가 되었다. 비변사의 印章도 사라지게 되었고, 새로운 현판이 걸리는 대신에 廟堂 현판은 대청으로 옮겼다.

대원군은 萬東廟의 철폐를 통해 이들의 활동기반을 축소시켰다.139) 이와 같이 대원군은 권력기구 및 정치세력의 재편과 중앙과 지방의 연계에 대한 차단을 통해 정치의 전면에 부상했다. 그리고 집권노론세력들로부터 지지를 이끌어내었다. 이것을 바탕으로 대원군정권 상징인 경복궁 중건을 추진했고, 그 과정에서 대원군은 국정운영의 중심에 위치했다.

景福宮 重建은 대왕대비가 표명하였지만,140) 실제적인 책임자는 대원군이었다.141) 고종과 대왕대비가 직접 대원군에게 명령하지는 않았지만, 대원군은 독자적으로 경복궁 중건을 추진했다. 영건도감은 대원군의 통제와 감독를 맡으면서 경복중중건을 추진했고, 종친부는 선파인들을 중심으로 재정을 지원했다. 이 과정에서 종친부의 '대원위분부'는 지대한 영향을 미쳤고, 대원군은 국정을 장악, 권력을 행사했다.142) 신정왕후는 철렴을 선언해 대원군의 독자적인 정치적 활동을 보장했다.143)

대원군의 정치운영에 대한 부정적 현상은 나타나지 않았다. 고종과 대원군, 대원군과 대왕대비, 대원군과 관료집단간의 정치적 갈등은 드

---

139) 『高宗實錄』 고종 2년 3월 29일.
140) 『高宗實錄』 고종 2년 4월 2일.
141) 『高宗實錄』 고종 2년 4월 3일. 大王大妃는 경복궁 중건역사를 전적으로 대원군에게 위임했다. 그는 "경복궁 중건이 더없이 중대하지만, 자신의 정력을 지니고서는 딸리기 때문에 모두 대원군에게 맡겨 버렸으니 매사를 의논하여 처리하라"고 지시했기 때문이다. 영의정 조두순은 이를 적극적으로 수용하였다.
142) 대원위분부에 대한 정책시행은 延甲洙, 1992, 「大院君執政의 성격과 權力構造」, 『한국사론』 27, 226~230쪽 참고.
143) 대왕대비의 철렴은 고종 3년 2월 13일에 있었다. 대원군과 대왕대비 상호간의 정치적 갈등은 보이지 않는다. 당시의 관료들은 철렴을 당연하게 받아들이고, 존호가상에 치중했다. 이것은 대왕대비에 대한 정치적 예우였고, 대원군의 권력행사를 당연한 것으로 받아들이는 태도였다.

144

러나지 않았기 때문이다. 이것은 정치집단 상하 및 상호간이 대원군의
집권과 권력행사를 정당하고 합법적인 것으로 인식한 결과였다. 대원
군은 종친부를 통해 국정을 점검하고, 고종은 교서를 통해 대원군의
정치적 행위와 방향에 대한 명분과 정당성을 부여했기 때문이다.144)

고종은 친정교서에서 국정운영의 방향을 천명했다. 그는 三政과 土
豪문제를 국정운영에서 가장 시급한 과제로 지적하고, 법령의 嚴立과
토호의 악습제거를 강조했다. 그런데 이러한 문제는 이미 대원군이 종
친부를 통해 중점적으로 추진하고 있었다. 고종은 토호문제를 잠저시
에 알고 있었다고 하면서, 토호들의 권세 제거가 나라가 편안하게 되
는 첩경이라고 했다. 그러므로 고종의 친정교서는 대원군이 종친부를
통해 추진해 오고 있던 통치정책의 연장선에 있었다.

고종은 대원군에게 정책결정권도 위임했다. 고종은 各司의 條例에
대한 이정을 묘당의 논의를 거쳐 대원군에게 품의하고 결정하게 했기
때문이다.145) 묘당의 논의를 거친 각사이정권을 대원군이 행사할 수
있다는 것은 대원군이 국왕권을 대행하고 있음을 의미한다. 여기서 대
원군의 정치적 지위가 단적으로 드러난다. 대원군은 국왕에 버금가는
존재였던 것이다.

그는 공식석상에서 국왕 다음의 위치였고, 신하의 반열에 있지 않
았다. 고종의 종묘 및 각궁과 능행의 친제시에 아헌관으로 참여하면서
도 시상의 대상은 아니었기 때문이다. 고종이 운현궁에서 가례를 마치
고 환궁할 때의 행렬에서도 그는 왕비보다 상위였다. 그는 국왕을 대
리하여 신하들에게 下賜하는 경우도 있었다. 대신들은 이것을 국왕의

144)『高宗實錄』고종 3년 2월 27일.
145)『承政院日記』고종 3년 3월 17일. 고종은 "각사의 冗費와 從下에 대해 각사
의 당상이 조정에서 묘당과 논의하고 大院位前에 稟하여 權減가 永減에 대
해 從長釐正하게 하라"고 하여 대원군은 정책결정권을 가질 수 있었다.

뜻으로 받아들였다. 그러므로 대신들은 대원군의 권력행사를 국왕의 통치행위로 인식하면서 상호간에 정치적 갈등을 일으키지 않았다.

대원군의 국정운영은 고종 5년을 전후하여 방법론적인 차이가 있었다. 국왕과 대원군 상호간에 직접적인 지시나 보고가 없는 것은 동일하지만, 대원군의 권력행사가 직접 중앙관서를 통해 실현되게 되었다. 종래 대원군은 중앙권력기구와 대신을 직접 장악하지는 않았다. 그는 종친부를 통해 '대원위분부'를 중앙관서나 권력기구에 전달했고, 의정부와 육조에는 종정경을 배치하여 권력의지를 실현했다. 그러나 이제 대원군은 국정운영을 독점하면서 권력기구를 직접 지배하였다. 이러한 권력행사 방식은 종실의 관직변통 정책에서도 나타났다.

고종 6년 종실의 관직변통이 있었다. 고종은 종친의 관료화를 법제화하기 위해 종실의 관직변통을 지시하고, 그 결정권을 대원군에게 위임했다.146) 그는 관제이정에 대해 종신과 이조판서가 상의하여 묘당에 나아가 논의하고,147) 다시 대원군에게 보고하여 결정하라고 지시했기 때문이다. 친대원군계인 宗正卿 李載冕과 이조참판 趙成夏가 관제이정을 주도했다. 이 과정에서 영의정 金炳學은 종실에게 줄 관직의 혁파와 증설의 범위를 지정했고, 관제와 品數 등의 제반 규례는 일체 이정하여 대원군에게 稟定하라고 지시했다. 영의정이 대원군에게 직접 재가를 받은 것은 아니지만, 해당 관청의 당상관들은 대원군에게 직접 보고했고, 결재를 받았다.148) 고종은 대원군이 결재한 별단

---

146) 『承政院日記』고종 6년 1월 2일. 고종은 "대군·왕자군·적왕손·왕손 이외는 일체 外朝例에 의거 과거에 응시하고 벼슬길에 진출시키는데 장애가 없게 하라"고 지시했다. 이것은 종친들의 관료진출을 법제화하는 것이다.

147) 관제이정의 실무진은 종정경 이재면과 이조판서 조병창이었으며, 최고 책임자는 영의정 金炳學이었다. 그러나 실제적인 관제이정은 이재면과 이조참판인 조성하가 주도하였고, 영의정에 대한 의례적인 보고를 거쳐 최종적으로 대원군의 재가를 받았다.

을 보고 받았을 뿐이다. 그러므로 대원군이 직접 공적기구에 대한 통제가 가능했음을 알 수 있다. 종래 종친부를 매개로 한 간접적인 통치방식이 변화되고 있었다.

대원군의 국정결정과 집행은 親盡한 懿昭廟 조천문제의 처리과정에서도 나타났다.149) 그러나 이번에는 묘당의 논의를 거치지 않고 당상관이 직접 대원군에게 품정하였다. 이것은 관제나 체례와 무관한 왕실집안의 일이었기 때문에 묘당을 거치지 않았던 것이다. 이에 대원군은 懿昭廟主는 이미 옮겼으니 향사와 규식은 저경궁이나 연호궁의 예를 따르고, 각궁의 묘주의 합봉 절차는 모두 성교에 따라 거행하게 했다.150) 이것은 종래 대원군의 권력행사에서 찾아보기 어려운 일이다. 대원군이 공적기구, 즉 의정부체제를 직접 장악하고, 통제하는 것은 국왕의 정치기반을 통치하는 것이기 때문이다.

대원군의 권력행사는 국정결정권에 한정되지는 않았다. 대원군이 국왕의 권력체제 즉 공적기관에 대해 정책의 집행을 직접 분부했기 때문이다. 호조판서 김병국이 제수비용으로 획정된 각궁의 면세결수의 개정을 대원군에게 품정하자,151) 대원군은 묘우의 移建과 각궁의 결수의 환수 등의 절차를 곧 거행하라고 호조판서 김병국에게 직접 지시했다. 대원군이 종래 종친부를 통해 정책집행을 전달한 것과 대조적이다. 대원군은 이제 육조에 직접 "거행하라"고 했고, 호조판서 김병국은 "거행하겠다"고 보고했기 때문이다. 이러한 정책집행에 대해

---

148) 『承政院日記』 고종 6년 1월 24일.
149) 『承政院日記』 고종 7년 1월 2일. 고종은 "의소묘의 별묘의 합봉과 이봉에 대한 제반의절을 호조와 예조의 당상관으로 하여금 대원군에게 품정하여 거행토록 하라"고 지시했다.
150) 『承政院日記』 고종 7년 1월 3일.
151) 『承政院日記』 고종 7년 1월 5일. 이날의 각궁결수를 개정하는 문제는 대원군에게 품정하라는 고종의 지시가 없었다.

고종은 단지 "알았다"고만 대답했다. 따라서 대원군은 '대원위'의 권위를 통해 국왕권을 거칠 필요없이 국왕의 권력체계를 통해 정책 집행을 명령했다. 중앙관서는 이러한 대원군의 지시를 수행했다.152) 이로써 대원군의 권력장악은 완결되었다. 반면에 권력행사에서 국왕체제, 즉 국왕과 의정부체제가 위협받게 되었다. 대원군이 직접 국왕권을 장악하면 국왕은 존재의 기반이 상실된다. 그러므로 고종은 자신의 정치적·권력적 지위를 둘러싸고 위기에 처했다.

대원군의 이러한 국정운영방식은 서원철폐과정에서 최고조에 달했다. 고종은 예조판서에게 대원군에게 품정하여 배향해 모실 곳 이외에는 모두 철폐하도록 하고, 이것을 萬年法式을 삼게 했다.153) 영의정 김병학은 고종의 하교를 간접적으로 들었고,154) "예조판서가 대원군에게 아뢰어 바로잡은 뒤 거행할 것"이라고 했다. 그러므로 영의정 김병학은 서원철폐정책에 직접 참여하지 않았다. 이것은 국왕과 영의정이 국정운영에서 배제되고 있음을 의미한다. 그러므로 대원군의 권력행사는 국왕과 의정부, 의정부와 육조라는 공식적·합법적인 정치관행을 초월했던 것이다.

대원군은 국왕권을 배제한 채 문묘에 배향한 분 이외의 書院撤享權을 행사했다.155) 예조판서 조병창은 대원군의 재가를 받아 사액서원 중 서원으로 보존하기 합당한 47곳의 별단을 국왕에게 보고했다.156) 대원군은 서원철폐에 대한 후속조치로 서원결복의 규제와 이

---

152)『承政院日記』고종 8년 8월 25일. 대원군은 호포법을 시행하면서 '대원위분부'를 통해 班戶는 奴名으로 出布하고 小民들은 身軍으로 포를 내게 했다. 이것은 국왕의 지시가 아니라 대원군의 독자적인 분부로 시행되었다.
153)『承政院日記』고종 8년 3월 9일.
154)『承政院日記』고종 8년 3월 16일. 영의정 金炳學은 "이미 하교를 받들었다"고 대답하였다.
155)『承政院日記』고종 8년 3월 18일.

정을 단행함으로써157) 爲民之策으로 단행된 對서원정책을 일단락 지
었다.158) 국정은 국왕의 권위와 직책으로 시행되며, 국가정책은 관념
적으로 爲民에 기반한다. 대원군이 스스로 爲民策이라고 한 것은 국
왕의 지위에 위치한다는 것을 과시하는 것이다. 이러한 대원군의 권력
행사 방식의 변화에 대해 대원군과 국왕, 대원군과 중앙관료 상호간
직접적이고 즉각적인 저항·갈등은 표출되지 않았다. 그러나 국왕과
관료집단은 동일한 정치적 위기감을 가지게 되었다. 특히 노론을 중심
으로 한 관료집단은 자신들의 정치적 기반이 해체되는 위기감을 강하
게 느꼈다.

대원군은 고종 5년 삼군부 복설을 통해 무력적 기반을 장악했다. 이
것은 국왕의 중앙관료체제를 직접 장악할 수 있는 배경이 되었다. 그
러므로 대원군의 권력행사는 국왕권에 의지하는 것에서 탈피하여 오
히려 국왕권을 배제하는 양상이 나타났다.

대원군은 권력을 장악하는 고종 5년까지는 노론세력의 존재를 인정
했고, 그들과 협력체제를 구축했다. 그러나 국왕의 권력체계를 직접
장악하고 통제하게 되면서 그의 통치정책은 노론을 직접 압박하기 시
작했다. 대원군은 스스로 필요하다고 판단되는 경우 적극적으로 정책
을 결정하거나 주도했고, 그것의 실행을 해당 중앙관서에 직접 명령했
다. 이것은 국왕중심체제를 근본적으로 위협하는 것이었다.

이것은 국왕의 입장에서 존립의 문제와 직결되었다. 그러므로 고종
은 이러한 대원군의 권력행사 방식을 종식시켜야 했다. 중앙관료들이
대원군의 통치행위를 고종의 통치행위와 동일한 것으로 간주하고, 적

---

156)『高宗實錄』고종 8년 3월 20일.
157)『承政院日記』고종 8년 3월 25일.
158) 영의정 김병학과 우의정 홍순목은 서원철폐 및 결복의 규제와 이정책을 爲
民之策으로 극찬했다.

극적으로 실행했기 때문이다.[159] 종래의 대원군의 개혁정책은 노론집
권세력들의 이해를 침해하지 않았다. 그러나 대원군은 권력장악이 완
료되자 통치정책을 통해 이들의 이해를 직접 침해했다. 그러므로 이들
의 위기와 저항은 당연한 것이었다. 이것은 급기야 고종과 노론세력들
의 정치적 결합을 가져왔고, 이들은 각자의 존립을 위해서도 대원군의
하야라는 공통된 목적을 가지게 되었다.

제2절 종친부 강화와 종친세력의 결집

1. 종친부의 권력기구화와 '大院位分付'

종친부는 법제상 최고아문이지만, 職事가 없었기 때문에 의례적인
일만 담당하는 한미한 衙門에 불과했다. 이것은 정치세력들이 왕족을
정치와 분리하여 종친부의 정치적 역할을 제한했기 때문이다. 그 결과
종친업무는 종친부와 종부시로 이원화되었고, 宗親璿派人들은 사회
·경제적 특권만 보장받았다. 그리고 종부시는 『璿源譜牒』의 편집과
종실에 대한 비위감찰의 업무를 부여받았다. 이것은 종친부가 위계상
종친세력을 결집한다는 우려가 있었기 때문이다.

일반적으로 종친은 封君 이후 3~4대가 지나면 仕宦의 길이 열려
있었다. 그러나 순조 이후 국왕의 단명과 無后로 인해 왕실의 인적구
성이 축소되었고, 더구나 세도집권자들은 권력집적 과정에서 대다수
의 왕족들을 정치적으로 희생시켰다. 이것은 특정 세도집단이 왕권을
제압하면서 권력을 독점하는 과정에 나타날 수밖에 없는 현상이었다.

---

159) 박은식 저, 김도형 역주, 1997, 『한국통사』, 31쪽. "대원군의 지위는 임금과
같았을 뿐만 아니라 권한이 한 몸에 집중되어 있었고, 모든 신하들은 그의
지휘를 따랐다"고 한다.

그러므로 종친부는 약화되고 종친선파인들은 정치적·사회적으로 몰락했다.

대원군은 흥선군 시절 종친부 중심으로 가문의식을 확대했고, 이 과정에서 집권과 왕권강화의 기반을 마련했다. 그는 종친부의 有司堂上이 되어 종친부의 재건정책을 주도 면밀하게 추진했다.[160] 그는 종친부 건물의 개·보수에 대한 소기의 목적을 달성할 수는 없었지만, 종친부는『선원보략』의 개정과 개수권을 확보하면서 직사를 가진 아문으로 변화되었다.[161] 그 결과 종친부는 百司之首와 莫嚴重地의 지위를 회복했다.

대원군이 종친부 재건책을 추진한 것은 왕실가문의식의 확대와 왕권강화의 기반 확보가 목적이었다. 그는 종친선파인을 세도정권의 낡은 정치적 관행을 타파할 수 있는 대응세력으로 설정했고, 이들을 결집할 수 있는 물리적 공간을 종친부에 설정했다. 그는 이 과정에서 왕실가문의 집단과 의식을 강화하고, 현실적으로 무력한 왕실의 한계를 극복하려 했다. 이것은 자식의 왕위계승과 자신의 권력장악을 위한 사전대비책이었다.

대원군의 주도하에 종친부는 고종의 奉迎에 직접 참여했다.[162] 대원군은 종친부의 유사당상으로 종친부의 조직을 고종의 봉영에 투입하여 신왕체제의 성립에 따른 공적과 정치적 명분을 축적하려 했던 것이다. 그는 대원군에 封爵되면서 일체의 관직에서 물러났다.[163] 그러나 그는 종친부를 떠나 운현궁으로 돌아간 것이 아니었다. 종친부는

---

160) 金炳佑, 2002,「興宣君의 宗親 및 宗親府 再建策」,『朝鮮史研究』11.
161)『宗親府謄錄』철종 11년 11월 30일, 25쪽.
162)『宗親府謄錄』고종 즉위년 12월 초8일, 433쪽 ; 10일, 436쪽. 대원군은 고종의 봉영에 종친부 구성원의 全數를 투입하였다. 이들은 봉영대신과 함께 봉영을 주도하였고, 시상을 받았다. 이들의 배후에는 대원군이 있었다.
163)『宗親府謄錄』고종 즉위년 12월 초9일~10일, 426쪽.

'甘結'을 통해 종부시의 文簿와 諸般擧行을 대원군의 결재를 받게 지시했다.[164] 그 결과 그는 종친부 최고위로서 종친에 대한 통제권은 물론이고, 종친과 관련한 업무를 장악했다.

대원군은 국정장악과 권력행사를 위해 합법적·공식적인 권력기구가 필요했다. 그는 종친부를 통한 권력행사가 가장 합법적인 것이라고 생각했다. 이를 위해 종친부는 최고아문으로서의 독립성과 타사와의 차별성을 확보할 필요가 있었다. 그것은 대원군에게 최고아문의 수장을 보장하고, 정치적 지위와 위상문제를 해결하는 것이다.

종친부는 법제상 大君王子之府로 百司之首에 위치했다.[165] 대원군은 이러한 종친부의 위엄을 회복해야 했다. 그는 숙종과 영조의 종친부에 대한 傳敎를 토대로 백사지수의 지위와 위상을 확보할 수 있었다. 法司機關은 이제 종친부 府隸들을 임의로 推治를 할 수 없었고,[166] 종친부는 典籤의 차출을 통해 조직을 확대했다.[167] 그리고 종친부의 藥債錢은 구례를 회복했다.[168]

---

164) 『宗親府謄錄』 고종 즉위년 12월 10일, 433쪽.

165) 『宗親府條例』 「傳敎」, '肅宗 戊寅 啓稟'; '英宗 癸丑 傳旨', 86쪽. 종친부는 실권은 없었지만 법제상 최고아문이었다. 그러므로 숙종 이래 종친부의 吏隸는 諸宗이 사사로이 治罪할 수 없고 또한 사사로이 사역할 수도 없으며, 비록 대신아문이라 하더라도 直囚할 수 없었다. 이것은 종친부가 대군왕자의 부로서 百司之首이기 때문이다.

166) 『宗親府謄錄』 고종 즉위년 12월 12일, '甘結', 428쪽, "大院位大監敎是分付內 自今以後府隸中于係賣贓與毆打債訟等者 只呈進來狀後 依訟理推治是遣 官屬則勿爲進來任意推治事分付敎是置 以此惕念擧行爲旀". 이날의 '대원위분부'는 형조, 한성부, 좌포청 등의 법사기관과 한성부의 5부에 시달되었다. 대원군은 종친부를 타사와 엄격하게 구분하여 최고의 권위를 가진 아문으로서의 위상을 확립하고자 했다.

167) 『宗親府謄錄』 고종 즉위년 12월 13일, 433쪽. 대원군의 봉작에 따라 이호준은 典籤으로 차출되었다.

168) 『宗親府謄錄』 고종 1년 1월 18일, '甘結', 437쪽.

종친부의 위상강화는 대원군의 권력장악과 맥을 같이 한다. 대원군이 존재하는 종친부는 종래의 한미한 종친부가 아니었다. 종친부는 이제 '甘結'로 중앙권력기구에 명령을 내릴 수 있는 권력기구로 변모했다. 그리고 訓練都監, 禁衛營, 御營廳, 摠戎廳, 宣惠廳, 戶曹, 兵曹 등 최고권력기관에 권력을 행사했다.169) 종친부는 대원군의 위의의 차별성을 강조하면서170) 권력기구의 지위를 확보하고, 이러한 종친부의 권력기구화는 정치인들의 궁중출입에 대한 통제를 통해 실현되었다.

세도집권기 정부관료들은 『大典通編』의 규정을 초월하여 跟隨와 衣服, 車馬 등으로 威儀를 갖추어 대궐을 출입했다. 이러한 정치인들의 과도한 위의는 국왕의 절대적 권위에 반하는 것이다. 고종은 司謁口傳下敎를 통해 궐내출입시 종일품 이하의 跟隨가 舊規에 나와 있음을 강조하고, 扶腋과 雨傘을 영원히 제거하게 했다.171) 이로써 종친부는 朝廷典章의 의복과 거마의 품급을 강조하면서 권력기구로서의 변모된 모습을 보였다.172)

---

169) 『宗親府謄錄』 고종 즉위년 12월 13일, 428쪽. '甘結'. 종친부는 지금부터 大院位大監의 교자구종을 호조, 혜청, 병조, 4영문이 실구종 중 근실자로 각 아문에서 각 1명씩 초택하여 본댁에 逐逐日 등대할 것을 지시했다.

170) 『日省錄』 고종 즉위년 12월 13일. 대원군의 封爵에 따른 예우는 대원군과 대왕대비, 대왕대비와 대신들 상호간에 완전한 합의가 있었던 것은 아니지만, 대왕대비의 지시로 대신들과 같은 輻子로 정해졌다.

171) 『宗親府謄錄』 고종 1년 2월 29일, '司謁口傳下敎', 441쪽. 대원군은 承史, 閣臣, 玉堂이 입직하더라도 雨傘를 제거하라고 분부하였다. 그런데 말미에 '分付'라고 기록되어 있어 이것은 대원군의 분부로 생각된다. 국왕의 전교일 경우 말미에 '분부'의 형식을 취하는 경우를 발견하기가 쉽지 않기 때문이다.

172) 『宗親府謄錄』 고종 1년 2월 29일, '備邊司甘結', 441쪽. 이 '감결'은 비변사에서 각 관청으로 보낸 감결을 종친부에서도 받았기 때문에 등록에 정리한 것으로 이해할 수도 있다. 그러나 내용면이나 정치적 의미에서 이해할 때 종친부에서 비변사에 보낸 감결이 확실하다. 감결에서 문제되고 있는 관료들의 '威儀'는 주로 2품 이상을 대상으로 하는 것이며, 2품 이상이 가장 많이 운집한 곳은 비변사였다. 종친부는 비변사를 중심으로 한 정치집단의 정치적 위

종친부는 첫 번째 '備邊司甘結'을 통해 관료들의 車馬문제를 제기했다. 당시의 정치인들은 소위 四人藍輿와 山藍輿를 타고 다녀 매 공무수행시 궐밖에는 사인남여와 산남여가 簇立하였고, 2품 이상으로 軺軒을 타거나 3품 이하로 驢馬를 타는 경우는 열에 두 셋을 넘지 않은 실정이었다. 이것은 일의 체모를 고려할 때 한심한 일이었다. 대원군은 종친부를 통해 공적이던 私行이던간에 兩藍輿는 일체 혁파할 것을 지시했다.173)

종친부는 이어 '비변사감결'을 통해 품계에 따른 朝官의 수행원에 대한 定數를 강조했다. 조관의 수행원은 품계에 따라 정해져 있지만, 당시의 집권세력들은 궐내 출입시에 濫率하였을 뿐만 아니라 궐외에서도 공적·사적을 막론하고 隨帶할 수 있는 범위를 넘어섰고, 그것이 그들의 정치적 위상과 권위를 상징했다. 이러한 현상은 국왕의 절대적 권위는 물론이고 권력을 장악한 대원군 자신의 정치적 위상을 위해서도 정리되어야 했다. 이 과정에서 대원군은 대신들과 다른 위의를 갖추게 되었다.

대원군은 종친부를 통해 조관들의 궐내출입에 대한 통제도 강화했다. 조관들의 궐내출입은 반드시 금호문을 경유하는 것이 古規였지만, 근일에는 典式을 준수하지 않고 大官과 將臣들이 편의에 따라 宣仁門과 敦化門으로 출입했다. 대원군은 門蔭武 卿宰이하는 반드시 金虎門으로 출입하게 하여 궁중질서를 바로잡았다.174) 이 과정에서 종친부는 정치세력들의 궁중출입을 통제할 수 있었다.

대원군이 조관들의 위의와 궁중출입을 통제하고 규정을 재정립한 것은 국왕중심의 정치질서를 재편하기 위한 조치였다. 이러한 변화는

상을 약화시키고자 조치를 취한 것이다.
173) 『宗親府謄錄』 고종 1년 2월 29일. '備邊司甘結', 441쪽.
174) 『宗親府謄錄』 고종 1년 3월 16일. '備邊司甘結', 443쪽.

표면적으로 국왕권의 강화와 직결되지만, 이것이 종친부를 통해 추진
되었다는 점에서 실제적으로는 대원군과 대원군이 존재하는 종친부의
정치적 위상과 관련된 것이었다. 이것은 종래 정치집단들의 정치적 권
위를 약화시켰고, 대원군과 종친부는 이들에 대한 통제권을 강화하면
서 권력의 중심부에 위치하게 되었다.

특히 종친부의 '비변사감결'은 종친부가 비변사보다 상위에 위치하
는 정치적 의미를 부여했다. 비변사는 종친부의 '감결'에 순응했고, 이
로써 종친부는 단순한 禮遇衙門이 아니라 권력기구로 변모했다. 이것
은 대원군이 종친부에 존재했고, 비변사는 대원군의 통치행위를 인정
한 결과에서 비롯된 것이다. 이 과정에서 정치의 중심체제가 비변사에
서 종친부로 넘어갔다. 대왕대비는 종친부의 체제정비와 권력기구화
에 필요한 재정을 지원했다.[175]

이로써 종친부는 정치적 권위와 물적기반을 마련했다. 그러나 종친
부는 종친업무를 일원화하지는 못했다. 종친부는 철종의 殯殿入番에
참여할 인원이 부족할 정도로 인적자원이 열악했다.[176] 대원군의 입
장에서는 종친세력을 혈연과 가문의식으로 결집하여 정치기반을 확대
하는 것이 절실했다. 이것은 붕당이념 보다는 혈연·가문의식으로 형
성된 정치집단에 대한 대응세력의 형성과 동시에 국왕체제의 정치기
반을 이루는 방안이기 때문이다.

또 대원군은 종친부와 종부시의 통합정책을 구상했다. 이것은 종친
부 중심의 종친업무 일원화와 대원군의 권력행사를 위한 합법적인 공

---

175) 『宗親府謄錄』 고종 즉위년 12월 23일, 435쪽. 대왕대비는 종친부에 원급대
     외 매년 錢 4천냥 布木 각 10동을 더 마련하여 수송하라고 宣惠廳에 분부했
     다.
176) 『宗親府謄錄』 고종 즉위년 12월 10일, 432쪽. 殯殿入番에 宗室 6員이 필요
     한데 興寅君과 永平君을 제외하고는 可擬之人이 없어 척신의빈으로 備員
     할 정도였다.

간을 마련하기 위해서도 필요했다. 대원군은 '減寺合府之策'을 구상하고 실현했다.[177)]

종친부와 종부시에 대한 合府策은 과거에도 제기되었다. 그러나 종친세력의 결집과 조직화에 대한 정치세력의 우려 때문에 실현되지 못했다.[178)] 이들은 종친들에 대한 糾察을 폐하게 될지도 모른다는 명분을 제기했지만, 실제로는 종친선파인에 대한 일원적인 통제체제가 정치권에 위험으로 작용할 수 있다는 정치적 부담을 가지고 있었다. 그러므로 세도세력은 종친부와 종부시를 양립시켰고, 상호견제를 유도하면서 조직과 역할을 축소했던 것이다. 이러한 실상은 合府策을 제기하는 興寅君의 상소에 적나라하게 드러난다.[179)]

본래 종부시는 璿源譜牒을 편찬하고 종실의 과실을 규찰하는 일을 하였고, 종친부는 宗人의 封貤를 관장하고 統率을 兼行하여 經緯의 관계에 있었다. 종부시는 정3품아문이면서도 列聖朝의 璿譜·睟眞·御製·宸翰을 봉안하고 있었기 때문에 정1품아문인 종친부보다 실제적으로 권위가 높았다. 그런데 이러한 종부시의 봉안기능은 內閣으로 이관되었고, 종부시는 단지 御牒奉安과 宗勳纂修만 담당하게 되었다. 이것은 종부시의 지위와 권위를 하락하게 만들었다.[180)]

---

177) 『承政院日記』 고종 1년 4월 11일. 고종은 興寅君의 상소에 대한 비답에서 "減寺合府之論은 이미 잠저에서 들은 지 오래되었다"고 밝혀 대원군이 구상한 宗親府 강화책의 핵심적 내용임을 알 수 있다.

178) 『仁祖實錄』 인조 15년 3월 丁未.

179) 『承政院日記』 고종 1년 4월 11일. 대원군은 종친부의 개편방안을 직접 거론하지 않고, 그의 친형인 興寅君으로 하여금 제시하게 한 것은 자신이 신하의 입장에 있지 않다고 생각하였던 점과 이러한 방안에 대한 반대여론을 고려한 정치적 선택이었다.

180) 정3품아문인 종부시는 裁釐規正의 책임 면에서 상급기관인 종친부보다 더 중한 위치에 있었다. 그리고 종부시는 열성조의 璿譜·睟眞·御製·宸翰를 모두 보관하고 있어 琬琰之藏으로 奎璧之府였다. 그런데 종부시가 보관하

또한 종부시는 異姓에 의해 관장되면서 조직이 축소되고 역할은 전무한 상태였다.[181] 이것은 종부시의 異姓提調가 종친세력을 통제했다는 것을 보여준다. 반면에 종친부는 대원군의 종친부 재건 노력에 의해 철종년간 선파인 각파세보의 수정권을 확보하면서[182] 종친세력의 중심지로 부상했다. 그러나 관할하는 업무가 寺와 府로 분리되어 建置의 본의를 벗어났다.[183] 따라서 대원군은 종부시를 폐지하고 종친부에 합치는 '滅寺合府之策'을 제기했던 것이다. 이것은 종부시와 종친부의 외형적 통합은 물론이고, 종친부 중심의 종친에 대한 일원적 체제 확립을 지향하는 것이며, 종친에 의한 종친세력의 결집과 통제를 위한 것이었다.

대원군은 종친부에 대한 타성의 참여와 견제를 배제했다.[184] 이것은 종친부를 통해 종친들의 타성집단과의 차별성을 강조하여 독립성을 유지하고, 국왕중심 정치의 구심체를 이루려는 계산에서 나온 계책이다. 그는 譜錄을 교정하는 방안을 통해 정치적 의도를 명확하게 드

던 것이 모두 내각으로 移奉되면서 典護之綦重과 事體之逈別 전에 비해 稍遜해졌으며, 단지 어첩봉안과 宗籍纂修만 수행하게 됨으로써 종부시의 권위마저 실추되었다.

181) 宗簿寺는 처음에 都提調 二員이 배치되어 관사 등급의 존귀함을 나타내고, 종친이 兼帶했다. 그러나 이것이 변혁되어 단지 제조 일원만을 있게 되었고, 異姓卿宰가 差擬하였다.

182) 『宗親府謄錄』 철종 11년 11월 30일.

183) 홍인군은 상소에서 譜系繼撰時 중외의 종파와 자손들이 수단한 명단을 종부시로 혹은 宗親府로 보내어 여러 가지로 장애가 되어 공적·사적으로 도리어 폐단을 끼쳤다고 강조하고, 종법을 엄정하게 하고 국체를 존중하는 도리상 이와 같이 대충 미봉에 그쳐서는 안 된다고 주장하면서 근본적인 변혁으로 양사합설을 요청했다.

184) 興寅君은 합병한 후 異姓이 차임되고 있던 종부시의 제조를 감하고, 종실당상이 관장하게 할 것과 종부시의 正을 참봉으로 고쳐 종실 후예 중 차임하고 정서낭청과 충의는 각 2員이지만 일원을 滅員하여 참봉과 함께 自辟初仕窠로 하여 오로지 그 직임만 수행하게 할 것을 제안했다

러냈다. 이 과정에서 그는 校正堂上 명목 하에 종친 중 2품 이상을 중심으로 종정경체제를 형성했고, 이들은 대원군 집권과정에서 권력의 축이 되었다.[185)

대원군은 새로운 제체를 출범시키기 위해 고도의 정치적 계산을 했다. 그는 현실적으로 정치적 기반이 미약했다. 그가 선택한 것은 혈연을 중심으로 한 정치세력의 형성이었고, 이것이 가장 현실적인 방안으로 판단했다. 그는 종친세력을 정치적으로 결합할 계기가 필요했고, 급기야 종친부와 종부시의 통합을 시도했다. 그러나 그는 위축된 종친들의 입장도 중요했지만, 종래 정치집단의 반발도 고려하지 않을 수 없었다. 그래서 통합선언을 철종의 장례가 완결되어 三都監 摠護使 등에 대한 시상이 있는 날을 선택했다.[186) 이것은 대원군이 철종과 혈연적으로 맺어진 안동김씨의 고리를 끊는다는 의도가 있었기 때문이다.

그러나 노회한 대원군은 兩司合設을 독단적으로 처리하지 않았다. 이것은 관제변통과 관련된 것이기도 했지만, 의정부의 동의를 얻는 정상적인 방법으로 처리함으로써 정치적 물의를 일으키지 않겠다는 의도였다. 또한 처리과정에서 종친부의 위상을 정치권에 제고시키겠다는 의도가 있었다. 고종은 "敦宗睦親'을 강조하고 廟堂에 稟處를 지시했으며, 의정부는 '宗簿寺가 閒司된 지 오래되어 일과 권리가 일치

---

185) 興寅君은 상소에서 譜錄을 교정하는 일은 지극히 중대하여 종래에는 종부시에 設廳하는 것이 관례였다면서, 교정당상을 國姓 중 문음무 2품 이상으로 차임하고 승문원 提擧의 예를 본받게 할 것을 제안했다. 그리고 이것을 정식으로 삼아 舊制를 申明한다면 敦宗之誼를 빛나게 함과 동시에 命官之規가 됨을 강조했다. 이러한 그의 제안은 국성의 문음무 2품 이상을 중심으로 한 정치 및 宗親府 운영을 의미하며, 타성에 의한 종친들의 규제를 불허하겠다는 의지에서 나온 것이다. 대원군은 이들을 종정경체제로 정비하여 정치기반으로 만들었다. 종정경체제는 다음 장에서 자세하게 설명한다.

186) 『承政院日記』 고종 1년 4월 11일.

하지 않았으며, 興寅君의 상소는 條理明晣하고 事體悉重하다"면서 대원군의 합설방안을 적극 지지했다.

이로써 대원군은 兩司 合府를 전격적으로 처리할 수 있었다. 종부시는 준비된 관제개정의 별단에 의거하여 宗親府에 흡수·통합되었다.[187] 대원군은 2품 이상의 종친선파인을 종친부 교정당상관으로 구성하고 관제개정을 추진하면서 이들의 정치적 통합을 구축했다.[188] 교정당상관들은 모두 대원군 집권기 정치적 활동이 두드러지는 인물이다.[189] 대원군은 관제개정을 통해 종친부의 위상과 역할을 강화했고, 종친부의 璿源諸派에 대한 統領權과 직무의 법제화를 마무리했다.[190]

이 과정에서 대원군은 종친부의 교정당상관 중심의 신주류 정치세력을 형성했다. 이들은 의정부를 위시한 권력기관에 배치되면서 정국 운영의 주도권을 장악하였다.[191] 특히 이들은 財政과 軍政을 독점하

---

187) 이같은 신속한 처리는 도승지 朴珪壽의 역할과 관련이 있다. 박규수는 이틀 뒤인 4월 14일 도승지 직임에서 체직되었고, 강관으로 권강에 참여하였으며 4월 29일 대사헌이 되었다. 이후 도승지는 李載元이 맡았고, 4월 25일에 민치상으로 교체되었다. 이재원은 이조참판이 되면서 인사권에 영향력을 행사했다.

188)『宗親府謄錄』고종 1년 4월 12일, '宗親府啓', 445쪽. 종친부의 보고에 의하면 校正堂上官은 行戶曹判書 李敦榮, 行大護軍 李寅皋, 李景純, 漢城判尹 李圭徹, 行護軍 李容殷, 李承輔, 李寅虁, 李寅奭, 李景夏, 同知敦寧府事 李載元, 嘉善 李升洙, 行護軍 李周喆, 李明錫, 李南轅이며, 李敦榮과 李承輔는 유사당상이 되어 업무를 전담했다. 또한 종친부는 충의 유학 이기현, 낭청 유학 이헌수를 차하하여 조직을 보강했다. 반면에 이조는 종부시 제조 조득림, 정 장세용을 감하하고, 주부 김수환과 직장 박승수를 종친부의 주부와 직장으로 이차하게 하여 종친부와 종부시의 합설을 일단락지었다.

189) 金炳佑, 1991,「大院君 執權期 政治勢力의 性格」,『啓明史學』2, 53~55쪽, <표 2> 親大院君政治勢力 참고.

190)『大典會通』,「吏典」, '宗親府'.

191) 영의정 김좌근은 종친부와 종친들의 정치적 역할 변화에 민감하게 반응했

면서 대원군의 정치적 권력기반이 되었다. 대원군은 종친부에 존재하면서 강력한 통제력을 행사하게 되었다. 종친부가 대원군이었고, 대원군이 곧 종친부를 상징했다.

종친부는 宗簿寺를 통합하고 이에 걸맞는 위상이 필요했다. 대원군은 종친부의 권위를 높이기 위해 奎章閣과 藏版閣을 종친부로 移建했다.[192] 종친부 내로 이건된 奎章閣은 玉牒堂의 옆에 있었으며, 宗簿寺에 원속되어 있던 璿源閣 소장의 『璿源譜略』, 『國朝御牒』, 『王妃世譜』, 『御題冊』 등을 봉안했다. 藏版閣은 종부시에 원속되어 있던 선원각이 고종 원년에 종친부에 이건되면서 개명된 것이며, 규장각 소재의 「璿源譜略板」, 「列聖朝御製冊板」, 「肅宗景宗御筆屛風書板」 등을 이봉했다. 이러한 조치는 宗簿寺를 합부한 종친부의 정치적 권위를 높이기 위한 조치였다.[193]

종친부는 단순한 '宗室諸君之府'의 성격과 지위를 초월했다. 종친부는 璿源諸派에 대한 통령권을 장악했고, 종친선파 출신들은 종정경

다. 그는 급기야 종친부의 관제개정이 진행되고 있던 4월 18일 사직했다. 그는 권력 축의 변화를 막을 수 없다는 판단과 대원군에게 길을 열어주면서 안동김씨계의 정치적 보장을 받으려는 의도가 있었다. 대원군은 정치의 전면에 나서는 과정에서 김좌근을 중심으로 한 안김세력들의 저항을 받지 않았고, 이들은 大院君 집권기 최대계파를 유지할 수 있었던 것은 이러한 정치적 묵계가 있었기 때문이었다. 이것은 대원군이 세도정치의 종식을 고하는 정책을 실시하였다고 평가되지만, 일정한 한계가 있었음을 의미한다.

192) 『宗親府條例』建置條, 84~85쪽, "奎章閣 玉牒堂之左 凡九間 原屬宗簿寺 肅宗 癸酉建 甲戌 御筆懸額 定宗癸卯 移揭于宙合樓 當宁甲子 移建本府 奉安璿源閣所藏璿源譜略 八十五秩……"; "藏板閣 四星門南行閣 凡十間半 璿源閣原屬宗簿寺 當宁甲子移建本府 改今名 移奉奎藏(章?)閣所在璿源譜略板 七百四十五張……".

193) 규장각이 완전히 종친부에 移轉된 것은 경복궁의 중건이 이루어진 고종 5년 6월이었다(白麟, 1962, 『규장각장서에 대한 연구』(연세대학교 도서관학과), 69쪽.

제도를 통해 당상관으로 진출했다. 이들은 종친부에 집결하면서 정치집단을 이루고, 정치적 영향력을 확대했다. 이것은 '대원위분부'가 중앙과 지방, 그리고 전 관서에 시달되면서 종친부가 당대 권력기구가 되었기에 가능했다. 이제 종친부는 물리적 공간을 확대해야 했다. 이것은· 대원군의 존재와 권력소재를 위해서도 시급한 문제였다.

대원군은 고종이 즉위하자 종친부의 건물 중수에 주력했다. 『宗親府條例』에 의하면 고종 원년 종친부 내 이건된 건물은 규장각, 장판각이며, 增修와 新建된 건물은 朝房이었다. 조방은 창덕궁 돈화문 서쪽에 위치했으며, 25間을 新建하여 합이 54칸이 되었다.[194] 朝房의 부속 건물로는 內宗廳과 外宗廳, 藥房이 있었다.

종친부 건물의 총체적 개수는 고종 3년에 始役되었고, 고종 7년에 종결되었다. 고종 원년에 대원군이 중수한 종친부 건물은 종친부 내 朝房뿐이었다.[195] 종친부의 신건역사의 내용을 구체적으로 알 수는 없으나, 고종 2년 2월 일차적으로 완결된 것이 분명하다. 고종은 "내가 潛邸에 있을 때 이미 宗親府의 건물이 荒凉하게 무너지고 자빠지고 했다는 말을 듣고 마음속으로 심히 개탄했다"고 지적하면서, "즉위 후 중건하려 하였으나 겨를이 없었는데, 대원군이 재빨리 수리하여 옛 모습을 회복하였다"고 극찬했다.[196]

종친부의 건물 개수는 전적으로 대원군의 책임하에 추진되었다. 대원군은 종친부를 웅장하고 미려하게 만들려고 했다. 고종은 전교에서 "종친부가 百司보다 더 중요하다"거나 "천만년을 국가와 함께 번창할 것이며 이것이 내가 기원하는 심정이다"라고 강조했다. 이것은 대원군이 종친부를 주도한 목적이 종친부와 璿派人 중심의 국가운영에 있

---

194) 『宗親府謄錄』 建置, 85쪽.
195) 『朝房新建及重修役事下記』(규2961).
196) 『承政院日記』 고종 2년 2월 20일.

었음을 밝힌 것이다. 고종은 이러한 종친부에 扁額을 親書하여 종친부의 권위를 더해 주었다.

고종이 친서한 편액은 大君王子君의 大廳인 敬近堂의 편액이었다.[197] 敬近堂의 좌우에는 宗正卿의 대청인 玉牒堂과 郎廳인 貳丞堂이 자리잡았다.[198] 대원군이 대청과 낭청을 서둘러 건립한 것은 종친들의 집결과 이들을 통한 정치운영을 위한 공간 확보를 위한 것이다. 고종이 친필편액을 하사한 이유가 여기에 있었다. 이로써 대원군은 종정경체제를 통해 정치력을 확대할 수 있게 되었다.

대원군이 법제적 제약을 받지 않고 일상적으로 출입할 수 있는 곳은 궁궐내 종친부였다. 따라서 대원군은 자신의 집무실을 종친부 내에 설치했다. 그는 정무처리를 위해서는 雲峴宮이라는 사저보다는 합법적인 공적기관인 종친부가 유리하다고 판단했다. 그러므로 대원군은 대궐출입에 위의가 필요했고,[199] 고종은 대원군의 궁중출입을 위해 운현궁과 궁궐사이에 전용문인 恭勤門을 건립했다.[200]

그러므로 대원군은 사저인 운현궁이 아니라 합법적인 공간인 종친부에서 정무를 처리했고, 권력을 행사했다. 대원군이 종친부 내에서 국정을 장악하고 집행한 곳은 '我在堂'이다. '아재당'은 天漢殿의 동쪽에 있었으며, 모두 30칸이었다. 『종친부조례』에는 종친부의 다른 부속건물과는 달리 '아재당'의 용도가 밝혀져 있지 않다. 그런데 중요한 것은 '아재당'의 편액이 '大院位親書'라는 점이다.[201] 대원군은 종친부

---

197) 『宗親府謄錄』建置, 85쪽, "敬近堂 玉牒貳丞之間 凡三十間 扁額 當宁御筆 大君王子君大廳".
198) "玉牒堂 敬近堂之左 凡十五間 宗正卿大廳. 貳丞堂 敬近堂之右 凡十五間 郎廳".
199) 『宗親府謄錄』 고종 즉위년 12월 9일.
200) 『承政院日記』 고종 1년 9월 24일.
201) 『宗親府謄錄』建置, 84쪽, "我在堂 天漢殿之東 凡三十間 扁額大院位親書".

내 건물을 확보하고 자신의 정치적 존재를 드러내기 위해 '아재당'이라 명명했던 것이다.[202] 그러므로 대원군은 종친부 내 '아재당'을 자신의 집무실로 이용한 것이 분명하다.

대원군의 집무공간이 宗親府 내에 있었다는 사실은 대원군의 전제정치의 상징인 '대원위분부'가 모두 종친부를 통해 시달된다는 점에서도 알 수 있다. '대원위분부'는 대원군의 통치행위를 반영하기 어려운 『高宗實錄』이나 『承政院日記』 등의 관찬사서에서는 부분적으로 확인된다. 그러나 『宗親府謄錄』에서는 '대원위분부'의 내용이 비교적 상세하게 기술되어 있다. 이런 측면에서도 대원군의 권력소재와 대원군의 권력의지를 실현하는 기관이 종친부였음을 알 수 있다.

대원군은 자신의 집무실인 종친부의 '我在堂'에서 종부시 印文으로 조성된 印信刻字를 가지고 문부를 결재했다. 그러나 종부시가 혁파되면서 종친부의 최고위인 대원군은 종부시의 인신을 사용할 필요가 없게 되었다. 이것은 대원군 개인은 물론 종친부의 권위와 관련되는 문제이기도 했다. 그래서 종친부는 최고권력자인 대원군의 인신을 銀으로 新鑄하게 했다. 물론 이것은 종친부의 字號였다. 그리고 종친부 공사당상의 인신도 종친부의 印文으로 改鑄하게 했다.[203]

종친부는 대원군의 인신과 공사당상의 인신을 차별했다. 이것은 대원군의 지위와 관련되며, 대원군이 종친부의 최고위임을 강조하기 위한 불가피한 조치였다. 그러므로 종친부와 대원군은 위상과 권위가 동시에 강조되었다. 종친부는 개주된 印信篆文의 전형을 전국에 시달하면서[204] 대원군과 종친부의 권위를 전국에 확산시켰다.

---

202) 대원군은 壬午事變으로 인해 중국에 납치되었다가 3년 만에 돌아왔다. 그는 1888년 7월 공덕리 별장에 '我笑堂'이라는 별장을 지었다. 이것은 자신의 존재를 부각시키기 위한 것으로 "성인은 즐거운 뒤에 웃는다"는 의미로 '아소당'이라 명명했으며, 종친부 내 '我在堂'과 대구를 이루고 있다.

203) 『宗親府謄錄』 고종 1년 9월 25일, 460쪽.

고종은 1년 4월 春塘臺에서 璿派儒武들에 대한 應製試取를 하면서 '芙蓉亭卽景'이란 詩를 짓고, 비변사의 조방에 걸어두게 했다.[205] 대원군은 고종의 御製御筆을 종친부로 이관하여[206] 봉안하게 했다.[207] 이것은 종친부의 권위를 비변사 상위에 두려는 정치적 행위였다. 宗親府는 今上의 어제어필을 봉안함으로써 정치적 重地임을 나타냈다. 이러한 변통은 대원군의 구상이었으며, 대원군의 집권과 권력행사의 배경으로 작용했다.

한편으로 대원군은 安金세도집권세력의 권위을 약화시켰다. 대원군은 이들과 왕실과의 혈연적 연계를 차단하기 위해 철종의 御眞을 봉안하는 천한전을 종친부에 옮겼다.[208] 이로써 철종의 어진봉안은 종

---

204) 『宗親府謄錄』 고종 1년 10월 25일, '禮曹了', '八道四都了', 463쪽.

205) 『承政院日記』 고종 1년 4월 23일, "鶯啼綠葉裏 樓暎淸波上 今日親試士 百世一室樂". 고종의 시에는 종친선파인을 중심으로 한 정치세력의 형성과 이들을 권력기반으로 삼으려는 의지가 드러난다. 고종의 어제시에 대한 賡進에서 종친부의 교정당상관 전원이 참여했고, 이 과정에서 이들의 혈연적 기반이 강화되었다.

206) 芙蓉亭의 어제어필 현판은 규장각 현판으로 오해되었다. 『宗親府謄錄』 고종 1년 5월 14일의 기록은 다음과 같다. "宗廟參班璿派儒武 春塘臺親臨應製時 芙蓉亭卽景 御製御筆懸板 奉出本府時 懸板奉於龍亭 郎廳一員 書吏一人 使令一名 陪從". 이에 대해 延甲洙는 '부용정에서 보이는 어제어필현판' 즉 '규장각현판'이라고 해석했다. 그러나 '芙蓉亭卽景'은 고종이 지은 시의 제목이다. 이것을 오해한 것으로 이해된다(연갑수, 1994, 「高宗 初中期 (1864~1894) 정치변동과 奎章閣」, 『奎章閣』 17, 60~61쪽).

207) 『宗親府謄錄』 고종 1년 5월 14일, '감결', 454쪽. 종친부는 "芙蓉亭의 어제어필 현판을 明日 동이 틀 무렵에 조방으로부터 종친부에 봉안하며 용정 一部는 군인을 갖추고, 紅假函 一座와 紅紬四幅, 秩 1件은 인로군이 罷漏를 기다려 조방에 등대하며 治道等節은 담당한 부에서 의례히 거행하라"고 지시했다. 이날의 지시는 호조, 병조, 공조, 제용감, 위장소, 동부, 서부, 남부, 북부, 중부에 시달되었다. 이와 함께 '芙蓉亭卽景' 어제어필 현판을 宗親府에 봉출할 때 현판을 용정에 모시고 낭청 1원과 서리 1인, 사령 1명이 배종하라고 거듭 지시했다.

친부가 담당하게 되었다. 종친부는 어진이봉의 택일과 제반절차를 주관했고[209] 이 과정에서 안김세력들이 개입할 여지가 없었다. 그러나 철종의 어진이봉은 종친부의 건물 중수를 기다려야 했다. 종친부는 철종의 어진을 봉안할 正殿이 완성되지 않았고, 급기야 종친부의 玉牒堂에 임시로 봉안했기 때문이다.[210] 대원군이 무리하게 철종의 어진이봉을 추진한 것은 철종과 혈연적으로 연계된 정치집단의 정치적 명분을 차단하기 위한 것이다. 이 과정에서 대원군의 권력은 강화되었고, 철종의 어진은 고종 3년 종친부에 이봉되었다.[211]

이로써 종친부는 정치적 위상이 더욱 강화되었다. 종친부는 天漢殿을 봉안하였기 때문에 제반거행이 타사와 각별함을 강조했다. 그래서 모든 文簿에 종친부의 '宗'字를 반드시 陞書하도록 甘結을 통해 지시했다.[212] 지방에 대해서는 종친부가 御譜御牒을 敬藏하는 곳임을 강조하면서 '宗'자를 반드시 極行으로 쓰도록 지시했다.[213] 이 과정에서 대원군은 종친부의 권위와 위상을 합법화했다.

종친부는 최고의 관부로 변모했고, 대원군은 권력행사를 위한 제도적 기반을 완결했다. 병조는 종친부의 파수를 위해 騎兵軍을 배치했다. 대원군은 다음 수순으로 종친부의 물리적 공간, 즉 종친부의 건물 공사에 착수했다. 이것은 경복궁 중건과 같은 맥락에서 진행되었으며, 종친부의 권위를 포함해서 왕실의 권위를 상징했다.

종친부는 고종 3년 공사를 시작하여 1년 만에 舊基에 종친부의 건

---

208) 『承政院日記』 고종 2년 11월 4일.
209) 『宗親府謄錄』 고종 2년 11월 4일, 507쪽. 천한전 현판은 좌의정 金炳學이 書寫하였다.
210) 『宗親府謄錄』 建置, 84쪽.
211) 『宗親府謄錄』 고종 2년 11월 11일, 508쪽 : 『高宗實錄』 고종 3년 2월 4일.
212) 『宗親府謄錄』 고종 3년 1월 3일, 516쪽.
213) 『宗親府謄錄』 고종 3년 1월 8일, '八道四都了', 517쪽.

물을 완공했다.214) 천한전이 완공되면서 옥첩당에 있던 철종의 어진
도 봉안하게 되었다.215) 대원군의 장자이며 종친부의 都正인 李載冕
은 교서를 받들어 御眞標題를 썼다. 이로써 종친부는 제도적인 면에
서나, 외형적인 면에서 명실상부한 최고관부의 모습을 갖추었다. 이러
한 종친부는 대원군에게 국정을 총괄할 수 있는 합법적인 공간을 제
공했다. 대원군은 종친부에 존재하면서 국정을 장악하고 권력을 행사
했다.

대원군은 집권과 동시에 幼沖한 국왕의 輔政이라는 명분으로 전제
적인 권력을 행사했다. 종친부의 '대원위분부'는 국왕의 傳敎와 동일
시 되었고, 대원군은 국정에 대한 통일적인 결정권을 행사했다. 이러
한 대원군의 전제적 성격은 黃玹의 "王若曰 대신에 大院位分付 다섯
글자만이 안팎에 시행되었다"216)는 기록에서 단적으로 드러난다.

대원군의 '대원위분부'는 국정전반을 포함하고, 전 국민을 대상으로
했다. 그러므로 국왕의 전교와 같은 성격이 있었다. 고종과 수렴청정
을 하고 있던 조대비는 한번도 대원군에게 명령하지 않았다. 그러므로
대원군은 단순한 국정보정의 차원을 넘어 국왕의 권위를 침해하지 않
는 범위내에서217) 권력을 행사했다. 정치적 권위와 권력의 소재가 반
드시 일치한 것은 아니었다. 따라서 대원군의 정치적 지위와 보정의
범위는 확대 재생산이 가능했고, 전제성을 가질 수가 있었다.218)

---

214) 『宗親府條例』建置, 84쪽. 종친부는 총 302칸으로 규모가 확장되었다. 주요
　　건물은 宗親府와 천한전, 아재당, 규장각, 장판각, 경근당, 옥첩당, 이승당,
　　사성문, 조방, 문안청으로 구성되었다.
215) 御眞標題는 書寫官인 都正 李載冕이 교서를 받들어 썼다.
216) 黃玹 著, 金濬 譯, 『完譯 梅泉野錄』, 16쪽.
217) 대원군은 국왕의 권위를 초월하여 국정을 결정하지는 않았다. 그리고 국왕
　　과 동석을 하지도 않았다. 대원군은 고종과 함께 자리하였을 경우 君臣之間
　　과 父子之間이 교차하는 곤란한 상황이 벌어질 것을 우려하여 국왕과 함께
　　공개적으로 국사를 처리하지 않았다고 한다(연갑수, 앞의 책, 32쪽).

166

『宗親府謄錄』에 기록된 최초의 '대원위분부'는 고종 즉위 일에 내린 宗親府 府隷들에 대한 하급기관 관속들의 任意推治를 금지하는 지시였다.[219] 그리고 종친부는 '대원위분부'의 형식으로 八道四都에 宗親府 藥債錢의 구례를 회복하라고 지시했다.[220] 또한 '대원위분부'는 대원군의 陪使令과 驅從의 선발과정에서도 영향력을 행사했다.[221] 그러므로 일차적으로 '대원위분부'는 대원군의 위의와 종친부의 위상 강화에 사용되었다. 따라서 '대원위분부'는 대원군 자신과 자신이 존재하는 종친부의 독립성과 권위를 회복하는 목적이 있었다.

이것은 또한 대원군이 종친부를 통해 권력을 행사하겠다는 의지였다. 대왕대비는 대원군과 종친부의 역할을 위해 종친부의 權頭와 都使令은 政院과 內閣使令의 예에 의거하여 金玉을 차게 했다.[222] 이것은 종친부의 권두와 도사령의 승정원과 규장각 출입의 제한을 없애기 위한 조치였다. 이로써 대원군은 종친부에 상주하면서 便殿의 상황을 파악할 수 있고, 또한 그의 의지를 승정원에 전달할 수 있었다. 이것은 규장각의 경우도 마찬가지였다. 그러므로 대원군은 자신의 정치적 의지 실현을 위해 일차적으로 승정원과 규장각을 장악한 것이다.[223]

218) 金炳佑, 2003, 「大院君의 政治的 地位와 國政運營」, 『大丘史學』70, 22~23쪽.
219) 『宗親府謄錄』고종 즉위년 12월 13일, 428쪽.
220) 『宗親府謄錄』고종 1년 1월 18일, 20일, 437쪽.
221) 『宗親府謄錄』고종 1년 1월 18일, 437쪽. 이 경우는 宗親府가 대원군의 분부를 받들어 감결로 지시를 내리는 형태이며, 공문에 '大院位分付'를 명기하지는 않았으나 실제적으로는 '대원위분부'와 같은 효력을 지니고 있었다. 종친부는 이날 양향청, 장흥고, 사복시 등에 각 1명씩 배사령과 구종을 초택할 것을 지시하였고, 선혜청은 사령과 구종을 각 1명씩 등대하였지만, 사령 金龍吉을 배사령에 추가하라는 (대원군의) 분부를 받들어 發甘하니 즉시 거행하라고 지시하였다.
222) 『宗親府謄錄』고종 즉위년 12월 29일, 435쪽, "閤門聽傳敎 宗親府權頭都使令 依政院內閣使令例 付金玉擧行".

奎章閣은 당시 척신을 비롯한 유력가문이 독점하고 있었다. 대원군은 규장각 閣臣들에 대한 인사를 통해 구성원들을 재구성했으나 한계가 있었다.224) 대원군이 규장각의 直提學과 提學으로 배치한 인물은 李載元, 李承輔, 洪淳穆 정도였고, 이들도 고종 2년이 되어서야 규장각에 진입이 가능했다. 이것은 대원군의 규장각 장악이 어려웠음을 보여준다. 그러므로 대원군은 규장각의 위상을 약화시키는 방향을 선택했다.225) 규장각의 御製御筆이 종친부로 넘어간 간 것은 바로 이 때문이다. 이 과정에서 규장각의 권위와 위상은 종친부에 흡수되었다.226)

대원군은 고종 1년 9월 독자적인 종친부의 印信을 주조했다.227) 개주된 종친부 公事堂上의 印信篆文의 典型이 전국에 시달된 것은 한 달 뒤였다.228) 이때 종친부는 '대원위분부'를 처음으로 지방관서에 시

---

223) 고종 즉위후 1년간 都承旨를 역임한 자는 대원군과 특별한 인척관계에 있거나, 대원군과 정치적 목적을 같이한 인물들이다. 李載元, 趙鳳夏, 朴珪壽, 閔致庠, 趙秉協, 李承輔, 兪致善, 金炳地, 李興敏, 趙成夏 등이 그들이다. 이 중 李載元은 5차례나 역임했고, 朴珪壽는 3차례 도승지를 역임했다. 大院君은 왕명의 향방과 국왕에게 보고되는 각종 정보를 장악하기 위해서는 믿을 수 있는 인물을 승정원에 배치할 필요가 있었다.

224) 대원군 집권 초기 규장각에 진출한 대표적인 인물은 直閣에 李世用(高宗1년 2월 5일), 閔升鎬(2년 7월 21일), 待敎에 趙寧夏(1년 1월 15일), 李載冕(1년 5월 22일), 趙慶鎬(2년 10월 25일), 直提學에 李載元(高宗2년 2월 25일), 提學에 洪淳穆(3년 12월 20일), 直提學에 李承輔(高宗2년 윤5월 23일) 등이었다. 이들은 대체로 고종과 인척관계에 있거나, 대원군과 정치적 행보를 같이한 사람들이다.

225) 대원군 집권기 이후 甲午改革期까지 규장각의 변화에 대한 정치사적 해석은 연갑수, 1994, 「高宗 初中期(1864~1894) 정치변동과 奎章閣」, 『奎章閣』 17 참고.

226) 『宗親府謄錄』 고종 1년 5월 14일, 454쪽.

227) 『宗親府謄錄』 고종 1년 9월 25일.

228) 『宗親府謄錄』 고종 1년 10월 25일, 463쪽.

달했다. 그러므로 '대원위분부'가 중앙은 물론이고 지방의 행정관서에
시달될 수 있었던 것은 대원군과 종친부의 인신에 근거했다.

대원군의 인신은 '대원위분부'를 왕명과 같은 위력을 발휘하게 했
다. 종친부와 예조는 대원위 인신의 자별함을 八道四都에 지시했다.
그러므로 종친부의 '대원위분부'는 공신성과 정통성을 보장받는 합법
적인 명령이었다.[229] 대원군은 법제상 최고관부인 종친부에 존재하면
서 종친부 최고위의 지위에서 종친부 고유업무의 범위를 초월하여 권
력을 행사했던 것이다. 이것은 종친부가 최고의 권력기구가 되었기에
가능했다.

대원군의 권력행사는 민심수습과 권력강화를 위한 통치정책에 초
점이 있었다. 대원군이 집권하고 해결해야 할 시대적 과제의 하나는
壬戌農民抗爭을 통해 분출된 농민불만을 해소하는 것이다. 이것은 내
정개혁을 통해서만 가능한 것이며 이를 위해 대원군은 三政과 농민들
에 대한 수탈구조를 타파해야 했다. 대원군이 내정개혁을 단행한 목적
의 하나였다.

종친부의 '대원위분부'는 武斷土豪와 書院에 대한 내용이 주류였
다.[230] 대원군은 임술농민항쟁기에 분출된 三政紊亂과 농민수탈의 근
본적인 원인을 무단토호와 서원의 폐단으로 인식했던 것이다. 그래서
대원군은 서원과 토호문제에 대한 근본적인 해결을 위해 '대원위분부'

---

229) 고종과 대왕대비는 대원군의 정치적 위상과 입장을 고려해 고종의 潛邸인
     雲峴宮 개·보수를 계기로 운현궁을 방문했다. 이때 趙斗淳은 老安堂의 상
     량문을 통해 대원군의 지위를 '冠百僚烈位之上'이라 하였으며, 金炳學과 朴
     珪壽는 老樂堂 기문을 통해 대원군의 정치적 지위와 권력행사를 정당화 시
     켰다(金炳佑, 2003, 앞의 논문, 47쪽 참조).
230) '대원위분부'에 의한 武斷土豪의 懲治와 書院施策에 대한 개략적인 내용은
     延甲洙, 1992,「大院君 執政의 성격과 權力構造의 변화」,『한국사론』27,
     228~229쪽.

를 시달했다. 이것은 대원군 자신의 개혁의지의 실현이었다. 따라서 대원군이 종친부를 통해 직접 관여한 서원철폐정책과 무단토호 억제책은 백성들의 절대적인 환영을 받았고, 대원군의 개혁의지가 가장 잘 드러나는 내정개혁으로 성공한 정책이었다.

　대원군은 '대원위분부'를 통해 중앙의 각 軍營과 재정기관의 隨廳胥吏에 대한 인사를 단행했다.[231] 이것은 중앙기구에 대한 독자적인 정보파악과 보고체제를 구축하기 위한 것이다. 그는 각 관청의 수청서리를 소속기관의 使役에서 면제시키고, 자신의 수청서리로 삼았다. 그리고 수청서리들을 중앙기구의 핵심기관에 배치했다. 종친부는 이러한 각 기관의 대원군 수청서리를 통해 정책을 집행했고, 수청서리들은 종친부가 시달한 정책들을 직접 추진했다. 이 과정에서 대원군은 각 관청을 장악했고, 여기에는 수청서리들의 역할이 컸다. 따라서 대원군과 각 관청, 종친부와 각 관청의 매개체를 매개한 자는 수청서리들이었다.

　종친부의 '대원위분부'는 절대적인 것이었다. 雲峴宮에 假托하여 邑邸에 寄蹟하고 場市에 출몰하면서 폐단을 야기하는 浮浪悖類들이 나타날 정도였다.[232] 그리고 운현궁 문인과 宮任傔從을 가칭하는 자들

---

231) '大院位分付'에 의해 宗親府의 甘結로 단행된 각 군영과 호조, 선혜청, 양향청 등에 임명된 대원군의 수청서리는 다음과 같다. 출처는 『宗親府謄錄』.

일자	호조	선혜청	양향청	훈련도감	금위영	총융청
2.10.16	李應相	金兢遠	尹泰信	鄭宓潤		
3.10.22				崔鎭泰		
4.7.18					朴啓煥	
4.10.29	李允相					
5.윤4.3						徐容懋
5.12.29		李駿相				
8.7.3		張錫泰				

232) 『宗親府謄錄』 고종 1년 11월 17일, 466쪽. 종친부는 八道四都에 '대원위분부'를 발관하여 某處를 막론하고 이와 같이 수상한 자는 執捉하여 捉上할

도 팔도사도에 출몰하여 작폐를 일삼았다. 종친부는 이러한 폐단을 바로잡기 위해 '대원위분부'를 내려 엄금하게 했지만,[233] 작폐는 쉽게 종식되지 않았다.[234] 궁중내에서는 대원군의 權頭牌가 위조되기도 했고[235] 심지어 종친부의 관문이 위조되는 사례도 나타났다.[236] 이러한 현상은 중앙기구에서 지방에 이르기까지 종친부와 '대원위분부'가 정치권력을 행사하고 있음을 구체적으로 보여준다.

대원군은 중앙이나 지방으로부터 업무를 직접 파악했고, 구체적인 사안에 대해서 직접 지시했다. 대원군은 의정부의 기능을 부활시키고 비변사를 폐지하여 일원적인 통치체제를 구축했지만,[237] 권력의 핵심은 대원군이 존재하는 종친부에 있었다. 이러한 현상은 대원군의 정치적 지위와 관련되었지만[238] 대원군이 통일적인 정책결정권을 행사했기 때문이다.

대원군이 국정을 장악하고 '대원위분부'를 통해 국정을 집행할 수 있었던 것은 국왕의 생부와 종친부의 최고위라는 관념적 지위 때문이

것을 지시했다. 이들은 探民隱과 察政令하면서 廉客같이 하면서 貽獘가 적지 않았다.

233) 『宗親府謄錄』 고종 2년 11월 11일, 508쪽.

234) 『宗親府謄錄』 고종 2년 12월 13일, 514쪽. 公忠道 魯城縣에 거주하는 南秉和는 '대원위분부' 봉승으로 각 邑鎭의 원납전 數爻 査實을 칭하면서 隨從 李福伊를 거느리고 民財를 討索하고 읍리를 초치하여 印簿에 책납하게 한 것이 50냥이나 되었다. 첩보를 받은 宗親府는 이러한 不法之漢을 즉시 원악지에 정배하라고 지시했다.

235) 『宗親府謄錄』 고종 2년 5월 21일, 492쪽.

236) 『宗親府謄錄』 고종 5년 3월 26일, 615쪽. 綾州牧의 幼學 鄭在緩 등의 呈單에 의하면 金時中이 新基를 設立하면서 백년간이나 사용하던 農路를 막아 폐단을 야기하다가 呈訴로 인해 落科되었다. 그 후 보성에 거주하고 있던 李規鎭이 宗班을 칭하면서 김시중과 함께 종친부의 관문을 圖得하여 잔민을 억압하자 이규진의 關文憑藉를 査實하여 처리토록 지시했다.

237) 金炳佑, 1991, 「大院君 執權期 政治勢力의 性格」, 『啓明史學』 2.

238) 金炳佑, 2003, 「大院君의 政治的 地位와 國政運營」, 『大丘史學』 70.

다. 종친부는 이러한 대원군의 정치의지를 실현했다. 종친부의 업무는
의례 등 고유 업무에 한정되지 않았고, 오히려 이것을 초월하여 정치
적·정책적 결정에 직접 관여했다. 이것은 대원군의 정치영역이 전 국
가기관에 미치고, 전적으로 국민을 대상으로 삼게 했다. 영의정 김병
학은 이러한 대원군의 권력행사를 당연한 것으로 인정해239) 관료들의
입장을 대변했다. 그러므로 대원군은 국왕의 위치와 입장에서 정치적
의지를 실현할 수 있었다.

그러나 종친부는 근본적으로 권력집행기관이 될 수 없는 한계가 있
었다. 이것은 종친부가 법제적으로나 관계상 행정부서의 체제를 갖출
수 없기 때문이다. 그러므로 종친부는 대원군이 권력을 행사할 수 있
는 통로만 제공할 뿐이었다. 대원군은 종친부의 이러한 한계를 분명히
인식했다. 그래서 종친부의 조직을 개편하고 구성원을 확대했다.

『宗親府條例』官職條는 이러한 실상을 보여준다. 대원군 집권기
종친부의 실제적인 업무를 전담하는 하급직이 증설·증원되었다. 종5
품 이상의 관직은 감원되지만, 정6품 이하의 관직은 대폭 증원되는 특
징을 보인다. 이것은 증대되는 종친부의 업무와 관련된 직제개편이 있
었음을 알게 한다. 유사당상 이하 감원된 관직은 다음 <표 1>과 같다.

堂下 정3품인 正 一員은 종부시와 합부될 때 減下되었으나 高宗 3
년에 復置되었다. 이들의 감원은 종정경체제의 성립과 연관이 있었다.
종정경체제의 성립으로 조직이 확대되었으나, 종정경들은 그들이 속
한 정부직에서 업무를 처리했다. 그러므로 종친부는 이들을 보좌할 별
도의 인원이 필요하지 않았던 것이다. 종친부가 담당하는 일상적인 업

---

239) 『承政院日記』고종 6년 3월 8일. 영의정 김병학은 대원군의 정치행위에 대
    해 "안으로는 各司各貢과 밖으로는 감영·병영·읍·진에 이르기까지 무릇
    財賦去處는 모두 대원군이 세상을 다스리고 백성을 건지려고 고심하여 곳
    곳을 바로 잡은 것"이라고 하여 대원군의 정치행위를 인정했다.

무는 증치된 堂上 정3품 都正 一員이 전담했다.

<표 1> 減員된 宗親府 官職

관직명	품계	기타
都正	정3품	承襲堂上
正	정3품	承襲堂下
副正	종3품	
守	정4품	
副守	종4품	
令	정5품	
副令	종5품	

종친부의 都正은 宗姓文臣으로 吏曹가 三望하지만, 종친부의 별도
의 명이 있어야 차출된다. 종친부의 도정은 특히 상피규정에 저촉되지
않으며, 유사를 예겸하였다. 그러므로 도정은 실제적으로 종친부를 관
장하는 직책이다. 따라서 도정은 實職이 되기도 하고 겸직이 되기도
했다. 또한 당하 정3품 正 一員이 복치되었다. 종친부의 正은 종친부
의 의례와 『선원보략』 찬수의 업무를 전담했다.

종친부는 하위직 관직을 대폭 증치했다. 이것은 종친부 업무의 비
대화가 원인이었다. 이들은 대체로 정6품 이하의 관직이며, 종친부의
잡무처리를 전담했다. 종친부가 증치한 관직은 아래 <표 2>와 같다.

종친부가 증치한 관직의 일부는 종부시에서 이관된 직위였다. 그런
데 종친부는 많은 하급직이 필요했다. 그러므로 종친부는 이들에 대한
정원의 규정을 두지 않았다. 吏胥를 隨時로 增減할 수 있었고, 徒隷
의 경우 權頭는 無定數였다. 그리고 인배사령과 驅從은 수시로 증감
이 가능했기 때문이다. 이로 보아 종친부가 권력기구가 되고 비대해지
면서 많은 인원이 필요했을 것은 어렵지 않게 짐작할 수 있다. 물론
참봉 이하는 각종의 능원관리에 파견되었다. 따라서 주부와 직장이 종

친부의 업무처리를 전담했을 것이다..

<표 2> 增置된 宗親府 官職

官職名	품계	기타
主簿	정6품	無定數
主簿 一員	정6품	朝官, 原係宗簿寺 甲子合屬本府
直長	정7품	無定數
直長 一員	정7품	原係宗簿寺 甲子合屬本府, 朝官中非生進不得差
副直長	종7품	無定數
奉事	정8품	無定數
副奉事	종8품	無定數
參奉	정9품	無定數
郎廳 一員	종9품	
兼郎廳 一員	종6품	

종친부는 구성원들의 충원을 위해 自辟을 확대했다. 종친부에도 왕릉과 왕족의 묘소관리 업무를 수행하는 參奉에 대한 自辟은 종래에도 있었다.[240] 왕족들의 묘소관리는 종친들의 지위와 관련된 문제였다. 그러므로 대원군은 종친부의 내부 구성원과 왕릉 및 왕족의 묘소 관리인 까지 지벽을 확대했다. 이때 자벽을 실행한 직책은 健元陵 參奉과 安陵參奉, 肇慶廟, 慶基殿, 璿源殿의 守門將 등이었다.[241] 그리고

---

240) 대원군 집권 전부터 종친부가 시행한 自辟은 주로 왕실의 상례와 관련된 參奉과 忠義에 한정되어 있었다. 이것은 魂殿參奉(2員), 山陵參奉(2員), 魂殿忠義(4員), 山陵忠義(1員), 魂官(1員) 등이었다. 왕릉관리와 관련하여서는 順懷墓, 昭顯墓, 愍懷墓, 懿昭墓, 孝昌墓의 守衛官 각 1인이었다. 이러한 점은 종친부가 관리하는 왕실의 묘가 지극히 제한적이었다는 사실을 의미하며, 왕실과 종친들의 지위가 어떠하였는지를 알려 준다.

241) 健元陵은 태조의 능으로 楊洲에 있다. 건원릉에는 令 一人(종5품)과 종9품의 참봉 일인을 배치했다. 대원군은 건원릉의 위상을 고려하여 종친부가 大君 또는 王子君의 奉祀孫으로서 자벽하되 연령과 生員·進士 또는 幼學에 구애받지 않게 했다. 安陵은 태조의 高祖母 孝恭王后의 능으로 咸興에 있으며 高祖父인 德陵과 같은 경내에 있다. 종친부는 함경도내에 거주하는 宗

各殿과 各陵의 구성원들에 대해서도 각별히 조치했다.242)

종친부 내부 구성원에 대한 自辟도 확대했다. 종래 종친부는 典籤, 典簿, 參奉, 忠義, 郞廳에 대해 각 一員씩 自辟했다. 그러나 대원군의 집권과 동시에 종친부는 典簿, 注簿, 忠義加設, 兼郞廳을 자벽으로 차출하게 했다.243) 종친부가 자벽을 확대한 것은 종친부 구성원에 대한 독립적 인사권을 확보하기 위해서였다.

그러나 종친부는 행정부서의 체계를 갖출 수는 없었다. 이것은 종친부가 권력집행기관이 될 수 없는 근본적인 한계였다. 종친부의 권한은 이미 전 정치권과 정책에 미쳤으나, 합법적으로 행정업무를 직접 처리할 수는 없었다. 종친부가 대원군의 정책을 수행하는 아문이었고, 대원군의 권력의지를 실현했지만 이것은 제도적인 뒷받침이 있었던 것은 아니다.

대원군은 종친부의 이러한 한계를 정확하게 인식했다. 대원군은 종

姓人으로 自辟하고, 재직 45개월이 되면 陞六하게 했다. 肇慶廟는 조선왕실의 시조인 신라 司空公의 위패를 모시는 사당으로 전주에 있다. 慶基殿은 태조의 영정을 봉안한 곳으로 전주에 있다. 종친부는 지역 선파인으로 차출하여 30朔이 차면 陞六하게 했다. 璿源殿은 태조의 탄생지인 永興에 있으며, 令 2人(종6품)이 있었으나, 대원군이 집권하면서 令으로 甄差한 자는 元定朔數에 의해 중앙관청으로 전임하게 하여 특별히 우대하는 뜻을 보였다.

242) 대원군은 永禧殿의 지위를 격상시켜 도제조와 제조 1인을 새로 두었고, 令 1인을 증원해 위상을 높였다. 華寧殿은 제조 1인을 수원유수가 겸하게 하고, 令 1인은 수원부의 判官이 겸하도록 조치해 그 우대하는 모습을 보였다. 각 능의 경우는 別檢을 直長으로 만들었다.

243) 전부는 一員을 자벽으로 차출했다. 그런데 전부의 자벽은 議政宗正卿이 있을 시에도 가능했으며, 이것은 종정경체제의 성립과 이들의 위상을 고려한 것이었다. 이들은 종정경의 국정수행을 보조했다. 주부의 경우 일원은 고종 2년부터 자벽했고, 이것은 대신의 주청으로 인해 정식화되었다. 주부 역시 의정종정경이 있을 시 자벽이 가능했고 이것은 유사가 처리했다. 충의가설은 고종 7년부터 자벽되었고, 선파인 중 취재로 입격할 수도 있었다. 겸낭청은 고종 2년부터 자벽했다.

친부 중심의 통치정책을 일관되게 추진할 수 없었다. 종친부는 합법적
으로 국정을 총괄할 수 있는 공간을 대원군에게 제공했고, 종친부의
'대원위분부'는 대원군의 개혁의지를 실현하는 통로였다. 그러나 종친
부는 예우아문의 성격을 벗어날 수 없었기 때문에 권력기구로 존속할
수 없었다. 그러므로 종친부는 대원군이 관료집단의 저항에 직면했을
때 효과적인 대응을 하지 못했던 것이다.

대원군은 통치정책을 의정부체제로 이관해야만 했다. 그러므로 대
원군의 통치정책은 의정부체제에서 집행되었다. 그러므로 대원군의
전제성은 언제나 국왕과 의정부체제라는 공식적인 권력구조의 범위를
넘어서지 못했다. 그렇다고 대원군이 종친부 중심의 국정운영을 전적
으로 포기한 것은 아니었다. 이것은 종정경체제를 통해 다른 방향에서
실현되었다.

2. 종친과 실시와 宗正卿體制의 구축

대원군이 집권과정에서 제일 부심한 것은 새로운 정치세력의 형성
이었다. 그는 정치적 기반을 종친의 혈연성에 설정했다. 그리고 대원
군은 세도정치기 정치적 탄압으로 정치에서 배제된 非勢道集團 세력
들의 정치참여의 기회를 보장했다. 그러나 이들을 중심으로 짧은 시일
내 정치세력을 형성하는 것은 한계가 있었다. 대원군은 정치적 이념이
나 정책적 결합을 통해 안김세력으로부터 정권을 인수할 수 없었기
때문이다. 그는 혈연을 중심으로 정치세력을 형성하는 것이 가장 현실
적이다고 판단했다.

대원군은 이러한 목적에서 종친부 재건책을 신속하게 추진했다. 이
과정에서 종친부의 위상이 강화되었고, 종정경체제를 신설하여 종친
들의 정치적 결합을 가능하게 했다. 종정경체제는 종친선파인들의 고

위관료로서의 성장을 기대했고, 이것을 통해 관료직을 독점해 온 외척 중심의 지배세력을 驅逐할 수 있었다. 이러한 정치적 변동에는 南·北人의 역할이 컸다. 대원군은 지배층의 세력을 분산하면서 균형을 유지할 수 있다고 판단했던 것이다.

대원군은 왕권강화의 명분을 내세워 권력을 장악하고 국정을 운영했다. 정치세력 형성의 문제도 이러한 명분을 실현하는 방향에서 설정했다. 그 결과 왕권강화와 왕실의 권위회복은 대원군정권의 주요한 정치이념이 되었다. 대원군은 이것을 실현하기 위해 종친선파인을 관료로 결집했다. 종친들은 합법적인 종친과를 통해 관직에 등용되었고, 종정경을 통해 고위관료에 배치되었다.

宗親과 璿派人들은 고종 1년 4월 궁중출입에 대한 제재가 해제되고, 매년 태묘전알과 친제시 입참이 정식화되었다.244) 이것은 왕실의 권위를 신장하고 종친선파인들의 내부적 결속력을 강화하기 위해 대원군이 내린 조치였다. 그 배경에는 혈연적 기반을 통해 정치적 기반을 확대하려는 의도가 있었다. 이러한 맥락에서 종친세력들의 정치적 복권이 추진되었다.245) 의금부는 왕실 후예들의 복권을 전격적으로 시행했다.246) 이로써 다수의 종친과 선파인들은 죄가 伸雪되면서 관작과 명예를 회복했다.

대원군은 과거제를 정치세력 형성의 주요한 수단으로 활용했다. 일반적으로 과거는 능력 있는 인재선발이 목적이지만, 대원군은 종친선파인을 위해 과거를 시행했다. 이것의 자신의 사회적 기반을 공고하게 하는 방안이기도 했다. 그는 과거를 통해 권력으로 진입하려는 지배계급, 종친선파인들의 속성을 적극 이용한 것이다. 대원군의 정치적 의

---

244) 『承政院日記』 고종 1년 4월 18일, 21일.
245) 『承政院日記』 고종 1년 5월 18일.
246) 『承政院日記』 고종 1년 7월 11일.

도는 이들의 속성과 결합되었다.

대원군 집권기에 실시한 과거에서 최다 합격자는 종친선파인이었다.[247] 왕실과 인척관계에 있는 특정씨족들의 합격자들은 대체로 균등한 양상이었다. 그러므로 대원군은 종친선파인들을 과거를 통해 선발하고, 관료체제에 흡수해 최대의 관료집단을 만들었다. 그리고 균배된 외척세력과 특정가문은 대원군정권에 협력하면서 정치적 안정을 이루었다. 그러므로 대원군은 당시의 과거제가 가지고 있는 모순에 대한 개혁의지 보다는 국왕과 자신의 절대적 권위의 기반을 확보하는 차원에서 과거제를 운영했던 것이다. 이것은 허약한 정치기반에서 출발한 대원군의 정치적 입장과 정권의 성격면에서 당연한 일이었다.

대원군정권의 과거제 시행은 독특했다. 이것은 종친선파인들만을 대상으로 한 인재선발 내지는 관료양성이었다는 점이다. 이것을 廣義로 宗親科라 할 수 있을 것이다. 그러나 실제적으로 종친과란 명목의 과거는 단 한차례만 설행되었다.[248] 『梅泉野錄』은 대원군 집권기 시행된 과거의 성격을 종합적으로 종친과라 규정했다.[249] 이것은 대원군의 과거시행이 종친들의 관료화에 목적이 있었음을 강조하는 것이다.

고종은 1년 4월 태묘전알과 친제를 계기로 참례한 선파유무에게 應製試取를 지시했다.[250] 동년 4월 23일 시행된 시험에서 종친들의 역할이 컸다. 문관 宰臣 종신은 춘당대의 문시를 참관했고, 무관 재신 종신은 단풍정의 무시에 참관했기 때문이다.[251] 문시의 御題는 「百歲

---

247) 成大慶, 1985, 「大院君政權의 科擧運營」, 『大東文化硏究』 19, 186쪽, <표 9> 朝鮮後期時代別文科及第者姓氏別人員比較表 참조.

248) 『承政院日記』 고종 5년 3월 20일.

249) 黃玹, 『梅泉野錄』, "丙寅以後 間設大科 但令宗親赴擧 謂之宗親科".

250) 『承政院日記』 고종 1년 4월 21일.

251) 『承政院日記』 고종 1년 4월 23일.

一室」이었고,[252] 무관들은 유엽전 한 차례로 선발되었다. 이날 응제시취에 참여한 사람은 국왕인 고종을 비롯해 전원 종친선파인이었다.

고종과 대원군은 태묘전알할 때 상봉하여 함께 참례했다. 이날 고종은 「芙蓉堂卽景」이란 친시를 지어 입시한 문무관원들에게 화답의 시를 지어 올리게 했다.[253] 그런데 고종 친시의 마지막 구절이 문시의 어제로 제시된 것이다. 이것은 사전에 대원군이 준비한 시제였음을 알게 한다. 그러므로 응제시취는 대원군이 전적으로 주관한 것이다. 대원군은 선파인응제를 통해 종친세력들을 국왕 중심으로 결속하고,[254] 이들의 관료화를 합법화하려 했던 것이다.

대원군은 선파응제를 통해 유학 이근수와 도사 이세기, 유학 이창호 등 총 20인을 선발했다.[255] 그는 이들을 응교와 전한, 병조참의와 대사헌, 교리 등으로 발탁하고, 정치적 기반이 되게 했다.[256] 대원군은 勸武取用의 형식으로 무장가문의 종친선파인들도 주목했다. 이들은 別薦으로 장수에 선발되었다.[257] 대원군이 응제시취와 별천을 병행한

---

252) 고종은 도승지 이재원에게 「백세일실」이란 어제를 써서 내렸고, 이재원은 홍문관제학 조휘림에게 전했다. 試製는 조휘림이 낸 것이 아니었다(성대경, 앞의 논문, 160쪽).

253) 이날 참반한 종친선파인출신관료들의 응제시가 『宗親府謄錄』에 남아있다.

254) 이날 입문자는 760인이었고, 시권은 655장이었다. 중앙에 거주하고 있는 종친선파인들이 총결집하였음을 알수 있다.

255) 居首三下는 유학 李根秀, 도사 李世器, 유학 李昌鎬에게는 직부전시의 자격을 주고, 草三下인 李載晩 등 2인에게는 직부회시의 자격을 주고, 차상인 유학 李應淳 등 3인에게는 二分을 주고, 차상 유학 李完鎭 등 2인에게는 一分을 주고, 차상 유학 李承吉 등 5인에게는 각각 『朱書百選』 1건을 사급하고, 차상 유학 李載根 등 5인에게는 각각 『陸奏略選』 1건을 사급했다.

256) 이근수는 양년대군의 후손으로 응교를 거쳐 전한이 되었고, 高宗 2년의 식년시에 평안도 경시관이 되어 선파인들의 규합에 앞장섰다. 이세기는 능원대군의 祀孫으로 고종 2년 1월 병조참의를 거쳐 대사간에 임명되었고, 이창호는 교리로 발탁되어 홍문관에 대한 영향력을 행사했다.

257) 고 포도대장 이면식의 증손 이택호, 고 병사 이인희의 아들 이규봉이 별천으

이유가 종친선파인들의 관료화에 있었음이 분명하다.

대원군은 고종 5년과 10년을 제외하고 매년 응제시취를 정기적으로 시행했다. 이러한 상황은 다음의 <표 3>에서 상세하게 살필 수 있다.

<표 3> 大院君 執權期 璿派應製(文試)

일자	장소	입문자	收券	시제	직부전시자
1년4월23일	춘당대.친임	760	655	百世一室	李根秀 李世器 李昌鎬
2년1월5일	춘당대.친임	765	730	文王子孫 本支百世	李承洙 李潤壽 李輝復
3년2월8일	춘당대.친임	657	533	以宗族爲藩屛	李沈應
4년1월10일	인정전	437	357	惟我宗族 永保和睦	李纘夏
5년3월20일	경근당.친임	32,585	4,375	雲近蓬萊 春樹萬花	李載純 李蒙濟 李鉉亨 李載龜 李康勳
6년1월9일	반궁	234	198	近宗之科宦書姓與朝臣 同 其制永保我萬世支 子孫	李秀萬
7년4월7일	경무대.친임	853	768	太廟重建 祼薦利乎 先 寢重修 淸禮克伸 以親 九族 九族旣睦	이헌영
8년1월3일	반궁	104	97	****	李載憙 李載兢
8년3월22일	경무대.친임	30,530	15,750	振振公族	李允九 李允宇 李會龍
9년1월7일	경무대.친임	186	186	周群賢賀本支百世	李喜元

대원군이 설행한 璿派應製는 文試와 武試로 구분되었고, 試官들은 전적으로 선파인이 배치되었다. 문무양과를 설행한 것은 과거제의 형식을 갖추기 위한 것이다. 그러나 응시자와 고시관이 모두 종친선파인에 한정되었기 때문에 과거제와는 성격이 달랐다. 선파응제를 실제적으로 운영한 자는 종정경들이었다.[258] 이런 점에서 대원군이 선파응

로 장수에 선발되어 군문의 초관에 부직했다.

258) 『承政院日記』고종 1년 4월 23일 ; 7년 4월 7일. 문관재신인 宗臣은 문시에

제를 설행한 의도가 어디에 있었는가를 알 수 있다. 고종은 이러한 변칙적인 과거운영에 직접 참여하여 종친선파인들을 격려했다.

대원군이 시행한 璿派應製는 春塘臺文科였다. 춘당대 문과의 額數는 臨時하여 稟旨하며, 製述은 增廣庭試와 형식과 운영이 같았다. 무과의 경우는 각 軍門의 무사를 친임하여 試藝하고 이어서 試士하며, 독권관이나 대독관은 謁聖試와 같았다.259) 이런 점에서 볼 때 대원군 집권초기의(고종 1~3) 선파응제는 대원군이 독자적으로 창안한 것이 아니라260) 조선후기 이래 존속되어 오던 과거의 한 형태였음을 알 수 있다. 대원군은 이 같은 춘당대 문과를 합법적으로 이용했던 것이다.

대원군은 고종 6년과 8년 두 차례 泮宮에서 선파응제를 실시했다. 그 형식은 節日製와 같았다. 일반적으로 절일제는 합격자의 定數가 없으며, 제술은 增廣殿試와 같았다. 절일제는 국왕의 특명으로 試士할 경우 大提學을 牌招하고, 대제학이 유고일 때는 홍문관 제학을 패초하여 승지와 함께 주관한다.261) 이때는 성균관 당상관도 동참하며, 거두어 들인 시권은 입직한 옥당 등과 함께 대궐에서 科試의 次第를 대독한다.262)

대원군은 경무대에서도 선파응제를 실시했다. 경무대는 경복궁 신무문 밖에 위치하며, 세종대부터 궁궐의 후원으로 사용되었으나 때로

참관하고, 무관 재신은 무시에 참관했다. 이후 종정경은 각 선파응제 참여가 정식화되었고, 이들은 고관, 명관, 독권관의 자격으로 선파응제에 관여했다. 고종 7년 선파응제때에는 宗正卿 전원이 黑團領 차림으로 입참하는 것을 정식화했다.

259) 『大典會通』 「禮典」, '諸科-春塘臺文科'.
260) 成大慶, 앞의 논문, 164쪽.
261) 고종은 泮宮에서 실시한 선파응제에는 친임하지 않았다. 고종 6년은 좌부승지 왕정양이 홍문관 提學 金世均과 함께 반궁에서 응제시취했고, 고종 8년에는 도승지 정기회와 홍문관 提學 崔遇亨이 시취를 주도했다.
262) 『大典會通』 「禮典」, '諸科-節日製'.

는 과거장으로 이용했다. 고종은 5년 7월 2일 경복궁이 중건되자 이어했다. 이후 경무대는 과거장으로 이용되었고, 창덕궁의 춘당대는 과거장의 기능을 상실했다.

고종은 총 118회나 경무대를 과거장으로 사용했다. 그리고 79회나 제술장소로 이용했다.[263] 경무대의 선파응제는 춘당대 문과와 같은 형식이었으며,[264] 이것은 경북궁으로 이어한 후 단순히 선차응제의 장소만 변한 것이다.

대원군 집권기 선파응제에서 가장 특이한 것은 종친부 敬近堂에서 시행한 과거였다. 종친부의 경근당은 종친부내의 대군왕자군의 대청으로[265] 종친부 건물의 중수를 기념하기 위해 고종이 유일하게 편액을 친서한 곳이다. 경근당의 좌우에는 宗正卿의 대청인 玉牒堂과 낭청인 貳丞堂이 있었다.[266] 고종이 경근당에 친임하여 宗科를 설행하자, 宗正卿은 모두 독권관으로 추가되어 참여했다. 이 과거는『璿源續譜』의 수정에 대한 慶科라는 특수한 목적에서 설행되었기 때문이다. 과거의 형식은 모두 차이점을 보이지 않았다.

경근당의 응제시취는 이후 선파응제를 흔히 宗科로 인식하게 했다. 이것은 고종 5년 경근당 설행이 宗科庭試란 이름하에 치루어졌고, 고종 7년의 경무대 설행 직후 급제자는 宗科 文武科의 전시직부자로 불

---

263) 金英淑, 1989,「高宗實錄과 景武臺記事」,『鄕土서울』47, 190쪽. 경무대는 이외에도 예를 행하는 장소, 제향이나 受戒의 장소, 射場, 종회의 장소로도 이용되었다. 또 국왕은 경무대에서 행행시 군령을 명령하기도 했다.

264) 이러한 측면은 고종 7년의 독권관이 홍순목, 박규수, 강로, 이명응이었고, 8년의 독권관이 우의정 홍순목, 조성교, 조기응, 이인명이었음에서도 알 수 있다.

265)『宗親府謄錄』建置, 85쪽. "敬近堂 玉牒貳丞之間 凡三十間 扁額 當宁御筆 大君王子君大廳".

266) "玉牒堂 敬近堂之左 凡十五間 宗正卿大廳. 貳丞堂 敬近堂之右 凡十五間 郎廳"..

렸기 때문이다. 더구나 고종은 전교에서 "종과 문무과의 전시직부자
는 이번 庭試의 방목 말미에 붙여 함께 放榜하게 하라"고 지시하여
이러한 인식을 굳히게 만들었다.267) 이러한 의미에서 선파응제는 宗
科 나아가 宗親科로 이해되었고, 급기야 『梅泉野錄』에서 병인년 이
후의 大科는 모두 종친과라고 오해된 것이다.

대원군 집권기 선파응제를 통해 직부전시의 자격을 얻은 자는 총
21명이었다. 이들은 각종 과거의 경시관이나 대독관으로 활동했고, 승
정원에 배치되어 왕명출납에 관여했다. 또한 육조의 참의와 참판으로
임명되어 국정의 집행에 관여하기도 했고, 한성부에 배치되기도 했
다.268) 이창호는 文臣兼宣傳官과 중학교수를 거쳤고, 이재순은 급제
와 동시에 홍문관 부교리에 임명되어 홍문관에 대한 영향력을 확대했
다. 특히 이연응은 宗正卿으로 활동했다.269) 그러므로 대원군은 선파
응제를 통해 선발된 종친선파인들을 중앙의 각 부서에 배치하여 정치
적 영향력을 확대하려 했던 것이다.

이들의 혈연적 관계는 대원군이 구상한 정치세력의 성격을 짐작할
수 있다. 앞서 살펴본 고종 2년의 선파응제 직부전시자와 같이 이들은
모두 왕실과 밀접한 혈연적 연관성이 있었기 때문이다. 李升洙는 宗
正卿 이종순의 아들이며, 이윤응은 인평대군의 祀孫으로 南延君의 생
가종손이다. 특히 이재순은 全溪大院君의 사손이며 判宗正卿 永平君

---

267) 『承政院日記』 고종 7년 4월 8일. 예조는 선파응제에 입격한 진사 이헌영을
　　정시방목말미에 부표·첨서하여 보고했다. 그리고 병조는 선파무사로 試射
　　에 입격한 李泰和, 李永吉을 정시 망복 말미에 붙여 첨서·보고했다.
268) 이근수는 고종 2년 1월 식년문과 평안도 경시관을 거쳐 고종 3년 2월 이세
　　기와 함께 선파응제의 대독관이 되었다. 이들은 고종 4년 승정원 승지를 역
　　임했고, 이연응은 고종 5년 도승지가 되면서 초고속 승진했다. 이 과정에서
　　이들은 이조와 호조, 병조의 참판을 역임하기도 했으며, 특히 이세기는 고종
　　4년 한성부의 우윤과 좌윤을 거쳤다.
269) 『承政院日記』 고종 4년 2월 4일.

욱의 입양자로 철종과 가장 가까운 혈연적 관계에 있었다. 이재덕은
德興大院君의 후손으로 은언군의 자손이 되었으며, 대원군에 의해 창
명되지 않은 李載兢은 興寅君 李最應의 독자로 고종과는 사촌지간이
었다. 그러므로 선파응제는 왕실과 가장 가까운 혈연적 관계에 있는
종실의 정치 관료화에 초점을 맞추었던 것이다.

대원군이 선파응제를 설행하면서 표면에 내세운 명분은 종친간의
우의돈독이었다. 그런에 이것을 조정과 국가가 과거를 통해 실현하겠
다는 것이다. 그러나 이 과정에서 폐단과 부정이 발생하기도 했다. 선
파응제 참여자들이 冒錄으로 赴擧하기도 했고, 심지어는 修譜하지 않
고 입격한 자가 적지 않았다.

이를 계기로 대원군은 과거에 대한 혼잡의 폐단을 엄금하게 했다.
종친부는 선파응제를 비롯한 과거 응시자에 대한 계파를 철저히 추적
했다. 그렇다고 혼잡의 폐단이 사라진 것은 아니다.270)『大典通編』은
직역과 성명을 실제대로 기록하지 않을 경우 장일백에 도삼년형에 처
하게 했지만, 고종 5년 종과정시는 入譜하지 않은채 응시하는 자가 많
아 이러한 폐단을 극명하게 드러냈다.271) 그래서 대원군은 어떠한 과
거를 막론하고 선파인으로 參榜하는 자는 종친부가 사전에 명단을 받
아 考譜한 후 시행하게 했지만, 이러한 폐단은 사라지지 않았다.

대원군이 선파응제를 지속적으로 시행한 목적은 종친들에 대한 우
대에만 있었던 것은 아니다. 그의 목적은 이것을 초월하여 이들의 관
료화와 정치세력화에 있었다. 이러한 목적은 선파응제 형식으로만 달
성하기에는 한계가 있다. 그러므로 대원군은 각종의 과거를 활용해 종

---

270)『承政院日記』고종 2년 1월 15일 ; 3년 3월 28일 ; 4월 3일.
271)『承政院日記』고종 5년 3월 22일. 장원급제한 李蒙濟는 昭穆이 불분명하였
　　고, 급제한 李得奉, 李載秀, 李時亨, 李文煜, 李貞錫, 李錫麟, 李東漢, 李秉
　　舜, 李京日, 李支漢 등은 入譜하지 않았지만 赴擧에는 어려움이 없었다.

친선파인들의 급제자를 배출했다.

이러한 현상은 대원군 집권기 과거합격자를 분석하면 이해된다. 대원군 집권기 전주이씨 가문에서 최대의 합격자가 나왔다. 문과합격자 중 58명이 이들이었고, 최다 합격자를 배출하는 가문으로 성장했다.[272] 安東金氏는 철종시대 11명을 합격시켰으나 이때에는 서열 6위에 그쳤다. 반면 동일시대 5위였던 豊壤趙氏는 13명을 합격시켜 서열 2위를 차지했다. 그 다음으로 南陽洪氏, 安東權氏, 水源白氏가 뒤를 이었다. 조선후기 全州李氏가 항상 수위에 있었지만, 수적인 면에서 현저한 증가는 당시의 과거제의 특징으로 지적된다.[273] 이것은 대원군이 과거제를 실시한 목적을 분명하게 보여주며, 대원군 집권기 신정왕후와의 정치적 동맹의 결과를 이해하게 한다.

그러므로 대원군은 집권과정에서 과거를 통해 정치세력을 형성했다. 이것은 합법적인 과거를 이용했기 때문에 가능했다. 다른 한편으로 과거는 반대세력의 저항을 약화시키는 방안으로도 이용했다. 이러한 현상은 대원군 집권기 단 1회만 실시한 증광시가 전형적으로 보여준다.[274] 이때 급제한 갑과 3인은 박선수, 이돈상, 임효직이며, 이들은

---

272) 成大慶, 앞의 논문, 186쪽, <표 9> 朝鮮後期時代別文科合格者姓氏別人員 比較表 참고.

273) 헌종대에는 全州李 29명, 安東金 12, 安東權 12, 豊壤趙 11, 南陽洪 11, 淸州韓 11명을 문벌간 수적으로 대등한 양상을 보이다가, 철종대에는 전주李 25, 안동金 21, 남양洪 14, 晉州姜 14명 등으로 전주이씨와 안동김씨가 대등하게 급제자를 배출했다. 그러나 대원군 집권기 전주이씨는 58명으로 확대된 반면 안동김씨계가 퇴조하는 대조를 보였다.

274) 증광시의 원명은 '聖上卽位慶科增廣別試'로 고종 1년 10월 18일에 춘당대에서 시취하고, 24일 인정전에서 放榜하였다. 고종은 諸家의 적손들이 대거 합격하였음을 치하하고 충정공 이준경, 문익공 이덕형, 여양부원군 민유중, 경은부원군 김주신, 서평부원군 한준겸, 충숙공 이만성의 사판에 승지와 수령을 보내 치제하게 했다. 이것은 대원군의 정치적 의도를 희석하기 위한 수단에 불과했다.

모두 대원군과 정치적 제휴를 한 대표적인 가문의 후손들이다.[275] 그리고 을과 7인 중 이명응과 이건하는 선파인이며,[276] 민우세는 민유중의 사손으로 대원군의 처족이다. 병과의 27인 중 선파인은 이용만 뿐이지만, 신도희, 閔升鎬, 趙康夏, 李鎬俊 등은 모두 친대원군계 인물들의 자손이었다.[277] 대원군의 정치적 연대는 이들과 이루어졌던 것임을 명확하게 이해할 수 있다. 그리고 이들 집안의 공통점은 대체로 세도집권기 권력에서 배제되었다는 점이다. 안동김씨는 김병소의 아들 김경균 1인 뿐이었다.

대원군은 급제자를 승정원과 홍문관 등에 분산 배치했다.[278] 대원군이 신급제자를 배치할 때 가장 주목한 기관은 홍문관과 비변사였다. 대원군은 그동안 홍문관의 위상강화를 위해 노력했다.[279] 그러므로

---

275) 박선수는 박규수의 동생이며, 이돈상은 용인이씨로 이규현의 아들이다. 임효직은 북인으로 대원군의 집권과 동시에 우의정에 발탁되어 대원군정권의 기반확대에 기여한 임백경의 아들이다.

276) 이명응은 宗正卿 李彙重의 아들로 대원군과는 4촌간이었으며, 이건하는 이인화의 아들이며 趙寅永의 외손이기도 하다.

277) 이용만은 이건명의 후손으로 이병하의 아들이며, 신도희는 신헌의 아들로 남연군의 외손이었다. 민승호는 민치구의 아들로 대원군의 처남이며, 조강하는 신정왕후의 친정 조카로 조영하의 동생이었다. 이호준은 이만성의 후손으로 대원군과 사돈의 관계에 있었다. 그는 대원군의 庶女婿인 이윤용의 아버지로 방방 다음날 동부승지에 특제되었고, 이후 이조참판, 전라감사, 규장각 직제학을 역임했다.

278) 『承政院日記』고종 1년 10월 24일. 신급제자 이용학은 동부승지, 이명응, 민승호는 교리, 이건하와 김규홍은 부교리, 신도희와 이호준은 수찬, 이병교와 한철우는 부수찬, 임효직은 사헌부 지평이 되었다. 이호준은 동부승지, 김창희는 수찬, 한치익은 돈녕도정이 되었고, 가주서는 김경균, 조강하, 김영석, 남상룡, 이유승, 조병숙, 이용만, 이승고, 윤영신, 여규익, 조항교, 남석연, 장원상, 엄세영, 김석보, 고제일, 안병탁 등이 윤번했다. 가주서는 승정원의 정원 이외의 주서로 정7품이며 오로지 비변사와 국청의 일을 맡아보았다(法制處, 1979, 『古法典用語集』).

279) 延甲洙, 1994, 「高宗 初中期(1864~1894) 정치변동과 奎章閣」, 『奎章閣』17,

신급제자를 홍문관에 집중 배치한 것은 홍문관에 대한 장악력을 높이려는 목적이었다. 이를 위해 대원군은 직제를 개편하고, 도승지가 홍문관 직제학을 겸임하게 했다.[280] 대원군은 증광시를 이용해 조선후기 전통적인 忠臣賢儒의 가문을 부상시키고, 홍문관을 독점하던 세도집권기 문벌집단을 대체하려 했다. 이것은 대원군이 홍문관을 통해 문벌집단을 교체하려 한 의도가 있었음을 보여준다.[281]

대원군은 增廣試 급제자를 통해 비변사를 통제하려 했다. 이것은 급제자들을 승정원의 가주서에 돌려가며 임명하는 과정에서 드러난다. 가주서는 국청 및 비변사와 관련한 업무를 맡아보기 때문이다. 대원군은 비변사의 역할 축소와 폐지를 전제로 했기 때문에, 가주서를 통해 비변사의 실무를 장악했다. 이것은 종래 문벌집단의 정치력과 조직력 약화를 겨냥한 것이다. 그러므로 대원군은 증광시를 통해 정치세력의 교체를 추구했던 것이다.

대원군은 이와 같이 합법적인 과거 형식을 빌어 정치세력을 형성했다. 이러한 성격이 극명하게 드러나는 과거는 대원군이 집권하면서 실시한 최초의 식년시였다. 이 식년시에서 무려 100인의 선파인이 生進에 放榜되었다.[282] 이날 소과의 정액은 200인이었기 때문에 과반수를

64쪽.

280) 『承政院日記』 고종 2년 11월 4일. 대원군은 홍문관의 부제학과 전한을 실직으로 만들고, 규장각의 제학의 예에 따라 부제학을 상설하였다. 그리고 전한은 규장각의 직각의 예에 따라 회각하였다.

281) 대원군의 정치적 의도는 문벌집단의 교체와 규장각 장악에 있었다. 이러한 정치적 목적은 고종 7년 이후에 실현되었다. 규장각의 각신은 노론과 소론의 가문에서 남인과 북인계열 가문출신자로 대체되는 양상이 두드러지게 나타났기 때문이다. 남인의 한경원과 북인의 남정순이 규장각 직제학에 임명되었고, 직각과 대교에는 남인계로 홍은모, 김규식과 북인계 강찬, 한기동 등이 임명되었다. 또한 남인계의 이승보가 규장각 제학에 임명되어 대원군의 정치적 의도를 관철시켰다(연갑수, 앞의 논문, 66~67쪽 참고).

종친선파인이 차지한 것이다. 이것은 식년시가 목적하고 있는 바가 무엇인지를 알게 해 준다.[282]

이와 관련하여 대원군은 집권기 과거 합격자도 가문과 혈연성을 고려했다. 과거 급제자는 대부분 왕실과 혈연적 관계가 있거나,[284] 또는 대원군의 척족[285]과 대왕대비의 친정가문[286]이 주류였다. 그리고 대원군정권에서 활약하고 있는 현직관료들의 자손들이 대거 포함되었다.[287] 이런 점에서 볼 때 대원군의 정치적 기반은 왕실과 혈연성을 매개로 구축되었고, 그 범위는 정권내 親大院君세력 내지는 그러한 가문에 한정되었음을 알 수 있다.

---

282) 『承政院日記』 고종 2년 4월 2일.
283) 『承政院日記』 고종 2년 2월 8일. 대왕대비는 과거에 앞서 전교를 통해 근래 과장의 폐단이 심각한 지경이라고 언급하면서 공평함을 기하기 위해 시관을 모두 亞卿으로 특별히 採擇差送할 것을 지시하기도 했다. 경시관은 전라도의 임효직을 제외하면 모두 종친선파인으로 구성하여 과거의 목적을 달성하려 했음을 알 수 있다. 공충도는 이명응, 경상도는 이면광, 평안도는 이근수가 맡았다.
284) 대원군 집권기 절일제와 춘도기, 추도기의 과거를 통해 급제한 종친선파인은 이원일, 이연수, 이만규, 이건창, 이장익, 이원용, 이재덕, 이재요, 이재영, 이석홍, 이재필, 이근명, 이재덕, 이필용, 이재만, 이호익 등이었다.
285) 고종 3년에 대원군의 처남인 민승호의 동생 민겸호, 고종 6년에는 해주판관인 민태호가 등용되었다.
286) 고종 1년 조원영의 손자인 조경하, 조익영의 손자인 조준하, 大院君의 맏사위인 조경호가 입격하였다. 특히 조경호는 홍문관 부제학, 대사성, 이조참의로 활약하였다.
287) 이들은 承旨 김규방의 손자인 김용회, 예판 신석우의 외손인 김영노, 김흥근의 손자로 판서 김병주의 아들인 김성균, 이유원의 외손인 조헌, 홍한주의 아들인 홍우창, 경상감사 이삼현의 아들인 이원달, 강관 김영작의 아들인 김홍집, 승지 강준흠의 아들인 강문형, 이조판서 박승휘의 아들인 박용대, 도승지 한계원의 아들인 한춘동, 이조판서 김세호의 아들인 김규식, 경기감사 겸 강관인 박영보의 아들인 박봉빈, 강관 조성교의 아들인 조종익, 우의정 신응조의 손자인 신일영, 이재원의 女婿인 심상만, 도총부 도총관 한필교의 아들인 한장석, 홍순목의 아들인 홍영식 등을 들 수 있다.

　그러나 대원군 집권기 종친부와 의정부 등 삼부체제에서 그의 권력의지를 실현한 정치집단은 종친들이었다. 대원군은 이들을 조직화하기 위해 종정경체제를 만들었다. 이것은 종친부의 정치력 확대와 맞물려 진행되었다. 대원군이 집권할 당시 종친부는 인적자원이 부족했고, 권력의 배경이 되지 못했다. 종친부에 興寅君 李最應, 永平君, 完平君이 있었으나 정치력이 없었고, 철종장례시 소수가 종척집사로 참여했다.[288] 殯殿·國葬·山陵의 삼도감에는 李敦榮만이 참여했다. 이러한 실정을 감안해 신정왕후는 철종의 장례문제를 대원군과 상의하게 했던 것이다.

　대원군은 대신보다 상위에 위치했지만, 배경을 이루는 정치집단이 존재하지 않았다. 비변사는 물론이고 의정부와 육조, 심지어 지방의 監司들도 모두 안김세력의 정치적 입장을 지지하는 자들로 구성되어 있었다. 이것은 안김집단의 장기집권의 결과였다.[289] 訓練大將은 金炳國이 맡고, 호조판서인 金炳冀는 總戎使를 겸직해서 군영도 안김의 수중에 있었다.[290] 대원군의 정치적 운신은 제한될 수밖에 없었고, 이러한 한계를 극복하기 위해서도 대응세력의 구축은 절실했다.

　대원군은 종친부를 중심으로 종친선파인을 규합했다. 종친부는 進香時 參班을 정식화하고, 이들은 종친부에 모여들었다. 대원군은 이

---

288)『宗親府謄錄』고종 1년 2월 26일, 441쪽 ; 4월 9일, 443~444쪽.
289) 原任大臣으로 領府事 鄭元容, 判府事 金興根이 있었으며, 영의정 金左根, 좌의정 趙斗淳, 좌참찬 김보근, 우참찬 趙得林, 이조판서 홍열모, 병조판서 徐戴淳, 호조판서 金炳冀, 예조판서 金炳德, 형조판서 沈宜冕, 공조판서 金大根이었다. 수원유수 남병길, 광주유수 이원명, 개성유수 김익진, 경기감사 한정교, 경상감사 서헌순, 전라감사 정건조, 황해감사 서형순, 강원감사 김영근, 함경감사 이유원 등이 그들이다.
290) 금위대장은 허계였고, 어영대장은 임태영으로 전형전인 무반출신들이었다. 대원군 집권 전 이들의 정치적 지향은 뚜렷하게 드러나지 않지만, 권력의 교체를 통해 대원군정권에 합류해 대원군의 지지기반이 되었다.

러한 의례를 통해 선파인 文蔭武를 통제했다.291) 그는 고종 1년 2월 3일 종친부 진향시 직접 참반한 종친선파인들과 예문관이 진향한 진향문을 押班했다. 그러나 이들이 대원군의 정치적 배경에 되기에는 한계가 많았다.292)

이들 중 현직관료는 李敦榮, 李圭徹, 李周喆, 李載元, 이종협, 이종순, 이종봉, 李導重, 李彙重, 李鳳周 뿐이었다. 판서이상의 직무를 담당한 자는 없었고, 대부분 하위직을 거쳤거나 담당하고 있을 뿐이었다. 대원군이 단 시간에 고위 정치세력을 만들기 위해 종친부의 官制釐正을 단행한 이유가 여기에 있었다.

종친부의 관제이정은 종친부와 종부시의 합설이 계기가 되었다.293) 종친부는 흥인군의 상소가 국왕의 윤허를 받는 즉시 곧바로 관제이정 별단을 제출했다. 校正廳의 당상은 정원이 없었으나 선파자손 문음무 2품 이상으로 제한되었고, 종친부는 직접 이들을 선발했다.294)

종친부가 발표한 교정당상은 行戶曹判書 李敦榮, 행대호군 李寅皐, 李景純, 한성판윤 李圭徹, 행호군 李容殷, 李承輔, 李寅夔, 李寅奭, 李景夏, 同知敦寧府事 李載元, 嘉善 李升洙, 행호군 李周喆, 李明錫, 李南轅 등이었다. 이돈영과 이승보는 유사당상이 되어 실무를 담당했다.295) 이 과정에서 대원군은 독자적인 종친출신들을 결합했고,

---

291) 『宗親府謄錄』 고종 1년 1월 25일.
292) 『宗親府謄錄』 고종 1년 2월 3일. 진향에 참반한 종친선파인의 명단은 다음과 같다. 좌참찬 이돈영, 행대호군 이인고, 한성판윤 이규철, 행호군 이장오, 이용은, 이승보, 이인기, 이인석, 이주철, 이교익, 도승지 이재원, 행부호군 이승수, 이인명, 어영천총 이종협, 행부호군 이두연, 이풍영, 李南轆, 이지건, 이건필, 이경하, 이인희, 이용, 이완영, 동부승지 이종순, 경기중군 이종보, 호조참의 이도중, 형조참의 이휘중, 훈련도정 이봉주 등과 일부 지방수령 및 전직 하위직이었다.
293) 『承政院日記』 고종 1년 4월 11일.
294) 『宗親府謄錄』 고종 1년 4월 11일, 445쪽.

이들은 모두 2품 이상을 교정당상이란 명목 하에 결합했다.[296] 대원군
의 정치기반은 일차적으로 종친선파인에 있음이 여기서도 드러난다.

　대원군이 정치세력화하려 한 인물들의 품계와 현직을 정리하면 다
음의 <표 4>와 같다.

<표 4> 校正堂上官 직임명단

임명일자	현직 및 품계	성명	비고
1년 4월 12일	行戶曹判書	李敦榮	유사당상
	行大護軍	李寅皐	
	行大護軍	李景純	
	漢城判尹	李圭徹	
	行護軍	李容殷	
		李承輔	유사당상
		李寅爽	
		李景夏	
	同知敦寧府事	李載元	
	加膳	李升洙	
	行護軍	李周喆	
		李明錫	
		李南轍	
1년 5월 10일	前 承旨	이종승	
1년 6월 7일	前 府使	이근영	

　이들은 종친부의 당상관이었으며, 儀禮를 통해 국왕과의 대면이 자
유로왔다. 이들은 정식화된 태묘전알을 주도했고, 참반한 문음무 및
유생들에 대한 복색 등 제반준비도 담당했다.[297] 그리고 이들이 직접
昭顯世子 및 麟坪大君의 후손을 거느리고 입시했다.[298] 이러한 변화

---

295) 『宗親府謄錄』 고종 1년 4월 12일, 445쪽.
296) 『宗親府謄錄』 고종 1년 2월 3일, 439쪽. 이들은 모두 종친부 진향을 계기로
　　함께 한 인물들이며, 대원군이 주도하였다. 대원군은 종친부 진향을 계기로
　　교정당상에 대한 인선을 마무리하였다.
297) 『宗親府謄錄』 고종 1년 4월 18일~19일, 447쪽.

의 중심에 종친부 제2유사당상인 호조판서 李敦榮이 있었고, 그는 선파인들을 대동하여 筵說에 입시하기도 했다.299)

　종친부는『璿源譜略』과『國祖御牒』에 대한 이정권을 확보하고, 철종대 착수한『璿源續報』의 완간을 추진했다.300) 종친부의 교정당상관들은『국조어첩』과『선원보략』修補의 교정을 담당했고, 이 과정에서 종친부는 엄격한 종법을 시행하게 했다. 이것이 대원군의 구상이었다. 고종이 "潛邸에 있을 때 익숙히 알고 있었던 일이다"고 비답하여 대원군이 집권 전부터 중점적으로 추진해 오던 정책임을 강조했기 때문이다. 대원군은 교정당상들의 인원을 확대하면서301) 이들이 종친부 운영의 중심에 위치하게 했다. 이 과정에서 종친부는 고유업무와 관련한 인사권을 회복했다. 이것은 종친부가 교정당상직을 가진 자를 祭官에 충원했고, 또 종친부가 독자적으로 결정할 수 있었기 때문이다.302)

---

298)『高宗實錄』고종 1년 4월 21일.

299)『宗親府謄錄』고종 1년 4월 21일, 448쪽. 제1유사당상인 흥인군은 별운검으로 시위에 입참하였고, 이돈영 등이 소현세자파 유학 이재영, 동몽 이재홍 인평대군파 유학 이재만, 이재덕, 동몽 이재윤, 이재완을 거느리고 입시하였다. 이날 입참한 宗親府 당상은 행호조판서 이돈영, 행대호군 이규철, 이경순, 행호군 이용은, 이인석, 이인기, 이명석, 이경하, 이남원, 이재원, 이승수 이경순이었다.

300) 종친부 유사당상이며 겸호조판서 이돈영은 철종 11년에 시작한『璿源續報』의 간행이 완간되지 못한 사정을 설명하고, 완간을 건의하여 윤허를 받았다. 그동안 완간되지 못한 것은 단자가 일제히 도착하지 못한데 원인이 있었다. 종친부는 종법을 따르지 않는 자는 종친부에서 처벌할 것이며 조관의 경우는 이조와 병조에 지시하여 죄가 풀리기 전에는 관직에 의망하지 말도록 법식화했다.

301)『宗親府謄錄』고종 1년 5월 10일, 454쪽. 전 승지 이종승을 교정당상에 임명하였다 ;『宗親府謄錄』고종 1년 6월 7일, 454쪽. 전 부사 이근영을 교정당상에 차하하였다.

302)『宗親府謄錄』고종 1년 6월 4일, 454쪽, "종친부는 '감결'로 지금부터 종친부

이 과정에서 대원군은 종친부의 교정당상을 대상으로 宗正卿이란 관직을 신설했다. 대원군은 고종 1년 8월 '宗親府啓'를 통해 대사헌 李是遠, 행호군 李章五, 공조참의 李導重을 종정경 관직에 임명했다.[303] 그런데 이때까지 종정경 관직에 대한 규정은 없었다. 이틀 뒤 종정경의 대우는 勳府君例에 의거하게 되면서 이들의 지위와 대우는 격상되었다.[304] 그런데 '종정경' 직책은 『承政院日記』나 『高宗實錄』의 관찬사서에는 기록되지 않았고, 『宗親府謄錄』에는 고종 1년 8월 이후 기재되기 시작했다. 이것은 대원군이 종정경체제를 만들면서 정치권의 公論化 과정을 거치지 않았다는 사실을 보여준다. 그러므로 대원군의 독자적인 구상과 결정에 의한 것이다.

종친부의 종정경체제는 '대원위분부'로 결정되고 시행되었다. 그러나 대원군의 종정경 관직 창설의 구상을 정치권에 제기했다. 대원군은 고종의 建元陵, 綏陵, 景陵 친제를 계기로 정치권에 제기했다.[305] 종정경 관직은 『大典會通』의 경우 '增置'라고 규정하고 있어 이때 처음 실시되었음이 분명하다. 그리고 종친부 관제이정의 교정당상의 규정도 동일하여 교정당상이 종정경으로 변화했음을 알 수 있다. 이러한 변화를 정치권은 감지하지 못했던 것이다.

이후 종정경 임명에 대한 구체적인 기록을 확인하기는 어렵지만, 대원군은 종친들을 종정경으로 임명해 그 수를 확대했다. 종친부 이후

교정당상으로 祭官 塡差(충원)時 만약에 實卿之員이 아니면 祭名帖에 교정당상직함으로서 書塡하고 宗親府에 卽送하는 것을 정식으로 거행하라"고 이조에 지시했다.
303) 『宗親府謄錄』 고종 1년 8월 24일, 457쪽.
304) 『宗親府謄錄』 고종 1년 8월 26일, 457쪽.
305) 고종의 건원릉, 수릉, 경릉의 친제는 고종 1년 8월 15일에 있었고, 교정당상 임명은 전날에 있었다. 그리고 이들의 종정경 임명은 8월 24일에 있었다. 그러므로 宗正卿은 친제수행이란 명분을 표방하였으며, 종친들의 의례 참여라는 점에서 정치권에서 자연스럽게 받아들였다.

종정경 관직을 사용했고, 이러한 사례는 中國勅使 入京時 館所問安 宰臣들의 명단에서 확인된다. 재신 10望 중 永平君, 李圭徹, 李景純, 李寅夔, 李容殷, 李載元, 李鍾承, 李周喆은 종정경 관직으로 기록되었기 때문이다.306) 이 과정에서 교정당상직이 종정경으로 대체되면서 관직체계에 편입되었다.

대원군은 독자적으로 종정경체제를 신설했다. 종친부는 이러한 사실을 고종 1년 9월 26일 이조, 호조, 병조에 시달했다. 이날의 '宗親府 甘結'은 종정경에 대한 예우를 규정하는 것이며, 그 내용은 "大院位敎 是分付內 本府校正堂上 旣以宗正卿下批 卽從今以後 以宗正卿 依勳 府君例" 였다. 이로써 종정경은 실직자는 兼職이지만, 실직이 없는 자는 실직이 되었다. 그리고 遞職이 되더라도 전직에 의거 종정경을 칭호할 수 있게 되었다.

그러므로 종친 2품 이상은 일단 종정경의 관직을 제수받으면, 직무·직책과 상관없이 언제나 종정경으로서의 대우를 받을 수 있었다. 그러므로 종친들은 종정경체제를 통해 신분과 특권을 보장받게 되었고, 이것은 일반 정치세력들과의 차별을 의미했다. 이러한 조치들은 모두 대원군의 분부에 의해 실행되었다는 점이 특징이다. 이러한 업무는 '대원위분부'로 종친부가 직접 처리했다. 종정경 李敦榮이 輔國에 陞資되자 종친부는 호조, 선혜청, 병조에 威儀와 관련한 조치를 취했고,307) 소대하는 料米와 막소용 素鋪陳은 물론이고 권두사령과 인배사령 등을 樞府知事에 의거하여 마련했다.308)

---

306) 『宗親府謄錄』 고종 1년 9월 7일, 458쪽.
307) 『宗親府謄錄』 고종 1년 9월 25일, 460쪽.
308) 『宗親府謄錄』 고종 1년 10월 2일, 462쪽. 영의정 조두순은 所啓에서 "宗正 卿 관제가 이미 勳君例에 의거하였다. 겸호조판서 이돈영이 이미 정1품에 올랐으니 貤贈之節은 議政의 예로 할 것"을 제의하여 대왕대비의 윤허를 받았다. 이것은 정치권에서 종정경의 지위를 의정과 동일하게 인식되는 계기

종정경은 공신과 동일한 지위와 신분을 보장받았다. 대원군은 교정 당상들의 위계를 높여 종정경체제를 만들고, 이들을 功臣과 동일하게 하는 규정을 만드는 과정에서 국왕이나 신정왕후와 협의하지 않았다. 이러한 독자적 결정과 실행에서 대원군 권력의 전제성이 일부 드러난다.

대원군은 종정경을 중심으로 국가를 재건하고, 국왕체제를 강화하려 했다. 종정경체제는 왕권강화와 종실의 재건을 위해 필요한 관직제도였다. 이 과정에서 종친부의 권력기구화가 확립되었고, 종정경들은 의정부와 육조 등에 배치되면서 대원군의 권력기반이 되었다. 이것은 대원군 권력행사의 전제성을 보장하는 장치였으며, 종정경은 대원군 정권의 핵심을 이루었다. 대원군 집권초기의 인물은 다음의 <표 5>와 같다.

<표 5> 宗正卿 명단

임명일자	현직	성명	비고
	교정당상	李敦榮 李寅皐 李景純 李圭徹 李容殷 李承輔 李寅夔 李寅爽 李景夏 李載元 李升洙 李周喆 李明錫 李南轅 이종승 이근영 興寅君 永平君	
1. 8. 24	대사헌	李是遠	
	행호군	李章五	
	공조참의	李導重	
1. 9. 7	행호군	李豊翼	
2. 5. 4	돈녕	李世輔	佐貳未經特差
2. 6. 17	동부승지	이종순	陞資

그러나 대원군이 신설한 종정경의 인적기반은 협소했다. 교정당상을 종정경체제로 전환했지만, 종정경의 자격을 갖춘 인물은 한정되어 있었다. 종정경은 정원이 없었지만, 宗姓인 관원으로 2품 이상에 해당

가 되었다.

하는 자들이 절대적으로 부족했기 때문이다. 이것은 대원군의 정치기반이 처음에는 허약했음을 보여준다.

대원군은 종정경이 정치적 활동을 합법적으로 할 수 있는 여건을 만들었다. 이들은 공적문서에서 종친부를 생략한 채 단지 종정경으로 기재되었고, 녹봉도 보장받았다. 이것은 종정경의 신분과 예우가 관료집단 내 최고위에 위치하게 만들었다. 그러므로 정부직을 가진 종정경들은 정책의 결정과 집행 과정에서 주도적인 역할을 할 수 있었다.

종정경은 『璿源譜略』의 교정과309) 의례를 주관하면서 정치활동의 범위를 확대했다. 종친부는 德興大院君의 묘소 치제와 제수 및 세입에 관한 일을 주관했고,310) 태묘춘향시 친행례에 따라 선파인의 자경으로 입참했다.311) 종정경은 남연군의 祠宇展拜에 사당 내 참배하면서 대원군과의 관계를 과시했고,312) 고종은 『선원보략』을 감독한 종정경에게 賜饌함으로써313) 이들의 예우에 각별함을 보였다. 더구나 『선원보략』改張案에 대해 종친부가 直入함으로써314) 규장각의 위상을 약화시켰다.315)

이러한 역할을 통해 종정경은 정치적 영역을 확대했고, 급기야 종정경의 자격으로 대왕대비의 수렴청정에 入侍하기도 했다. 고종 1년

---

309) 『承政院日記』고종 1년 10월 3일, 12일. 『璿源譜略』의 교정은 유사당상인 宗正卿 이승보가 주도적으로 관여하였다.

310) 『承政院日記』고종 1년 8월 25일, 29일. 德興大院君의 제택은 사손이 零替되어 보수를 하지 못한 사태였다. 그래서 호조의 경비가 어려움을 감안하여 신정왕후는 어갑주전 5천냥을 특별히 내어주면서 호조로 하여금 수리하게 하고, 부족한 경비는 宗親府의 당상들이 논의하여 마련하게 했다.

311) 『承政院日記』고종 1년 12월 17일.

312) 『承政院日記』고종 2년 1월 16일.

313) 『承政院日記』고종 2년 3월 27일.

314) 『承政院日記』고종 2년 4월 10일.

315) 『承政院日記』고종 2년 4월 9일. 규장각은 봉모당과 서향각에 모신 것에 대한 개장만 이행하였다.

11월 29일 대왕대비는 고종과 함께 熙政堂에서 大臣과 議政府, 備局
堂上을 引見했다. 이때 李景純과 李景夏는 종정경 자격으로 入侍했
고, 의정부 당상들은 대다수 불참했다.[316] 대원군은 불참 당상을 대상
으로 인사권을 행사했고,[317] 이것은 대원군계 정치세력이 배치되는
결과를 가져왔다.[318] 有司堂上 朴珪壽와 金世均, 李敦榮, 李載元, 韓
啓源 등은 대원군이 의정부를 장악하는 과정에서 주도적인 역할을 했
다.

　종정경은 정부대신들이 참여·국정을 논의하는 곳에는 언제나 참
여했다.[319] 고종은 殿座에 종정경 전원을 입참할 것을 지시하여[320]
이들의 정치적 활동과 위상을 보장했다. 더구나 종정경은 原任大臣과
閣臣의 承候時에도 동석했고, 언제든지 국왕과의 면대가 가능했다.
이 과정에서 이들의 정치적 영향력은 확대되었고, 국정운영의 과정에
깊숙이 개입했다. 대원군은 종친부에 상주하면서 이들을 통해 국왕과

---

316)『承政院日記』고종 1년 11월 20일. 영의정 조두순, 좌의정 이유원, 우의정
　　임백경, 상호군 서대순, 병조판서 신관호, 예조판서 조헌영, 행대호군 허계
　　등이 참반하였다. 좌의정 이유원을 제외한다면 이들은 대원군계로 분류되는
　　정치세력들이다.
317)『承政院日記』고종 11년 11월 21일. 의정부 당상의 감하 대상자는 김학성,
　　정기세, 김대근, 김병교, 윤치정, 이우, 신석우, 김병덕, 신석희, 김병주, 이유
　　응, 이삼현, 김보현, 김병지이며, 외지에 있는 당상 감하자는 홍열모, 이응식,
　　김기만, 오취선, 이근우, 송근수 등이었다.
318)『承政院日記』고종 1년 11월 22일. 의정부가 추천한 유사당상은 대호군 김
　　세균, 호근 임긍수, 남성교, 한계원, 이홍민, 영선군 박영보, 공조참판 이재원,
　　호군 박규수였다. 특히 박규수는 유사의 책임을 맡았고, 호조판서 이돈영은
　　공시당상, 상호군 홍종응은 관서구관, 서대순은 해서구관, 대호군 조석우는
　　영남구관, 김병운은 경기구관, 예조판서 조헌영은 관동구관, 임긍수는 호남
　　구관이 되었다.
319) 宗正卿은 국왕의 시원임대신과 정부당상들의 인견, 대왕대비의 수렴청정에
　　참여할 수 있었다.
320)『承政院日記』고종 2년 1월 5일.

관료기구에 권력의지를 전달하고, 또한 시행하게 했다.

대원군은 종정경을 중앙과 지방의 각 관직에 배치했다. 李敦榮(의정부 좌참찬 1년 1월 2일, 호조판서 1년 3월 9일), 李是遠(우참찬 1년 8월 13일), 李圭徹(공조판서 1년 4월 29일, 병조판서 1년 11월 18일), 李導重(호조참의 1년 1월 10일, 공조판서 2년 4월 11일), 李載元(도승지 1년 1월 15일 ; 1년 4월 14일 ; 1년 8월 1일 ; 1년 9월 23일 ; 1년 12월 8일), 李承輔(개성유수 1년 10월 21일), 李寅夔(강화유수 2년 3월 10일)들이 그들이다. 그리고 承政院의 승지로 활약한 종정경은 李彙重, 李景夏, 李升洙, 李世基, 李寅命, 李章濂, 李鍾純, 李載冕, 李世輔,321) 李承輔 등이었다. 그리고 李景夏는 총융사가 되어 대원군의 무력적 기반을 보완했다.322)

대원군은 이들을 통해 중앙과 지방의 통제력을 강화했다. 이 과정에서 종정경은 의정과 동일한 지위에 위치했고, 종친의 품계는 문무재신들의 품계와 통일되었다.323) 종정경 이돈영이 운현궁 중건에 따른 공로로 輔國에 승자되자,324) 영의정 조두순은 의정과 같은 貤贈之節을 건의했다.325) 이를 통해 종정경의 품계와 작질은 판돈녕과 동일하게 규정되었다. 이로써 호조판서 이돈영은 의정과 동일한 지위를 누렸고, 따라서 대원군은 독자적인 재정정책을 수립, 실행할 수 있었다.

대원군은 경복궁 중건의 營建都監에도 종정경을 배치했다. 李載元

---

321) 『宗親府謄錄』고종 2년 5월 4일, 491쪽. 李世輔는 佐貳의 직임을 거치지 않았으면서도 宗正卿에 특차되었다.
322) 이경하는 고종 1년 3월 9일에 총융사에 임명되어 금위대장을 겸직하기도 하면서 무장들을 규합하여 집권초 대원군의 무력적 기반을 확대한 인물이다.
323) 『承政院日記』고종 2년 1월 22일. 종정경 겸 이조참판인 이승수의 상소로 관직변통이 이루어졌다.
324) 『承政院日記』고종 1년 9월 24일.
325) 『承政院日記』고종 2년 1월 20일.

은 종정경의 자격으로 영건도감 제조에 임명되어, 경복궁 중건의 역사를 관장했다.[326] 이러한 과정에서 宗正이란 용어가 종친우대에 대한 고유한 성격을 가지게 되었다. 한성부 右尹이면서 종정경에 제수된 李鍾純의 동생 鍾正은 직명인 宗正과 음이 구별되지 않아 鍾瀳으로 개명할 것을 청하기도 했다.[327] 그러므로 종정경은 단순한 종친의 예우를 넘어 시원임대신들과 동일한 대우를 받을 수 있었다. 이러한 측면은 『열성지장』과 『수진보작명첩』을 賜給하는 대상에서도 확인된다.[328]

『수진보작명첩』은 창의문 밖 석경루 밑에서 발견된 銅器에 새겨진 '수진보작'에 대한 내각제학, 강관, 옥당 이하 관원들이 지은 銘牒이다.[329] '수진보작'은 대원군이 지위를 확보하고 권위를 정당화시키기 위해 이용한 참언이었다.[330] 강관 박규수가 해석하였듯이 국가의 존속을 국태라고 할때 이것은 대원군 개인은 물론이고, 해석의 범위를 넓히면 종친들도 포함되었다. 다시 말하면 대원군을 정점으로 한 종친 선판인 전체에 대한 지위확보였다. 그것은 타혈족 집단과의 차별을 통해 이들의 정치·사회적 지위를 격상하려는 의도였다.

이러한 배경에서 대원군은 종정경에 대한 조직을 강화하였다. 대원

---

326) 『承政院日記』 고종 2년 4월 3일.
327) 『承政院日記』 고종 2년 6월 20일.
328) 『열성지장』과 『수진보작명첩』에 대한 사급은 고종 2년 7월 18일과 20일에 있었다. 사급의 대상은 영부사 정원용, 봉조하 김영근, 영돈녕 김좌근, 영의정 조두순, 판돈녕 이경재, 판부사 이유원, 좌의정 김병학, 흥인군 최응, 영평군 욱, 동녕위 김현근, 남녕위 윤의선, 원임제학 김병기 등과 이돈영을 비롯한 宗正卿 전원이었다. 종정경의 직명으로 사급된 자는 이돈영, 이규철, 이경순, 이시원, 이도중, 이인석, 이주철, 이경하, 이근영, 이남원, 이승수, 이세보, 이종순이었다.
329) 『承政院日記』 고종 2년 5월 4일.
330) 金炳佑, 2003, 「大院君의 政治的 地位와 國政運營」, 『大丘史學』 70, 47~48쪽 참조.

군은 종정경 계급의 분별이란 명목하에 종정경 직제을 분화했다. 종정
경 계급은 令宗正卿, 判宗正卿, 知宗正卿, 宗正卿으로 등급화되었
다.331) 이러한 체제는 형식적으로는 종정경의 상위그룹을 令宗正卿으
로 승급하여 대군의 반열로 격상한 것이며332) 判宗正卿(대신과 정1
품)과 知宗正卿(종1품과 정2품)을 議政과 동일시하게 했다. 이것은
종정경의 정치적 지위격상을 통해 大君과 君을 宗正卿體制에 흡수·
통합하려는 의도에서 비롯되었다. 종정경의 계급분별과 인물을 정리
하면 다음의 <표 6>과 같다.

대원군의 宗正卿 계급분별을 단행할 때 종정경은 총 24명이었다.
이 중 知宗正卿으로 승급된 자는 李圭徹, 李景純, 李是遠, 李導重 등
4명이었고, 判宗正卿이 된 자는 興寅君 李最應과 永平君 煜, 李敦榮
등 3인이었다. 그런데 대원군 집권기 동안 판종정경을 역임한 자는 益
平君, 李導重, 李圭徹, 완평군을 포함하여 총 7명뿐이었다. 흥인군과
영평군, 익평군, 완평군은 封君된 자들이기 때문에 단순한 명예직 또
는 예우차원이었다.

대원군 집권기 종정경체제에서 주목되는 자는 李敦榮, 李圭徹, 李
導重이다. 이들 3인은 대원군의 집권초기부터 정치적 활동이 두드러
졌다. 李敦榮은 대원군 집권과 동시에 宗親府 유사당상, 의정부 좌참
찬을 거쳐 장기간 호조판서에 있었다. 그는 고종 3년말에 치사하면서
奉朝賀가 되었고, 이후 그는 정치적 영향력이 약화되었다. 대원군의
叔父인 李導重은 호조참의에 特除되면서 이돈영과 함께 재정정책을
주관했으며, 고종 2년 4월에 공조판서에 임명되었으나 2달 뒤 遞職되
었다. 이후 그는 별다른 정부직에 임명되지 못하였다. 李圭徹은 고종

---

331) 『宗親府謄錄』 고종 2년 7월 21일, 497쪽.
332) 실제로 종친 중 令宗正卿으로 하비된 인물은 없다. 그러므로 令宗正卿은 대
　　군과 군에 대한 순수한 예우차원이며, 정치적 지위와는 무관하였다.

<표 6> 宗正卿 계급분별 명단

일자	宗正卿	知宗正卿	判宗正卿	令宗正卿	비고
	李敦榮 李寅皐 李景純 李圭徹 李容殷 李承輔 李寅虁 李寅奭 李景夏 李載元 李升洙 李周喆 李明錫 李南轅 이종승 이근영 興寅君 永平君 李是遠 李章五 李導重 李豊翼 李世輔 이종순				
2.7.21		李圭徹 李景純 李是遠 李導重	興寅君 永平君 이돈용		
2.10.5	李載冕				도정, 宗正卿 예
2.12.1	이남식				前兵使
2.12.6		李載元	익평군		
3.1.2	이동현				판윤
3.1.29	李鳳周				통제사
3.2.13	이승준 李章濂				부호군
3.5.9	완평군				
3.10.1	이병문				前監司
3.12.3	李彙重				前承旨
4.2.4	이연응				예조참판
4.3.7	李載冕				陞資, 유사당상
4.5.18		李景夏 李章濂 이동현 李承輔 李寅虁	이동중 李圭徹 완평군		임명일자불명
4.6.6	李建弼				부총관
4.8.4	이지겸				부총관
4.11.30	李明錫 이중영 이세기 이방현 이주응	李周喆 李寅奭			임명일자불명
5.1.1	李寅命				우승지, 陞資
5.1.2	이종호 이수중				행부호군, 陞資
7.1.4	李景宇				陞資, 보국
9.2.1	이면응				공조참판
9.7.16	이회정				우부승지, 陞資
9.10.20	이용의				부총관
10.11.29	이규영				前承旨

1년 말과 2년 말 두 차례 병조판서에 임명되었고, 고종 4년 7월에 총융사가 되어 주로 군부에서 활동했다. 이후 그의 별다른 정치적 활동을 확인할 수 없다. 그러므로 判宗正卿을 역임한 자들은 대원군 집권 초기에 대원군의 집권을 보좌한 인물이며, 대원군은 판종정경으로 예우하면서 정치의 일선에서 물러나게 했던 것이다.

대원군이 정치적으로 주목한 종친은 知宗正卿에 보임된 자들이다. 대원군 집권기 지종정경을 역임한 자는 총 12명이었다. 이들 중 李導重과 李圭徹이 고종 4년 5월에 판종정경으로 승격했고, 丙寅洋擾시에 李是遠이 음독한 점을 고려한다면 실제적으로는 9명이 활동한 셈이다.333) 이들은 종친부의 핵심세력이며 동시에 정부당상으로 활동했다.334)

李載元은 대원군 집권기 도승지, 우참찬, 예조판서, 형조판서, 공조판서, 이조판서를 역임했으며, 가장 장기간 대원군과 함께 한 종친이었다. 李景夏는 총융사, 금위대장, 훈련대장, 좌·우포장, 강화진무사 등 주로 군부에서 활약하면서 대원군의 무력적 기반을 이룬 대표적인 인물이다. 李章濂도 역시 군부에서 활약한 인물로 대원군 집권기 후반부에 금위대장을 역임했다.

정부와 종친부에서 가장 주목되는 인물은 李承輔이다. 그는 대원군 집권과 동시에 이조참의에 보임되어 정치세력의 재편에 참여했고, 종친부 유사당상으로 재임하면서 경복궁 영건도감 제조가 되어 대원군의 정책에 가장 깊숙이 개입한 인물이다. 그러나 그는 개성유수 시절의 부정으로 암행어사의 탄핵을 받아 한때 정계를 떠나기도 했다. 이승보의 유배는 대원군 집권 출범기 그의 정치적 역할에 대한 견제의

---

333) 李景純, 李載元, 李景夏, 李章濂, 이동현, 李承輔, 李寅夔, 李周喆, 李寅夔 등이었다.
334) 본서 <표 6>, <표 7> 참조.

의미가 강하다고 보여진다. 이승보는 이후 우찬성, 선혜청 당상을 거쳐 대원군정권과 함께 했다. 그러므로 지종정경은 대원군 집권기 정부와 군부에서 가장 중추적인 역할을 한 인물들로 구성되었다.

지종정경의 실질적인 정치적 역량은 이들의 관계진출과 국정을 결정하는 정부당상직에 대한 진출에서 찾을 수 있다. 대원군이 집권하기 전 철종 말년에 종친출신으로 비변사당상에 참여한자는 4명으로 극소수였다.[335] 그러나 대원군 집권과 종정경제체 성립이후 종정경 출신

<표 7> 宗正卿의 정부당상직 겸임자(高宗 3년)

宗正卿	성명	정부당상직함	정부직함	비고
判宗正卿	이최응	예겸		興寅君
知宗正卿	이돈영	공시	호조판서	5월 判宗正卿부사
知宗正卿	이규철		병조판서	
知宗正卿	이경순		주교사, 유사	5월 知宗正卿부사
宗正卿	이재원		우참찬, 한성판윤, 이조판서	3월 知宗正卿부사
宗正卿	이주철	예겸		5월 知宗正卿부사
宗正卿	이경하	예겸	형조판서, 수원유수	7월 知宗正卿부사
宗正卿	이승보	예겸	개성유수, 공조판서	12월 知宗正卿부사
宗正卿	이인기	예겸	강화유수	10월 탈락
宗正卿	이장렴	예겸	강화유수	
宗正卿	이봉주			5월 知宗正卿부사
宗正卿	이주철			6월 知宗正卿부사
宗正卿	이풍익		행대호군	5월 등재
知宗正卿	이동현	예겸		10월 등재 및 知宗正卿부사
宗正卿	이용은			11월 등재
宗正卿	이인석		행대호군	12월 등재
宗正卿	이병문		대호군	12월 등재

* 출처 : 『宗親府謄錄』, 『備邊司謄錄』 座目.

---

335) 철종 10년에서 12년 기간에 비변사의 당상관으로 참여한 종친은 李圭徹, 李寅皐, 李敦榮이었으며, 13년에 李景純이 예겸당상으로 참여하였다. 그러나 14년에는 李寅皐와 李敦榮만이 비변사 당상에 있어 종친들의 정치적 역량을 짐작할 수 있다.

자들의 정부당상 참여가 급격하게 늘어났다. 이것은 이들의 정치적 역량이 확대되고 있다는 증거이다. 고종 3년의 『備邊司謄錄』을 참고할 때 도제조를 포함한 총 당상의 수는 70명 선이었다. 이중 종정경 직함으로 당상에 참여한 자가 17명이었다. 이들은 모두 지종정경으로 승격되었다. 이들을 정부관직과 관련하여 도표를 작성하면 <표 7>과 같다.

종정경 출신의 정부당상 진출은 종정경체제 성립 이후 두드러졌다. 『備邊司謄錄』은 고종 1년 후반에서 2년 말까지 인사기록이 누락되어 변동상황을 정확하게 알 수는 없다. 그러나 고종 3년의 座目은 종정경 출신의 증대를 그대로 보여준다. 그러므로 종정경들은 정부당상이 되어 각종 국정의 의결과정에 참여하고, 정치적 역량을 발휘했던 것이다. 대원군이 국정을 장악하는 과정에서 종정경체제를 만든 이유가 여기에 있었다. 종정경들이 대거 정부당상으로 진출한 것은 신정왕후의 철렴과 대원군의 직접 권력행사와 맞물려 진행되었다. 대원군은 신정왕후가 철렴하자 종정경을 대거 정부직에 배치했기 때문이다. 그러므로 종정경체제는 대원군의 독자적 권력행사와 정권의 합법적 운영 그리고 안정화를 목적으로 한 제도적 장치였다.

제4장 대원군의 통치정책과 권력강화

제1절 의정부의 부활과 지배세력 구성의 변화

1. 비변사 폐지와 의정부 부활

대원군은 집권과정에서 권력체계의 핵심인 중앙행정기구의 개편을 추진했다. 이것은 자신의 권력기반의 확대와 정치세력의 재편을 목적으로 했다. 구체적으로는 비변사의 폐지를 통해 의정부와 육조의 기능을 확대하고, 三軍府의 복설을 통해 군권을 장악하고자 했다. 그는 국가의 공적기구를 직접 장악하여 권력을 행사할 수 없는 근본적인 한계가 있었기 때문이다. 대원군은 권력행사를 위해 중앙집권체제를 강화하고, 그 과정에서 중앙집권적 단일지배체제를 확립해야만 했다.

대원군의 국왕집권체제 확립 과정에서 가장 장애가 되는 권력기구는 備邊司였다. 대원군은 국무를 독점하고 있던 비변사의 업무 분할을 통해 기능과 정치적 영향력 약화를 시도했다. 이러한 방안은 비변사 구성원 즉 안김중심의 정치집단의 현실적 권력을 인식했기 때문이다. 이들의 조직적인 저항은 대원군의 권력 장악을 무산시킬 수 있을 정도였고, 대원군은 처음부터 이들을 제압할 명분이나 권력·대응집단을 구축하고 있지 않았다. 그러므로 대원군은 집권과정에서 이들을 적대적 관계로 만들 수 없었다. 대원군은 현실적으로 이들의 정치적

협조가 있어야 권력을 장악·행사할 수 있었기 때문이다.

대원군은 궁극적으로 비변사의 개혁 곧 폐지에 목적을 두었다. 이것은 국왕체제를 확립하고, 권력을 장악·행사하기 위해 비변사는 반드시 개혁되어야 했기 때문이다. 비변사는 이미 변경과 군사에 관한 고유 업무의 범위와 권한을 초월했고, 특히 세도정권 권력의 중추를 이루면서 국왕체제를 위협했다. 또한 비변사는 비정상적인 권력기구였으며,1) 안김을 중심으로 한 집권세력들은 그들의 이해관계를 비변사를 통해 관철시켰다. 이러한 정치운영은 다양한 정치세력 특히 종친은 물론이고 왕권강화를 목표로 한 친왕적 세력의 성장을 제한했다. 그러므로 비변사가 존재하는 한 국왕체제의 확립은 기대할 수 없었다.

대원군은 왕권과 국왕체제가 절실했다. 이것은 대원군이 합법적·공식적인 권력을 행사하기 위해 필요한 권력체제였기 때문이다. 대원군은 조선초기의 의정부와 육조 및 삼군부 체제를 주시했고, 이러한 체제의 부활을 통해 권력구조를 개편하는 방안을 모색했다. 그러나 집권과 동시에 비변사의 전격적인 폐지는 현실적으로 어려운 일이었다. 그것은 권력장악의 명분과 권력행사를 뒷받침할 정치적 기반이 구축되어 있지 않았기 때문이다.

대원군은 안김집단의 현실적인 정치적 이해와 입장을 고려했다. 그는 국가권력을 완전히 장악한 것도 아니고, 이들을 제압할 수 있는 권력행사가 가능한 것도 아니었기 때문이다. 그는 국왕체제의 구축에서 합법적·공식적 국가체제의 회복을 명분으로 삼았다. 이것은 비변사체제의 해체를 지향하는 것이며, 이 과정에서 정치집단의 분화를 유도할 수 있다고 판단했기 때문이다. 대원군은 이러한 구상을 단계적으로 추진했다.

---

1) 오종록, 1990, 「제10장 비변사의 정치적 기능」, 「제11장 비변사의 정치적 기능」, 『조선정치사 1800-1863(하)』, 청년사.

대원군은 일차적으로 비변사와 의정부의 업무분장을 제의했다. 그러나 대원군은 독단으로 이것을 처리할 수는 없었다. 그가 의지할 수 있는 것은 신정왕후의 수렴청정권 뿐이었다. 신정왕후의 수렴청정권은 그에게 정책추진의 명분을 주기 때문이다. 그러나 안김집단은 이미 권력변동에 대한 대응을 모색하고 있었다. 이들은 전시기에 수렴청정권이 정치권에 미치는 파장과 신왕체제의 성립과정에서 발생하는 정치적 변동을 경험했기 때문이다. 이들은 비변사 구성원의 확충을 통해 대응책을 세웠지만, 이 과정에서 비변사의 역할을 제고하게 만들었다.

신정왕후는 고종 1년 1월 熙政堂에서 수렴청정권을 행사했다. 原任堂上과 備局堂上이 참여한 가운데2) 영의정 金左根은 備局堂上과 有司堂上의 차임을 제의했다.3) 안김집단은 비변사 구성원을 충원하고, 자파세력을 국왕과 권력주변에 배치하면4) 자신들의 권력기반이 유지될 것으로 판단했다. 대원군은 이러한 대비책을 인식하고, 의정부체제 구축에 대한 의지를 보였다. 안김집단의 대응책은 수렴청정권을 장악

---

2) 희정당에 참여한 정부·비국 당상은 영부사 정원용, 판부사 김흥근, 영의정 김좌근, 좌의정 조두순, 우의정 이경재, 지중추부사 홍재철, 상호군 김보근·김학성·홍종응·김병교, 판돈녕부사 정기세, 공조판서 김대근, 의정부 우참찬 조득림, 이조판서 홍열모, 지돈녕부사 윤치정, 병조판서 서대순, 대호군 조휘림·이우·조석우·신석우·이근우·임백경·유장환·김병운·신석희·송근수·김응균·임백수·이의익, 형조판서 심의면, 예조판서 김병덕, 지중추부사 홍종석, 호군 허계·임태영·이삼현, 호조참판 김보현, 대사헌 홍원섭, 대사간 한긍인, 지평 안치묵, 정언 김시원, 부교리 이후선 등과 우승지 윤자승 등이었다.

3) 『承政院日記』고종 1년 1월 13일. 김좌근은 지사 한정교와 대호군 오취선을 비국당상에 천거하였고, 병조판서 서대순, 대호군 조석우를 공석인 유사당상, 지사 홍종서와 상호군 이돈영을 북관구관, 대호군 이우를 경기구관으로 차임할 것을 제의하였다.

4) 김병기와 김병학, 김병국, 김보근, 김학성, 정기세 등은 권강관이 되어 고종 주변에 배치되었다. 이들은 윤번으로 경연에 참여하였다.

한 신정왕후에 의해 효력을 상실하게 되었다. 이것은 신정왕후와 김좌근의 대화, 그리고 대왕대비의 지시에서 분명하게 드러난다. 이날의 대화 내용은 다음과 같다.

> 대왕대비 : (議)政府와 籌司(비변사)를 모두 묘당이라 칭하는데, 文簿는 단지 비변사에서만 거행하고 있다. 지금 이후로는 각자 거행하는 것이 옳다.
> 김좌근 : 朝廷機務를 주사가 專管하고 정부는 듣지 못하는 것이 과연 慈敎와 같습니다. 그러나 屢百年之事입니다. 筵退後 삼가 마땅히 相議 停當하겠습니다.
> 조두순 : 故 相臣 崔鳴吉이 누차 籌司設始後를 政府가 閑司가 되었다고 말하고, 章奏하기도 하였습니다. 지금 慈敎를 받들건대 至當至當합니다. 筵退後 爛商하여 다시 稟定하겠습니다.5)

이들의 대화에서 알 수 있듯이 의정부는 비변사 設始 이후 수백년간 閑司의 상태에 있었다. 비변사는 조정의 機務를 專管했고, 안김집단은 이러한 비변사를 독점적으로 운영했다. 정치운영면에서 보면 안김집단은 공적기구인 비변사를 통해 합법적·공식적으로 권력을 장악·행사한 것이다. 그러나 수렴청정권을 장악한 신정왕후와 배후의 대원군은 안김집단의 권력기반인 비변사를 해체해야만 했다. 이것은 관계상 최고권력기구인 의정부의 부활을 통해서만이 가능했다.

신정왕후는 비변사의 현실적인 권력, 특히 군권과 정치세력의 역관계를 고려했다. 신정왕후는 의정부와 비변사의 업무분장을 제의했다. 이것은 신정왕후의 '의정부와 비변사의 독자적인 문부거행' 지시로 구체화되었다. 그리고 비변사 당상의 범위를 확대하여 지배집단 내부의

---

5) 『承政院日記』 고종 1년 1월 13일.

분화를 기대했다. 이러한 기대는 이후 영부사 정원용과 좌의정 조두순의 정치입장의 변화에서 확인되었다.

영의정 김좌근은 비변사 구성원의 동요를 막고, 집권세력의 내부를 단속하려 했다. 그래서 그는 筵退後 상의하겠다고 제의했지만, 이러한 기대는 무너졌다. 좌의정 조두순이 의정부 閣司에 대한 반대의견을 분명히 개진했기 때문이다. 이것은 정치집단의 분화가 가속화될 수 있는 기미를 보인 것이다. 이러한 변화에 편승하여 신정왕후는 原任將臣들을 비변사 당상에 還差했다. 대원군은 무반을 중심으로 정치세력을 재편 또는 원임장신을 통해 비변사를 장악하려 했기 때문이다.

이로써 종친과 친대원군계 원임장신의 일부가 비국당상으로 비변사에 참여했다. 이들은 과거에 비국당상으로 참여했으나 안김집단에 대한 견제세력·독자세력으로 성장하지 못했다. 李熙絅, 李景純, 申觀浩 등이 바로 그들이다. 李熙絅은 종친이고, 李景純은 종친부의 矯正堂上과 종정경으로 활약했다. 申觀浩는 대원군의 군사적 기반을 확대한 인물이다.6) 그러므로 이들은 모두 대원군과 정치적 입장을 같이 했다. 그러나 이들의 힘으로 비변사를 장악할 수 있었던 것은 아니다.

대원군의 권력 장악과 행사는 자식의 왕위계승과 趙大妃와의 정치적 동맹에서 출발했다. 그러므로 종래 확고한 정치적 기반을 누대로 다져온 안김집단과 추종자들의 저항은 당연한 것이다. 이들은 대원군의 정치참여를 처음부터 저지하고자 했다. 그리고 무장계열의 비변사 배치는 이들을 불안하게 만들었다. 그러나 이들은 구체적인 대안을 찾지 못했다. 더구나 이들은 이미 국왕의 인사권에서 멀어져 있었다.

---

6) 대왕대비는 무관의 대우를 격상시켰다. 무관은 총관을 역임하였을 경우 재상으로 대우하는데 대신들이 하대를 하는 것은 동반과 서반의 체모에 맞지 않다면서 다시 규례를 정할 것을 지시하였다. 대원군은 이러한 현실을 반영하여 문반과 무반의 상견례를 『삼반예식』으로 정립하였다.

대원군은 정치적 지위확보와 권력장악을 빠르게 진행했다. 이것은 국왕의 인사권을 통해 실현했다. 그는 친대원군계 정치인들을 의정부와 육조에 배치했다. 趙斗淳과 李景在를 좌·우의정, 李敦榮을 좌참찬에 임명했다. 이돈영은 호조판서가 되어 재정권을 통제했고, 대원군과 정치적으로 제휴한 金炳學은 이조판서가 되어 관료들의 인사권을 장악했다. 영부사 鄭元容의 아들인 鄭基世는 병조판서, 任百秀와 申觀浩는 예조·형조판서가 되었다.

이 과정에서 영의정 김좌근은 어떠한 정치력도 발휘하지 못했다. 그리고 대원군의 인사권에 의해 배치된 친대원군계 정치인들로 인해 그의 독주는 약화되고 제약을 받게 되었다. 이것은 종래 비변사가 가지고 있던 인사·재정·군사권에 대한 정치관행을 제압할 수 있게 되었다. 그러므로 대원군의 권력행사는 국왕의 인사권에 있었던 것이다.

영의정 김좌근은 변화되고 있는 권력구조와 정치운영을 부정할 수 없었다. 대원군의 인사권 행사와 국정운영이 국왕의 권위를 배경으로 합법적인 공간에서 이루어지고 있었기 때문이다. 또한 대원군이 주도하고 있는 의정부와 비변사의 체제개편 정책의 명분을 부정할 수 없었다. 이것은 정통성과 합리성을 기반으로 했기 때문이다. 그러므로 김좌근은 "籌司의 설치로 의정부가 閒司가 된 것은 개탄할 만한 일이다"면서 체제개편을 인정했다. 그러나 비변사가 창설되고 300년이나 지속되었기 때문에 일시에 변통할 수는 없었다. 그는 啓稟과 薦望을 의정부와 비변사가 분속해 함께 문부를 거행하는 방안을 제시했다.[7] 이것은 곧 대원군이 구상한 방안과 일치했다. 신정왕후의 지시에 의해 비변사는 該當掌吏의 이동과 차임, 그리고 제반조건을 절목으로 작성했다. 대원군은 이러한 변통방안을 정식화하면서, 정치세력과 권력구

---

7) 『承政院日記』 고종 1년 2월 10일.

조의 변동을 도모했다.[8]

비변사는 즉각 「本司政府分掌節目」을 마련했다.[9] 이것은 비변사가 본래 邊政을 위해 설치되었고, 의정부의 일까지 專屬한 것은 옛 법규가 아님이 전제되었다. 그러므로 비변사와 의정부의 사무분장은 명실상부한 것이다. 이로써 의정부는 잃어버린 업무를 복구했고, 명분과 권위·실권을 회복했다. 의정부는 西北監司와 四都留守(개성·수원·강화·광주)의 천망권을 행사하면서 독자적인 인사권을 행사했다.[10] 이로써 대원군은 의정부를 통해 지방행정권을 장악하게 되었다.

비변사는 「分掌節目」에 의거, 창설 본래의 목적으로 돌아갔다. 비변사의 업무는 국방과 치안에 한정되었고, 천망의 범위도 변방과 관련된 직책으로 제한되었다. 의정부와 비변사는 筵稟과 啓辭도 분리했고, 사무와 문부처리도 소관에 따라 구분하여 등록하고 관리하게 했다. 이러한 조치는 비변사의 정치적 기능과 역할을 제한하는 것이었다.

그러나 비변사에는 안김세력의 군사적 기반이 잔존했다. 대원군은 비변사의 군사적 기반을 국왕중심의 의정부체제로 흡수해야 했다. 대원군은 군권의 핵심이 병조판서에 있다고 판단하고, 무반들이 병조판서가 되도록 직제를 개편했다.[11] 이 과정에서 대원군은 무반중심의

---

8) 護軍 李裕膺과 大護軍 趙獻永은 비국당상이 되었고, 문관과 무관에 대한 체통문제가 재론되었다. 김좌근은 문관재신으로 종 1품 이하의 正卿이 무관재신과 수작할 때 상호간 공경하는 뜻이 있으며, 무관재신이 처신하는 것은 전과 다름없다고 하였다. 만약 시임포도대장이 정경이 있는 곳에 마음대로 출입한다면 체통이 무너질지도 모른다면서 우려를 표시하였다. 대왕대비는 이것으로 규례를 삼게 함으로써 무반에 대한 우대와 문무 관계의 재정립을 강조했다.

9) 『日省錄』 고종 1년 2월 11일.

10) 의정부는 김병기를 광주유수(고종 1년 3월 9일), 이승보를 개성유수(고종 1년 10월 21일)로 임명했다.

11) 『承政院日記』 고종 1년 6월 26일. 전교에 "지금부터 병조판서를 通擬할 때

정치세력을 형성했다.

병조판서는 대원군 집권기 문반과 무반이 교차로 임명되었다. 이들은 거의 親대원군계열의 인사들이다.[12] 이들 중 申觀浩는 병조판서가 되어 군권을 장악하고, 대원군 집권기 무반세력을 결합하는 구심점 역할을 했다. 대원군은 강력한 전제왕권을 지향했다. 그러므로 강력한 정치권력을 행사하기 위해 강력한 권력장치가 필요했다. 대원군은 이것을 군사권에 의지하려 했다. 그러므로 비변사가 장악하고 있던 군사권을 의정부에 집중시켜야 했다. 그러나 이러한 권력구조의 변동은 비변사가 폐지되어야 완결될 수 있는 문제였다.

대원군이 집권하기까지 비변사는 정치운영에서 실질적으로 최고 의결·집행기구였다. 정치세력들은 비변사를 중심으로 집단화되었고, 국정의 결정과 집행과정에서 형식상 합법성을 유지했다. 이들은 왕권을 침해하지 않았으며, 국왕과의 次對를 통해 언제나 裁可를 받았다. 이 과정에서 국가의 정책은 비변사의 공간에서만 논의·결정되는 정치적 관행이 만들어졌다. 이것은 결과적으로 국왕권을 위축시켰으며, 새로운 정치세력의 성장을 막았다. 이러한 정치관행은 특정집단의 권력독점을 가능하게 했다. 이러한 정치구조와 정치관행이 타파되어야 국왕권이 확립될 수 있다는 것이 대원군의 인식이었다.

대원군은 왕권강화와 왕권에 의지한 권력행사만이 가능했다. 이런 점에서 비변사의 폐지는 당연한 귀결이며, 이것은 군권의 재편만이 가능한 방안이었다. 그러나 비변사 중심의 정치구조와 정치관행은 뿌리가 깊어 일시에 폐지할 수 없었다. 대원군이 선택한 것은 국왕의 인사

武臣將臣의 계급이 正卿에 이르는 자는 將望例에 따라 원망통에 써 넣는 것을 정식으로 삼으라"고 하여 무반들이 병조판서가 되게 만들었다. 이것은 안김집단의 군사적 기반의 해체를 목적으로 한 조치로 이해된다.

12) 본서 <부표> 참조.

권이었다. 비변사 구성의 교체가 유일한 방안이었기 때문이다. 이 과
정에서 영의정 김좌근이 정계를 은퇴하고,[13] 대원군은 비변사 당상에
대한 인사권을 행사했다.[14] 그리고 대원군은 자파세력을 비변사 구성
원으로 충당했다.[15] 이 과정에서 의정부는 비변사의 인사를 장악했다.

대원군은 비변사의 권력이 비변사의 건물에 있다고 판단했다. 고종
은 雲峴宮 覲親를 한 직후 "지금부터 비변사를 廟堂으로 바꿀 것이니
'廟堂' 현판을 걸어라"고 지시했다.[16] 이것은 비변사의 공간을 부정하
는 대원군의 고도의 전략이었다.[17] 반면에 대원군은 의정부 건물의
重修를 추진했다. 그러므로 비변사와 의정부의 건물문제는 상반된 방
향에서 처리되었던 것이다. 특히 의정부의 건물 중수는 그 자체가 정
치적 권위의 회복이라는 정치적 의미가 담겨 있다.[18]

대원군은 包蔘의 세전으로 의정부 건물 중수 비용을 마련했다.[19]

---

13) 『高宗實錄』 고종 1년 4월 18일.
14) 『承政院日記』 고종 1년 11월 20일. 차대에 참석하지 않은 비변사 당상들은
    감하되었다. 이들은 대원군 집권 전부터 비변사 당상으로 활약했다. 이날 감
    하된 인물은 김학성, 정기세, 김대근, 김병교, 윤치정, 이우, 김병덕, 신석희,
    김병주, 이유응, 김보현, 김병지 등이었다.
15) 『承政院日記』 고종 1년 11월 22일. 의정부는 김세균, 임긍수, 남성교, 한계
    원, 이홍민, 박영보, 이재원(공조참판), 박규수를 의정부와 비변사당상에 임
    명하고, 박규수는 유사당상, 이돈영(호조판서)은 공시당상, 홍종응은 관서구
    관, 서대순은 해서구관, 조석우는 영남구관, 김병운은 경기구관, 조헌영(예조
    판서)은 관동구관, 임긍수는 호남구관으로 차임했다.
16) 『承政院日記』 고종 1년 9월 24일. 현판은 좌의정 李裕元에게 쓰게 하였다.
17) 좌승지 金輔鉉은 고종 2년 9월 25일과 26일 이틀간 宗親府에 齋宿하였다.
    그러므로 대원군은 승지를 재숙의 형태로 종친부에 불러 국정을 지시하기도
    했다.
18) 대원군은 종부시와 종친부를 합설하였고, 종친부의 건물을 중수하면서 그
    권위와 위상 회복을 도모하였다. 그리고 종친부의 교정당상을 중심으로 종
    정경체제를 신설하였다. 이것을 토대로 비변사와 의정부의 합설방안과 의정
    부 건물 중수를 추진하였다.

의정부는 政事의 근본으로 중요한 자리였지만 비워둔 지 오래되었고, 건물이 무너져 당과 계단을 구별하기 어려운 처지였다. 신정왕후는 전교에서 "단순한 堂上廳舍의 수리를 넘어서 道理를 논하여 나라를 경영하고, 백관을 통솔하고 기강을 떨치는 곳"으로 만들려는 의지를 밝혔다.[20] 이에 고종은 중건 때 각처의 편액을 어필로 직접 써서 내리겠다고 화답했다. 그러므로 국왕중심의 의정부체제 확립은 대원군, 대왕대비, 고종의 공통적인 지향점이었다.

이들은 의정부의 三公이 중심이 되는 정치운영을 모색했다. 이것은 옛 규례를 회복하는 것이지만, 종래 비변사 중심의 정치관행을 해체하겠다는 강한 의지였다. 그러나 현실적으로 비변사의 인적구성과 이들의 정치력을 감안한다면 급진적인 변화는 무리였다. 이러한 정치운영의 변화에 대해 반대의 움직임도 있었다. 대왕대비는 "이 공사에 의구심이 없지 않을 수 없다"고 지적하여 이들의 동향을 주시했다. 그러므로 대원군은 비변사의 당상관에 친위세력을 배치하면서[21] 의정부의 물리적 공간 확보에 주력했다.

결국 대원군은 안김과 노론집단의 권력소재인 비변사의 해체를 단

---

19) 『承政院日記』고종 2년 1월 26일. 남종삼을 호조참의로 제수한 것은 대원군 지지세력을 중심으로 의정부의 건물 중수와 새로운 정치세력의 형성을 위한 상징적인 의미가 있다. 남종삼은 남인으로 강력한 왕권을 토대로 한 정치개혁을 지향한 인물이다.

20) 『承政院日記』고종 2년 2월 9일. 대왕대비는 내하전 2만 냥을 호조에 보내 大臣 廳舍에서부터 舍人들의 中書堂까지 중건하여 일체 옛 모습을 회복할 수 있게 하였다.

21) 『承政院日記』고종 2년 1월 30일. 좌찬성과 우찬성에 文任判書를 지낸 사람으로 의망할 것을 지시하여 金炳學과 鄭基世를 임명하였다. 그리고 동년 2월 9일에 이들을 비국당상에 의례히 겸임하여 廟堂의 사무에 동참하는 것을 규례로 삼게 하였다. 대원군은 이들을 통해 묘당의 반발을 무마하고, 업무를 장악하게 하려는 의도를 가지고 있었다.

행했다. 신정왕후는 고종 2년 3월 수렴청정을 통해 規例回復을 명분으로 정부와 備局의 合府를 결정했다.

議政府는 大臣이 百僚를 董率하고 庶政을 糾察하는 곳이다. 그 소중함이 다른 관사와는 다르다. 京外의 事務가 비변사에 일체 위임된 것이 언제부터인지 모르나 事體가 그런 것이 아니다. 지난번 문부를 구별하게 한 것은 舊規를 회복하기 위함이었다. 이제 정부가 이미 重新되었다. 이제부터 정부와 비국을 일체 종부시와 宗親府의 合附之例에 의거하여 一府로 합치고, 비국은 정부의 조방으로 삼아 大門之楣에 刻揭하고 廟堂편액은 (의정부의) 大廳에 移揭하라.

이로써 비변사는 의정부에 합부되었다. 비변사의 印信은 영구히 銷刻하고, 啓目과 文簿 모두 政府를 頭辭로 했다. 의정부의 체통과 연혁에 관계되는 절목은 古規를 參互하여 의정부의 대신들과 당상들이 商確議定하여 별단으로 작성했다. 다음날 의정부는 체통과 연혁에 관한 절목을 보고했다.[22) 의정부와 비변사의 합부는 좌의정에 임명된 김병학이 주도하였다. 그는 직접 정부와 조방의 현판을 썼다.

이 과정에서 안김과 노론집단은 조직적인 저항이 없었다. 이들은 의정부 건물의 重新과 비변사 폐지에 어떠한 반발도 하지 않았다. 이 것은 명분에서도 그러했거니와 안김집단 내부의 분화와 친대원군계의 급성장에 원인이 있었다. 김병학 형제들은 대원군과 정치적 연합을 이루었고, 종친들과 친대원군계 무장세력들은 이미 비변사 당상에 포진했기 때문이다. 이로써 비변사 중심의 정치관행은 사라지게 되었다.

대원군은 집권과 권력행사가 가능한 권력구조를 구축했다. 친대원군계 정치세력은 군영대장이 되어 군권을 장악했다.[23) 이들은 비변사

---

22) 『承政院日記』 고종 2년 3월 30일.

폐지 이후 공백이 올 수 있는 군무와 숙위, 변방에 관한 업무를 일체로 장악했다. 이것은 대원군정권의 무력적 기반이 되었다. 그러나 비변사의 권력구조와 정치관행이 완전히 종식된 것은 아니었다.24) 이것은 대원군이 국가의 공적기구를 완전히 장악한 것이 아님을 의미한다.

종래 비변사의 일상업무는 여전히 비변사 건물에서 이루어졌고, 비변사 堂上에 의해 운영되던 정치운영의 관행은 의정부의 국정운영에서 그대로 통용되었다. 의정부 당상들의 정치 및 행정체계는 과거 비변사에 행해지던 방식을 그대로 답습하였기 때문이다. 그리고 비변사를 권력기반으로 한 정치집단에 대한 근본적인 변화가 없었다. 이것은 비변사 당상이 의정부 당상으로 이름만 바뀌었고, 정치관행의 근본적인 변화를 동반하지 않았기 때문이다. 대원군은 비변사 중심의 안김집단의 정치관행을 근본적으로 해체시키는 데 한계가 있었던 것이다. 그러나 의정부는 최고아문으로서의 위상과 권위를 회복했고, 정치운영과 권력의 중심기구로 변화한 것은 사실이다.

이것은 대원군이 근본적인 체제변혁을 시도하지 않은 것이 원인이다. 그는 권력장악과 행사에서 일어날 수 있는 저항세력들의 정치적 기반의 해체를 목적으로 했다. 이것은 결국 대원군이 국가 권력기구를 완전히 장악할 수 없었다는 것을 의미한다. 그러므로 이러한 체제개편은 결국 종친부 중심의 권력행사 방식을 의정부체제로 전환한 것에

---

23) 『高宗實錄』 고종 2년 3월 4일. 대원군은 任泰瑛을 訓練大將, 許棨를 御影大將, 李景夏를 禁衛大將, 李顯稷을 摠戎使에 임명하고, 이들을 통해 軍營의 軍權을 장악하였다.

24) 『忠淸道兵營關子謄錄』 고종 2년 4월 4일. 의정부는 과거의 비변사 존재를 인정하였다. 의정부가 공충감영에 발송한 공문에는 이러한 인식이 그대로 드러난다. 그러므로 이것은 비변사 명칭 변경과 업무의 의정부 이관에 불과하였다. 이러한 조치는 종래 비변사가 가지고 있던 정치적 위상과 권위를 부정하려는 것이었다.

불과했다. 대원군의 통치정책은 이러한 현실을 바탕으로 추진될 수밖에 없었다. 대원군의 통치정책은 안김과 노론집권세력들의 이해를 반영했고, 따라서 이들과 직접적인 이해관계가 약한 지방세력의 통제에서 출발했다.

대원군의 만동묘 철폐정책은 의정부 중심체제로의 권력구도와 맥을 같이 하면서 추진되었다. 그러므로 비변사 폐지와 화양서원의 만동묘 철폐가 동시에 진행되었다. 신정왕후가 만동묘 철폐를 지시하면서 지방과 편액을 皇壇의 敬奉閣에 보존하게 한 것은[25] 화양서원과 만동묘가 종래 재야세력의 구심체였음을 부정하고, 국왕이 직접 여론을 장악하려 한 것이었다. 만동묘 철향 사실을 조보에 내지 말게 한 것은 노론과 재야세력의 결집과 저항을 우려했기 때문이다. 이런 점에서도 대원군이 의정부체제를 완전히 장악할 수 없었다는 사실을 알 수 있다.

그러나 대원군은 종친부를 통해 지방 세력을 위협하고 통제했다. 종친부는 이미 서원의 疊設과 私設에 대한 조사를 진행했기 때문이다.[26] 이것은 중앙은 물론이고 중앙과 연계된 지방세력의 결합과 동요를 차단하는 조치였다. 이러한 대원군의 지방통제책은 중앙권력을 강화하려는 노론의 정치적 입장과 배치되는 것이 아니었다. 따라서 노

---

25) 『承政院日記』 고종 2년 3월 29일. 대왕대비는 전교에서 '만동묘의 제향은 지금부터 정철하고 紙榜位와 편액은 예조판서가 가져와 皇壇의 敬奉閣에 보존하여 걸게' 했다. 그러나 朝報에는 내지 않았다.

26) 종친부는 고종 1년 4월부터 서원의 실태조사에 착수했고, 이를 통해 대원군은 서원의 疊設과 私設에 대한 정확한 정보를 파악했다. 그는 이러한 이해를 바탕으로 대왕대비의 敎旨를 빌어 서원정책의 방향과 서원훼철을 이미 예고했다. 다만 기존의 정치세력 및 이들과 연계된 지방 유생층들의 정치적 저항을 고려하여, 서원의 경제적 기반을 약화시키는 조치만을 취하면서 시기를 조절한 것이다. 의정부와 비변사의 합부, 그리고 대원군이 군권을 장악하자 서원철폐의 전단계로 만동묘의 철향을 시도한 것이다.

론집권세력들은 대원군의 지방통체책을 반대할 명분이 없었다. 이 과정에서 대원군의 권력행사의 통로는 의정부-육조체제로 일원화되었고, 의정부체제가 굳건하게 되었다.

국왕중심체제는 경복궁 중건정책을 거치면서 심화되었다. 이 과정에서 대원군의 권력 장악과 권력행사 체제는 더욱 강화되었다. 신정왕후는 경복궁 중건정책을 통해 대원군의 권력기반을 확고하게 만들었다. 그는 "지금 의정부의 중수로 인해 國朝盛時에 民物이 殷盛하고 明良의 登庸을 생각하니 欽誦하고 羨慕하는 마음이 간절하다"면서 "익종과 헌종의 뜻을 계승하려고 오늘을 기다렸다"고 강조하고, 경복궁 중건에 대한 계획의 논의를 의정부에 지시했다.[27] 다음날 고종과 대왕대비는 희정당에서 호조판서 이돈영이 입시한 가운데 시원임대신들과 마주 앉았다. 이날 승정원은 2품 이상의 논의 결과를 보고했고, 이것을 토대로 경복궁 중건계획은 정치권과 합의점을 찾았다.

경복궁 중건정책은 의정부체제 확립을 천명하는 계기였다. 그리고 대원군의 권력행사가 공개적으로 확인되는 과정이었다. 신정왕후가 경복궁 중건 역사를 대원군에게 전적으로 위임했기 때문이다.[28] 이로써 대원군은 권력을 행사할 수 있는 권한과 명분을 공개적으로 확보했다. 이것은 이들의 정치적 연합의 절정이었다.

그러나 대원군은 의정부체제를 장악하지는 못했다. 그는 의정부와 일부의 종친세력들을 중심으로 영건도감을 구성했다.[29] 의정부는 대

---

27) 『承政院日記』고종 2년 4월 2일.

28) 『承政院日記』고종 2년 4월 3일.

29) 영건도감의 도제조는 영의정 조두순, 좌의정 김병학이었고, 제조는 홍인군 최응, 좌찬성 김병기, 판부사 김병국, 호조판서 이돈영, 대호군 박규수, 종정경 이재원이었다. 부제조는 대사성 이재면, 부호군 조영하와 조성하가 차임되었다. 김병기를 제외한다면 이들은 모두 친대원군계, 종친, 조대비계열의 인물들로서 경복궁 중건이 가지는 정치적 의미를 짐작할 수 있다.

원군의 국정장악과 권력행사를 보조하였고, 대원군은 종친부를 중심
으로 경복궁 중건을 추진할 수밖에 없었다. 이는 대원군의 정치적 지
위의 한계에서 비롯된 것이다.

의정부는 최고의 정치기구·권력기구로 부상했다. 이것은 국왕체제
의 강화를 의미하지만 대원군이 의정부를 직접 장악한 것은 아니었다.
대원군은 영건도감에 친대원군계 군영대장을 추가로 차임하여30) 자
신의 권력기반을 강화했다. 대원군은 구체적인 정책의 추진을 통해 국
왕과 의정부, 의정부와 육조의 연결라인을 확고하게 수립했다. 이로써
대원군은 일원적인 통치체제를 수립할 수 있었다.

대원군은 비변사 중심의 국정운영을 의정부 중심으로 전환했다. 이
후 비변사에서 국가정책이 논의되고 국왕에게 재가를 받는 정치관행
은 사라졌다. 고종 3년의 『備邊司謄錄』을 살펴보면 종래의 '司 啓'라
는 용어는 사라지고 '府 啓'로 일원화되었다. 이것은 모든 정책결정이
의정부에서 이루어지고 있다는 사실을 증명한다. 이 과정에서 대원군
은 의정부체제를 중심으로 권력체계를 완결했지만, 공적인 국가권력
기구를 직접 장악한 것은 아니었다.

2. 의정부 구성원의 변화

대원군이 정치의 표면에 등장하면서 가장 시급한 과제로 선정한 것
은 정치세력의 재편이었다. 그는 宗親璿派人을 중심으로 혈연집단의
결합을 추진했고, 조선후기 이래 명문족이지만 정권에서 배제되었던
후손들을 과거를 통해 발탁했다. 그리고 이들을 관료로 배치하여 자신
의 권력기반을 확대했다. 특히 老論세력들로부터 권력진입에 제한을

---

30) 훈련대장 임태영, 금위대장 이경하, 어영대장 허계, 총융사 이현직, 우포장
    이주철이 영건도감의 제조로 추가 임명되었다.

받았던 南人과 北人들을 대거 등용했다. 이것은 노론중심의 세도세력들에 대한 대응세력을 형성하는 것을 목적으로 했다. 이 과정에서 대원군은 국왕의 인사권을 행사하여 새로운 정치세력을 형성했고, 정치세력들은 개별적으로 차원에서 권력에 진입했다.

한편 대원군은 종친들을 宗正卿체제로 정비했고, 종정경들은 의정부와 육조, 군영기관에 배치되면서 대원군의 권력기반이 되었다. 또한 이들은 대원군의 통치정책을 적극적으로 실행했고, 왕권강화 및 각종 時弊의 개혁정책을 추진했다. 이들은 국가의 공식적인 행정체계에서 활동하기도 했지만, 종친부를 중심으로 정보수집과 정책집행을 독려하기도 했다. 그러므로 종정경들은 종친부와 의정부 등 공적 권력기구의 경계를 넘나든 유일한 정치세력이었다.

대원군 집권기 정책협의와 결정의 최고기구는 의정부였다. 前代의 최고 권력기구였던 비변사가 폐지되고 권력의 중심이 의정부로 이관되면서 통치가 일원화되었고, 의정부 역임자들이 대원군정권의 정책협의와 결정에 참여했다. 그러나 종친부에 존재한 대원군이 정책의 결정과 집행권을 가지고 있었다. 다만 국가운영의 형식적인 틀은 의정부 중심이었다. 그러므로 대원군정권의 권력기반과 통치정책을 이해하려면 의정부 구성원들의 정치적 성격과 대원군과의 관계를 분석해야 한다. 이것은 대원군의 권력장악과 통치정책을 이해하는 실마리이기 때문이다.

대원군은 처음부터 국가권력을 장악하고 전제권을 행사한 것은 아니었다. 그는 '유충한 국왕의 輔政' 명분하에 종친부에 존재하였다. 그는 국왕의 인사권을 행사하면서 권력기반을 확대하였고, 국왕권을 위임받아 공적기구를 통해 권력을 행사하는 정치관행을 만들었다. 그는 의정부 중심의 국왕체제를 강화하였으나 직접 의정부를 장악하지는 못했다. 다만 국왕의 인사권을 행사해 의정부 구성원들의 교체를 통해

권력을 재편하고 종래 집권세력들과 정치적 협력체제를 유지했을 뿐이다.

대원군이 집권하면서 종래 집권세력은 분화되었다. 이들은 대원군의 권력행사와 통치정책에 따라 갈등과 대립의 양상을 보였다. 이것은 정치세력들이 권력의 속성에 의해 정치적 이해와 지향을 중심으로 결집되며, 그들의 계급적 속성에 따라 사회모순에 대한 대응도 다르게 나타나기 때문이다. 그러므로 대원군은 정책의 성격에 따라 인사권을 행사하여 정치세력을 개별적으로 정권에 참여시켰다. 대원군 집권기 개혁정책에 체제유지와 변혁이 공존할 수 있었던 것은 바로 이러한 정치세력들과 권력구조의 변동에 원인이 있다. 이러한 정치변동을 통해 대원군은 권력기반을 강화할 수 있었다.

그러므로 대원군 집권기 정치세력은 하나의 정치적 이념이나 동일한 사회적 기반을 토대로 형성될 수 없었다. 그리고 이것이 가능한 현실적 기반이 없었다. 이 시기 정치세력들은 대체로 학맥과 인맥·당색, 그리고 개혁정책을 중심으로 이해관계를 달리하면서 親대원군세력·安金老論保守派·南北人 및 상대적으로 개혁을 지향하는 세력으로 분화되었다.31) 이들은 대원군의 권력장악 및 권력행사의 강도와 개혁정책의 성격에 따라 대원군과 연대하거나 대립했다. 이것은 이들의 정치적 입장과 지향점·계급적 기반이 동일하지 않았기 때문이다.

대원군은 이러한 다양한 정치세력을 하나로 통합해 새로운 정치세력을 형성해야 했다. 그리고 이들을 통합할 수 있는 새로운 정치이념도 창출하여야 했다. 새롭게 구성된 정치세력들과 새로운 정치이념을 기반으로 미래지향적인 개혁정책을 추진해야만 했다. 그러나 대원군은 집권기 과정에서 통치기반과 통치이념의 창출에 실패했다. 대원군

---

31) 金炳佑, 1991, 「大院君 執權期 政治勢力의 性格」, 『啓明史學』 2.

정권의 근원적인 한계가 바로 여기에 있었다.

대원군은 의정부체제를 확립했으나 의정부를 직접 장악할 수 없었다. 이것은 그의 권력행사가 불완전함을 의미한다. 그러므로 대원군은 의정부와 밀접한 협조체제의 유지가 필요했고, 그것이 가능해야 강력한 권력행사를 할 수 있었다. 이런 점에서 대원군은 집권초기 정치세력을 장악·통제할 수 없었음이 분명하다.

대원군은 국왕의 인사권을 행사했다. 그것은 의정부와 협조체제를 유지하게 만들었고, 또한 점차 의정부를 장악하게 만들었다. 의정부 구성원들은 대원군의 인사정책을 통해 재편되었고, 이들은 대원군의 정책시행과 권력행사에 협력했다. 대원군 집권초기 권력구조는 의정부 구성원의 변동을 통해 이해할 수 있다. 대원군 집권기 의정부의 고위 구성원은[32] 다음의 <표 8>과 같다.

대원군 집권기 의정부의 三政丞은 대원군의 의정부체제 강화와 더불어 정책결정과 집행 면에서 그 정치적 힘이 전시기에 비해 강화되었다. 영의정은 철종때부터 영의정이었던 金左根을 비롯, 趙斗淳, 李景在, 金炳學, 鄭元容, 洪淳穆 등 7인이 역임했다. 김좌근은 대원군이 독자적으로 인사권을 행사하고, 부패 관료들에 대해 정치적 책임을 묻자 권좌에서 물러났다.[33] 김좌근은 대원군 집권초기 정책 방향을 결

---

32) 의정부의 구성원은 정1품의 영의정, 좌의정, 우의정과 종1품의 좌찬성, 우찬성, 그리고 정2품의 좌참찬, 우참찬이다. 의정부의 실무는 정4품의 舍人 2인과 정5품의 檢詳 1인, 종6품의 公事官 11인이 맡았다. 공사관은 비변사의 낭청에 속하였으나 비변사가 폐지되면서 의정부에 이속했다(『大典會通』「이전」, '의정부조'). 그러나 의정부는 영의정, 좌의정, 우의정의 삼상합의제 관청이므로 의정인 고위인사는 三相에 한정할 수도 있다.

33) 김좌근은 비변사 폐지와 沈履澤의 부정사건이 처리되는 과정에서 정계를 떠났다. 그의 영의정 용퇴는 대원군이 독자적으로 권력체계를 구축하게 만들었다. 다만 그의 아들인 김병기는 의정부 좌찬성, 호조판서 겸 총융사가 되어 안김집단의 재정과 군사적 기반을 유지했다. 그러나 그마저 고종 1년 3월

정하는데 주도적인 역할을 하기 어려웠다. 그는 대원군에게 권력을 이양하는 입장이었기 때문이다.

<표 8> 대원군 집권기 의정부 역임자

년월	영의정	좌의정	우의정	좌찬성	우찬성	좌참찬	우참찬
1. 1	金左根	趙斗淳	공석 李景在(2)	공석	공석	金輔根 李敦榮(12)	趙得林
1. 3						李玗(9) 조득림(10)	이우(10)
1. 4	18일 사임					李寅皐(20)	徐馨淳(16) 姜時永(29)
1. 6	趙斗淳(15)	李裕元(15)	7일 사임 任百經(15)				
1. 8							金應均(11) 李是遠(13) 이경재(27)
1. 9							宋近洙(6) 李根友(21)
1. 11							任百秀(26)
2. 1				金炳學(30)	鄭基世(30)	李宜翼(3)	
2. 2		李裕元(25)- 사직	임백경 졸 (27)				
2. 3		金炳學(3)		金炳冀(3)			
2. 8						한계원(1) 姜時永(16)	任百秀(16)
2. 12							李載元(27)
3. 1			柳厚祚(4)				
3. 2						한정교(11) 趙然昌(28) 姜時永(28)	姜時永(11) 趙然昌(28)
3. 4	李景在(13) 사직(29) 공석						
3. 5							任百秀(4)
3. 10						申觀浩(7)	吳取善(7)
3. 11							李載元(10)
3. 12							李根友(9)

9일 廣州留守로 좌천되고, 이후 이들은 세도적 기반을 잃게 되었다. 그리고 沈宜冕과 沈履澤 부자에 대한 처벌이 진행되는 과정에서 안김세력인 金炳德, 金大根 등도 정계를 떠났다.

4. 1					李源命(12)
4. 5	金炳學(18)	金炳學(3) 柳厚祚(18)			
4. 10		유후조사직 (7.15)		金應均(5)	
5. 4 (윤)	鄭元容(11) 金炳學(23)	李裕元(11) 면직(23)		姜時永(16) 홍재철(18)	
5. 5				金炳德(3)	金應均(3) 李明迪(20)
6. 1		洪淳穆(22)			
6. 3				韓啓源(4)	李承輔(1) 曺錫雨(4)
6. 4			金學性(27)	嚴錫鼎(4)	
7. 4				金大根(7)	윤정구(13)
7. 12			金大根(19)	曺錫雨(19)	
8. 8				洪祐吉(21)	
8. 10				趙性敎(21)	嚴錫鼎(21)
9. 4				徐馨淳(28)	
9. 10	김병학 모친 상(9.29) 洪淳穆(12)	姜㳣(12)	韓啓源 (12)		
10. 1	홍순목 사임 (4.29)			李承輔(9)	
10. 6					任商準(10)
10.11	李裕元(13)	강로 파직 (11.11)	한계원 파 직(11.11) 박규수(12.2)		

* 출처 :『承政院日記』,『高宗實錄』,『日省錄』. ( )의 숫자는 임명 연월일을 표시함.

좌의정은 趙斗淳, 李裕元, 金炳學, 柳厚祚, 姜㳣 등 5인이 역임했다. 우의정은 李景在, 任百經, 柳厚祚, 洪淳穆, 韓啓源 등 5인이 역임했다. 그러므로 영의정을 포함, 의정부 삼공으로 재직한 인물은 도합 12명뿐이었다.34) 의정부 삼정승에 대한 인사에서 특징은 고종 1년 6

---

34) 김좌근, 조두순, 이경재, 김병학, 정원용, 김병학, 홍순목, 이유원, 임백경, 유후조, 강로, 한계원 등이 그들이다. 이 중 영의정 역임자는 우의정→좌의정→영의정의 수순을 거쳤다. 조두순과 김병학, 이유원 등은 이러한 관로를 거쳤다. 그러나 유후조는 우의정을 거쳐 좌의정이 되었으나 2달을 채우지 못해

월과 고종 9년 10월에 단행된 삼공체제에 있다. 이날의 인사는 삼정승이 동시에 선임된 공통점이 있으며, 대원군의 정치적 의도가 가장 잘 드러나는 인사이기 때문이다. 그리고 이들은 대원군의 권력장악과 행사에서 중요한 역할을 했다.

대원군은 집권과 동시에 전제권을 행사한 것은 아니었다. 그는 안 김집단 중심의 노론세력의 협조 없이는 정권을 유지하기 어려웠다. 대원군은 새로운 정치세력을 통해 집권한 것이 아니었기 때문이다. 대원군은 집권하는 과정에서 단계적인 변화를 통해 권력의 강도를 높였다. 이러한 권력구조의 변동에서 중심적인 역할을 한 인물은 조두순, 김병학, 홍순목이다.

영의정은 김좌근 사임 후 2달간 공석이었다. 좌의정 조두순이 영의정이 되면서 비로소 삼공체제를 갖추었다.[35] 대원군은 처음부터 집권하고 있던 노론세력을 제압할 권력과 명분이 없었다. 그가 필요한 것은 권력의 안정적 유지였다. 그러므로 그는 철종시대의 정책을 계승하여 이들의 반감과 저항을 줄여야 했다.

이 과정에서 대원군은 개혁정책의 방향과 속도, 그리고 개혁의 강약을 계산했다. 대원군은 근본적인 개혁에 정책의 목적을 두기 어려웠다. 그가 궁극적으로 지향한 것은 정치권에 대한 통제·억압이었다. 그러므로 대원군은 정책 결정과 집행과정에서 종래의 정치세력들을

그의 정치력이 미미했음을 알 수 있다. 홍순목은 좌의정을 거치지 않고 곧바로 영의정이 되어 대원군의 신뢰와 정치적 의도를 짐작할 수 있다. 판서직에서 우의정을 거치지 않은 강로의 경우도 같은 맥락에서 이해해야 한다.

35) 『承政院日記』 고종 1년 6월 15일. 대원군은 좌의정 조두순을 영의정으로 승진시키면서 이유원과 임백경을 좌·우의정에 임명했다. 이후 우의정 이경재는 조두순을 대신해 주청사로 중국에 갔다. 대원군이 의정부체제를 확립할 수 있었던 것은 이들의 정치적 협력 때문이다. 그리고 이들의 절대적인 지지 속에서 권력을 행사하고 정책을 집행했다.

어떻게 강제할 것인가에 목적을 두었고, 따라서 대원군이 실행한 정책은 개혁보다는 통치를 위한 정책이다고 이해해야 한다.

　대원군의 통치정책은 크게 두 가지 목적을 가지고 있었다. 첫째는 개혁정책을 통해 권력기반을 강화하는 것이고, 두 번째는 내정개혁을 통해 체제를 안정시키는 것이다. 대원군은 이러한 통치 차원의 개혁정책을 추진하기에 적합한 인물을 중심으로 의정부의 삼정승을 배치했고, 이들은 대원군의 통치력이 강화되는 과정에서 정치적 입장과 당색이 달라졌다. <표 8>에서 알 수 있듯이 고종 1~2년 사이 삼정승 역임자는 노론계의 퇴조가 두드러지고, 반면에 소론계와 북인계의 약진을 가져왔다. 대원군의 정책결정과 집행에 노론계의 영향력이 감소되는 추세를 단적으로 보여준다고 하겠다. 대원군은 집권초기 정치권에 대한 통제와 정치기반이 불완전했다. 그러므로 대원군의 내정개혁은 안김중심의 노론집권세력의 존재를 의식한 정책에 불과했다. 그는 이미 철종조에 수립된 개혁방안을 실현했을 뿐이기 때문이다. 이것은 대원군이 추진한 내정개혁의 방향을 살펴보면 그 성격이 분명히 드러난다.

　대원군은 두 방향에서 내정개혁을 추진했다. 하나는 도탄에 빠진 민생의 회복과 국가재정의 확충이며, 다른 하나는 탐욕과 부정의 풍속을 교화하는 것이었다.[36) 대원군은 민생과 국가재정의 회복을 위해 삼정을 개혁하려 했고, 서원철폐 정책을 통해 정치권을 억압·통제하려 했다. 민생회복을 염두에 두면서 탐묵과 기강 확립을 위해 토호들

---

36) 『高宗實錄』 고종 즉위년 12월 13일. 대왕대비는 垂簾聽政을 시작하면서 시원임대신들에게 諺文教旨를 내리면서 이 점을 분명히 밝혔다. 그는 신료들이 항상 말하면서 우려한 바가 "民生의 困瘁와 國計가 哀痛"한 것과 "貪墨이 成風하고 紀綱이 땅에 떨어진 것"이었다고 상기시키고, 그런데도 "백성들이 도탄에 빠지고 나라가 위태로워지는 형편이 날로 심한 이유가 무엇인가"라고 물으면서 정치를 통해 이러한 문제의 해결을 요구했다.

에게 대대적인 懲治를 가했다. 이러한 인식을 토대로 대원군이 통치
차원의 개혁정책을 추진한 과정을 살피면서, 의정부 구성원들과의 상
관성을 검토해보자.

대원군은 농민항쟁을 수습하는 차원에서 三政改革政策을 실행했
다. 이것은 독창적인 것이 아니라 철종조에 분출된 농업개혁방안의 전
통을 계승하는 것이었다. 철종조 농업개혁 방안은「應旨三政疏」의 형
태로 제기되었고, 당시의 집권관료들은 이것을 종합적으로 분석·정
리하여「삼정이정책」으로 집약했다.37) 그러나 당시의 세도세력은 삼
정, 농민문제를 해결하려는 의지가 없었고, 삼정이 舊規로 복귀되면서
농민들은 회생의 기회를 잃었다. 그러므로 삼정과 관련한 농민들의 고
통은 대원군이 집권하는 과정에서 그대로 잠재해 있었다. 이것은 단순
히 농민문제에 한정되는 것이 아니라 국가재정은 물론이고 대원군정
권의 안정과도 밀접하게 연관된 문제였다.

대원군은 삼정문제를 해결해야만 했다. 대원군은「삼정이정책」을
기초한 조두순을 주목했다. 그는 철종조 삼정이정청의 總裁官으로 釐
正方略을 주도했기 때문이다. 대원군이 조두순을 영의정으로 발탁
한38) 이유는 분명하다. 조두순의 삼정개혁은 철종조의 정책을 계승한
다는 정치적 의미를 부여하기 때문이다.

조두순은 철종년간 좌·우의정을 역임했으나, 사회개혁방안에 대해
서는 안김척족세력들과 일정한 거리가 있었다. 물론 그는 안김집단의
독점적 권력구조 속에서 독자적인 정책을 입안하거나 제시할 수는 없
었다. 그러나 대원군이 집권하는 과정에서 그는 정치적 색깔을 분명히
할 수 있게 되었다. 그는 신정왕후에 의해 院相으로 지목되었고, 이것

---

37) 金容燮, 1984,「哲宗朝의 應旨三政疏와「三政釐整策」」,『增補版 韓國近代
農業史硏究』上, 일조각.
38)『承政院日記』고종 1년 6월 15일.

은 그의 정치적 활동을 보장하는 것이기도 했다. 더구나 그는 안김집단에 협조적인 관료였기 때문에 안김세력의 저항을 받지도 않았다.

대원군은 자신의 권력의지를 실현시켜 줄 실무관료가 필요했다. 그는 신정왕후와 정치적 동맹을 이루었지만, 통치정책을 구체적으로 추진할 정치집단은 형성된 것이 아니었고, 대원군 자신이 정치의 전면에 부상할 수도 없었다. 더구나 조두순은 사회변화에 대한 적극적인 개혁론자가 아니었다. 이러한 점들로 인해 대원군은 조두순을 선택했다.

대원군은 의정부체제의 확립, 경복궁 중건, 삼군부 설치 등의 통치정책을 추진했다. 이 과정에서 영의정 조두순이 대원군의 통치의지를 보좌하거나 실현했다. 이 과정에서 그는 체제변혁을 지향하는 것이 아니라, 폐단만을 제거하는 온건한 내정개혁을 선호했다. 이러한 조두순의 국정운영은 대원군의 통치권 강화에 도움을 주었다. 조두순의 정치적 노선은 대원군정권의 軍政의 개선방향과 社倉制 실시 과정에서 분명히 드러난다.[39]

조두순은 삼정이정청의 총재관으로 삼정문제를 다음과 같이 인식하고 해결책을 제시했다.

> ……軍政은 이미 行會하고 있다. 口疤, 洞布 중에 각각 便宜에 따라 시행하고 있다. 田政은 오직 改量이 있을 따름이다. 그러나 이는 일시에 함께 이루어지는 일은 아니다. 오로지 還上의 일은 지금 拯救之政해야 할 일이다. 還上의 이름을 파한 연후에야 가히 保邦安民 할 수 있다. 이제까지 耗殖으로써 중외의 經用으로 삼았던 것은 給代할 수밖에 없으므로 오직 結排가 있을 뿐이다.[40]

---

39) 趙斗淳, 『三政錄』, 「三正釐整節目」 ; 「社倉節目」.
40) 『哲宗實錄』 철종 13년 8월 28일.

그의 삼정의 수습방안으로 군정의 동포제와 전정의 양전실시 및 환곡폐지와 결세의 신설을 제안했다. 이러한 그의 삼정이정책은 절목에 그대로 반영되었다. 그는 중론을 수합해 절목을 작성하는 총재관이었기 때문이다.

조두순은 삼정 중 田政의 경우, 전정의 문란이 양전을 실시하지 못한 제도 자체에서 연유된 것임을 정확하게 인식하지 못했다. 그러므로 그는 전면적인 양전보다는 量田과 陳起査覈을 적절히 활용하고자 했다. 곧 전면적인 개혁보다는 부분적인 개선과 개혁으로 수습하고자 하였다. 이러한 그의 논리는 대원군 집권기에 그대로 수용되었다.

대원군은 전정을 수습하는 과정에서 조두순의 대응방식을 채택했다. 그가 量田실시와 함께 漏稅結의 방지를 위한 陳起의 査覈을 추진한 것은 조두순의 개혁논리를 따른 결과였다.[41) 조두순은 전정의 폐단 원인이 舊災의 명목으로 陳田이 늘어남에 따른 면세전의 증가에 있다고 판단했다. 따라서 대원군정권은 災結의 명목으로 누세결이 늘어나는 것을 방지하기 위해서 진기의 사핵을 시행했던 것이다. 이처럼 영의정 조두순은 독자적인 것은 아니지만, 국정운영의 방향에 일정한 영향력을 행사했다.

대원군은 대외정책을 입안, 결정하는 과정에서는 金炳學의 영향을 많이 받았다. 좌의정 김병학은 고종 3년 대원군에게 국정의 급선무로 內修와 外攘을 강조했다. 그의 내수와 외양은 正學만을 강조하는 것으로 지극히 보수적인 측면을 드러냈다. 또한 武備와 海防을 통해 서양인들의 침략에 대비할 것을 제안하여 문물교류의 가능성을 차단했다. 이러한 논리에서 부호군 奇正鎭은 서양세력의 침략에 대비한 구체적인 방안을 제기하기도 했다.[42) 이러한 대외인식과 대처방안은 고

---

41) 『日省錄』 고종 2년 3월 16일 ; 6년 10월 3일.
42) 『承政院日記』 고종 3년 7월 30일 ; 8월 16일. 김병학과 기정진은 서양문물의

종의 斥邪綸音으로 정립되어 대원군정권의 대외정책의 기조가 되었다.

대원군정권 의정부 삼공들의 척사적 대외정책은 병인양요기에 더 강화되었다. 병인양요가 한창 진행되던 고종 3년 김병학은 전란 수습을 위해 前掌令인 李恒老를 천거했고, 대원군은 곧바로 同副承旨로 임명하였다.[43] 이것은 대원군이 노론의 대외인식과 척사적 대외정책을 수용하는 것이며, 이 과정에서 이항로는 노론보수파의 척화론적 입장에서 대내외 시무책을 진언할 수 있었다.[44] 김병학이 재야의 이항로를 제도권을 끌어들인 것은 정부의 척사적 대외정책을 확고히 하려는 것이 목적이었다. 그러므로 대원군의 대서양 정책은 독자적인 쇄국정책이 아니라, 이와같은 김병학 등 노론세력들의 대외정책론이 근저에 깔린 것이다.

병인양요기 의정부는 의병을 규합하여 전쟁을 수행하려 했다.[45] 이 과정에서 대원군은 이들의 입장을 하나로 통일해야 했다. 그가 廟堂에 결사항전으로 국론통일을 요구한 것은 이 때문이었다.[46] 의정부는 대원군의 대서양정책을 적극 지지했다. 대원군은 이 과정에서 정치세력들을 결집할 수 있었고, 이것은 대원군 권력기반의 외연을 확대시켰다. 그리고 노론세력들과의 정치적 협력관계도 유지시킬 수 있었다.

조두순과 김병학은 대원군 집권초기 국정의 대내외적 방향 설정에

전래를 심각하게 인식하고 통상거부를 주장했다. 기정진의 경우 통상거부 등 10조목을 제시하여 척사위정의 입장을 대표적으로 대변했다.

43) 『高宗實錄』 고종 3년 9월 8일.

44) 『承政院日記』 고종 3년 9월 12일, 「李恒老上疏」 ; 고종 3년 10월 4일, 호군 이항로 상소.

45) 『承政院日記』 고종 3년 9월 10일. 의정부는 소모사를 지방에 파견하여 의병 규합에 나섰다.

46) 『高宗實錄』 고종 3년 9월 11일.

적극 참여했다. 대원군은 이들을 통해 통치정책을 수행하고, 권력장악과 행사의 강도를 높일 수 있었다. 안김을 중심으로 한 노론세력들은 그들의 정치이념을 대원군정권에 투영할 수 있었다.

대원군과 노론세력의 정치적 협력관계는 이러한 관계에서 유지되었다. 노론세력은 정권에 참여할 뿐만 아니라 종래의 정책을 계승하게 할 수도 있었다. 그리고 대원군의 대외정책은 그들의 척사론적 강경론이 근저를 이루었다. 그러므로 이들은 대원군정권이 자신들의 정치적 입장과 동일한 논리와 구조를 갖고 있다고 생각했던 것이다. 대원군은 이러한 노론 정치권과의 협력체제를 바탕으로 경복궁중건정책을 추진했다.

영의정 조두순과 좌의정 김병학은 경복궁 중건정책의 입안과 추진에 적극적으로 참여했다. 조두순과 대왕대비, 대원군과 김병학의 정치적 관계는 경복궁 중건의 주체를 설정하는 과정에서 노출되었다. 趙大妃는 경복궁 중건 역사를 대원군에게 전적으로 맡겼고, 조두순과 김병학은 적극적으로 수용했다.[47] 이것은 반대여론의 형성을 사전에 차단하려는 포석이었다. 대원군이 집권하고 권력을 행사하는 과정에서 조대비와의 정치적 갈등이 드러나지 않은 것은 영의정 조두순의 완충적 역할이 컸다. 김병학은 안김을 중심으로 한 노론세력들의 반발을 막았다.

그러나 대왕대비가 철렴하자[48] 조두순은 영의정을 사임했다.[49] 신정왕후는 철렴하면서 대원군과 어떠한 정치적·인간적 갈등도 표출하지 않았다. 이것은 신정왕후의 철렴이 대원군의 독자적 권력행사를 위한 것이었기 때문이다. 당시의 정치집단들은 철렴을 당연한 처사로 찬

---

47) 『高宗實錄』 고종 2년 4월 3일.
48) 『承政院日記』 고종 3년 2월 13일.
49) 『高宗實錄』 고종 2년 5월 16일. 조두순은 다음날 다시 영의정에 제배되었다.

미하였고, 이들은 대왕대비에 대해 존호가상으로 화답하였다. 이는 대원군의 권력행사에 대한 제반 준비의 마무리에 해당한다.

철렴 이후 대원군은 독자적인 국정장악과 정치운영이 가능했다. 대원군은 고종 3년 2월 고종으로부터 정치적 권력장악과 행사에 대한 명분과 정당성을 부여받았다.[50] 조두순의 영의정 사직은 대원군의 정치적 활동을 자유롭게 만들었다. 이러한 배경속에서 대원군은 조두순을 대리해 주청사로 중국에 다녀온 李景在를 영의정으로 영입할 수 있었다.[51]

영의정 이경재는 정치적으로 영향력을 발휘하지 못했다. 대원군이 종친부를 중심으로 정치개혁과 삼정개혁을 주도하면서, 국왕권을 대행하고 있었기 때문이다. 이 과정에서 대원군은 차대 참여 당상들을 친대원군계로 교체하였고,[52] 이들은 대원군의 정책결정에 협력했다. 대원군이 정치적으로 안정을 확보할 수 있었던 것은 이러한 정치세력의 변화에 원인이 있었다.

대원군은 정치권에 대한 통제권을 어느정도 확보했다고 판단했다. 대원군과 정치적으로 제휴한 김병학이 영의정이 된 것은 이러한 정치권의 변화와 맞물렸다.[53] 김병학은 이조·예조·공조판서를 거쳐 좌

---

50) 『承政院日記』 고종 3년 2월 27일.
51) 『承政院日記』 고종 3년 4월 13일.
52) 대원군이 집권하는 과정에서 차대 참여 당상들은 노론계가 압도적이었으나, 이들의 정치적 입장이 동일한 것은 아니었다. 노론계의 경우 종친과 친대원군계 무장세력들이 대거 포함되었고, 상대적으로 소론계와 북인계들도 약진했다. 소론계는 정원용, 조두순, 이유원이 대표적이며, 북인인 임백경이 우의정으로, 종친으로는 이경순, 이경하, 이규철, 이돈영 등이 참여했다. 이런 차대 참여 당상들의 변동관계는 별고를 통해 검토할 필요가 있다.
53) 김병학은 이조판서(1년 1월 25일), 예조판서(1년 8월 29일), 공조판서(2년 1월 13일), 좌찬성(2년 1월 30일), 좌의정(2년 3월 3일)을 역임하고 고종 4년 5월 18일에 영의정이 되었다. 동시에 유후조는 우의정에서 좌의정으로 승진

찬성·좌의정을 역임하는 과정에서 대원군과 정치적으로 호흡을 맞추어왔다. 그는 대원군 집권기 가장 장기간 영의정을 역임해, 대원군정권에서 차지하는 정치적 비중을 짐작할 수 있다.

김병학은 대원군정권의 가장 핵심적인 인물이다. 대원군이 김병학을 영의정으로 임명한 것은 권력장악과 통치기반을 확립하였다는 것을 의미한다. 대원군은 여전히 의정부체제를 직접 장악할 수 없는 상태였다. 영의정 김병학은 이러한 대원군의 권력행사의 한계를 극복하게 만들었다. 김병학은 대원군의 권력의지를 의정부에 실현했고, 이과정에서 대원군은 의정부체제를 통제할 수 있게 되었다. 이것은 대원군이 안김세력을 포함해 노론세력에 대한 통치가 가능하게 되었음을 의미한다. 그러므로 남인인 유후조가 좌의정이 될 수 있었다.

대원군은 노론과 남인의 정치적 연합을 표방했다. 김병학은 노론세력과 안김세력의 대표적인 정치인으로 부상했다. 남인인 유후조가 좌의정이 되었다는 사실은 시사하는 바가 많다. 이제 남인들은 노론세력의 견제세력으로 성장할 수 있는 기반을 마련한 셈이고, 이것은 그들에게 희망을 주는 사건이었다. 그러나 대원군이 남인을 중용한 것은 국왕체제의 강화에 따른 논리적 확보 때문이었다.

영의정 김병학의 정치적 주도에 좌의정 柳厚祚가 정치적 견제를 하기에는 역부족이었다. 대원군은 노론과 남인의 세력균형을 표방하면서 실제적으로는 이들에 대한 통제와 억압을 구상했다. 그러나 대원군은 노론의 정치적 입장을 더 고려했다. 대원군과 노론세력들은 대외정책에서 강고하게 결합되어 있었기 때문이다. 이것은 천주교박해와 척사윤음 발표,[54] 병인양요에 대한 인식과 대응면에서 이해관계를 같이한 것에서 확인된다. 그러나 대원군은 李恒老의 상소[55]에서도 드러나

되었다.

54) 『日省錄』 고종 3년 8월 2일.

듯이 내수책의 경우 여전히 대립과 갈등이 형성되어 있었다.[56] 대원군이 남인의 정치적 입장을 배려한 것은 이러한 노론과의 관계를 개선하려는 목적이 있었다. 그는 남인들을 통해 왕권강화와 통치정책의 정당성을 확대하려 한 것이다.

대원군은 자신의 통치정책이 가져온 한계와 사회적 불안요소에 대해 분명하게 인식하고 있었다. 그는 경복궁 중건이 장기화되면서 농민부담이 가중되고, 당백전의 과잉주조로 인해 물가가 폭등되어 농민들의 재생산활동이 위축되고 있다는 사실을 이해했기 때문이다. 더구나 국내적인 문제를 더욱 어렵게 한 것은 천주교를 위시한 서양세력의 침략이었다. 대원군은 이러한 사회적 불안을 해결하고, 정치적 안정을 이루기 위해서는 노론세력들의 입장과 협력이 필요하다고 판단했다. 이러한 난제를 해결한 인물의 바로 김병학이었다. 그는 당백전 주조를 중단시키면서 盜鑄의 엄격한 금지조치를 내렸을 뿐만 아니라 사창절목을 전국적으로 반포해 농민들의 안정을 도모했기 때문이다. 이것은 대원군의 정치적 부담을 덜어주었다.

대원군은 사색 균형 차원에서 북인 任百經을 우의정에 등용했다. 그러나 그는 곧 사망함으로써[57] 북인세력들을 결합하지 못했을 뿐만

55) 『日省錄』 고종 3년 9월 12일.
56) 대원군과 노론보수세력들은 萬東廟 祭享撤罷를 통한 서원철폐 정책의 가시화, 경복궁 중건에 따른 민생피폐문제, 동포제 실시, 서양문물의 수입과 사회불안, 보수세력의 정치적 영향력의 약화 등의 문제를 중심으로 갈등과 대립의 분위기가 형성되었다. 이러한 정책들은 대원군이 왕권강화와 노론세력의 약화를 목표로 하였기 때문이다.
57) 任百經, 『紫閣謾稿』, 「釐整廳三政抹弊收議」. 任百經은 진보적인 개혁론자라기 보다는 제도개선론자에 가까운 인물이다. 그는 사회구조적 모순 속에서 야기된 농민항쟁을 삼정문란과 관리의 탐학이라는 현상만을 인식했고, 따라서 백징, 도결의 혁파와 부세 불균의 시정을 제도개선 방향에서 구했다. 그의 개선 방안은 군정, 환곡을 시정한 후에 법전의 규정에 따라 세를 징수

아니라 대원군의 정치적 향방에 영향을 끼치지 못했다. 대원군이 개혁
정책을 추진하면서도 근본적인 모순에 대한 개혁이 아니라 종래의 지
배계급의 입장을 답습한 점에서도 김병학의 역할은 두드러진다. 대원
군이 정치세력과 정치지향면에서 노론보수파의 입장을 탈피할 수 없
었던 이유도 여기에 있다. 대원군정권의 노론중심체제는 김병학이 부
모상으로 사임할 때까지 지속되었다.58)

대원군은 통치정책을 추진하는 과정에서 재야세력들의 저항을 받
았다. 대원군의 개혁정책은 노론들의 정치적 기반을 억제하고, 국왕체
제를 강화하는 방향에서 추진되었기 때문이다. 그런데 대원군과 친대
원군세력들은 재야세력들의 정치적 입장을 제압할 수 있는 정치적 논
리와 입장이 미약했다. 그런 가운데 대원군의 통치정책은 이들의 정치
적 기반을 단계적으로 해체하려 했던 것이다.

노론세력들은 대원군을 직접 겨냥하지는 않았다. 이들은 개혁정책
의 입안자에 주목했고, 그중 朴珪壽를 공격 대상으로 지목했다. 박규
수는 대원군정권의 주요 정책 입안자임에 틀림없다.59) 대원군은 박규
수에게 서원정책과 무단토호의 징치, 비변사와 의정부의 업무분담 추
진, 경복궁 중건에 따른 명분 축적 등 정치적 도움을 받았다. 그러므

하고, 군정과 환곡으로부터 이징 및 각종 잡역세를 엄금하여 전정의 문제를
해소하는 것이었다. 다만 그는 군정부문에서 군역부담자의 확대와 동포제
실시를 주장했을 뿐이다.

58) 『高宗實錄』 고종 9년 10월 1일.

59) 노론인 박규수는 임술농민항쟁시 안핵사로 진주에 파견되어 실상과 해결책
을 정부에 보고했다. 이 과정에서 그는 평민 침학세력으로 재야 사림세력들
을 지목했고, 이것은 철종년간 그가 노론보수 및 영남사림세력들과 반목을
가져오게 만들었다. 그가 정치적 영역을 확대할 수 있었던 것은 대원군의 집
권이 계기가 되었다. 대원군은 집권과 동시에 박규수를 特加一資하고, 그는
대사헌, 병조참판, 대제학, 공조참의, 이조참의, 한성판윤, 공조판서, 예조판
서 등을 거치면서 대원군의 개혁정책을 입안했다.

로 대원군은 통치정책의 정당성을 위해서라도 박규수를 보호해야 했
다. 이것은 대원군이 노론 및 안김세력들과의 맞대응이 가져올 권력내
부 힘의 균형 상실을 고려한 판단이기도 하다. 특히 대원군의 입장에
서는 통치기반을 염려하지 않을 수 없기 때문이다. 이것은 박규수가
평안감사로 중앙정계를 떠나는 배경으로 작용했고, 이 과정에서 노론
집단의 정치적 입장은 강화되었다.[60] 이러한 정치변동의 중심에 노론
계 영의정 김병학과 남인 좌의정 유후조, 소론 李裕元[61]이 존재했
다.[62]

영의정 김병학은 조두순의 정책방향을 답습·계승하였다. 특히 그
는 전정개혁에서 조두순의 진전재결의 누세결에 대한 査覈정책을 이
어받아 "근래에 京鄕牟利之徒가 內司各宮과 인연하여 空間之地로
泛稱하고 定稅에 附屬한 후에 導掌하여 마침내 개인주머니로 들어갑
니다"고,[63] 하여 泥生地와 起墾處의 漏稅에 대해 대책을 제의했다.
대원군은 즉각 누세결에 대한 사괄을 철저히 하고, 각도와 각궁방의

---

60) 박규수는 평안감사로 지방으로 내려갔지만, 그에 의해 민란의 배후인물로
  지목된 이항로는 동부승지가 되어 중앙의 권력 내부에 진입했다. 이것은 노
  론집단 내부, 특히 집권세력 상층부의 헤게모니 장악을 둘러싼 정치적 대립
  이 있었음을 의미한다.

61) 이유원은 반대원군계 인물로 분류된다. 그러나 그는 익종은 물론이고 풍양
  조씨계와 정치적 입장을 같이 했다. 고종 1년 좌의정 발탁은 대왕대비의 후
  원으로 이루어졌으며, 수원유수가 된 것은 좌천이 아니라 榮養 때문이라고
  스스로 밝혔다. 그가 대원군과 대립각을 세우게 된 것은 이후 신정왕후 풍양
  조씨계의 정치적 부침과 연관된 것으로 이해해야 하며, 그러한 그의 정치적
  입장은 대원군 집권 말기에 노출되었다(『국역임하일기』 5, 「춘명일사」, 211,
  217, 231, 233, 252쪽 참고).

62) 이유원은 소론으로 고종 5년 윤4월 11일 남인 유후조를 대신해 좌의정이 되
  었다. 홍순목은 고종 6년 1월 22일에 우의정이 되었다. 이로써 대원군정권의
  중·후반부 의정부는 노론보수세력으로 대체되었다. 이 중 홍순목은 대원군
  의 심복으로 분류되지만 그의 정치적 색깔은 어디까지나 노론이었다.

63) 『承政院日記』 고종 6년 8월 20일.

私稅와 魚鹽稅까지도 일체 금단하게 지시했다.[64] 또한 종래에 면세되어 오던 궁방전에 대해서도 법전에 의하여 無土劃給한 것은 親盡을 기다려 還稅하고, 아울러 종래 각궁의 移買結總과 철종년간의 이정시의 宮結은 물론하고 일일이 還稅할 것을 호조에 분부하였다.[65]

대원군은 정치세력의 변동과 상관없이 삼정에 대한 개혁정책을 진행했다. 다만 정책의 지향점은 일관성을 유지하게 했다. 그러나 대원군은 근본적인 농업개혁을 지향한 것은 아니었다. 그러므로 대원군의 개혁정책은 종래 지배계급이 제기한 농민지배정책의 한계를 극복할 수 없었다. 대원군의 내정개혁이 근본적이지 못하고 부분적인 개혁의 방향으로 진행된 근본적인 이유였다.

대원군의 정책은 언제나 종래 정치세력들의 입장을 고려했다. 이것은 대원군의 권력행사에 대한 한계가 있었음을 의미한다. 그럼에도 불구하고 대원군의 통치정책에서 집권세력들과 합의로 일관성을 유지한 정책은 대외정책이다. 대원군 집권기 삼정승 역임자들은 다양한 당색으로 구성되었으나[66] 이들은 모두 척화론자라는 공통점을 지니고 있었다.

이들은 대원군의 강경 대외정책, 세칭 쇄국정책이 지속될 수 있는 배경이 되었다. 이런 점에서 대원군의 쇄국정책은 대원군의 독자적인

---

64) 『日省錄』 고종 6년 10월 3일.
65) 『日省錄』 고종 4년 12월 15일.
66) 대원군 집권기 좌의정은 조두순, 이유원, 김병학, 유후조, 강로 등 5명, 우의정은 이경재, 임백경, 유후조, 홍순목, 한계원 등 5명이 역임했다. 이들 중 노론은 김병학, 이경재, 홍순목이고, 소론은 조두순과 이유원, 남인은 유후조와 한계원, 북인은 임백경, 강로 등이었다. 그러므로 당색만을 가지고 말한다면 사색을 고루 등용했다고 할 수 있다. 그러나 영의정의 경우 노론(김좌근, 이경재, 김병학, 홍순목, 이유원)이 압도적이고, 소론(조두순, 정원용)이 일부 참여했다. 그러므로 영의정의 경우는 여전히 노론과 소론의 문벌가문이 독점했음을 알 수 있다.

정치사상이 아니라, 당시의 정권 자체가 가지고 있던 대외정책의 기조
였던 것이다. 이들은 천주교에 대한 인식과 대응논리면에서도 통일성
을 보였다. 고종 3년 1월 프랑스 선교사들이 체포되자, 이들은 모두
남종삼과 천주교인들에 대한 국청을 요청했다. 영부사 정원용, 영돈녕
김좌근, 영의정 조두순, 판돈녕 이경재, 좌의정 김병학 등이 국청을 요
청하는 대신들의 집단상소에 참여했다.[67] 이들은 모두 대원군정권에
서 의정을 역임한 자들이다. 특히 조두순은 천주교 탄압 문제에서 대
원군의 입장과 완전히 일치하는 모습을 보였다.

이들은 외양에 대한 대응책으로 彛倫과 正學을 강조했다. 이들은
상소문에서 "彛倫를 밝혀 인간의 기강을 확립하고 正學을 높여 풍속
의 교화를 바르게 하는 것"은 "국초 이래 변할 수 없는 의리"라고 강
조했다. 또한 천주인들에 대해 "不逞한 무리들이 요망한 말로 떠들어
댄다"고 이해했다. 한편으로 천주교도들은 중국의 黃巾賊이나 白蓮敎
徒와 같은 무리로 간주되기도 했다. 이에 대해 대원군은 "이륜이 무너
질 경우 오랑캐나 금수의 나라가 될 것이다"고 동조했다. 이 과정에서
영의정 김병학은 병인사옥을 주도한 인물로 지적되기도 했다.[68]

그러나 김병학의 對서양인식은 정확한 것이 아니었다.[69] 그는 덕산

---

67) 『承政院日記』 고종 3년 1월 11일.
68) 연갑수, 2001, 앞의 책, 90쪽. 김병학의 邪學에 대한 인식과 철저한 탄압은
변화가 없었다(『承政院日記』 고종 3년 2월 27일). 당시 시원임대신들의 邪
學에 대한 인식은 조대비의 존호가상을 요청하는 상소에서도 나타난다(『承
政院日記』 고종 3년 2월 16일).
69) 『承政院日記』 고종 8년 4월 20일. 김병학은 고종과의 진강에서 "彌利堅(미
국)은 부락만 있고 그 중간에 華盛頓(워싱톤)이라는 곳이 있어 城池를 만들
고 기지를 건설하여 해외의 洋夷와 더불어 서로 교통하고 있으며, 英國은
거리상 가장 가까운 듯하니 이는 『해국도지』에 나타나 있다"고 했다. 이것은
김병학 등 국내 관료들이 이미 『해국도지』를 통해 해외사정을 일정하게 이
해하고 있었다는 사실을 보여준다.

의 변고를 亂逆들이 서양의 도적과 결탁한 것으로 이해하였고, 병인
양요는 이들이 강화도를 침략함으로써 발발한 것으로 인식하였다. 특
히 김병학은 외국과의 교역에 절대적인 반대 입장을 분명히 했다.[70]
그는 서양인들이 "경영하는 것은 오직 이익만을 쫓는 것"이라고 규정
하고, 저들이 교역이라고 하는 것은 해괴하며, 그것을 구실삼아 소란
을 피우고 있다고 주장했다.

고종은 "위정척사는 인간의 도리"라면서 對서양 강경정책의 지속을
천명했다. 비록 교역을 하더라도 서양과는 교통할 수 없다는 입장이었
다. 이들은 일체 엄격하게 막는 것 이외는 방법이 없다는데 인식을 같
이했다. 그러나 이들이 내심으로 두려워한 것은 통상 자체에 있었던
것은 아니었다. 서양과의 교통을 통해 치성하게 될 邪學을 더 의식했
다. 이들의 논리 근저에는 邪學이 치성하게 되면 夫子의 道가 폐지된
다는 것이 자리잡고 있었다. 이러한 인식은 홍순목의 경우에도 마찬가
지였다.[71]

대원군 집권기 의정들의 대서양인식과 정책은 대원군이 권좌에서
물러난 직후 더 분명하고 강경했다. 김병학은 1875년 조일수호조약 체
결에 극렬히 반대하였다. 뿐만 아니라 그는 1879년 판부사 홍순목·한
계원, 좌의정 김병국 등과 함께 연차를 올려 인천 개항에 반대했다.
인천은 서울의 100리 안에 있으므로 결코 허락할 수 없다는 것이다.

홍순목은 수구세력의 강경파로서, 대원군의 통상거부정책을 적극적
으로 지지하고 수행한 인물로 알려져 있다. 특히 그는 신미양요때 주
전론을 적극적으로 전개했고, 아울러 대원군의 항전결사를 뒷받침하
였다. 그는 척화론을 전면에 내세워 일본의 개항 요구를 좌절시키고자
했으나 대세를 돌리지는 못하였다.

---

70) 『承政院日記』 고종 8년 4월 20일.
71) 『承政院日記』 고종 8년 4월 6일.

　대원군 집권기 의정부 구성원에서 눈여겨볼 관직은 찬성과 참찬이
며, 이들의 역할이 대원군정권의 유지에 일정한 역할을 했다 그것은
찬성과 참찬의 관직을 역임한 자들이 특정세력에 한정되었고, 이들이
독점했기 때문이다. 찬성과 참찬은 국정결정을 장악한 것은 아니지만,
이들은 의정부체제의 국정운영에서 결코 배제되지 않았다. 더구나 이
들은 정부당상을 겸하고 있었다. 이런 점에서 이들에 대한 정치적 분
석이 필요하다.

　좌찬성은 김병학·김병기·김학성·김대근 등이 역임했다.[72] 그러
므로 좌찬성은 안김노론세력이 독점했으며, 이들은 의정부체제의 운
영에 영향력을 행사하였을 것이다. 반면에 우찬성과 (좌·우)참찬은
명문가문과 종친·남인과 북인이 대다수 점하였다. 다시 말하면 이들
은 모두 친대원군계 정치세력이었다. 우찬성을 역임한 정기세·강시
영·홍재철·김대근·조석우·이승보 등이 그들이며, (좌·우)참찬은
종친과 친대원군계 인물이 독점했다. 이런 점에서도 대원군은 사색을
고루 등용하려 했던 점을 발견할 수 있다.

　그러나 이것은 대원군이 의정부를 직접 장악하지 못한 상태에서 통
치정책을 시행하기 위한 보완책에 불과했다. 이들은 모두 의정부의 고
위 구성원이었고, 정책수립과 결정에 영향력을 행사할 수 있었다. 이
들은 대원군이 의정부를 장악할 수 있게 협력했다. 또한 이들은 의정
부 내 노론의 권력독점을 견제했고, 이것은 대원군이 노론세력과 협력
체제를 유지할 수 있는 기반이었다. 노론의 입장에서 대원군정권에 협
력하지 않을 수 없는 조건이 되기도 했다. 이러한 과정에서 대원군은
의정부를 장악했고, 정치권에 대한 통제가 가능했다.

---

72) <표 8> 대원군 집권기 의정부 역임자 참고. 이 표는『高宗實錄』과『承政院
　　日記』를 참고하여 작성하였다. 그러므로 자료의 편협으로 누락된 자가 있을
　　것이지만, 대의를 파악하는 데는 문제가 없을 것으로 생각한다.

이제 대원군은 철저하게 의정부를 통제할 수 있었다. 그 결과 대원
군은 한번도 의정부와 대립하거나 저항을 받지 않았다. 오히려 의정부
가 대원군의 통치정책을 철저하게 수행하는 모습을 보였다. 대원군이
노론세력을 직접 억압할 수 없었던 정치현실과 권력구조 속에서 인사
정책은 가장 효과적이었던 셈이다. 대원군은 이러한 변화를 바탕으로
전제권을 행사할 수 있었다. 대원군의 궁극적인 목표는 노론세력에 대
한 직접적인 통제와 억압에 있었다.

이러한 대원군의 전제권력은 고종 8년 이후에나 가능했다. 고종 8
년 시행된 서원훼철 정책은 대원군의 이러한 통치정책의 성격을 그대
로 보여준다. 대원군은 중앙과 지방의 노론세력, 기득권 세력들의 정
치·경제적 기반의 해체를 목표로 서원훼철을 단행했기 때문이다. 이
것은 대원군이 의정부를 직접 장악, 통제할 수 있었다는 사실을 역설
적으로 보여주는 통치정책이다.

대원군정권의 이러한 성격은 고종 9년 10월에 단행된 의정부 삼공
체제에서도 나타난다.[73] 영의정 김병학은 고종 9년 9월, 모친상을 계
기로 권좌에서 물러났다. 소론인 이유원도 동시에 체직되었다.[74] 대원
군은 세 번째로 삼공체제를 새롭게 구축하게 되었다. 삼공은 소론계가
제외된 노론 영의정, 남북인의 좌·우의정으로 구성되었다. 영의정 홍
순목(노론), 좌의정 강로(북인), 우의정 한계원(남인)이 그들이다.

대원군의 친정체제가 최초로 성립된 셈이다. 홍순목이 영의정이 되
면서 외견상으로는 노론체제가 유지되었다. 그러나 홍순목을 비롯, 이

---

73) 이 시기 중앙정치세력의 변동에 대해서는 제5장 참고.
74) 이유원은 신정왕후와 안김세력의 배경으로 고종 1년 좌의정이 되었으나, 이
   후 수원유수로 내려갔다. 그러나 그는 경복궁 중건정책을 입안하는 과정에
   서 대원군의 의지를 실현했다(『승정원일기』 고종 2년 4월 3일). 그러나 이
   시점을 전후해 대원군과 반목하게 되었고, 대원군이 실각하자 그는 영의정
   이 되어 대원군 공격의 선봉이 되었다.

들은 모두 대원군의 심복과 같은 존재였다.[75] 대원군의 친정체제가
고종 9년에 완결될 수 있었다는 점은 대원군의 권력강도가 최고에 이
른 점을 보여준다. 대원군의 집권과 권력행사는 통치정책의 수립과 실
행 과정에서 변화·강화되어 왔던 것이다.

대원군의 친정체제에 참여한 이들은 대원군의 통치정책을 성실하
게 수행한 인물들이다. 노론인 홍순목은 이조·예조·우의정을 역임
했다. 이 과정에서 그는 보수쇄국 척화론자의 입장을 견지하여 대원군
의 대외정책의 기반을 이루었다. 북인인 강로는 병조판서와 군영대장
을 역임하면서 대원군정권의 무력적 기반을 구축하였다. 특히 그가 예
조판서에 있으면서 서원정책을 추진하였고, 이것은 안김과 노론들의
정치·경제기반 해체를 가져왔다. 남인인 한계원은 육조판서를 두루
거쳤으며, 평안감사에서 전격 발탁되었다. 대원군이 하야하는 과정에
서 북인인 강로와 남인인 한계원은 적극적인 대응을 보여 이들과 대
원군과의 정치적 관계를 알게 한다.

대원군은 고종 8년 서원훼철 정책을 통해 전제권력을 행사했다. 이
것은 국왕체제를 완전히 장악했기 때문에 가능한 것이었다. 사실 서원
훼철 정책은 그동안 협조체제를 유지하던 노론세력들과의 결별을 선
언한 것이다. 대원군은 이제 이들의 협조가 필요치 않을 정도의 정권
의 안정과 권력을 행사하게 된 것이다. 대원군에게 남은 문제는 이제
노론세력에 대한 직접적인 억압이었다. 그러므로 안김세력은 물론이

---

75) 이들에 대한 인사는 종래의 인사방식과 차이점이 있다. 노론인 우의정 홍순
목은 좌의정을 거치지 않고 영의정이 되었고, 북인인 姜㳣는 병조판서에서
우의정을 거치지 않고 좌의정에 임명되었다. 남인인 한계원은 평안감사에서
우의정으로 발탁되었다. 이것은 대원군 집권기 인사관행을 뛰어넘는 것으로,
대원군이 의정부와 정치권에 대한 통제와 억압이 가능했음을 보여준다. 이
러한 파격적인 인사에 대한 이의제기가 전혀 없었다는 점에서 대원군 전제
권력의 일면을 읽을 수 있다.

고 노론집단의 입장에서 제거의 대상이었던 인물들로 삼공체제를 구성한 것이다.

대원군의 친정체제는 정치권을 긴장시켰다. 이들이 독자적인 세력을 형성하였거나, 혹은 이들이 직접 노론세력을 위협할 수 있었던 것은 아니다. 그러나 이후 대원군이 육조에 친위세력들을 배치함으로써,[76] 그의 전제권은 강화되었다. 그런데 이러한 대원군의 권력행사는 결과적으로 국왕, 정치권과의 정치적 갈등이 일어나는 요인으로 작용했다. 대원군의 친위체제 강화는 종래의 권력행사와의 차별화를 시도한 것이지만, 한편으로는 국왕과 관료집단을 불안하게 만들었기 때문이다.

대원군의 친위 내지는 독재체제와 같은 권력구도는 국왕과 노론세력 양쪽에 위기를 불러왔다. 고종은 대원군의 독자적 권력체제의 구축과 국왕의 통치체제에 대한 직접적 장악으로 불안하게 되었다. 그는 대원군이 국왕의 권위와 권력을 장악한 것으로 이해했다. 이 과정에서 대원군의 권력행사는 輔政을 위한 명분을 초월했다. 노론집권세력들은 대원군의 친정체제가 자신들을 중심으로 한 관료집단의 기반을 해체할 것으로 인식했다. 이것은 국왕인 고종과 노론세력 모두 존립에 대한 불안감을 갖게 만들었다. 대원군의 친정체제 성립은 결과적으로 대원군 스스로 권력기반을 축소하게 만들었을 뿐만 아니라 국왕과 관료집단 내·외부에서 잠재적으로 反대원군세력이 형성되는 배경이 되게 했다.

---

76) 의정부와 육조판서 직임자의 변화는 정치권을 긴장시키기에 충분했다. 대원군의 심복이며 남인인 조성교가 좌참찬, 우참찬, 서형순과 종친인 이승보가 좌참찬, 우찬성, 대원군의 무력적 기반을 이루었던 임상준이 우참찬으로 배치되었다(본서 <표 8> 참조). 대원군의 심복인 김세균은 호조판서, 처족인 민치상은 병조·예조판서, 종친 이승보는 예조판서, 박규수는 형조판서가 되었다(본서 <부표> 참조).

제2절 대원군의 통치정책과 권력기반의 확대

1. 무단토호 징치와 경복궁 중건

대원군정권의 무단토호정책은 가장 성공한 정책으로 평가되는 반면에, 경복궁 중건은 그의 하야를 가져온 가장 실패한 정책으로 이해되었다. 이러한 상반된 인식은 대원군의 통치정책이 추진되는 과정과 정책의 목표를 분리 이해한 결과이다. 무단토호정책은 농민항쟁 수습책의 일환으로 민생안정을 목표로 하였다고 분석한 반면,[77] 경복궁 중건은 왕실의 존엄성만 강조하면서 과다한 재정지출과 문세, 청전 등 무리한 재정확보 등을 지적하면서 쇠망·정권몰락의 계기로 이해했기 때문이다. 그러나 이것은 사실 검증과 가치판단이 정확하게 이루어지지 못한 결과일 뿐이다.

대원군이 추진한 무단토호정책과 경복궁 중건은 통치정책의 성격을 띠고 있기 때문에, 분리하여 이해할 수 없는 통치차원의 개혁정책이다. 대원군정권의 개혁이념은 왕권강화를 토대로 하며, 내정개혁은 중앙통치권의 강화와 재지세력의 약화라는 통치를 위한 정책이었다.

---

[77] 『承政院日記』고종 11년 10월 8일. 대원군 집권기 토호들의 무단행위는 완전히 근절된 것은 사실이다. 대원군의 공격에 앞장 선 이유원도 이 점만은 분명히 지적했다. 그는 고종 11년 10월 8일 인견에서 "무단의 풍습은 10년 동안 듣지 못했는데, 근일 외도에서 이 풍습이 滋蔓하여 평민을 殘害하여 愁怨이 狼藉한데도 관장이 그 악을 제거하지 못하고 도신이 그 고통을 살피지 못하고 있다"고 주장했다. 그는 대원군의 통치정책의 방법을 고수, 팔도 사도에 엄령을 내려서 무단하는 자에 대해서는 배가의 벌을 줄 것을 건의했다. 고종의 경우 이미 실효를 경험했기 때문에 엄정신칙만이 해결책이라고 생각했다. 그래서 그는 "위세로 핍박하는 습속은 틀림없이 시골에 사는 土班과 호강한 자들이 만들어낸 폐단이며, 이것은 貪墨하는 것 보다 심한 것이므로 백성을 위한 폐해 제거에 가장 우선시 할 것"을 지시했다. 이런 점에서 대원군의 무단토호 징치정책은 지속되었다고 이해된다.

대원군은 이러한 통치정책을 통해 권력기반을 강화하였고, 이 과정에서 농민항쟁의 수습이라는 목적을 달성하려 했다.

대원군은 중앙의 노론세력을 개혁의 대상으로 인식했지만, 그들의 현실적 권력을 인정하지 않을 수 없었다. 그것은 대원군이 권력을 완전히 장악하지 못한 현실과 권력을 행사할 관계적 지위가 없는 한계에서 비롯되었다. 그러므로 중앙의 노론세력과 이해를 같이하는 지방세력 성장을 억압했고, 이 과정에서 정치권의 통합과 통치의 명분과 정당성 확보를 위해 경복궁 중건정책을 추진했다.

무단토호 징치와 경복궁 중건정책은 대원군이 권력을 장악·행사하기 위한 통치정책이라는 통일적 인식이 필요하다. 대원군의 통치정책은 자신의 권력소재인 종친부가 일차적으로 추진했다. 이것은 대원군이 국가의 공적기구를 직접 장악·통제할 수 없었기 때문이다. 대원군은 무단토호 징치와 경복궁 중건을 통해 정치력을 검증하였고, 그러한 토대 위에서 의정부를 중심으로 한 국왕체제의 확립과 정치세력의 재편 및 그의 전제권 행사의 기반을 마련하였다.

대원군은 집권 전부터 삼정문란의 한 요인으로 土豪들의 武斷行爲을 주목했다. 조선후기 이래 武斷土豪들이 독자적인 위치에서 존재한 것은 아니었다. 이들은 중앙정계로의 진출을 지향하는 士人 및 관인층의 인사들이었고, 우월한 경제력과 結官符吏가 가능한 존재들이었다.78) 이들은 지방의 수령권을 약화시켰고, 지방수령은 이들을 통제하기 어려운 처지였다. 이러한 토호들의 무단발호는 세도정권이 지방을 직접 장악·통제할 수 없는 정권차원의 한계에서 일어난 시폐였다.

대원군은 고종 1년 11월 무단토호 문제를 공식적으로 제기했다.79)

---

78) 郭東璨, 1975, 「高宗朝 土豪의 成分과 武斷樣態」, 『韓國史論』 2, 310쪽.
79) 『承政院日記』 고종 1년 11월 28일. 고종은 公忠道 嶺東縣의 壯丁 및 田結의 사찰에 대한 감사 신익의 보고를 받고, 司果 강장환을 사핵어사로 차임했

그러나 대원군은 이미 종친부를 통해 토호들의 불법적인 행위에 대한 첩보를 수집하고, 평민침학행위에 대해 조치를 취하고 있었다. 이것은 유생들의 生祠堂 건립을 위한 發通을 夤緣에 빙탁한 討索挾雜으로 규정한 '대원위분부'에서 잘 드러난다.[80] 대원군은 생사당 건립에 대해 평상시 항상 통석하게 생각하였고, 더구나 朝令으로 禁防함이 截嚴함을 강조하였다. 그는 공충도 감영에 지시하여 이들을 사핵하고, 종친부에 빠른 시일내에 압송하게 하였다. 이것은 대원군이 종친부를 통해 지방에 대한 직접 지배가 가능하였다는 사실을 보여준다.

종친부는 이틀 뒤 형조에 이들의 嚴刑遠配를 시행하라는 '대원위분부'를 시달했다.[81] 공충감영에 대한 조사지시와 형조에 대한 처분지시가 동시에 이루어졌다. 이것은 종친부가 토호징치를 위한 사전준비가 있었음을 의미한다. 그러므로 대원군은 처음부터 종친부를 통해 정보를 입수하고, 평민침학하는 무단토호에 대한 징치를 구상한 것이다.

종친부는 '대원위분부'에 의거, 독자적인 활동을 하였다.[82] 대원군

다. 이때 그는 "근래 豪右輩들의 武斷은 오로지 隱結・隱丁하는 것을 能事로 여겨 갈수록 더욱 심하다. 이와 같이 그치지 않으면 나라가 어찌 법을 세우며, 백성들이 무엇으로 생계를 도모하겠는가. 이것은 크게 한번 懲創하지 않을 수 없다"고 강조하였다. 그런데 이 지방의 토호무단은 삼정을 이정하는 과정에서 파생된 문제였다. 공충도 영동현의 문제를 거론한 자는 강장환 자신이었다. 그는 고종 1년 11월 9일 홍문관 교리였으며, 시독관의 자격으로 권강에 참여하였다. 그는 이곳 출신인 판서 오취선의 아들인 吳健泳이 부임하여, 군정과 전결을 조사하는 과정에서 民擾가 있었다고 보고했다. 이에 高宗은 貪墨이 있었다고 생각하고, 감사로 하여금 사실을 조사・보고토록 하였다. 감사 신억(고종 1년 8월 23일 임명)의 보고 내용은 강장환이 전날에 언급한 내용과 달랐다. 고종이 강장환을 사핵어사로 임명한 이유가 여기에 있었다.

80) 『宗親府謄錄』 고종 1년 10월 25일, 462쪽.
81) 『宗親府謄錄』 고종 1년 10월 27일, 463쪽.
82) 『宗親府謄錄』 고종 1년 12월 4일, 467쪽. 종친부는 공충감영에 지시하여 경내의 무단인 金文義가의 名不知인 金班, 괴산 애한정 주인 박재경을 영옥에

은 무단인의 營獄 捉囚를 지시하고, 공충감영은 종친부의 '대원위분부'를 시행하였다. 관찰사는 별도의 첩보를 上送하기도 했다.[83) 종친부는 공충감영의 보고에 의거, 朴在敬을 신지도에 유배하고 士子이면서 殘民을 침학한 金炳殷은 원지에 정배하게 했다. 종친부는 점차 권력기구로 변화되고, 이것의 배후에 대원군이 존재했음을 알 수 있다.

이러한 사례는 종친부가 무단토호들의 침학평민에 대한 처리를 주도하고 있었음을 시사한다. 종친부는 독자적인 첩보를 토대로 지방관청에 상세 조사를 지시하고,[84) 지방관청의 보고에 의거 직접 처분하기도 했던 것이다. 이것은 대원군이 종친부를 통해 지방관청을 직접 통제하고 있었음을 의미한다. 이러한 사례는 공충도 감영과의 관계에서 살필 수 있다.

종친부는 고종 1년 12월 "怙勢班家하여 侵虐殘民하여 罪狀이 痛駭한 悖類들에 대해 중앙에 捉上할 것"을 공충감영에 지시했다.[85) 동시에 종친부는 이들을 원악지에 정배하도록 형조에 시달했다.[86) 형조는 종친부의 명령을 거행한 내용을 상세하게 종친부에 보고했다. 이러한 현상은 종친부가 무단토호에 대한 조사는 물론이고 그에 대한 처분권을 가지고 있었다는 사실을 증명하는 것이다. 종친부의 이러한 독자적

착수하고 형지를 보고하게 했다.

83) 『宗親府謄錄』 고종 1년 12월 17일, 470~471쪽. 종친부가 이름을 파악하지 못한 金班은 金炳殷이었다. 그는 朴在敬과 함께 체포되어 영옥에 착수되었다. 관찰사는 착상되었다가 逃失한 忠州民 鄭海淸이 문경에서 現捉되어 州獄에 牢囚되어 처분을 기다린다는 牒報를 올렸다.

84) 종친부가 정보를 수집한 경로는 구체적으로 알 수 없다. 그러나 『宗親府謄錄』의 지방관청에 내려 보내는 공문은 종친부가 지방의 사정을 분명하게 알고 있었다는 것을 보여준다. 종친부내 하위직급의 관원들이 이러한 역할을 일정하게 수행하였을 것이다. 이 문제에 대한 구조적인 이해가 필요하다.

85) 『宗親府謄錄』 고종 1년 12월 27일, 471쪽.

86) 『宗親府謄錄』 고종 2년 1월 10일, 475쪽.

인 활동이 가능했던 것은 대원군이 배후에 존재했기 때문이다.

　대원군은 종친부를 통해 지방을 통제하였다. 이것은 국왕중심체제가 확립되지 않은 것도 원인이지만, 그러한 중앙권력을 대원군이 장악하지 못하였기 때문이다. 대원군은 지방의 토호문제를 통해 지방을 통제하려 했고, 이 과정에서 중앙집권체제를 확립하려 한 것이다. 이것은 중앙과 지방의 안정적 권력을 동시에 확보하려는 방안이기도 했다. 그리고 이것은 대원군이 농민항쟁의 수습 없이는 권력기반의 저변을 확대할 수 없다는 신념이기도 했다. 대원군은 무단토호정책을 통해 백성들을 권력체제 속으로 흡수하려 했다.

　종친부는 지방유생들의 동향에 대해서도 면밀하게 파악했다. 종친부는 장성의 郭致炳과 정읍의 鄭海夒의 동향을 염탐하여 이들을 悖儒로 단정하였고,[87] 만동묘 복향을 위한 충청도 유생들의 陳疏浮費를 침학으로 인식했다. 종친부는 이들의 民에 대한 結斂과 校任들의 침학 단서를 포착하였지만, 일부는 와전된 것이었다.[88] 그럼에도 불구하고 종친부는 儒疏는 吏民과 무관한 것이며, 유생들이 廟院에 靠背하여 침학평민하였다고 嚴査한 후 결국 이들을 원지에 정배시켰다.[89]

　대원군은 종친부를 통해 무단토호를 징치하고, 지방에 대한 통제권을 강화하는 과정에서 중앙정치권의 저항을 받지 않았다. 종친부의 정

---

87)『宗親府謄錄』고종 2년 2월 10일, 477쪽. 悖儒로 단정된 長城의 郭致炳과 井邑의 鄭海夒는 2차례 엄형 이후 원악지 정배되었다.

88)『宗親府謄錄』고종 3년 4월 29일, 535쪽. 西原縣 鄕校 前都有司 金東杓는 浮費명목으로 매결 7분씩 民斂한 것이 7백 냥이 넘었으며, 校任에 빙자하여 작폐한 것이 많다는 죄목으로 체포되었다. 그러나 그는 처음부터 유소에 참여하지 않았다. 그럼에도 종친부는 아니 땐 굴뚝에 어찌 연기가 나겠냐며 嚴懲일차후 방송했다. 이것은 종친부가 지방유생들의 만동묘 복향의 조직적 행위를 차단하려는 목적을 가지고 있었다는 것을 의미한다. 이들을 침학평민의 죄목으로 억압하는 목적이 드러난다.

89)『宗親府謄錄』고종 3년 5월 20일, 537쪽.

치권력 행사와 독자적인 지방통제정책에 대해서도 집권세력들은 문제
삼지 않았다. 이것은 중앙권력을 강화하려는 집권 노론세력들의 정치
적 이해와 합치되었기 때문이다. 이들의 입장에서도 재지세력의 성장
은 정치적 부담이었다. 대원군은 이들의 정치적 입장을 간파하였고,
무단토호 징치와 지방통제정책을 통해 집권세력들을 권력체제 속으로
흡수할 수 있었다. 이 과정에서 대원군은 중앙세력과 지방세력의 연결
고리를 끊을 수 있었다.

대원군은 일차적으로 무단토호의 침학평민에 초점을 맞추었다. 이
것은 토호를 포함한 재지세력들의 조직적 저항에 대한 대응책의 성격
이 있다. 또한 만동묘철향 이후 지방 유생들의 조직적 저항을 고려한
것이기도 하다. 대원군의 재지세력에 대한 제압은 강경했다. 종친부는
언제나 殘民侵虐과 侵吏者에 대해 遠地定配刑을 시달했다. 물론 이
들의 폐해가 殘民들이 죽이기를 원할 정도로 심했던 것도 요인으로
작용했다.[90]

대원군은 종친부를 통해 누차 湖中토호의 武斷慣行을 지적하였다.
'대원위분부'의 강경한 정책이 시행되면서 무단토호와 잔반들의 행악
은 줄어들었다. 그러나 小民들의 受困은 여전히 심각한 처지였다. 호
남사람들이 모두 죽이기를 원하는 토호들이 많았지만, 종친부의 강경
정책은 무리하게 추진되는 일면도 있었다.[91] 그럼에도 종친부는 한결

---

90) 『宗親府謄錄』 고종 3년 4월 14일, 534쪽 ; 6월 11일, 540쪽. 서산의 金聞喜
　　경우 도내 백성들이 모두 죽여야 한다고 할 정도로 폐단이 막심했다. 호남의
　　무단토호 김상진, 조병각, 김철근, 배경문 등의 경우도 이들이 체포되자 지역
　　민들은 모두 죽여야 한다고 했다.
91) 『宗親府謄錄』 고종 3년 5월 28일, 538쪽 ; 6월 6일, 539쪽 ; 6월 20일 ; 7월 5
　　일, 541~542쪽. 종친부가 '대원위분부'로 具格捉囚의 대상으로 지목한 자는
　　扶餘의 士人 趙秉慜, 천안의 士人 金象鎭, 大興邑의 出身 金喆根, 公州의
　　名不知인 沈虞侯(字는 致魯), 公州의 退校 裵景文 등 5인이었다. 심치노의
　　경우 完營에 秘關하여 체포하였고, 공충감영에 이감되었다가 엄형일차 후

같이 무단토호로 인식될 경우 원지에 정배하였다.[92] 이 과정에서 대원군의 권력기반은 중앙에서 지방으로 확대되었다.

종친부의 무단토호에 대한 정보 수집은 전국적이었다. 예안지방도 종친부의 무단토호 징치에서 자유롭지 못했다. 종친부가 염문을 토대로 예안현의 李晩遇 등을 蔑法무단인으로 지목했기 때문이다.[93] 종친부의 체포와 압송을 지시받은 경상감영은 該邑과 各鎭에 秘甘하여 이만우를 체포하고, 나머지에 대해서는 정탐을 지속하였다. 그러나 종친부는 이들의 武斷虛實을 該邑이 모를 리가 없다면서 반드시 체포할 것을 거듭 지시하고,[94] 예안에서 가장 무단한 자로 이맹준을 지목하기도 했다.[95]

종친부의 예안지방 무단토호에 대한 정보와 인식은 한계가 있었다. 溪南의 李晩遇와 이맹준은 체포·압송되었지만, 李晩友와 이감천은 처음부터 실재하는 인물이 아니었기 때문이다. 그리고 부포리의 이만우는 상경하여 예안지방에 거주하지도 않았다. 그럼에도 불구하고 종친부는 이맹준과 李晩遇에 대해 처분을 내리면서[96] 나머지 무단인에 대한 착수를 거듭 지시하였다. 그러나 경상감영은 실제와 비슷한 단서조차 찾을 수 없었고, 급기야 종친부는 이들에 대해 분간의 조치를 취

방송되기도 했다.

92) 『宗親府謄錄』 고종 3년 6월 11일, 540쪽.
93) 『宗親府謄錄』 고종 2년 4월 13일, 489쪽. 종친부가 염문한 것은 명확한 사실이 아니었다. 이만우의 경우 거주지와 이름이 정확하지 않았던 것이다. 그럼에도 종친부는 李晩遇(혹은 晩友, 혹은 晩祐)과 李孟俊, 李甘川 등에 대한 체포를 경삼감영에 지시하였다.
94) 『宗親府謄錄』 고종 2년 5월 8일, 491쪽.
95) 『宗親府謄錄』 고종 2년 5월 12일, 491~492쪽.
96) 『宗親府謄錄』 고종 2년 5월 22일, '甘結-刑曹', 492쪽. 이맹준의 죄상은 侵虐平民 行惡一邑이며 悖類로 인식되었다. 종친부는 형조에 이맹준은 依律勘處, 李晩遇는 牢囚營獄을 지시하였다.

할 수밖에 없었다.[97]

종친부에 의해 土豪武斷으로 지목된 문경현의 金炳冕[98]과 申齋岳[99]은 상주에서 체포되었다. 종친부는 이들이 무단향곡하고 인민의 전답을 勒奪하였기 때문에 엄형일차후 遠地에 정배하게 했다. 이러한 무단인들의 행태와 처리는 일차적으로 宗親府가 수집한 정보를 근거로 행해졌다. 그러나 종친부가 염탐한 기록은 실제와 차이가 있는 경우가 많았다.

大邱鎭이 무단향곡자로 인동의 장우상 등 4명을 체포하자, 종친부는 廉記를 근거로 이들을 邪學의 魁首로 규정하였다.[100] 이에 경상감영은 작처하기 어렵다는 보고를 하였고, 종친부는 급기야 참작하여 처분하는 변통을 취하였다. 그러나 경상감영에서 실상을 조사하자 종친부의 廉記와 상당한 차이점이 드러났다. 종친부는 이들을 방송하지 않을 수 없었다.[101] 그러므로 종친부의 염문은 정확성이 부족하였고, 무단인에 대한 징치과정에서 자의적인 일면을 보였다. 이것은 대원군 집권초기 정치세력의 재편 및 지방세력의 부식과 상관성이 있는 것으로 이해된다.

대원군은 고종 3년 지방통제와 무단토호정책을 의정부에 이관했다. 이것은 종친부 중심의 권력행사에 대한 한계와 폐단이 동시에 노출되었기 때문이다. 종친부는 공식적인 행정체계를 갖추고 있지 않았으며,

---

97) 『宗親府謄錄』 고종 2년 7월 17일, 496쪽.
98) 『宗親府謄錄』 고종 3년 9월 7일, 547쪽.
99) 『宗親府謄錄』 고종 3년 12월 7일, 560쪽.
100) 『宗親府謄錄』 고종 3년 11월 3일, 5일, 28일, 555~556, 558쪽. 대구진은 인동의 장우상과 영천의 정경일, 정경재, 권의지를 무단향곡의 죄목으로 체포하였다. 그러나 종친부는 이들을 사학의 괴수로 규정하고 엄형 후 원지정배하게 하였다.
101) 『宗親府謄錄』 고종 4년 1월 14일. 종친부는 無故之民에게 죄를 미치게 할 수는 없다면서 자신들의 행위에 정당성을 부여하였다.

또한 종친부가 독자적으로 수집한 정보가 부정확한 것도 하나의 이유였다. 종래의 독자적인 종친부의 사회개혁 자체가 문제된 것은 아니었다. 무엇보다도 중요한 것은 대원군의 권력장악이 실현되었다는 데 있다.

대원군은 국왕체제의 확립과 정치세력의 재편을 통해 권력기반을 확립하였다. 그리고 의정부를 통해 권력을 행사할 수 있게 되었다. 그러므로 대원군은 국가의 공식적·합법적 권력기구를 통해 사회개혁을 추진할 수 있었다. 이 과정에서 종친부의 권력행사에 대한 정치권력과 권력집단 내부의 반발을 의식했다.

대원군은 권력장악과 행사를 위해 통치정책을 치밀하게 진행했다. 이 과정에서 정치적 권위와 권력행사의 정당성을 확보했다. 의정부체제의 확립, 경복궁 중건정책, 『대전회통』의 편찬 등이 그것이다. 이 과정에서 종래의 정치권은 대원군에게 강제되어 갔고, 정치권의 합의 속에서 신정왕후는 철렴했다. 그러므로 대원군은 공적기구를 직접 통제하면서 종친부를 권력기구로 존속시킬 이유가 없었다. 따라서 고종 3년 이후 대원군의 통치정책은 공적기구를 통해 실현되기 시작했다. 토호정책의 경우도 마찬가지였다.

신정왕후의 철렴과 고종의 친정으로 대원군은 본격적으로 권력을 행사하게 되었다. 이 과정에서 삼정문제와 토호문제가 시급한 개혁과제로 부상되었다. 고종은 仁政殿 朝參에서 대신들에게 국정의 방향을 천명하여[102] 이 문제를 분명히 했다. 그는 특히 삼정과 토호문제의 연관성에 주목, 三政紊亂의 주원인으로 토호를 거론했다.[103]

---

102) 『高宗實錄』 고종 3년 2월 27일.

103) 고종은 "삼정은 나라의 중요한 기틀인데 근래의 삼정문란은 방백과 수령이 살피지 못한 잘못일 뿐만 아니라 卿宰, 名士, 士族, 고을에 사는 邑屬, 吏民의 수령이 마치 客官인 것처럼 해서 그런 것"으로 인식하였다. 그는 고을에 사는 토호를 "강은 흘러도 돌은 굴러가지 않는다"고 하는데 한 고을의 三政

무단토호 존재의 심각성은 토호 때문에 장차 읍이 없어질 지경이라
는데 있었다. 고종은 현재의 급선무로 두 가지를 지적하면서 토호문제
의 엄치를 강조했다. 하나는 안으로 묘당이 사사로운 안면을 보지 말
고 엄격히 법령을 세우는 것이고, 다른 하나는 밖으로 고을에 사는 토
호들의 악습을 거두어 풍속을 바르게 하는 것이었다. 고종의 이러한
언급은 정부차원에서 무단토호의 문제를 해결하려는 의지를 보이는
것이며, 종래 종친부에 의해 추진된 국가적 사업을 공식적인 행정체제
속에 흡수하겠다는 의지였다. 이 과정에서 대원군은 정치세력들을 집
권체제 속에 통합하려 했다.

고종은 토호의 무단에 대해 "潛邸時부터 익히 알고 있었다"고 밝혔
다. 그러면서 "지금 아무개 읍의 아무개라고 일일이 들 필요는 없지만
계단 앞에서부터 만리 먼 곳까지 아무리 멀어도 훤히 알지 못하는 곳
이 없다"고 하여 토호에 대한 정확한 정보를 갖고 있음을 시사했
다.104) 고종의 토호인식은 대원군과 종친부의 토호인식을 바탕으로
한 것이다. 그러므로 이것은 종친부가 독자적으로 추진해오던 무단토
호 징치책의 연장선상이었다.

이것은 사실 대원군이 종친부의 성격을 고려하고 정부 관료조직의
반발을 고려하여 공식적인 조치를 취한 것이다. 그는 종친부의 개혁활
동 자체를 부정하지는 않았다. 대원군은 정부가 문안을 작성하여 팔도
에 행회하도록 하고, 진서와 언문으로 번역해 등사하여 방방곡곡에 붙
이는 조치를 내리게 했다. 대원군은 왕명을 이용하여 무단토호의 징치
문제를 정치권에 공식화하고 정치집단의 동참을 독려한 것이다.

대원군이 토호징치 문제를 공식화한 것은 두 가지 측면에서 생각할

과 大小公事에 대해 간여하지 않음이 없어, 수령은 토호를 좌지우지하기 어
렵고, 吏民은 토호들의 요구를 따르는데 피곤한 현실을 강조했다.
104) 『承政院日記』 고종 3년 2월 27일.

수 있다. 첫 번째는 종친부가 가지고 있는 제도적 한계이다. 종친부는 근본적으로 권력기구나 행정기구가 아니었다. 그러므로 엄밀히 말하면 무단토호 징치 업무는 종친부의 기능과 역할의 범위를 넘어서는 것이다. 대원군은 무단토호 문제를 종친부를 통해 독자적, 지속적으로 추진할 수 없었다. 그러므로 그는 정부의 공식적인 권력기구를 통해 무단토호의 징치정책을 공식화할 수밖에 없었다.

두 번째는 정치권 내부에서 일어나는 관료들의 비판, 반발의 문제였다. 領府事 鄭元容은 고종에게 정치를 周나라 成王과 周公의 관계로 설명하여 대원군의 권력행사를 간접적으로 지원했다. 특히 그는 "周公과 召公이 노성한 덕을 지닌 宗臣으로서 성왕을 위해 頌祝하였다"고 언급하여 대원군과 종친부의 역할을 정당화시켰다. 그러나 영돈녕 金左根은 대원군에 의해 추진되고 있던 각종 정책들에 대한 비판적 입장을 간접적으로 피력하였다. 그는 고종에게 정치의 요점으로 講學을 제시하였지만 본받아야 할 인물로 순·우·탕·문왕을 들었고, 주공은 배제하였다. 이것은 그가 대원군에 의한 정치세력의 재편과 왕실의 위상강화, 국가재정의 확충 정책의 추진에 대한 異議를 조심스럽게 제시한 것이다.[105] 대원군은 이러한 정치권의 반발을 사전에 차단해야 했다. 그러한 대응책으로 제시된 것이 고종의 친정, 국정집행의 공식화 등이었다. 이 과정에서 종친부의 개혁역할은 의정부로 이관되었던 것이다.

의정부는 무단토호 징치를 관장하면서, 전국에 암행어사를 파견, 실

---

105) 김좌근은 舜은 천하의 인재를 불러 모은 점, 禹는 궁실을 낮게 한 점, 湯은 재화를 늘이지 않은 점, 文王은 신중하고 조심스럽게 상제를 밝게 섬긴 점들을 구체적으로 제시하면서 이러한 제왕들의 업을 체득할 것을 강조하였다. 그러나 이러한 문제는 대원군에 의해 추진되고 있던 왕권강화, 정치세력의 재편, 국가재정정책 등에 대한 간접적 비판이었다. 영의정 조두순은 요·순을 언급하면서 구체적인 실상을 거론하지 않아 대조적인 모습을 보였다.

상 파악에 들어갔다. 암행어사들의 임무 중 무단토호의 적발과 징치가 부과되어 암행어사 파견이 무단토호 정책의 수행에 있음을 알 수 있다.106) 암행어사의 파견은 종래 종친부가 수집한 명문의 신빙성 유무와 지역적 한계성을 극복하기 위한 정권차원의 공식적인 대응이었다. 종래 종친부는 秘甘이나 秘關의 형태107)로 토호문제를 해결하려 했기 때문이다. 그러나 이 과정에서 종친부의 역할이 약화되거나 폐지된 것은 결코 아니었다. 종친부는 여전히 무단토호 징치를 정부조직과는 별개로 추진하였다.

대원군이 암행어사를 파견한 것은 고종 3년 여름이었고, 암행어사들이 복명한 것은 고종 4년의 중반기였다.108) 이들은 일반서계와 별도의 토호별단을 진달하였다. 이것은 이들의 암행 목적이 무단토호의 실태와 징치에 중점을 두고 있었음을 의미한다.109) 고종은 암행어사들의 서계와 별단을 구분하여 처리하였다.

대원군은 무단토호의 색출과 처리에 직접 관여했다. 고종은 토호별단에 대해 일일이 朱批를 써서, 이조판서로 하여금 묘당에 나가 논의, 공변되게 처리케 했다. 이 과정에서 대원군은 의정부를 통해 토호문제를 관장했다. 암행어사들의 토호별단이 종친부를 통해 수집한 정보와 차이가 있을 경우 이례적으로 불만을 표출하기도 했다.110)

---

106) 대원군 집권기 암행어사 파견을 통한 무단토호에 대한 징치의 실상과 내용은 곽동찬, 앞의 논문, 참고.

107) 秘甘은 상급관청이 하급관청에 넌지시 보내는 감결을 의미하며, 秘關은 당사자 이외는 비밀로 할 필요가 있을 때 보내는 관문의 한 가지이다.

108) 공충도의 홍철주는 4월 20일, 전라도의 윤자승은 6월 4일, 경상도의 박선수는 7월 18일, 경기도의 박재관은 9월 17일 복명했다.

109) 『承政院日記』고종 4년 5월 1일. 홍철주는 "지난 여름 호서에 암행하라는 명을 받들어 密旨의 유시를 읽어보고는 흠양하여 축원하는 마음을 이길 수 없었고, 토호의 조사기록에 대한 처분을 내리심에 이르러 더욱 우러러 성상의 뜻을 알 수 있었습니다"라고 하여 이러한 측면을 짐작할 수 있다.

대원군은 종친부와 운현궁을 통해 독자적으로 광범위한 정보를 수집하기도 했다. 이 과정에서 가탁·門人·宮任傔從 등의 작폐가 발생하였고, 암행어사 파견 이후에는 어사를 사칭하고 마패를 위조하는 폐단마저 일어났다.[111] 이러한 현상은 암행어사의 파견이 무단토호 징치에 있었음과 종친부가 무단토호 징치를 위해 독자적, 지속적으로 활동했음을 알게 한다.

대원군의 암행어사를 통한 무단토호의 색출과 징치는 경기와 삼남지방에 한정되었다. 그리고 암행어사들은 무단토호의 색출에 철저하지 못하였다.[112] 공충도 홍철주의 별단은 감사인 신억의 보고내용과 일정한 차이가 있었고,[113] 경상도의 박선수는 대원군이 종친부를 통해 파악하고 있던 토호들의 실상을 누락하기도 했다.[114] 대원군이 종친부 중심으로 무단토호 징치를 계속한 이유가 이런 측면에 있었고[115] 이것은 대단한 효과를 거두었다.

---

110) 『承政院日記』고종 4년 7월 23일. 고종은 경상도 암행어사 박선수의 토호별단에 대해 경내를 두루 탐문하여 단서를 얻은 다음에 나열하지 않았다면서 잠저시에 들은 嶺外의 무단괴수로 김석, 장응표, 성재평을 지목하고 이들의 유배를 지시하였다.

111) 『承政院日記』고종 4년 3월 21일. 이유상은 어사를 사칭하고 마패를 위조한 죄로 군기효수되었다.

112) 전라도 암행어사 윤자승은 토호별단을 올리지 않았다. 이것은 대원군의 무단토호 징치에 대한 저항의 측면이 있었음을 알게 한다.

113) 『承政院日記』고종 4년 4월 23일. 홍철주는 4월 23일 견책되었다가 27일에 탕척서용되어 우승지가 되었다.

114) 『高宗實錄』고종 4년 7월 21, 23일. 박선수는 이에 대한 책임으로 이조참의에서 파면되었다. 그런데 박선수가 파면된 것은 다른 측면에서도 고려할 문제가 있다. 박선수는 親대원군세력에 대해 죄를 청하였기 때문이다. 그가 죄를 청한 인물은 통제사 김건, 전 통제사 이봉주, 전 김해부사 허전, 전전 동래부사 강로 등이었다. 묘당은 이들의 죄상에 대해 해부로 하여금 나문하여 처리하게 하였다. 대원군 집권기 이들의 행적을 고려할 때 이미 정부 내에서는 정치세력간의 갈등이 형성되고 있음을 알 수 있다.

대원군이 무단토호에 대한 징치를 철저하게 수행하였으나, 무단침학의 문제를 근본적으로 해결할 수는 없었다. 대원군이 권력에서 물러난 직후 제기된 농민침학문제에서, 토호의 武斷은 수령의 탐학보다도 더 심한 것으로 거론되었다.116) 그리고 무단사학이 농민침학의 3대요소의 하나로 지적되었다.117) 그러나 대원군이 집권하는 기간에는 무단토호의 풍속은 근절되었던 것은 분명하다. 대원군의 집권에 반대하였던 영의정 이유원은 이 점을 정확하게 인식하였고, 무단토호를 징치하는 대원군의 정책을 계승하고자 하였다.118) 그러므로 대원군의 무단토호정책은 중앙통치권의 강화와 재지세력의 성장을 막는 통치정책이었다. 그리고 농민항쟁을 수습하여 민생을 안정시키고자 한 목적을 내포하고 있었다.

이러한 대원군의 통치정책의 성격은 경복궁 중건에서도 나타난다. 종친부는 대원군 집권기 통치정책을 수행하는 권력기구로 변화하였고, 대원군의 통치기반을 확대하였다. 대원군과 종친부는 종정경체제와 종친과를 통해 종친·선파인을 조직·정비하였고, 이들을 권력기구에 배치하였다. 이러한 정치·사회적 기반을 토대로 경복궁 중건정

---

115) 『宗親府謄錄』고종 5년 4월 26일, 618쪽 ; 8월 14일, 7~8쪽. 문경의 전 현감 金炳묘은 권력을 멋대로 휘두르다가 암행어사 박선수에 적발되어 형신후 정배되었다. 그런데 그는 또 다시 科擧찰방과 初仕를 빙자하여 전토를 탈취한 사건을 약하였다. 이에 대해 종친부는 경상감영에 답권과 양안의 철저한 조사를 통해 본주에게 돌려줄 것을 지시하였다. 그러므로 종친부는 무단토호 징치를 지속적으로 추진했던 것이다.

116) 『備邊司謄錄』고종 12년 10월 25일.

117) 『備邊司謄錄』고종 13년 5월 25일.

118) 『承政院日記』고종 10년 12월 21일 ; 11년 10월 8일. 李裕元은 대원군이 실각한 직후 고종과의 대화에서 "전일 土豪로 무단하던 자들이 모두 두려워하며 움츠려들어 지금은 들은 바가 없습니다"라고 대답하여 무단토호정책의 성과를 인정하였다.

책을 추진했다. 이 정책의 일차적 목적은 왕실과 왕권의 강화였다.

경복궁 중건은 왕실의 존엄성만을 강조한 것은 아니었다. 대원군은 이 과정에서 노론집권세력의 정치력과 권위를 약화시켜, 이들을 억압·통제하고 권력체제 속에 흡수하려는 목적을 가지고 있었다. 한편으로는 대원군 자신의 권력체제를 강화하고, 정치기반을 확대하려는 의도가 있었다. 그러므로 대원군은 경복궁 중건 과정에서 '국태공'이라는 독자적인 권위를 부여받았고, 의정부를 중심으로 한 국왕체제의 장악과 통제가 가능하게 되었다.

신정왕후는 고종 2년 4월 경복궁 중건의 당위성을 천명했다.[119] 그는 다음날 시·원임대신과 호조판서를[120] 불러 접견형식으로 정치권의 동향을 살폈다.[121] 대신들은 경복궁 중건 자체에 대해서는 찬성하였으나, 재정마련에 대해서는 회의적이었다. 영부사 정원용은 "경복궁 중건은 역대 임금과 신하들이 항상 바라던 것"이라고 하면서도 경복궁재건의 규모와 대책에 대한 사전준비가 부족함을 지적했다.

대왕대비는 자칫하면 경복궁 중건이 대신들의 저항에 부딪힐 수도 있다고 판단하였다. 그는 "국가에서 진실로 경영하면 반드시 완성된

---

119) 『高宗實錄』 고종 2년 4월 2일.
120) 대원군은 이미 경복궁 재건에 가장 필요한 것이 재정이었음을 알고 있었다. 대신들이 재정궁핍을 들어 반대의견을 개진할 것에 대비해 호조판서 이돈영을 특별히 접견에 참여시켰다.
121) 『承政院日記』 고종 2년 4월 3일. 대원군은 정부내 2품 이상으로 하여금 경복궁 중건의 방안에 대해 의견을 수렴하는 치밀함을 보였다. 이것은 이들의 반대를 의식한 사전 정지작업의 일환이었다. 승정원이 집계한 2품 이상의 논의 결과는 총론에서는 적극성을 보였지만 내부적으로 미묘한 입장 차이가 있었다. 그러나 대체적으로 물자와 인력을 마련하는 것은 묘당과 호조에 맡기고, 일을 처리하는 방법은 담당 관원에 맡기자는 견해에 일치하였다. 민력을 사용하는 방안이 강구되기도 했다. 이날 접견에 참여한 대신은 영부사 정원용, 영돈령 김흥근, 영의정 조두순, 판돈녕 이경재, 판부사 이유원, 좌의정 김병학, 호조판서 이돈영이었다.

다"면서 고종의 태평성대를 위한 경영임을 강조했다. 영돈녕 김좌근은 자전의 하교가 간절함을 이해하였고, "새로 중건한다는 것은 유신하는 일이라 찬양하지만 재력을 갑자기 마련할 방도가 없다"면서 우회적으로 반대의견을 개진했다. 판돈녕 이경재도 같은 입장이었다. 다만 판부사 이유원과 좌의정 김병학만이 재원문제는 담당 신하들이 마련할 수 있다고 협력의사를 밝혔다. 그러나 이들은 경복궁 중건정책에 대한 논의과정에서 결론을 도출하지 못했다.

영의정 조두순은 재원마련 방안에 대한 조정대신들의 의견이 귀일되기를 기다려 결재를 품의하겠다고 정리했다. 대왕대비는 다음날 승정원으로부터 민력사용 방안을 보고 받고122) 의정부에서 처리하게 하였다. 이것은 의정부의 부활이 완결되어 국왕체제가 성립되었기 때문이다. 이 자리에서 대왕대비는 경복궁 중건 役事를 대원군에게 전적으로 위임하였다.123) 이로써 대원군은 의정부를 장악할 수 있는 명분을 얻었고, 대원군의 권력행사가 의정부체제를 통해 실현되는 공식적인 계기가 되었다.

경복궁 중건은 처음부터 대원군이 구상한 통치차원의 정책이었다.124) 고종이 潛邸時에 구상했다는 것은 곧 대원군의 구상임을 의미

---

122) 대왕대비는 중건이 백성을 위한 계책인데 어찌 먼저 백성들의 힘을 소비할 것인가라고 하자, 정원용은 국가의 역사에 백성의 노동력을 징발하는 것은 제도에 있는 일이라고 설명하였다. 그러면서 그는 재정보다는 목재와 석재를 수송할 때 백성을 노역시키는 일이 더 문제라고 하였다. 조두순은 위로는 공경재상으로부터 아래로 서민에 이르기까지 당연히 모두 노동력을 낼 것이라고 설명하였다.

123) 대왕대비가 경복궁 중건정책에 대한 일체를 대원군에게 위임하자, 영의정 조두순은 전적으로 수용하였다. 이것은 의정부가 대원군의 권력행사에 대해 긍정적인 입장에 있었다는 것을 의미한다.

124) 대왕대비는 경복궁 중건을 지시하면서 "지금 우리 주상은 잠저에 있을 때 일찍이 유람하셨고, 근일에는 매양 '조종조께서 이 궁궐에 임어하실 때 태평

한다. 대왕대비가 경복궁 중건을 전격적으로 처리하는 것은 대원군의 구상이 완료되었음을 의미한다. 대원군은 경복궁 중건이라는 통치정책을 통해 국가의 공적기구를 장악하려 했다. 그는 고종이나 대왕대비로부터 지시를 받지 않았다. 그러나 국가의 공적기구를 장악하고, 집권세력들에 대한 억압과 통제를 하지는 못했다. 대원군은 경복궁 중건정책을 수행하는 과정에서 권력행사의 정당성과 정치적 권위를 확보하기 시작했다. 종래 집권세력들은 의정부와 경복궁 중건정책을 통해 대원군에게 강제되어 갔다.

이 과정에서 대원군은 秘計를 사용하여 '國太公'의 칭호와 정치적 권위는 물론이고, 東國逆賊이란 표현을 통해 정치권을 억압하기 시작했다.125) 동시에 참언으로 민심을 국왕체제에 흡수하였다. 壽進寶酌의 참언을 통해126) 대원군은 권력행사, 즉 의정부를 중심으로 한 국가체제를 장악하는 명분과 권위를 구축하였다. 그는 국가의 존속 즉 국태공이 되면서 국가권력을 상징하게 되었고, 銅器에 대한 규장각 提學과 玉堂의 撰銘은 집권세력에 대한 통제를 가능하게 만들었다. 실제적으로 경복궁 중건의 통치정책은 안김집단의 수뇌인 김좌근을 억압할 정도였다.127)

스러운 기상이 지금은 어찌하여 옛날 같지 않은가?'라고 탄식하셨다. 이것은 비단 조상의 사업을 계승한다는 聖意일 뿐만이 아니라 도량의 크고 넓음을 알 수 있는 것이니, 이는 오직 생민들의 복일뿐더러 국운의 무궁한 터전이 실로 여기에 기초할 것이다"라고 하여 명분을 만들었다.
125) 『高宗時代史』 고종 2년 4월, 115쪽.
126) 『承政院日記』 고종 2년 5월 4일.
127) 『近世朝鮮政鑑』, 23쪽. 김좌근은 양주 기생 출신 양씨 성을 가진 첩을 두었다. 김좌근의 권세 때문에 나라사람들이 그를 羅閤(羅州閤下)이라고 호칭하였는데, 대왕대비는 그를 향리로 추방하는 지시를 내렸다. 김좌근이 절망하여 칭병으로 빈객을 사절할 때, 대원군이 그를 문후하였다. 이때 대원군은 국왕의 혼인과 궁궐중건 工費의 재정부족을 설명하였다. 이에 나합은 恩赦

대원군은 경복궁 중건의 통치정책을 통해 노론집단과 백성들을 통합하였다. 노론집단은 대원군의 통치체제에 협력하여야 하였고, 백성들은 무단토호정책의 효과와 맞물리면서 대원군의 통치력이 태평성대를 열어줄 것으로 생각하였다. 따라서 대원군의 통치정책은 상하를 통합하여 대원군의 지배체제를 확립하고, 권력기반을 확대하게 만든 결정적인 사건이었다. 대원군의 전제권 행사를 가능하게 한 배경이기도 했다.

대원군은 의정부체제를 통해 경복궁 중건을 직접 주관했다.[128) 영의정 조두순은 의정부를 협조체제로 전환했고, 영건도감의 당상과 낭청 등 구성원을 종친세력을 중심으로 조직하였다.[129) 대원군은 친위세력을 영건도감의 당상관으로 인선하고,[130) 삼영의 장신과 총융사·좌우포장들을 추가로 차임했다.[131) 이로써 대원군은 국가의 공적기구와 집권세력들을 통합·억압할 수 있었다.

의정부는 전면에서 경복궁 중건의 제반여건을 마련하였다.[132) 의정

의 대가로 가례비용 10만 냥, 新宮之役의 補費 10만 냥을 탁지에 실어 보냈다고 한다.

128) 고종은 이러한 내용을 조지에 반포하게 하여 경복궁 중건과 대원군에게 위임한 사실을 정치권에 천명하였다.

129) 『承政院日記』 고종 2년 4월 4일. 영건도감 낭청에는 이명응, 이창호, 홍원섭, 이종정, 감조관에는 윤홍선, 임경준, 정직용, 조재학, 이준영, 이만희, 이경로, 홍순궁, 정대립, 별간역에는 이해준, 이해두, 강윤, 김재신, 손홍윤, 김재수, 김재형, 임상현, 김상우, 임봉장을 차임하여 조직 수성을 마무리했다.

130) 『高宗實錄』 고종 5년 7월 2일. 고종이 경복궁으로 거처를 옮긴 것은 고종 5년 7월이었다. 이날 경복궁 중건에 따른 표창자의 명단은 이를 단적으로 보여준다. 고종은 호조판서와 여러 장수, 좌우포장이 몇 해동안 날마다 수고하였다고 강조하고, 호조판서 김병국, 훈련대장 신헌, 수원유수 이경하, 금위대장 이주철, 통제사 이현직, 진무사 이용희, 우포장 이원희, 좌포장 이종승 등을 시상했다.

131) 『高宗實錄』 고종 2년 4월 3일.

132) 『高宗實錄』 고종 2년 4월 4일, 5일. 의정부는 궁전재건에 대한 종묘, 사직,

부와 영건도감은 경복궁 중건을 통해 정치세력을 통합하였고, 백성들은 원납전으로 동참하였다. 도성 내 백성들의 원납전은 이틀 만에 10만 냥이 되었고, 선판인들의 조비는 수만 냥에 이르렀다. 대원군은 이것을 天意와 민심에 부합한 것으로 부각시켜 그의 정치력을 과시하였다. 그러나 대신들이 우려한 바와 같이 민력사용과 재정마련은 간단하지 않았다.

대왕대비는 민력사용에 신중하였다. 이것은 백성을 위한 계책이라고 하였기 때문에 전적으로 백성들의 힘에 의지하는 것은 명분상 용납되기 어려웠다.[133] 대원군은 재정문제를 卿宰들과 종친선파인의 출력으로 해결하려 했다. 재원조달이 급선무이지만, 국고와 백성들의 경제상황이 용인되지 않았기 때문이다. 백성들은 임술농민항쟁에서 표출되었듯이 삼정을 감당하기 조차 어려운 실정이었다.

대원군은 都下의 원납전과 선파의 助費로 재정을 마련하였다. 대왕대비는 이것에 천의와 민심에 부합한다고 강조하고, 재정대책과 백성들의 출력문제에 대한 원칙을 정립하였다.[134] 그는 舊闕重營은 民을 위해 求福하고 국가를 위한 申休之計에서 나온 것이나, 役費가 浩大하여 使民出力은 심히 矜惻하다고 밝혔다. 그런데 원납과 조비가 선파인에게서 수만 냥이나 나왔으니 매우 가상한 일인 것이다.

특히 대왕대비는 조비를 낸 선파인들을 극찬하였다. 그는 "璿派諸

산천에 대한 고유제를 지낼 것을 건의하고, 영건도감은 재건공사의 개시일을 13일로 정했다.

133) 『承政院日記』 고종 2년 4월 4일. 고종은 경복궁 중건과 관련하여 국민적 합의를 이끌어내기 위해 노비가 된 죄인을 포함하여 의금부 도류안에 등재된 죄인들을 방면시켰다. 그러면서 이것은 자전의 好生之德에서 나온 것이며, 和氣를 맞아들여 寡宮에게 歸福하는 것이라고 강조하여 경복궁 중건에 대한 국민의 동참을 유도하였다.

134) 『高宗實錄』 고종 2년 4월 5일.

人들이 선조의 肇基之地를 추념하여 一室의 憂樂을 함께 하니 매우
가상하고 欣幸을 이길 수 없다"면서 경복궁 중건에 있어서 선판인들
의 역할을 기대하고 또한 강조하였다. 이것은 이들의 솔선수범을 통해
일반민들의 동참을 유도하겠다는 의지였다. 물론 이러한 구상은 대원
군에게서 나왔다.

대원군은 都民들의 願納과 坊曲의 饒民들의 의연금에 주목했다.
종친부는 선파인들의 동참을 장려했다. 대원군은 재정문제를 분리하
여 실행하려 했다. 원납전은 경재 이하 요민들을 대상으로 마련하고,
노동력은 선파인과 일반 백성을 동원하려 한 것이다. 이것은 경복궁
중건이라는 통치정책의 속성과 연관된 것이다. 대원군은 원납에 따른
부담과 저항을 고려하여 별도의 성의를 약속했다. 이것은 관직수여 등
施賞을 통해 자발적인 참여를 유도하려는 계책이며, 이러한 방안은
의정부를 통해 제기하고 공포했다.135) 그런데 만약 이를 빙자한 橫濫
과 乾沒한다면 이것은 苛政暴斂의 해보다 심할 수 있기 때문에 대원
군은 八道와 四都에 각별히 신칙하기도 했다.136)

대왕대비는 가장 모범적으로 내탕금 10만 냥을 영건도감에 보내어
보용하게 했다.137) 그리고 중앙의 경재 이하에게는 원납을 독려하였
다. 종친부는 대왕대비의 뜻을 전하면서 선파인들의 원납을 독려하였

---

135)『承政院日記』고종 2년 4월 5일, '議政府啓'. 의정부는 경복궁 중건시 辨財
役民에 대해 중앙의 경재 이하와 외방의 관찰사·절도사·수령 이하는 형편
에 따라 의연하게 하고, 士庶人이라도 중외를 막론하고 자발적으로 원납하
는 자는 벼슬이나 상으로 보상하는 방안을 제안하였다. 다만 이를 빙자하여
협박하여 함부로 징수하거나 중간에서 가로채는 것은 엄격하게 금지하였다.
136) 黃玹 著, 金濬 譯,『完譯 梅泉野錄』, 18쪽. 이러한 우려는 현실로 나타났다.
경복궁 중건의 재정이 궁색해지자 팔도의 부호들에게 금전을 부과하여 거두
어들이고, 이에 파산자가 속출하였다. 그래서 원납전이 둔갑하여 '怨納'으로
불리게 되었다.
137)『高宗實錄』고종 2년 4월 8일.

다. 종친부가 비록 열읍에 산재해 있는 종친선파인들에게 강제로 납부
하게 하려는 것이 아님을 강조했지만, 실제로는 한사람도 빠짐없는 적
극적인 원납을 독려해 강제성을 띠었다.[138] 노론집권과 관료집단의
원납 상황은 정확하게 알 수 없지만, 종친부가 전국의 선파인을 대상
으로 4월 한 달간 거두어들인 것은 원납전 7만 5천여 냥과 작은 서까
래 1천 8백 箇였다. 이후 종친부는 선파인으로부터 所捧한 원납전을
매달 영건도감에 보내었다.[139]

　종친부는 役費 마련에 진력했다. 이것은 정치집단에 대한 각성과
일반민들의 자발적인 원납을 유도하는 문제와 연관되었다. 그러나 종
친부의 원납전 수납은 순조롭게만 진행되지는 않았다. 사회경제적으
로 몰락한 선파인들의 입장에서는 엄청난 부담으로 작용하였기 때문
이다.

　종친부는 원납전의 액수가 많은 경우 분납을 유도하기도 했다.[140]
그러나 4,000냥을 약정한 永柔縣의 李湅이 이를 납부하지 못하자 종
친부는 해읍에 공문을 보내 독봉을 촉구하였다.[141] 이런 점에서 종친
부의 종친선파인들에 대한 원납은 과도하게 부과되거나 강제성을 띠
고 있었다. 이 과정에서 선파인들을 결집하려는 의도와 종친부의 주도

---

138) 『宗親府謄錄』 고종 2년 4월 6일, 487쪽. 종친부는 璿裔가 없는 읍이 없고,
　　一鄕은 그 사람의 납부여부를 알 수 있다고 전제하고, 각 고을에서는 각기
　　일일이 명단을 懸錄하여 타일에 상고할 근거로 삼을 것임으로, 각읍 각파에
　　서 별도의 勤幹人을 택하여 성책을 갖추어 보고하게 하였다. 이러한 지시는
　　선파인을 대상으로 철저하게 원납을 추진하려는 의도였다.
139) 『宗親府謄錄』에 의하면 종친부는 고종 2년 2월부터 경복궁으로 이어하기
　　직전인 고종 5년 6월까지 매달 말일에 원납전을 영건도감에 보내었다. 선파
　　인이 원납한 총액은 35만 6,566냥이었고, 병인양요기인 고종 3년 7월~12월
　　의 선파인 원납은 전쟁비용으로 충당되기도 했다.
140) 『宗親府謄錄』 고종 2년 7월 15일, 495~496쪽.
141) 『宗親府謄錄』 고종 2년 10월 21일, 505쪽.

적인 역할에 한계가 드러났다. 당시의 大小民人 중 원납하지 않은 자가 없었지만, 일부의 선파인은 아예 動念없이 晏然하여 원납에 참여하지 않았다.142) 심지어는 원납을 塞責하였다면서 내납하지 않았다.143) 구례현의 李繼春은 500냥은 납부하고 300냥은 乾沒하여 隱避하였다.144) 종친부는 '대원위분부'에 의거하여 宗罰를 시행할 것과 체포를 시달하였지만 원납징수는 어려움이 많았다.

한편 지방관아의 경우, 종친부의 명령을 절대적으로 수행하지 않았다.145) 이들은 본래의 취지를 벗어나 원납을 빙자하여 侵漁하기도 하였다.146) 종친부에 직접 원납한 경우에도 지방관아에서는 再徵하기도 하고, 심지어는 杖囚侵督하기도 했다. 종친부는 이러한 폐단을 막기 위해 종친부에 원납한 사실을 적은 標紙를 발간하면서 엄칙하였다.147) 심지어는 선파인들의 願納之物이 중도에서 橫奪・勒奪 당하기도 했다. 원납지물을 실은 운반선이 정박한 기회를 틈타 선주와 사공・상인 등이 同謀하여 늑탈하고 給債로 팔아치우거나,148) 원납지수를 환전하고 愆滯하기도 하였다.149) 이러한 願納之需는 끝내 종친부에 상납되지 못했다.150)

종친부가 경복궁 중건을 위해 선파인을 대상으로 거둔 원납전은 전체 원납전의 액수에 비교하면 양적으로는 적은 편이다. 이 과정에서

---

142) 『宗親府謄錄』 고종 2년 5월 16일, 493쪽 ; 9월 18일, 502쪽 ; 12월 19일 ; 3년 3월 25일, 531쪽 ; 5월 11일, 536쪽 ; 5월 12일, 536쪽.
143) 『宗親府謄錄』 고종 2년 6월 25일, 494~495쪽 ; 9월 16일, 502쪽.
144) 『宗親府謄錄』 고종 2년 12월 6일, 513쪽 ; 3년 1월 8일, 517쪽.
145) 『宗親府謄錄』 고종 3년 5월 12일, 536쪽.
146) 『宗親府謄錄』 고종 2년 7월 15일, 496쪽.
147) 『宗親府謄錄』 고종 2년 7월 17일, 496쪽.
148) 『宗親府謄錄』 고종 2년 12월 6일, 513쪽 ; 3년 1월 8일, '吉州牧了'.
149) 『宗親府謄錄』 고종 3년 1월 8일, 517쪽.
150) 『宗親府謄錄』 고종 3년 2월 13일, 525쪽 ; 28일, 527쪽.

적잖은 폐단을 야기하였지만, 대체적으로는 적극적으로 동참하였다. 사회·경제적으로 몰락의 처지에서 선파인들은 선조의 肇基之地를 추념하여 一室之憂樂을 함께 하자는 경복궁 중건의 명분을 마다할 이유가 없었다. 더구나 이들은 경복궁 중건을 통해 與他와의 逈別을 기대하였다. 이 과정에서 선파인들의 사회적 지위가 상승되기도 했다 그러므로 선파인들의 원납행위는 대원군정권 통치정책 추진의 힘으로 작용하였고, 또한 자연스럽게 대원군의 사회적 기반이 되었다. 종친부는 이러한 역할을 주도적으로 수행하였다.

2. 병인양요 진압과 삼군부 복설

대원군은 병인양요의 진압을 통치정책의 차원에서 실현하였다. 그는 대외적 위기를 극복하면서 자신의 권력체제를 강화하고, 권력기반을 확대시켰기 때문이다. 이것은 경복궁 중건에서 드러난 상하통합이 병인양요를 계기로 더욱 구체화되게 만든 결과였다. 이 과정에서 대원군은 무력적 기반을 구축하였고, 또한 전제권력 행사의 토대를 만들었다. 이러한 변화의 중심에는 종친과 친위세력이 존재했다. 대원군은 이들을 통해 노론집권세력의 결집을 도출할 수 있었고, 백성들은 대외적 위기감에 대원군을 중심으로 일체감이 강화되었다.

대원군은 병인양요가 발발하자 제일 먼저 종친세력을 전선에 배치하였다. 종친인 행호군 이원희는 총융청 중군이 되어 해당군영 대장과 함께 투입되었고,[151] 지종정경 이동현과 종정경 이장렴은 좌·우포장에 임명되어 치안을 전담하게 되었다.[152] 이경하는 경기연해의 도순

---

151) 『高宗實錄』 고종 3년 9월 7일.
152) 강화유수 이인기가 江都를 失守하자 대원군은 종정경 이장렴을 강화유수에 임명하였고, 이방현을 승급하여 우변포도대장으로 삼았다.

무사가 되었고, 이용희는 순무영의 중군이 되어 서울의 외곽을 수호하였다.[153) 대원군이 전후방의 군사적 핵심요지에 종친들을 배치한 것은 신뢰의 측면을 넘어 권력의 기반이 이들에게 있었기 때문이다. 그러나 이것은 대원군의 권력기반이 제한적이었음을 보여 준다.

대원군의 입장에서 병인양요의 발발은 대외정책의 한계를 드러낸 것이며, 정권차원에서는 위기였다. 선파인들이 비록 軍需助納金을 통해 대원군의 대외적 위기극복에 자발적으로 참여하였지만,[154) 국민적 차원의 항전이 일어난 것은 아니었다. 이것은 대원군의 무단토호에 대한 징치 등 대국민정책의 결과가 아직은 민생에 직접적인 영향을 미치지 못하고 있으며, 한편으로 지배계급은 자신들의 기득권이 무너지고 있는 현실에서 전면에 나서지 않은 형국이었기 때문이다.

병인양요에 대한 대응책은 交와 戰의 갈림길에 있었다. 국왕이 원임대신과 봉조하가 묘당에서 강화도 회복의 계책을 상세하게 기획할 것을 명령하였지만,[155) 의정부는 아무런 대책을 내놓지 못하였다. 이러한 정치권의 현실을 직시한 대원군은 묘당에 글을 내려 결사항전을 강조하고, 국론을 통일시켰다.[156) 그는 "상하가 疑怯하게 되면 만사가 와해되고 국사를 잃어버리게 될 것"이라고 일갈했다. 동시에 血誓로써 항전을 촉구하였다.[157) 이것은 지배세력을 항전으로 통합하려는

---

153) 『高宗實錄』 고종 3년 9월 8일. 순무영은 훈련원의 기병 1개부대, 보병 5개부대를 파견하였고, 중군 이용희는 선봉부대를 인솔하였다. 순무사 이경하에게는 특별히 임명한 사실을 강조하면서 승전보고를 독촉하였다.

154) 『宗親府謄錄』 고종 3년 9월 10일, 11일, 547~548쪽. 부안의 선파유학 李文榮, 양근의 진사 李承堯, 진사 李海祚 등은 약 1만 냥의 조납금을 냈다. 대원군은 이문영을 감역관, 이승요는 예빈참봉, 이해조는 휘경원 참봉에 추천, 백세일실의 마땅함을 드러내게 했다. 이것은 종친선파인은 물론이고 전 국민의 적극적인 참여를 유도하려는 계획이었다.

155) 『承政院日記』 고종 3년 9월 10일.

156) 『高宗實錄』 고종 3년 9월 11일.

것이며, 자신의 집권체제에 흡수하려는 의지였다.

대원군은 교전의 갈림길에서 국론의 분열을 막고, 빠른 시일 내에 전쟁을 종식시켜야 하였다. 특히 그는 정치권에 대한 완전한 억압과 통제가 어려운 현실에서 정치권을 하나로 통합할 필요가 있었다. 대원군이 매국과 망국, 위국론을 강조한 것은 이러한 목적에서 나온 것이다. 그는 전쟁을 계기로 한 정치세력의 분열을 심히 우려하였다. 프랑스와의 화친은 정책의 급격한 변화와 함께 자신의 권력기반이 해체될 수 있었다. 더구나 그것은 프랑스에 대한 패배를 의미하며, 그 책임은 자신에게 귀결될 것이다. 그러므로 그는 매국론을 거론하여 그러한 단초를 막고자 했다.

대원군이 교역이 망국이라고 주장한 것은 교역이후에 대한 우려를 반영한 것이다. 서양은 중국과 교역한 후 중국에서 함부로 날뛰면서 돌아다니는 것이 갑절이나 더해지고, 도처에서 악행이 일어나고 있으니 중국은 그 독을 받고 있다고 생각하였다. 이러한 인식에서 대원군은 교역을 허락할 수 없었지만, 교역 이후의 국내변화에 대한 우려도 있었다. 서양과의 교역에 편승한 새로운 정치세력의 성장을 염려하였고, 이를 사전에 차단하기 위해 亡國論을 제기하였던 것이다.

대원군은 전쟁에 버금갈 정도의 사회 불안정을 염려했다. 지배계급 내부에서는 이미 수도를 버리자는 논의가 나왔으며, 도성 내에서는 약탈행위가 빈번하게 발생했다. 의정부는 이러한 상하 민들의 소요에 궁궐수비를 강화하고, 총융청의 군사력을 증강하였다.158) 이러한 상황에

---

157) 대원군이 마음에 정한 세 가지는 1)고통을 참지 못하고 만약에 화친을 하게 되면 이것은 매국이다. 2)그 독을 참지 못하고 교역을 허락하면 이것은 망국이다. 3)적이 경성에 접근하였을 때 去邠한다면 이것은 危局이다. 그러면서 대원군은 그동안 서양이 조선을 침범하지 않은 것은 저들이 조선에 와서는 예의가 있다는 것을 알았고, 衆心이 城을 이루고 있다고 믿기 때문이다고 강조하였다.

서 서양과 내통한 세력이 형성되거나, 민들이 흩어지게 된다면 결정적인 위기가 형성되는 것이다. 이것은 곧 자신의 집권과 권력행사에 대한 저항세력의 성장과 연계될 수 있다. 그러므로 대원군은 危局論으로 이러한 변화를 차단하고 상하 일체감을 형성하여 전쟁에 임하려한 것이다.

대원군이 전격적으로 항전 결의를 표방한 것은 지배계급의 통합을 염두에 둔 선택이었다. 일차적으로 대원군과 다른 길을 걷고 있던 노론세력과 이들과 연계된 재야유생들을 체제 속에 통합하려는 의도였다. 그는 이들의 대외강경책을 수용함으로써 이들과 협조체제를 구축하고, 이들을 체제내로 끌어들이려 했다. 이러한 방안은 좌의정 김병학과의 일정한 교감속에서 이루어졌다.

좌의정 김병학은 前 掌令 李恒老를 문학과 경륜을 갖춘 선비로 추천하였고, 이에 고종은 동부승지로 정치권에 흡수했다.159) 奇正鎭과 박문일도 정치권으로 끌어들였다.160) 이항로는 지방에 있어 숙배하지는 않았으나 대원군 결사항전의 방안을 적극 지지하였다.161) 그러나

---

158) 『承政院日記』 고종 3년 9월 8일.
159) 『承政院日記』 고종 3년 9월 8일. 좌의정 김병학은 지난번 서양배가 왔을 때 募軍에 응한 사람이 몇 있었으니 지금도 그런 사람이 있을 것이니 이들로 하여금 백의종군하게 하는 방안을 동시에 제의하였다. 고종은 모군에 응하여 공을 이루는 경우에 不次擢用할 것이니 通衢와 四門에 방을 내걸도록 지시하여 사민 규합의 방안을 강구하였다.
160) 『高宗實錄』 고종 3년 10월 1일.
161) 『高宗實錄』 고종 3년 9월 12일. 이항로는 상소문에서 오늘날의 국론은 두 가지 설로 서로 다투고 있다면서, 洋敵과 싸우자는 것은 나라의 입장에 선 사람들이고, 양적과 강화하자는 것은 적의 입장에 선 사람이라고 분별하였다. 그리고 나라의 입장에서 논의를 주장하는 자들도 두 가지 설이 있다면서 하나는 싸워 이기자는 설이며 이것은 떳떳한 도리이고, 하나는 오랜 도읍지를 떠나자는 설로서 이것은 임기응변이라고 설명하였다. 그는 싸워 지킨다는 설을 선택할 것을 주장하여 대원군의 입장을 강화하였다.

이들은 대원군의 대내정치에 대해서는 반대하는 입장을 보였다.[162) 이항로의 동부승지 임명은 처음부터 조정의 격례에 어긋나는 것이었다. 그는 이미 나이가 75세여서 동부승지에 임명될 수 없었지만 구애받지 않은 것도 이러한 정치적 목적을 위한 것이었다. 그는 9월 13일에 중희당에 입시하여 고종과 마주하였다. 그러나 그는 적을 막아내는 방도와 학문에 힘쓸 것을 강조하면서 사직의 뜻을 표하였다.[163) 다음날 이항로는 공조참판과 의정부당상에 차하되었다. 그러나 그는 병을 칭탁하여 의정부에 나아가지 않았고, 거듭 사임하였다. 따라서 대내정치와 대외정치의 노선이 분명하게 다른 집단의 통합은 어려웠다.[164)

이항로는 대원군의 대외강경·결사항전의 방안에 대해서는 이해를 같이하였다.[165) 대원군은 이러한 인식을 바탕으로 의병모집을 위해 전국에 초모사를 파견하였고,[166) 원근의 土民을 규합하게 했다. 종친

---

162) 이항로가 강조한 점은 1)임금이 스스로 도모하고 卿士에게 자문을 구하되 안으로 서울로부터 먼 지역까지 이르게 할 것, 2)인재등용, 3)토목의 역사를 중지하여 백성을 수탈하는 정사를 금하는 등 검소한 생활 등을 주청하였다.

163) 『承政院日記』 고종 3년 9월 13일.

164) 이항로는 대외정책에 대해서는 대원군과 인식을 같이 하였으나, 개혁정책에 대한 인식의 편차로 대원군정권에 적극적인 참여는 어려웠다.

165) 『承政院日記』 고종 3년 9월 16일. 이항로는 상소문에서 조정의 의논이 싸워 지키자는 것을 정론으로 삼고 서울을 떠나는 것을 잘못된 계책이라 지적했다. 그리고 화의와 교역을 요구하는 무리와 잡술을 떠드는 불경한 무리는 요망하여 나라를 망칠 화근으로 간주해야 하며, 매우 미워하고 배척하여 한칼에 베자고 한다는 것을 듣고 벌떡 일어나 곧 바로 춤추고 싶은 심정이라고 하였다. 그러면서 자신이 전에 언급한 세세한 조목은 선후와 완급에 알맞게 손질하여 시행해야 한다면서, 내정에 대해서는 한발 물러서는 입장을 취하였다.

166) 이항로의 경우에도 상소에서 팔도에 덕망 있는 사람을 號召使로 삼아 그에게 권위를 부여하고, 그로 하여금 충효와 기지를 지닌 자들을 수습하여 의병으로 삼아 관군과 서로 호응하게 해야 한다고 하였다. 의정부는 이미 호서에 전 승지 이용직, 호남 전병사 이관연, 영남 전 정 이휘재, 전 교리 김우수, 황

부는 都城女堞의 修築을 위해 2,000냥을 어영청에 보내면서[167] 지속적으로 조납금을 거두었다.[168]

대원군의 소모사를 통한 의병규합은 순조롭게 진행되지 않았다. 고종은 양이가 강화도를 침범한 현실에서 사방에서 의로운 기개를 떨치는 자가 적음에 한탄하였다.[169] 그러나 포천 선파인 李奎漢의 討滅洋夷 혈서 격문이 백성들의 의분심을 불러 일으켰고,[170] 지종정경 이시원의 음독자결이[171] 자원인원을 늘어나게 하는 결정적 사건이었다. 이시원의 음독자결은 일시에 4,000명이 군사모집에 응하게 만들었고, 이들은 모두 총융청 진영에 배속되었다.

한편 대원군은 보부상들의 조직을 의병에 흡수하였다.[172] 그는 부

해도 전 현감 이민도, 평안도 전 승지 신우업, 강원도 전 감역 이주하, 함경도 전 오위장 마행일을 의병규합의 초모사로 파견하였다.

167) 『高宗實錄』 고종 3년 9월 12일.

168) 『宗親府謄錄』 고종 3년 9월 16일, 18일, 548쪽. 宗親府는 선파유학 李承準이 甲胄 1건을 조납하자 순무영에 이송하였고, 선파 順天 監牧官 李秉悌가 200냥을 조납하자 의정부에 이송하였다.

169) 『高宗實錄』 고종 3년 9월 23일. 고종은 "8도안에 의리가 있고 용맹 있고 지략 있는 선비들이 진짜 없어서 인가. 아니면 나에게 덕이 없고 허물이 있는 것과 관련하여 격동시키고 감격시키지 못해서 그런 것인가. 거듭 추구해보아도 그 까닭을 알 수 없다"면서 심경을 피력하고, 중앙과 지방에서 적개심을 가진 자들이 지혜를 내고 대책을 제의하여 의리로 전장에 나가 빠른 시일 내에 적들을 평정할 것을 지시하였다.

170) 『宗親府謄錄』 고종 3년 9월 19일, 548쪽. 이날 종친부에 모여든 선파인들은 이규한 외에 李應漢, 李道漢, 李時英, 李種會, 李洛鳳, 金完錫, 金柱珊, 金龍伊, 崔漢奎 등 10인이었다. 이들은 모두 순무영의 선봉진영에 배속되었다.

171) 『高宗實錄』 고종 3년 9월 21일. 이시원은 동생 이지원과 함께 음독하였다. 고종은 이시원에게는 영의정, 이지원에게는 이조참판을 추증하였고, 宗臣을 보내 치제하였다. 종친부는 이시원의 장례에 부의 외 전500냥, 무명과 베 각 1동, 이지원에게는 전200냥, 무명과 베를 각 10필씩 보내었다.

172) 대원군은 재야시 보부상들과 이해관계를 맺어왔고, 대원군의 도고금지 조치는 보부상의 이익을 일정하게 대변하는 정책이었다. 그러므로 보부상들은

상들에게 지시문을 내려 참전을 독려하고,[173] 自願赴陣한 負商輩의 效勞는 대단하였다.[174] 보부상들은 이러한 계기를 통해 전국적인 조직화를 도모하게 되었지만, 병인양요시에는 군수물자와 양곡을 강화도에 운반하는 역할을 담당하거나 付陣되어 정족산성 접전시에 공을 세웠다. 이외에도 泮民 頭目과 三所任들도 自願赴戰 하였다. 이들은 문수산성과 정족산성 전투에 참가하여 군병·향군의 포수들과 함께 출정하였다. 그리고 赴戰하지 않은 일반사민들은 助餉으로 전쟁에 임하였다.[175] 이와 같이 각계 각층이 전쟁에 참여하였지만, 倡義願赴의 저변을 형성한 것은 종친선파인 뿐이었다.

종친선파인들의 倡義願赴는 전쟁이 진행되는 동안 지속되었고, 전쟁이 끝나자 종친부는 出義上京者들을 고향으로 환송하게 했다. 이들의 창의가 지극히 가상하지만 洋敵이 이미 달아났기 때문이었다.[176] 일부지역에서는 유생들과 선파인들이 각기 대원군에서 상서하여 出

병인양요 시기에 조직을 확대 강화하면서 항전에 적극 참여하였고, 이를 계기로 대원군정권의 사회적 기반을 형성하게 되었다.

173) 『巡撫營謄錄』 고종 3년 9월 12일. 대원군은 負商 都班首輩들에게 沁都의 함락 사실을 거론하면서 부상들 중에서 義氣快傑之人이 많다는 사실을 지적하고, 의기를 나라를 위해 사용해 줄 것을 요청하였다. 그러면서 王敏悅을 都班首로 삼고, 姜仁學에게 接長을 맡기어 거행하게 하였다.

174) 『高宗實錄』 고종 3년 10월 20일.

175) 『高宗實錄』 고종 3년 10월 20일. 순무영의 士民助餉者 명단에는 유학, 한량, 소임, 출신, 종친부서리, 훈련도감 창고지기, 의정부 서리, 훈련원 서리, 선혜청 서리, 승정원 서리, 무명전민, 규장각 사령, 의금부 나장, 병조 서리, 총융청 서리 등 각 정부산 하급 이서층 출신이 많았다. 특이한 것은 대원군의 심복으로 알려진 장순규, 천의현, 김완조, 오도영 등의 이름이 보인다. 이들은 모두 대원군이 신임하는 이서층으로 중앙의 각 관서에 배치되어 대원군의 정무정책에 실질적인 역할을 한 자들이다.

176) 선파인들이 倡義願赴하다가 還送한 지역은 부안현, 무안현, 고부군, 임실현, 나주목, 전주, 영암군, 장흥부, 김제군, 순창군, 금구현 등으로 주로 전라도지역이었다(『宗親府謄錄』 고종 3년 10월 17일~11월 5일, 551~555쪽 참조).

義와 踴躍赴陣을 표방하였다. 태인현의 宗下生들은 西夷의 침입은 東國의 수치이며, 군친의 근심이고 신민을 욕보인 것이기 때문에 八域내에 조금이라도 義膽이 있는자는 願赴하지 않을 자가 없을 것인데 하물며 종하생인 자신들은 충분이 격하여 자신을 돌아볼 겨를이 없다고 강조하였다.177)

태인현의 유생들도 대원군에게 상서하여 자신들은 임진란의 명신 공신의 후예들로서 先世를 이어 양적을 물리치기 위해 出義赴陣한다는 결의를 보였다.178) 임실현에서는 효령대군 14대손인 孟源이 願赴之心을 상서하였고, 전주의 선파인들도 상서하여 결의를 표방하였다.179) 鐵原府의 종친선파인들도 군수용 원납전을 종친부에 上送하였다.180)

종친부는 선파인들을 중심으로 의병을 모집하거나 군수조납에 적극적인 역할을 담당한 것이다. 대원군이 신임하는 중앙의 서리들도 전면에서 조향을 선도하였고, 이러한 과정에서 계층을 초월한 국민적 힘이 결집될 수 있었다. 대원군은 이러한 결집력을 배경으로 병인양요를 종식시켰다.

---

177) 태인현의 대표적인 종하생은 효령대군 14대손인 昇求, 13대손인 得灃, 완산군의 15대손인 鏃斗, 소현세자 7대손인 昌爕 등이 중심인물이었다. 이들은 모두 환향 조치되었다(『宗親府謄錄』고종 3년 9월 24일, 552쪽). 이들은 환향하면서 軍伍에 助用하게 전마 2필을 來納하였다(같은 책, 29일, 554쪽).

178) 『宗親府謄錄』고종 3년 10월 24일, 552~553쪽.

179) 『宗親府謄錄』고종 3년 10월 25일, 553쪽. 한편 전주의 창의자들은 나라가 급박함에 결사하고자 하였다고 강조하고, 이미 양이가 물러났지만 서멸양추하기 위해 조성한 軍器를 내납하였다. 이들이 조성한 것은 鎗刀 120개, 鎗本 85개, 鎗竹 148개 였다(『宗親府謄錄』고종 3년 10월 27일, 554쪽).

180) 철원부의 종친선파인들은 의거부진하고자 하였으나 이미 양적이 물러난 상황이라 그들이 수합한 명하전 560냥을 宗親府에 상납하였다. 그런데 李殷爕이 먼저 군수원납전 100냥을 내었고, 나머지 460냥을 종친부에 상납하였다(『宗親府謄錄』고종 3년 11월 9일, 13일, 556쪽).

한편으로 대원군은 결사항전을 통해 노론과 재야세력의 힘을 얻었
고, 정치적 동반관계를 형성할 수 있는 단초를 열었다. 병인양요 이후
대원군의 권력은 강화되었고, 이것을 바탕으로 통치차원의 개혁정책
을 지속적으로 추진할 수 있었다. 그러나 대내적 문제에 대한 인식과
해결방안에 대한 입장차이로 상호간의 갈등 봉합은 지난한 문제였다.
이것은 대원군의 권력체제와 관련되어 정치권에 대한 억압과 통제가
불완전했기 때문이다.

대원군은 국방정책을 권력 강화·권력기반의 확대문제와 연관시켰
다. 이 과정에서 대원군은 군권을 직접 장악했다. 이것은 정치집단에
대한 통제력 강화를 위해서도 필요한 것이었다. 대원군은 의정부에 이
관된 군권·군사권에 대한 분화를 추진했고, 이것은 삼군부의 복설로
귀결되었다. 삼군부의 복설은 군권장악이라는 통치를 위한 목적으로
시행되었다.

삼군부가 공식적으로 복설된 것은 비변사가 폐지된 지 3년 후인 고
종 5년이었다.[181] 그러나 삼군부의 명칭은 비변사 폐지 직후부터 등장
했다.[182] 비변사가 폐지되면서 軍國機務에 관한 업무와 구성원들은
의정부에 통합되었고, 武備를 관장하는 독자적인 기구는 설치되지 않
았다. 영의정 조두순이 국초의 제도에 의거, 의정부와 대치하여 삼군
부의 복설을 제의한 것은[183] 이러한 상황을 정확하게 인식했기 때문
이다.

---

181) 『增補文獻備考』 卷216, 「職官考」 '義興三軍府條', 516쪽, '今上五年復設三
　　軍府'.
182) 『承政院日記』 고종 2년 5월 26일.
183) 조두순은 현재의 예조가 있는 곳은 국초에 삼군부가 있던 자리라고 지적하
　　고, 오위의 제도를 갑자기 복원할 수는 없지만 훈국의 新營, 南營, 馬兵所와
　　五營의 書仕하는 것 등을 예조의 자리에 합설하여 삼군부라 칭하는 것이 좋
　　겠다고 제의하였다.

대원군은 武備를 통괄하는 별도의 군사기구가 필요치 않았고, 만들지도 않았다. 『大典會通』과 『六典條例』에도 삼군부에 관한 직제는 없으며, 『承政院日記』와 『高宗實錄』, 『日省錄』 등의 관찬사서에서도 삼군부의 행적을 찾을 수 없다. 조두순의 삼군부 언급은 비변사 폐지의 대왕대비의 교서를 근거로 한 국초의 제도로의 회복취지를 언급한 것에 불과하며, 그는 政令을 문사와 무비로의 이원화할 것을 고려했던 듯하다.

그러나 대원군은 독자적 군사기구인 삼군부 복설을 급선무로 인식하지 않았다. 그것은 그가 정령을 의정부에 통합하여 일원적인 권력체계를 구상했기 때문이다. 대원군은 영의정 조두순의 국초제도의 복원제의를 수용했다. 그러나 실권이 부여되지 않은 명목상의 삼군부를 인정했고, 그 물리적 공간을 설정해 두는데 그쳤던 것이다.

대원군은 의정부를 통해 국정을 총괄하면서 국방 및 군사정책을 추진하였다. 그러나 그는 대외정책보다는 국내정치의 안정과 정치세력의 재편, 즉 자신의 권력체제의 안정에 역점을 두었다. 국방정책에 대한 변화는 시급한 일이 아니었다. 조선정부와 지배층이 제국주의의 동아시아 진출에 따른 위기의식이 없었던 것은 아니지만,[184] 이에 대한 적극적인 대응책은 모색하지 않았다. 이것은 제국주의의 동아시아 진출을 조선에 대한 직접적인 위협으로 보지 않았기 때문이다.[185] 이러

---

184) 英佛 연합군의 北京함락 소식은 조선인들을 자극하여 심지어 현직관료들 조차도 피난길에 오르는 소동이 있었다.

185) 이양선의 연안 출몰에 대한 지방의 보고가 빈번하였지만, 지방관청은 이들이 요구하는 탐험, 측량, 통상의 의미를 정확하게 파악하지 못했다. 따라서 근본적인 대책을 마련하려는 움직임은 전혀 보이지 않았다. 이들은 일상적인 방위차원에서 경계를 강화하는 조치만 내렸을 뿐이다. 이양선 출몰이 증가하고 있는 현상에 대해서는 陸軍本部, 1997, 『韓國軍制史-近世朝鮮後期篇』, 252~253쪽의 「18世紀末-19世紀後半期 異樣船 出沒表」 참조.

한 미온적인 대응은 대원군이 집권한 이후에도 변하지 않았다.

대원군 집권 이후에도 異樣船의 출몰은 빈번하였고, 연안에 상륙한 서양인들은 물건을 탈취하거나 통상을 요구하기도 했었다. 특히 러시아인들은 교역을 요구하면서 월경하거나 慶興府를 방문하고 서신을 전달하여, 이들의 남진에 대한 위기감이 있었다.[186] 이러한 현상은 함경도지역에 한정된 것이 아니라 전국연안에서 빈번하게 발생하였다.[187] 그럼에도 대원군은 이양인들의 월경이나 교역요구가 변경장수의 무책임과 내부에서 和應하는 세력이 존재하기 때문에 발생하는 것이라고만 판단했다. 그리하여 화응세력은 물론이고 監司와 水師에 대한 처벌을 강행하여 분위기를 쇄신하려 했을 뿐이다.[188]

이러한 상황에서 대원군이 강조한 것은 海防이었다.[189] 그는 兩湖

---

186)『高宗實錄』고종 1년 2월 28일 ; 2년 11월 10일, 11일. 함경감사 이유원은 경흥부사 윤협의 보고를 토대로 러시아인 3명과 후춘 사람 2명이 교역을 요구하면서 화답을 기다린다는 글을 비변사에 올려 정황을 보고하였다. 이유원은 서양인들의 월경과 교역요구는 변경의 금령이 해이해진 것과 '私相和應'하는 자가 있다고 판단하였다. 그리고 감사의 직권으로 연안의 방비를 강화하라고 북병사와 지방 관리에게 신칙하였다. 또한 러시아인들은 경흥부에 달마다 출몰하고 書甬을 통해 경흥부를 방문하겠다는 의사를 표시하였으나, 의정부는 이러한 경흥부의 이국인들의 출현에 대해 법으로 금지되었다는 사실을 알리고, 회유하여 돌려보낼 것을 지시하는데 그쳤다.

187) 崔炳鈺, 1989,「高宗代의 三軍府硏究」,『軍史』19, 26쪽 참고.

188)『承政院日記』고종 1년 5월 15일, 17일. 비변사는 경흥부의 월경사건과 관련하여 金鴻順, 崔壽學을 강가에서 효수하게 하고, 김문흡은 기한을 정하여 체포하며, 銀匠 및 防察鄕將은 도신이 등급을 나누어 참작하여 처리하게 하였다. 그리고 당시의 부사와 도신에 대해서는 우선 후임을 뽑고 나서 하옥하게 할 것을 제의하여 허락을 받았다. 감사 趙然昌과 북병사 尹守鳳은 법전에 의거 삭직하였고, 경흥부사 李錫永은 경흥부에 徒 3년 정배하였다. 이석영은 전라좌수로 재임하고 있었는데 배소로 압송되었다.

189)『承政院日記』고종 1년 3월 7일. 통영은 남쪽변경의 重鎭이지만 근래 잔폐됨이 심하였다. 폐단의 근원은 정확하게 알수 없지만, 통제사의 책임이 큰 것으로 파악되었다. 통제사가 자신의 중요한 직책과 요충지에 대한 인식이

의 경우, 선파의 후예들만 장수로 파견하였다.190) 그는 당시의 帥臣들
이 변방의 중요함을 잊고 유사시에 대한 대비보다는 가렴주구를 일삼
고 군문의 위엄에 의지하여 방자한 행위를 일삼으며 이력만 채우고
있다고 인식하였다. 선파후예들을 특별히 파견한 것은 이러한 폐단의
시정은 물론, 이들을 통해 해방의 중요성을 강조하기 위한 조치였다.
그리고 이것은 변경지방의 책임자들을 독려하는 것이다.191)

대원군은 국방체제의 변화를 초래하는 근본적인 대책을 수립한 것
은 아니었다. 그렇다고 海防에 대한 준비를 전혀 하지 않은 것은 더욱
아니었다. 그는 南兵使 許熠의 장계를 받아들여 別砲衛軍을 설치했
다. 이것은 親騎衛의 예에 따라 科擧設行으로 흩어지고 있던 포수군
을 결집시켜, 유사시에 대비하는 방책이었다.192) 전라감사 鄭建朝의
장계에 의거, 영암군 소안도에도 關防을 설치하였다. 所安島는 수로
의 요충이며 긴요한 관문이었으므로 鎭을 설치하여 진군을 배치한 것
이다.193) 의정부는 소안도를 우수영에 소속시키고, 군사 263명을 배치
하여 조련·절제하게 하였다.194) 특히 수도방비와 연관하여 戶庫錢 3
천 냥을 변통하여 강화의 돈대, 군기고, 성첩, 행궁, 관사 등을 수선하

부족하고 전곡을 융무에 사용하지 않아 병선과 군기가 썩었다고 인식하였
다. 그래서 대왕대비는 통제사 이봉주에게 특별히 교서를 내려 병기수리와
軍容을 엄하게 하여 변경의 방어태세를 굳건하게 할 것을 당부하였다.

190)『承政院日記』고종 1년 6월 10일. 대왕대비는 공충병사 이동현, 전라좌수사
이주웅, 우수사 이중영이 하직하자 長弓, 長箭, 片箭, 筒兒 등을 사급하면서
해방의 일이 긴요하고 중대한 일임을 강조하였다.

191)『日省錄』고종 2년 11월 11일. 의정부는 경흥부사 尹晪이 방수를 소홀히 하
여 異國人의 犯境행위를 막지 못하였다고 판단하여 죄목을 진 채 직무를 보
게 하였고, 함경도 병마절도사인 李南軾은 重推하였다.

192)『承政院日記』고종 2년 3월 14일.

193)『承政院日記』고종 2년 5월 29일. 所安島에는 호조의 原帳을 붙여주고, 각
처의 사패한 결수 중 1백석을 주어 設鎭후의 비용으로 삼게 하였다.

194)『承政院日記』고종 2년 윤5월 19일.

기도 했다.

대원군이 이러한 일상적인 군비에만 안주한 것은 대외적 침략에 대한 정확한 이해가 부족한 탓이기도 하지만, 서양세력의 연안출몰과 교역 요구가 근본적으로는 국내의 '和應勢力'에 있다는 인식 때문이었다. 대원군은 이들의 색출과 엄벌에 초점을 맞추었기 때문이다.[195] 특히 대다수의 집권보수세력들도 서양인들의 도래가 국내의 천주교세력과 연계되었다고 생각했다. 이러한 인식은 천주교세력들에 대한 탄압으로 나타났다. 이 과정에서 대원군은 노론집권세력들과 정치적 연합을 이루기도 하였다.

대원군은 서양의 무력침략을 직접 체험하면서 국방정책을 강화하였다. 병인양요는 대원군이 군무를 총괄할 수 있는 독립적 기구의 필요성을 절감하게 만들었다. 그는 즉각 삼군부의 조직정비에 착수하였다. 그의 군비확장정책은 군무에 대한 경각심과 통치조직으로서의 중요성과 연계되었다. 삼군부의 조직과 실무는 영의정 金炳學이 맡았다.

고종은 5년 3월 館所에서 戎服을 입고 병조판서의 지휘 하에 各營 대장이 조련하는 閱武를 행하였다. 열무 후 영의정 김병학은 이미 복설된 삼군부에 대한 인사를 건의했다. 그러나 삼군부의 지도부는 김병학의 지적처럼 겸직으로 이루어져 독립적인 군사기구로는 일정한 한계가 있었다.

三軍府는 이미 복설되었습니다. 오위의 舊制는 지금 遽議할 수 없지만 原任將臣 중 大匡은 領事, 상보국과 보국은 判事, 숭록·숭정은 行知事, 정헌·자헌은 지사로 모두 겸직으로 下批하고, 시임장신도 또한 이 예에 의거하여 階에 따라 單付하며 삼영의 장신으로 有司를 정하여 一府事를 검찰하게 함을 정식으로 삼는 것이 좋을 것 같습니

---

195) 『承政院日記』 고종 2년 8월 20일.

다.196)

삼군부의 고위급 중 삼군부사들은 겸직이었다. 그러므로 삼군부의 실질적인 운영은 삼영의 장신들이 담당하였다.197) 따라서 삼군부는 의정부와 같은 지위에 위치하거나, 그에 걸맞은 역할을 기대하기 어려웠다. 대원군이 김좌근과 김병기 등을 領·判三軍府使에 임명한 것은 이들을 완전히 제압하지 못하였음을 반영한다. 그는 다만 측근세력인 삼영대장을 통해 삼군부를 통제할 뿐이었다.198) 이것은 병조판서가 삼군부사에 임명되지 않은 사실에서도 확인된다. 따라서 삼군부는 의정부와 같은 위치에 있지 않았다. 그렇다고 병조판서의 지휘를 받은 것도 아니었다. 이것은 의정부가 군무에 관한 업무를 장악하고 있었기 때문이다.199)

三軍府는 공식적으로 복설되었으나 업무와 역할에 대한 절목은 작성되지 않았다. 따라서 삼군부는 독자적인 업무처리가 불가능하였고,

---

196) 『承政院日記』 고종 5년 3월 23일. 김병학의 제의에 따라 병조에서는 영삼군부사 김좌근, 판삼군부사 김병기·김병국·이규철, 행지삼군부사 신관호·이경순·신명순, 지삼군부사 이경하·이현직·김건·이주철·이용희 등을 인사조치하였다.

197) 삼영의 장신은 훈련대장 신관호, 어영대장 이용희, 금위대장 이주철이었다. 병조판서 김수현은 삼군부의 지도부에 편입되지 않았다. 그러므로 삼군부의 존재는 의정부 산하 군영장신들의 합동참모부와 같은 성격을 지니고 있었다.

198) 『承政院日記』 고종 5년 3월 25일. 의정부는 삼영의 문신 종사관을 삼군부의 종사관을 겸임하게 함으로써 삼군부의 낭관을 구성하였다. 그것은 옛날 舍人과 敎導官이 삼군부의 종사관이었기 때문이다. 그러므로 별도의 관직을 설치할 필요가 없었다.

199) 삼군부가 당상관과 낭관을 구성하였지만, 대동강의 셔먼호 사건이나, 남연군 도굴 사건을 둘러싼 처리문제 등 군사적인 업무는 여전히 의정부가 주관하고 있었다. 이 문제에 대해서는 崔炳鈺, 1989, 「高宗代의 三軍府의 硏究」, 『軍事』 19, 51~52쪽 참조.

의정부의 한 부서처럼 운영되었다. 국초의 삼군부와 현저한 차이가 있었던 것이다. 물론 국초의 五衛制를 詳考하기가 어려운 것에도 원인이 있지만, 국초의 취지를 살리려면 최소한 의정부와 대등한 관계로 설정되어야 하였다. 의정부는 확대되고 있는 변경의 군무와 외세의 침략적 위협에 대한 군사정책을 담당하기 어려웠다. 의정부는 정치와 군사의 분리차원에서 의정부에 조응하는 삼군부가 필요하다고 판단했다. 대원군의 입장에서도 의정부를 직접 장악하기에 한계가 있었고, 이것은 결국 군무를 분리하게 만들었다. 이것은 대원군이 직접 군무를 장악할 수 있는 계기로 작용했다.

대원군의 의지는 의정부내 친대원군세력에 의해 표출되었다. 의정부는 삼군부의 체모가 自別함을 강조하면서 삼군부를 정1품아문으로 공식화하고, 업무와 역할에 관한 절목제정을 요구하였다.200) 그렇다고 변경과 군사정책에 대한 결정권이 완전히 독립되는 것은 아니었다. 삼군부 視務의 절제를 의정부의 당상들이 제정하였고, 대원군은 의정부의 時任三相을 삼군부의 도제조를 겸하게 하였기 때문이다.201) 다만 이들은 모두 친대원군계 세력이었다는 점에 주목할 수 있다.

대원군은 의정부의 요청을 받아들이는 형식으로 삼군부를 정1품아문으로 승격시켰다.202) 삼군부의 應行事目은 구체적으로 알 수 없지만,203) 摠戎使를 유사당상으로 추가하고,204) 병조판서에게 제조를 겸하게 하였다.205) 이것은 대원군이 의정부를 일정하게 통제할 수 있는

---

200) 『承政院日記』 고종 5년 6월 8일.
201) 『承政院日記』 고종 5년 6월 8일.
202) 『承政院日記』 고종 5년 6월 8일.
203) 『承政院日記』 고종 5년 6월 16일. 삼군부는 이날 응행사목에 대한 별단을 보고하였으나 그 구체적인 내용은 알 수가 없다. 그러나 이날의 보고는 삼군부의 명목으로는 최초이다. 그러므로 삼군부의 업무는 이날부터 이루어졌다.
204) 『承政院日記』 고종 5년 6월 12일. 총융사는 이규철이었다.

상태에서, 군권을 장악하기 위해 삼군부를 복설하려는 의도가 드러난 것이다. 의정부의 시임삼정승과 삼군부의 당상관들은 모두 친대원군 계 인물이었기 때문이다.

삼군부는 응행사목의 별단을 書入하면서 공식적인 업무를 시작하고, 독자적인 從事官을 확보하였다.[206] 삼군부는 경복궁 내외의 宮壇 把守 및 字內扈衛의 경계를 정하였고, 훈련도감 군사조련에 대한 감독권을 행사하기도 했다.[207] 그런데 이러한 사항은 병조에서 이미 삼 영에 내린 지시였다. 금위영과 어영청 그리고 훈련도감은 병조의 초기로 각 영역에 군사를 배치하였던 것이다.[208] 그러므로 삼군부는 병조가 장악하고 있던 권한을 그대로 흡수하여 병조의 상위에서 군무를 총괄한 셈이다.[209]

---

205) 『承政院日記』고종 5년 6월 18일. 병조판서는 김수현이었다.

206) 『承政院日記』고종 5년 6월 18일. 삼군부의 종사관은 훈련원 관원 4원과 무신겸선전관 4원을 자벽과로 하여 대임을 減下하였다. 그러므로 삼군부의 종사관은 전속관원이 되었다. 이날 삼군부의 종사관으로 차임된 자는 훈련원 첨정 이장한·이규응·이창렴, 판관 이용겸, 무신겸선전관 신표희·김동훈·김준현·오영선이었다.

207) 삼군부는 훈련도감의 보고를 토대로 6월 19일에 예정된 陳法조련을 전례에 의거, 정지한다고 보고하였다. 수교에 의하면 여름의 6월과 7월, 겨울의 11월과 12월은 군사조련을 정지하게 되어 있었다.

208) 『承政院日記』고종 5년 6월 17일. 병조의 초기에 의해 금위영과 어영청은 18일부터 광화문에 금위영 군사 20명, 어영청 군사 20명을 초관이 통솔하여 입직하고, 신무문에는 금위영 군사 15명과 어영청의 군사 15명을 초관이 통솔한다고 보고하였다. 훈련도감은 건춘문에 초관 일원이 군사 30명, 영추문에는 초관 일원이 군사 30명, 승화문에는 국별장 일원이 국출신 5인을 통솔하여 입직한다는 보고를 하였다.

209) 『承政院日記』고종 5년 7월 21일. 삼군부는 監軍인 병조좌랑 오인태가 삼군부에 입직한 훈국의 마병과 어영청의 기사를 점고한 사실과 점고를 묵인한 초관 심의일과 기사장 손종책을 규례위반으로 모두 태거시키고 죄상을 심문하였다.

삼군부는 의정부와 동서로 나란히 세워져 변경의 정책을 통괄하였다. 그러나 종래 비변사의 변경업무를 계승한 것은 아니었다. 대원군은 삼군부를 종친부·의정부와 같은 지위에 놓아 의례와 정치·군무를 통합적으로 운영하려 했다. 이들은 모두 정1품아문으로 동일하지만 위계는 달랐다. 종친부는 최고아문의 지위에 있었고, 의정부는 상대적으로 삼군부보다 우위를 점하였다. 국초의 삼군부도 의정부와 합좌할 수는 없었다.210) 다만 삼군부의 정치적 위상을 형식적인 면에서만 국초의 삼군부와 동일하게 만들었던 것이다.

이로써 대원군은 종친부와 의정부·비변사 등 삼사체제를 구축하였다. 이들의 지위가 동일한 것이 아님은, 경복궁으로 이어한 후 宣醞의 과정에서 확인된다.211) 고종은 종친부와 의정부의 중수와 삼군부의 복설이 祖宗朝의 원대한 규모에서 비롯되었음을 강조하면서 삼부에 宣醞하였다. 그러나 종친부와 의정부는 택일이 가능하였지만, 삼군부는 공사가 마무리되기를 기다려야 하였다. 대원군이 중요하게 여기는 관부에 따라 중수의 순서가 정해졌음을 알 수 있다. 대원군이 삼군부에 집착한 것은 삼군부 장악이 상대적으로 용이하다는 판단이었고, 자신의 권력체제를 구축할 수 있었기 때문이다. 의정부가 국왕체제였다면, 삼군부는 대원군체제의 핵심관부인 셈이다.

이러한 측면은 삼군부 인사정책에서도 확인된다. 대원군은 삼군부의 인사를 통해 申櫶을 판삼군부사, 李景夏·李顯稷·李周喆을 지삼군부사에 단망하였다. 이들은 모두 대원군의 심복이거나 종친들이었다. 특히 신헌의 陞資와 판삼군부사의 임명은 삼군부 지위의 격상과

---

210) 『定宗實錄』권4, 정종 2년 4월 辛丑. 정종은 중추원을 삼군부로 개편하면서 삼군에 관계되는 일만 전임하게 하였다.

211) 『承政院日記』고종 5년 7월 2일, 6일. 선온하는 날 삼부에 똑같이 2등의 풍악을 하사하게 하였다.

연관이 있었다.212) 이것은『三班禮式』을 통해 문·무반의 균형 강조
에서도 확인된다.

이후 삼군부는 점차 체모를 구비하게 되었고213) 과거 비변사의 인
사권을 회복하려 했다. 영의정 김병학은 북병사와 동래부사가 관방의
중요한 지역이기 때문에 묘당에서 천거하였던 사실을 거론하고, 남병
영과 동래수영은 북로의 요충지이며 南倭와 교린하는 곳이므로 삼군
부에서 천거할 것을 제의하였다.214) 이곳은 모두 군무에 관계될 뿐만
아니라 삼군부가 바로 변경의 정책을 통괄하고 있다는 사실을 보여준
다.215)

삼군부는 각도의 군사훈련에 대한 통제권을 행사하였고216) 독자적
으로 군영을 조절하여 배치하기도 하였다.217) 그리고 지방의 포군설

212) 신헌은 자급이 보국이어서 삼공에 버금가는 자급이었다. 보국은 반열이 일
반관료들과는 전혀 다르고 地望이 현격히 구별되는 자리이므로 신헌에 대한
우대였다고 생각할 수 있다.

213)『承政院日記』고종 5년 7월 4일. 영의정 김병학은 삼군부에 선온의 명령이
내린 것을 강조하면서 檢詳직을 보충할 것을 제의하였다. 검상을 상설관직
으로 만들어 시임재상이 삼군부에 나올 때 사진하게 하였다.

214)『承政院日記』고종 5년 7월 4일. 삼군부는 북병사와 동래부사에 대한 인사
권은 복설과 동시에 확보한 것으로 이해되며, 이날의 제의는 삼군부의 권한
이 점차로 확대됨을 의미한다.

215) 이 문제는 官制와 관련되어 대신과 병조판서, 장신들의 의견 수렴이 필요하
였다. 영의정 김병학의 제의에 대해 봉조하 김흥근, 판부사 조두순과 이유원,
병조판서 김수현 등은 삼군부의 천거가 체모와 변경방어에서 합당하다는 일
치된 견해를 보였다.

216)『承政院日記』고종 5년 7월 12일. 삼군부는 각도에서 올라온 군사훈련장계
를 검토하고, 講武를 강조하면서도 농번기임을 고려하여 팔도와 삼도에서
행할 수군과 육군의 훈련과 巡歷,巡點의 중지를 건의하였고, 또한 훈련을 품
하는 장계를 기한내에 보고하지 않은 경상우병사 임상준의 처벌을 요구하였
다.

217)『承政院日記』고종 5년 7월 17일. 삼군부는 용호영이 수리하기 어려울 정도
로 심하게 무너지자 훈련도감의 북영으로 옮기도록 조치하였다. 북영의 입

치와 軍器頒給에 관한 업무를 주관하였다.[218] 또한 포도대장의 추천권을[219] 행사하였고,[220] 그의 직무인 城門譏察과 궁궐수비를 전담하여 국왕주변을 통제하기도 했다. 국왕의 幸行에는 삼군부사가 守宮大將이 되었다.[221]

대원군의 군권장악은 병인양요와 삼군부 복설을 통해 확대되었다. 삼군부는 이후 군사 및 변경의 정세에 관계된 일은 문무를 가리지 않고 주관하였기 때문이다. 삼군부는 무관들에 대한 일상적인 인사는 물론이고, 이러한 인사권은 병인양요 이후 더욱 확대되었다.[222] 삼군부는 군사훈련에 대한 통제권을 행사하여 농번기와 군비 미비 등의 이유를 들어 지방군들의 춘·추계 훈련을 정지시키기도 하였다.[223] 삼

직 장졸들은 解送하였다.

218) 『承政院日記』고종 5년 7월 20일. 포군설치는 공충감사 민치상의 장계를 토대로 한 것이며, 삼군부는 이를 기화로 연해의 포군설치를 주관하였다. 대원군 집권기 포군설치에 대해서는 연갑수, 1997,「대원군 집권기 국방정책」,『한국문화』20 참조.

219) 포도대장의 천망은 의정부와 비변사의 업무분장에서도 의정부의 직능에 속하였다. 이것은 포도대장의 정치적 역할 때문이었을 것으로 생각된다(『日省錄』고종 1년 2월 11일).

220) 『承政院日記』고종 5년 10월 10일 ; 7년 윤10월 5일. 영의정 김병학은 將任을 정부가 천망하는 것은 맡기는 직무가 중하며 典式에 있는 바이지만, 포도대장의 임무는 도적을 막는 일만이 아니기 때문에 그러하고, 또한 城門을 譏察하는 자이므로 삼군부가 천망하는 것이 사체에 맞을 듯하며 정식으로 삼을 것을 제의하여 승인받았다. 그러나 포도대장의 추천권은 다시 의정부로 이관되었다.

221) 『承政院日記』고종 5년 8월 2일. 고종이 8월 9일의 건원릉, 숭릉, 유릉, 경릉의 친제로 인해 행행하게 되자 지삼군부사 이장렴을 守宮대장으로 임명하였다. 고종은 7년 3월11일부터 13일까지 현릉, 인릉에 친제하고 화성행궁에서 유숙하고, 건릉, 현릉원, 화령전에서 친제하고 작헌례를 친행하였다. 이때 지삼군부사 李載鳳을 수궁대장으로 삼았다(『承政院日記』고종 7년 3월 4일).

222) 崔炳鈺, 앞의 논문, 62~63쪽.

223) 최병옥, 앞의 논문, 65쪽.

군부가 주도한 군비확장에서 가장 주목되는 것은 포군의 증설과 총포수의 증원에 있다. 포군은 병인양요를 계기로 중요성이 부각되었으며 해안지방을 중심으로 편성되었다.[224] 이러한 포군과 포진의 설치는 서양의 침략행위를 경험한 후의 대비책이었다.

삼군부는 신미양요가 발발, 서양과의 무력충돌이 발생하자 군사작전에 관한 최고의 지휘부 역할을 하였다. 이에 앞서 삼군부는 고종 6년 3월 서양선박의 인천연안 출몰의 급보를 접하자 신속한 지휘관의 교체와 병력배치를 통해 전쟁에 대비하고,[225] 상황이 종료되었지만 解兵의 어려움을 강조하면서 경계태세를 갖추게 하였다.[226] 이러한 삼군부의 역할은 신미양요기에 재현되었다. 미국 군함의 강화도 접근에 대해 삼군부는 지휘관의 인사를 단행하면서, 병력의 증원과 물자공급에 대한 방안을 주도적으로 처리하였고,[227] 이러한 과정에서 삼군

---

224) 연갑수, 1997, 「대원군 집권기 국방정책」, 『한국문화』 20.

225) 『承政院日記』 고종 6년 3월 16일. 삼군부는 인천은 서양배의 정박을 눈으로 확인이 가능할 정도의 거리에 있으므로 경계감시를 강화하여야 한다면서 부사 최익봉을 개차하여 부호군 신효철을 파견하였다. 그리고 군사징발과 응원방안을 삼군부가 주관할 것을 제의하였고, 이에 따라 광주 별파진 50명과 수원 정초군 50명을 급파하고, 본읍 사창곡의 일부를 군량으로 사용하게 하였다.

226) 『承政院日記』 고종 6년 3월 23일. 삼군부는 서양배가 철수하였지만 갑자기 解兵할 수 없다면서도 농번기를 고려하여 영종도에 증원된 군졸은 철수시키고, 광주와 수원에서 소집된 군사는 解兵하였다. 그러나 烽燧를 통한 비상연락체계와 土兵을 대기시켜 防守에 철저히 대비하였다.

227) 『承政院日記』 고종 8년 4월 14일. 삼군부는 어재연을 진무중군에 特差하였고, 신병이 있어 전투에 어려움이 있는 이도식을 대신하여 판관에 삼군부의 종사관인 이창회를 임명하였다. 또한 훈국의 보군 2초와 화약 1,000근 각 영의 군사와 전쟁 물자를 차출하여 중군과 판관에게 배속시키고, 호조의 창고에 있는 군량미 1,000석을 주교사가 운반하게 하였다. 또한 강화전투가 한창일 때 경기중군 양주태에게 船隻과 旗鼓를 영솔하여 진무사를 지원하게 하였다(『承政院日記』 고종 8년 5월 10일).

부의 군사 및 정치적 지위는 높아졌다.

삼군부는 전쟁이 종결되자 강화전역에 대한 계엄을 해제하면서 진무영에 대해 馬軍과 船隻의 解送을 분부하면서 전후문제를 주관하기도 했다.[228] 또한 전쟁에 참여한 沁都의 장졸에 대한 위문과 전사자에 대한 장례를 주관하였다.[229] 그리고 洋醜가 물러난 후 진무영의 大陣과 영종·교동·인천·부평·통진·풍덕의 各鎭에 대한 계엄을 해제하고, 충원된 군병을 모두 철수시켰다.[230] 따라서 삼군부는 전시의 군지휘와 작전권, 그리고 전후업무를 전담한 것이다.

그러나 삼군부는 의정부와 관련하여 대등한 지위에 있지는 않았다. 국초에는 의정부와 삼군부가 동서로 대립하여 상호견제와 협력하여 문무의 양립을 이루었다. 대원군 집권기 삼군부는 비록 군사와 국방, 군제개편 등 군무 관련업무를 총괄하였지만 의정부와 대등한 지위를 누릴 수는 없었다. 이는 삼군부의 구성원과 직무범위 등에서 확인된다. 삼군부의 도제조는 현직 삼정승이 겸임했기 때문에 의정부로부터의 독립에 한계가 있었다.[231]

대원군은 삼군부를 정일품아문으로 하여 視務를 절제하여 묘당과 똑같은 정식을 마련했다. 그러나 이미 정치의 중심은 의정부에 설정되어 있었기 때문에 삼군부는 의정부와 동렬의 절목을 작성하기 어려웠다. 이후 삼군부 도제조 범위가 확대되어, 전직 三相도 참여하게 되어 정원에 대한 규정은 사라졌다.[232] 그리고 영돈녕 김좌근이 죽으면서

---

228) 『承政院日記』 고종 8년 5월 18일.

229) 『承政院日記』 고종 8년 5월 19일.

230) 『承政院日記』 고종 8년 5월 22일. 삼군부는 강화, 통진에 소속된 군병은 경기중군 양주태가 지휘하게 하였고, 영종, 인천에 소속된 군병은 출정壯士 李在靖이 지휘하여 철수하게 하였다.

231) 『承政院日記』 고종 5년 6월 8일.

232) 『承政院日記』 고종 6년 4월 25일.

삼군부내 反대원군세력은 영향력이 현저히 약화되었다.233) 이후 삼군
부의 도제조 권한은 현직 삼상들에게 집중되었다. 이러한 상황에서 삼
군부는 독자적인 정책의 수립이나 군사정책, 군제개편이 어려웠다. 그
러므로 삼군부가 대원군의 권력체제로 완성된 것은 아니었다.

병조판서를 겸임한 삼군부의 제조는234) 삼군부 운영의 실질적인 책
임자였다. 대원군은 집권기동안 병조판서에 親대원군 인물을 배치하
였다. 그는 정무와 군무를 분리하여 삼군부가 군무를 장악하게 하고,
친대원군 인물을 병조판서에 임명하여 삼군부의 제조로서 군권을 장
악하는 방식을 취하였다. 병조판서가 삼군부를 통해 군권을 장악하기
위해서는 병조판서의 권한이 확대되고 지위가 격상되어야만 했다.

이 과정에서 대원군은 병조판서의 책무를 강조하였다. 병조판서는
단순히 무관의 인사만을 담당하는 직책이 아니라 각 영의 군제를 관
할하는 책임이 있었다.235) 병조판서는 軍旅통할외 인사면에서는 이조,
예산면에서는 호조에 버금하여 책임의 중요성이 다른 관서와는 현격
한 차이가 있었다.236) 그러므로 빈번한 교체는 폐단만을 야기한다고
판단한 대원군은 병조판서의 임기를 24개월로 규정하고, 정식으로 삼
게 했다.237) 병조판서의 책무는 금위영에서 분리된 용호영의 군제마

<hr/>

233) 『承政院日記』고종 6년 4월 29일. 고종은 삼부 중 가장 늦게 삼군부의 箋文
을 받고 있어 종친부와 의정부와의 상대적인 지위를 짐작하게 한다. 김좌근
의 죽음과 삼군부의 전문 친수는 反대원군세력이 여전히 존재하고 있었음을
반영하는 것이다.
234) 『承政院日記』고종 5년 6월 18일.
235) 『承政院日記』고종 5년 7월 11일.
236) 『承政院日記』고종 6년 3월 30일.
237) 영의정 김병학은 군무와 관계되는 금군별장은 이미 임기가 정해졌지만 군무
에 그치지 않는 병조판서는 마땅히 임기가 정해져야 한다고 주장하였다. 대
원군은 병조판서 김수현(4년 9월 27일~6년 6월 30일)과 이경하(6년 6월 30
일~8년 4월 1일)의 병조판서 임기를 보장하였다.

련과정에서 그대로 드러났다. 삼군부는 병력과 군세·前排의 增置을 장악하고, 교졸의 취재와 출척은 專屬別將이 주관하게 했다. 병조판서는 본병의 통할과 전주·재부를 주관하였다.[238] 이러한 병조판서의 직무와 권한은 삼군부의 운영에서 그대로 적용되었다.

고종 8년 삼군부의 제조에 좌·우포장이 포함되었다.[239] 포장의 직책이 매우 긴요하여, 의정부 당상의 예에 의거하여 삼군부의 제조를 예겸하게 한 것이다. 이것은 포도대장으로 하여금 삼군부의 기밀에 참여하게 하여, 의정부의 삼군부에 대한 통제를 강화하려는 것으로 이해된다. 삼군부 복설 초기에는 포도대장의 천망권이 의정부에서 삼군부로 이관되어 삼군부의 역할이 증대되는 현상을 보였으나[240] 의정부가 다시 포도대장 천망권을 회복하였기 때문이다.[241] 이는 삼군부의 정치적 지위의 하락을 의미하며 삼군부가 겸임의 의정부 소속의 제조들에 의해 통제를 받고 있다는 것을 말해준다. 삼군부는 삼영대장과 총융사가 유사당상으로 사무의 책임을 맡았다. 그러므로 대원군은 이들을 통해 삼군부의 군권을 장악했을 뿐이다.

대원군은 국왕체제인 의정부를 직접 장악할 수 없었기 때문에 삼군부를 통해 군권을 장악하였다. 이것은 대원군의 독자적 권력체계 구축의 일환이었다. 삼군부의 구성원은 친대원군계로 조직되면서 대원군의 권력기반이 확대되었다. 이러한 무력적 기반의 구축은 대원군정권의 전제정치를 가능하게 한 배경이었다. 이것은 삼군부의 정치·군사적 역할이 어디에 있었는가를 보여준다.

---

238)『承政院日記』고종 6년 4월 11일.
239)『承政院日記』고종 8년 7월 20일.
240)『承政院日記』고종 5년 10월 10일.
241)『承政院日記』고종 7년 윤10월 5일.

3. 대원군의 서원철폐정책

대원군정권의 개혁이념은 기본적으로 왕권강화에 있었다. 이것은 중앙통치권의 강화와 재지세력의 약화라는 양 측면이 동시에 해결되어야 할 문제였다. 대원군은 이 과정에서 자신의 정치기반을 확대하고 동시에 농민항쟁의 수습이라는 목적을 달성하여야 하였다. 이러한 목적에서 추진된 개혁사업의 하나가 서원철폐정책이었다. 서원철폐정책은 그들의 경제적 토대와 경제외적 강제를 타파한다는 점과 대원군의 권력기반의 강화라는 점에서 통치정책의 성격을 지니고 있다. 그리고 무단토호 징치·경복궁 중건 등의 정책과 같은 맥락에서 추진되었다.

서원은 조선후기 후학에 대한 교육과 선현의 祀廟라는 본래의 기능에서 일탈하였다.242) 서원과 院任들은 면역과 면세의 특권을 누리면서 경제적으로 대지주로 성장하였고, 정치적으로 지방유생들의 붕당의 중심지가 되어 중앙정치세력의 지역적 기반 역할을 하였다. 또한 불법적으로 지역민에 대한 수세권을 발동하거나, 수령권을 위협하는 등 중앙통치력을 약화시켰다. 중앙정부는 이러한 사실을 알고 있었으나, 집권세력들과 연계된 지방세력을 억제하기가 쉬운 일은 아니었다.

정부는 그동안 서원의 일방적 증가와 폐단의 시정에 초점을 맞추었다. 이것은 근본적인 대책이 아니었고, 서원의 疊設을 엄금하는 정도의 미온적이고 형식적인 대응이었다.243) 서원의 첩설과 폐단은 급기야 농민항쟁의 한 원인으로 인식되었고, 임술농민항쟁의 수습과정에

---

242) 조선후기 서원에 대한 연구는 다음의 논문 참조. 柳洪烈, 1936,「朝鮮祀廟發生에 대한 一考察」,『震檀學報』5 ; 閔丙河, 1968,「朝鮮書院의 經濟構造」,『大東文化硏究』5 ; 1970,「朝鮮時代 書院政策考」,『成大論文集』15 ; 崔完期, 1975,『朝鮮書院 敎育政策硏究』, 嶺南大出版部 ; 鄭萬祚, 1975,「17·18세기의 書院·祠宇에 대한 試論」,『韓國史論』2 ; 丁淳睦, 1979,『朝鮮書院敎育制度硏究』, 嶺南大出版部.

243) 閔丙河, 1983,「書院의 農場」,『韓國史論』8, 147~149쪽.

서 삼정이정과 같은 맥락에서 서원문제가 거론되었다.[244]

철종과 집권세력들은 농민항쟁 수습책으로 삼정이정을 채택하고, 삼정이정청을 설치하였다. 철종은 삼정과 무관하게 良法美制로 각인된 서원의 철향 문제를 제기하였다. 그는 서원에 대해 "輓近이래 祠廟之設이 無邑無之"라고 지적하고 "祀典을 소중하게 하고 士趣를 바로잡기 위해서라도 처분하지 않을 수 없다"고 강조했다. 그는 급기야 各邑에 소재한 서원 중 사액 외에는 경술(철종 원년)이후 13년 이래 창건한 곳은 정식에 의거 撤享하라고 지시하였다.[245]

그러나 철종의 철향지시는 시행되지 않았다. 이것은 농민항쟁이 종식되면서 집권세력들의 위기감이 약화되었던 것에 원인이 있었다. 또한 집권세력과 연계된, 그리고 그들의 지지기반이기도 한 서원정책의 실시는 효과를 기대하기 어려웠다. 극도로 약화된 왕권체제에서 공론을 장악하고 있던 양반유생들의 기득권을 제거한다는 것은 현실적으로 어려운 문제였다. 대원군은 이러한 세도정권의 부채를 고스란히 받으면서 집권하였다.

대원군은 집권 전부터 국가재정과 농가경제의 빈곤이 양반층의 증가와 면역 및 면세, 그들에 의해 자행되는 불법적 수탈과 착취에서 비롯된다고 인식하였다. 그러한 대표적인 집단이 서원에 몰려 있고, 또한 무단토호들도 그 중의 하나라고 이해하였다. 그러므로 무단토호와 서원문제는 동일한 차원에서 해결되어야 할 문제였다. 그러나 서원을 개혁한다는 것은 쉬운 일이 아니었다. 중앙정부에서는 전국의 서원에 대한 정확한 정보조차 없었다.

---

244) 『哲宗實錄』철종 13년 5월 26일.
245) 『哲宗實錄』철종 13년 5월 26일. 철종은 撤享의 범위를 자신의 집권기간에 설치한 서원에 한정한 것은 자신의 정치력과 상관관계를 이루고 있다. 이러한 철종의 서원철향 지시는 농민항쟁 수습책의 일환이었다.

대원군은 서원의 실태에 대한 정확한 자료가 필요하였다. 그는 각
읍에 산재한 書院·鄕賢祠·生祠堂 및 그들 院祠에 소속된 結總과
保額의 조사에 착수하였다.[246] 이러한 지시에 대해 가장 빨리 보고한
지역은 강화와 수원, 廣州지방이었고,[247] 여타지역은 대원군의 독촉
을 받았다. 그는 지방에서 보고된 조사서를 1권으로 成冊하여 서원정
책의 근거로 삼고자 하였다.

그러나 지방관들의 성책은 내용면에서 균일하지 않았다. 대원군은
부실한 성책을 근거로 서원이정책을 수립하기 어렵다고 판단하고, 예
조의 文案을 참고하였다. 지방에 대해서는 상세한 보고를 지속적으로
하달하였다. 祠院存撤의 대상을 정확하게 파악하고, 瀆褻淆雜의 폐단
을 제거하기 위해서는 무엇보다도 정확한 정보와 자료가 필요하였기
때문이다.

이 과정에서 대원군은 疊設과 私設을 存撤의 대상으로 삼았고, 서
원이 該邑에 끼치는 해독을 제거한다는 것을 명분으로 삼았다.

> 書院의 자유로운 疊設과 私設을 禁制한 것은 瀆濫의 流弊를 염려
> 해서 인데 근래에 법을 무시하고 (서원을) 건설한 것이 더욱 심해졌
> 다. 閑丁이 투탁하고 雜流들이 憑藉하여 民邑을 해치는 것이 한 두
> 가지가 아니다. 그래서 통렬히 釐正하고자 누차에 걸쳐 성책을 만들
> 어 보고하게 하였다.[248]

대원군은 임술농민항쟁 수습책의 일환으로 서원에 대한 이정책을
추진한다는 입장을 표명하였다. 이것은 대원군의 정치적 목적이 은폐
된 것이며, 기존의 정치세력, 이들과 연계된 지방 유생층들의 저항을

---

246)『高宗實錄』고종 1년 4월 22일.
247)『日省錄』고종 1년 6월 7일.
248)『承政院日記』고종 1년 7월 27일.

고려한 정치적 선택이었다. 그리고 대원군이 국가권력을 완전히 장악하지 못한 것에도 원인이 있다.

의정부의 대신들도 서원의 疊設과 사설에서 기인하는 유폐에 대해서는 인식을 같이 했다. 이들은 서원에 대한 변통에 대해서도 공감했다. 그러나 서원을 대대적으로 정리하는 문제에 대해서는 입장을 유보했다. 대원군은 이러한 대신들의 입장을 확인하고, 이들의 저항을 고려하여 대왕대비의 교지를 빌어 서원정책의 방향과 성격을 규정했다. 이것은 대대적인 서원의 훼철을 예고하는 것이며 그 범위는 사액서원을 포함하는 것이었다.[249] 그러나 대원군은 이들을 제압할 물리력을 확보한 것은 아니었다.

대원군은 대왕대비의 敎旨를 통해 "원래 院祠는 士林들이 昔賢을 尊慕하여 건립하고, 그 학문을 강습하고 그 도를 倡明하기 위한 것"이며, 그래서 "朝家에서 額號를 내려주고 전결과 보속을 주었다"면서 원론적인 입장에서 서원설립 취지를 설명했다. 그러나 근래의 서원은 "末流之弊가 극심해져서 이미 서원에서는 絃誦하는 소리가 들리지 않고 酒食을 다투는 것이 勝事가 되었다. 그리고 軍伍를 도피하는 자의 반이 保額에 들어가며 침학평민하는 자가 공공연하게 推捉하고, 오직 이익만을 노려서 서로 본받아 사설과 첩설이 도처에 생겼으며, 嚇喝에 빙자하여 爭鬪이 그치지 않으니 祠院의 본의가 아니다"라고 폐단을 문제시했다.

대원군은 서원의 사원에 빙자한 침학평민의 폐단을 주시했다. 이것은 서원의 瀆藝에서 비롯된 것이며, 농민항쟁의 한 원인이었다. 이러한 폐단은 詞訟間에 반드시 現露되는 것이 이치였다. 그래서 영읍은 掩置하지 말고 일일이 적발하여 등문하고 重律로 嚴繩하게 하였다.

---

249) 『承政院日記』 고종 1년 8월 17일.

이러한 부류들이 다시에 사류에 들지 못하도록 조치한 것이다. 대원군은 일차적으로 향촌사회의 사림세력들의 자의적 활동을 제약하려 했다. 이것은 중앙의 정치집단으로부터 지지를 받았다. 노론집권세력의 입장에서도 지방세력의 성장은 부담이었기 때문이다.

대원군의 서원정책은 서원의 경제기반의 축소에 초점을 맞추었다. 그는 사액서원의 경우 自備田이 3결임을 강조하고,[250] 원생과 보솔에 대한 定額을 획일할 것을 지시했다.[251] 동시에 향현사의 보솔명색은 혁파하였다. 서원의 원복과 고직의 경우 정원 외는 모두 군액에 보충하였고, 향현사의 보솔은 일체 削汰되어 簽丁하였다. 이것은 서원의 경제적 기반을 국가재정으로 편입하려는 대원군의 구상에서 나왔다.

대원군은 국가기관과 서원의 연계 고리를 끊었다. 예조가 許題하는 官封祭需를 嚴飭防塞하게 했기 때문이다. 이제 서원은 향촌사회에서 제사를 빌미로 누려왔던 특혜가 사라졌고, 예조나 지방관청은 더 이상 서원이나 향현사의 입장을 고려할 필요가 없었다. 이로써 서원을 중심으로 한 향촌사회의 유생들의 자의적 활동의 정치적·경제적 기반은 해체되었다.

대원군의 서원정책은 祠院의 濫雜을 정리하기 위해 疊設과 私設의 防禁의 嚴立에도 주안점을 두었다. 이것은 서원의 인적 및 경제기반 축소를 지향했다. 이 과정에서 서원의 인적·경제기반은 군액으로 보충되었고, 사액서원도 예외가 아니었다. 대원군의 서원정책은 침학평민과 해읍문제의 제거에서 출발하여 점차 서원 자체의 무력화와 국가재정의 확충으로 귀결되게 되었다.

---

250) 사액서원의 경우 자비전 3결은 면세되었다. 그런데 자비전이 3결이 되지 않는 서원은 함부로 民結로 充數하는 것이 일반적인 현상이었다. 대원군은 이것을 적발하여 釐正하도록 지시하였다.

251) 서원의 원생과 보솔은 정식이 있었지만 이미 過多한 폐단이 있었다. 그래서 원복과 고직 등 긴절한 명색을 묘당에서 정액을 획일하는 조치를 취하였다.

대원군은 남연군 墓村의 元定守墓外 養戶를 모두 軍還하고 동시에 戶役을 부과했다.[252] 이것은 대원군이 사대부가 묘촌의 양호를 군액으로 충정하기 위한 명분축적이었다. 사대부가 묘촌의 양호가 무한한 것이 현실이었고, 대원군은 이 점이 바로 軍丁虛額의 弊源으로 인식했던 것이다. 따라서 이 문제는 사원의 保率名色의 査括과 같은 맥락에서 추진되었다.

대원군은 이러한 정책의 시행을 통해 서원훼철을 위한 명분과 기반을 축적하였다. 서원의 면세전 축소와 원복과 고직 및 사대부 묘촌 양호를 군액에 충당함으로써 국가의 재정도 확충할 수 있었다. 이것은 향촌민들의 부담을 완화하는 것이어서, 농민항쟁으로 표출된 이들의 불만을 해소하는 효과도 있었다. 이러한 대원군의 정책은 농민항쟁의 수습이라는 측면이 강하게 작용하였고, 한편으로는 대원군의 권력기반을 확대하는 것이기도 했다.

대원군은 서원정책을 국가적 차원에서 공식적으로 제기하고, 또한 의정부의 행정체제를 통해 실현하려 하였다. 그러나 대원군은 서원정책의 추진과정에서 필요한 서원의 실태 등 각종 정보는 종친부 조직을 통해 입수하였다. 이것은 중앙의 노론세력들과의 충돌을 피하는 방법이기도 했다. 집권 관료들은 이러한 대원군의 對서원정책에 대해 지지했다. 당시 사회경제적 모순을 지방세력들의 약화로 해결하려 했기 때문이다. 대원군은 서원정책을 의정부를 통해 공식적으로 추진할 수는 없었다. 대원군이 직접 공적기구를 장악한 것이 아니었기 때문이

---

252) 『高宗實錄』 고종 1년 8월 17일. 남연군 묘촌의 양호는 수백 호임에도 군역, 환상에 한번도 應役하지 않았다. 본 읍에서는 이를 당연하게 여겼고, 처음부터 거론하지 않았다. 대원군은 매번 이 일을 우려하고, 투입되는 자가 장차 몇 배가 될지 모르겠다고 생각하였다. 대왕대비는 이것이 대원군의 본의가 아니라고 강조하면서 이러한 지시를 내렸다. 이것은 사대부의 세력을 약화시키기 위한 조치였다.

다.

대원군은 서원정책의 명분을 확보하기 위해 대왕대비의 교지를 이용했다.[253] 대원군은 처음에는 중앙의 노론세력의 이해와 상충되지 않는 한계 내에서 개혁정치의 추진을 구상하였다. 그러나 교지를 통해 그의 對서원정책 방향이 전면적인 개혁안으로 공개되었다. 이 과정에서 중앙의 정치집단은 정치적 위기감을 느꼈다. 이것은 자신들의 종래 누대에 걸친 정치기반의 해체와 연결될 수 있다는 위기의식이었다. 이들은 총체적으로 대원군의 서원정책에 동참하기 어려웠다. 그러므로 대원군은 서원정책의 핵심기구를 종친부에 설정한 것이다.

대원군은 정부의 공식적인 행정체제를 통한 서원정책의 효과를 기대하지 않았다. 대원군의 권력소재는 종친부였으며, 국가의 권력기구를 완전히 장악하지 못한 데 원인이 있다. 그래서 대원군의 서원정책은 종친부를 통해 추진되었다. 그것도 국왕이나 대왕대비의 교지가 아닌 '大院位分付'였다.

종친부는 고종 2년 華陽書院의 동향에 주목했다. 당시 화양서원은 거제 盤谷에 있는 尤巖의 영정을 移摹하려 하였다. 화양서원은 이 과정에서 작폐가 심하였고, 종친부는 이러한 정보를 입수했다. 일반적으로 서원의 영정이 蠹損되면, 해당 서원이 改摹하면 된다. 그런데 화양서원이 반곡의 영정을 이모하려는 자체가 문제를 안고 있었다. 종친부는 경상감영에 지시하여 稟目과 簡通을 발통한 院儒 및 화양서원의 守僕 1명을 종친부에 상송하게 하였다.[254]

종친부는 '대원위분부'의 형식으로 화양서원에 치통하였다. 그런데 화양서원에 탐문한 결과 이것은 사실이 아닌 것으로 판명되었다. 사실은 충청도 보은의 黃鍾復이 화양서원의 圖書를 위조하였고, 顯忠祠

---

253) 『承政院日記』 고종 1년 8월 17일.
254) 『宗親府謄錄』 고종 2년 1월 2일, 472쪽, '華陽書院守僕開拆'.

의 掌儀 成復源은 황종복의 말을 甘聽하고 着書書給하는 과정에서
발생한 사건이었기 때문이다.[255] 이러한 동향을 대원군이 사적인 영
역에서 입수한 것인지, 아니면 종친부가 독자적으로 수집한 정보에 의
존한 것인지는 명확하지 않다. 그러나 화양서원의 동태가 대원군과 종
친부에 의해 관찰되고 있었던 것만은 사실이다.

　대원군은 이 사건이 있은 지 한달 후 화양서원 만동묘에 대한 철폐
를 전격적으로 단행했다. 만동묘는 사실 壇享을 거행한 후[256] 停撤되
어야 마땅하지만, 因循不遑하여 廟貌가 황폐하여 지금이라도 예법을
바로 잡아야 한다는 취지였다. 대원군은 이러한 논리에 근거하여 만동
묘의 제향을 정철하게 하고 紙榜位와 편액은 각각 황단의 敬奉閣에
보존, 걸게 하였다.[257] 종래 노론세력들은 만동묘 제향을 계기로 결집
하고, 그들만이 대명의리를 대행해 왔다. 그런데 대원군이 이것을 정
부가 주관하게 만들어 버린 것이다. 이것은 노론정치세력들의 약화라
는 목적을 분명히 하는 계기가 되었다.

　그런데 대원군은 노론집권세력을 억압할 수 있는 권력, 물리적 힘
이 없었다. 그러므로 종친부의 서원정책은 노론집단의 저항과 권력행
사의 정당성에 대한 명분문제를 야기할 수 있다. 대원군은 서원정책을
정부주도로 전환해야 했고, 이 길만이 이들의 저항을 피하는 것이었
다. 그러므로 대원군은 만동묘 철향에 대해 朝報에 내지 말도록 지시
했고, 곧바로 서원정책을 의정부가 전담하게 했다.

　대원군의 서원정책은 정부와 종친부 합동으로 추진되었다. 관료집

---

255) 『宗親府謄錄』 고종 2년 2월 13일, 477쪽, '慶尙監營了'.
256) 숙종 31년(1705) 임진왜란 때 도와준 명의 은덕을 기리기 위해 명의 태조,
　　신종, 의종을 제사하기 위해 창덕궁내 대보단을 설치하고 제사를 지냈다.
257) 『承政院日記』 고종 2년 3월 29일. 대원군은 날을 가려 대신과 예조판서가
　　직접 가서 지방위와 현판을 가지고 오게 하였고, 또한 화양서원에는 승지를
　　보내 致祭하게 하여 최대한 예우를 갖추는 모습을 보였다.

단의 저항을 고려하여 주체를 분명하게 설정하지 않았다. 예조는 만동
묘의 신위를 모셔올 길일을 택일하여 보고하였다.258) 당시의 예조판
서는 金世均이었지만 곧 공조판서에서 자리를 옮긴 朴珪壽가 만동묘
철향을 주도하였다.259)

　예조판서 박규수는 화양서원에 가지 않았다.260) 대원군은 즉시 화
양서원의 별고전을 혁파하여 이들의 영향력을 약화시켰다.261) 福酒村
의 혁파여부도 확인하였다.262) 동시에 백성들의 폐단을 바로 잡는 이
때에 징계하지 않을 수 없다면서 일체로 조사해서 簽丁을 찾아내고,
평민의 墨套書를263) 조사해 내어 감영 마당에서 영구히 삭제하게 했

---

258) 『承政院日記』 고종 2년 4월 1일.
259) 김세균은 고종 2년 2월 24일 예조판서가 되어 만동묘철향과 대서원정책을
　　수립하였고, 박규수는 4월 11일에 예조판서가 되어 만동묘 철향을 주도하였
　　다. 종친인 이도중은 공조판서에 임명되었고, 김세균은 노론들의 반격을 염
　　려하여 예조판서에서 물러났다.
260) 『承政院日記』 고종 2년 4월 13일. 화양서원은 황묘에 享祀할 때 매번 紙榜
　　位를 불태웠기 때문에 원 지방위가 없었으며, 皇朝의 옛 유물은 粧帖 몇 本
　　과 金管筆 한 자루가 煥章菴에 소장되어 있었다. 그러므로 예조에서는 화양
　　서원에 유물과 편액만이 있어, 이것을 받들어 올 의식절차를 재차 문의했다.
　　고종은 이에 대신과 예판이 가는 절차를 생략하고, 묘문의 현판은 지방관이
　　가져오게 하고, 향사를 철거하는 절차는 일전의 지시를 따르게 하였다.
261) 고종은 잠저시에 화양서원의 별고전이 長利로 害民한다는 말을 듣고 분통
　　하게 생각하였다고 밝히면서 그 장부와 標記를 감영에서 지워버리게 하였
　　다. 이러한 점에서 대원군은 화양서원에 대해 사전에 치밀한 준비가 있었다
　　는 사실을 알 수 있다.
262) 복주촌의 폐해와 혁파문제에 대해서는 이미 철종연간에 영의정 김좌근에 의
　　해 제기되었다. 대원군이 고종 1년 8월에 복주촌의 철폐를 지시한 것은(『승
　　정원일기』 고종 1년 8월 7일) 화양서원의 철폐를 예고하는 것이었다. 그러므
　　로 대원군이 지시여부를 재차 확인한 것이다.
263) 『近世朝鮮政鑑』, 100~101쪽, 194쪽. 사족이 있는 곳 마다 평민을 못살게 하
　　지만 그 가장 심한 것은 서원에 모여 있다. 간통 하나를 띄워 먹 도장을 찍
　　은 다음 고을에 보내서 서원 祭需錢을 바치도록 명령한다. 사족이나 평민을
　　물론하고 그 간통을 받으면 반드시 주머니를 쏟아야 한다. 그렇지 않은 자는

다. 대원군은 화양서원의 부정과 부패상에 대한 철저한 사전 조사가 있었던 것이다.[264] 이러한 조사는 종친부를 통해 이루어졌다.

대원군은 종친부를 통해 서원정책을 추진하였다. 그는 院儒들이 평민을 침학하는 폐단을 통절히 징계하려 하였다. 그는 별고전 명색이 평민에게 해를 끼친다는 사실을 최근에 듣고, 민읍의 大弊가 바로 서원의 별고전이라고 단정하였다.[265] 종친부는 삼남과 강원감영에 각 서원의 별고전을 査實하고, 거래문부를 감영에서 찾아와 爻周하고, 私庄을 원답이라고 혼칭하는 것을 일일이 적발하여 모두 屬公시키라고 지시하였다.

종친부는 화양서원 별고전 혁파의 여부를 지속적으로 관리했다. 이것은 서원정책을 종친부를 통해 지속하겠다는 의지를 드러낸 것이며, 서원훼철에 대한 예고이기도 했다. 지방감영의 경우 서원의 실상을 종친부에 보고했다. 그러므로 지방감영은 종친부의 지시를 수행하였고, 종친부에 대해 보고한 것이다. 강원감영이 종친부에 보고한 서원 별고전의 실태는 대표적 사례에 속한다.[266]

서원에 잡아다가 혹독한 형벌로 위협하는데 화양동서원 같은 곳은 그 권위가 더구나 강대하여 그곳 간통을 화양동 墨牌旨라 한다. 백성들이 이미 탐학한 아전에게 시달리는데 다시 서원유생들에게 침략을 당해서는 모두 살아날 수가 없어 원망을 쌓고 이를 갈아도 하늘만 쳐다볼 뿐이다.

264) 黃玹, 『梅泉野錄』, 5쪽. 황현은 대원군이 젊은 시절 만동묘와 화양서원의 원유들에게 侮辱을 당하고 원한을 품어 정권을 잡자 그 유생을 죽이고 서원을 철폐하는 명령을 내린 것으로 기록하였다.

265) 『宗親府謄錄』 고종 2년 4월 20일, 490쪽. 대원군은 서원의 殖利는 본래 美事가 아니며 또한 院任이 스스로 좋아서 하는 일이 아니다고 전제하면서, 이것이 貪緣挾雜의 습속이니 불가불 모두 痛禁하지 않을 수 없다고 하였다. 당시의 서원에서는 해당 서원의 본손들이 실제로는 私庄을 경영하면서 勒買하고 減稅하기 위해 院畓이라고 混稱하였다. 그러나 사람들은 감히 指斥하지 못하였고 관청에서는 禁防하지 못하고 있었다. 대원군은 이것을 민읍의 대폐로 규정하였다.

그러나 삼남지방은 종친부에 제대로 보고하지 않았다. 종친부는 경상감영에 대해 '대원위분부' 형식으로 재차 서원의 院畓과 院錢을 典飭에 의거하여 속히 거행하게 하였다.267) 이것은 院儒들이 사적으로 放債하고 殖利에 빙자하여 생민들의 원망을 양상한다고 판단했기 때문이다. 그리고 문중들의 경우도 방채전 명색이 많았다. 대원군은 이러한 방채전을 통금하지 않으면 民을 支保할 수 없다고 생각했다. 그래서 종친부가 재차 關文하였던 것이다.

각도각읍의 보고가 지체된 사실은 종친부의 更關에서도 나타난다. 이것은 종친부가 주관하는 서원정책에 대한 정치권과 지방의 반감이 작용한 것으로 이해할 수 있다. 대원군이 추진하는 서원정책 자체가 아니라, 정부기관이 아닌 종친부가 주도하고 있는데 대한 반감이었을 것이다. 지방관청은 중앙정부기관이 아닌 종친부에 대한 실태보고에도 익숙하지 않았다. 이 과정에는 대원군 집권에 대한 정치권의 조직적인 저항도 일부 존재하였다.

경상도의 聞慶縣은 관내 淸權祠의 資保를 혁파하고 他役에 충원하라는 종친부의 지시를 받았다.268) 그런데 문경현감은 종친부의 관칙이 도착한 고종 2년 윤5월에 즉시 실태조사를 보고하였다고 주장하였다. 문경현감이 界首京邸의 專隷에게 돌려주었는데 이것이 종친부에 入물되지 않았던 것이다. 이것은 중간에서 浮沉되었다는 사실을 보여준다.269) 종친부는 洞布配定이 비록 邑規이지만 군폐로 인해 이미 사

---

266) 『宗親府謄錄』 고종 2년 6월 20일, '江原監營報狀', 494쪽.
267) 『宗親府謄錄』 고종 2년 8월 25일, 500쪽.
268) 『宗親府謄錄』 고종 2년 9월 16일, 502쪽. 문경의 청권사는 처음부터 資保軍이 있었다. 그러나 朝家에서 특별히 軍弊를 걱정하여 사액서원 또한 이미 減數하고, 應簽之中에 移疤하였는데 京第에 봉한된 청권사가 아직도 자보가 남아 있으니, 경상감영은 문경현에 題飭하여 청권사의 자보를 즉시 혁파하고 타역에 충당한 후 구체적인 내용을 종친부에 보고하게 하였라.

액서원도 감수하여 응첨에 移疤하였으니, 청권사의 자보는 즉시 혁파하라고 지시했다. 만약에 자보의 명색이 민간에 남아 있다면 이것은 해리의 작간이 분명한 것이니 잘 살펴서 중간에서 빙자하는 작폐를 없게 하라 하여 그 의지를 분명히 했다.

경상도 지역은 상대적으로 종친부의 지시에 순응한 편이다. 종친부는 경상관찰사의 보고를 접하고, 폐단을 없애기 위한 嚴防을 강조하였다.[270] 경상감영은 추가로 四邑서원의 각 문중 錢畓결수를 성책으로 종친부에 보고하여 호응했다.[271] 더구나 고종 3년 구체적인 규모는 알 수 없지만, 고령 등 4읍에 대한 실상도 보고했다.[272] 이러한 서원실태에 대한 이해를 토대로 대원군은 서원철폐를 통해 군정확대를 주도할 수 있었다.

대원군의 서원정책이 저항을 받지 않은 것은 아니다. 祭酒 宋來熙는 禁苑과 私地의 차별을 두지 말 것을 요구하면서 만동묘의 철향에 반대했다.[273] 任憲晦도 같은 입장을 의견을 개진했다. 이들은 모두 만

---

269) 『宗親府謄錄』 고종 2년 9월 23일. 문경현은 각양의 軍保를 그 關額에 따라 동포를 시행하였고, 사액 외 院祠 보솔은 移疤軍役은 수차 朝令의 截嚴을 받들었다. 그런데 이것은 이미 현감이 莅任 후에 黎論을 듣고, 모두 동포를 원하여 민의 편부에 따른 것이었다. 그리고 현재의 流亡布가 170여 명이어서 동포에 均排하였지만 자보의 減革 여부는 본 현이 관여할 바가 아니며, 원 군정에 이속하는 일은 이미 윤5월 30일에 보고하였다고 주장하였다.
270) 『宗親府謄錄』 고종 2년 11월 6일, 507쪽.
271) 『宗親府謄錄』 고종 2년 12월 1일, 511쪽.
272) 『宗親府謄錄』 고종 3년 1월 18일, 518쪽.
273) 『承政院日記』 고종 2년 5월 13일. 송내희는 만동묘의 철향과 편액철거가 전적으로 부당하다고는 인식하지 않았다. 다만 대보단이 금원에 설치되어 있는 만큼 私地도 필요하다는 입장이었으며, 서원의 폐단에 대해서는 일체 언급이 없었다. 이것은 노론뿐만 아니라 당시의 유생들이 서원의 폐단에 대해서 공감하고 있었음을 반영한다. 대원군은 "예라는 것은 덜고 보태고 할 때가 있다면서 상황에 맞게 하는 것이 중요하다" 면서 그의 요구를 일축하였다.

동묘의 황량함과 화양서원 院儒들의 침학평민의 폐단에 대해서는 심각하게 생각했다. 그러나 폐단의 해결 방안에서 원유들의 개인차원에서 마무리될 수 있다고 주장하여 대원군의 입장과 차이를 보였다. 그러면서 이것은 조정이 단속하고 금지시켜야 할 문제라면서 책임을 전가했다. 그러나 대원군은 院儒를 빙자하여 평민침탈한다는 사실을 들어 격노했다.274) 이 과정에서 노론집권세력 내부에서 서원정책에 대한 저항이 있었다는 사실을 알 수 있다.

그렇지만 대원군의 서원정책은 총론적인 차원에서 지지를 받았다. 이들은 대체로 후안무치한 일부의 院儒들이 서원에 이름을 두고서 공문에 빙자하여 공갈 협박하는 폐단을 제거한 것을 임금이 밝게 살핀 것으로 생각했기 때문이다. 그러나 만동묘의 제향을 정지한 각론에서는 상반된 견해를 보였다.275) 이러한 입장은 경상도 유생들도 마찬가지였다. 이들은 황단이 금원에 있기 때문에 민들의 접근이 어려우므로, 만동묘의 제향을 그만둘 수 없다는 것이었다.276)

전국의 유생들도 서원과 원유들의 폐단을 부정하지는 않았다. 그러나 이들은 이것을 계기로 자신들의 기반인 서원이 향촌사회에서 정치

---

274) 『承政院日記』 고종 2년 윤5월 2일.
275) 『承政院日記』 고종 2년 7월 26일. 공충도 유생 金健秀는 상소에서 패유들을 처벌하고 변방으로 유배를 보냄으로써 제향의 성대한 예를 오늘에 볼 수 있게 되었다고 긍정적인 평가를 하였다. 또한 패유들의 폐단을 구체적으로 제시하였다. 그는 서원은 면세전이 있음에도 제수비용, 수리 등의 명색으로 마구 거두어들이고 있으니 이러한 명색을 환수하고, 제향물은 서원이 자체적으로 마련하고, 창립때의 규모와 같게 한다면 묵패가 동구 밖으로 나갈 길이 없고 文報가 公門으로 들어갈 길이 없을 것이라고 강조하였다. 그러나 만동묘 철향에 대해서만은 제고를 요청하였다.
276) 『承政院日記』 고종 2년 11월 20일. 고종은 지난번 호좌 유생들의 상소에서 이미 입장을 밝혔고, 국중에 황단이 하나 있는 것은 군신상하로 하여금 사모하는 마음을 붙일 수 있도록 한 것이며, 이번에 제사를 합하여 거행하는 것은 情義나 儀文에 해로운 것이 없다고 주장하였다.

적·경제적으로 약화될 것을 우려하였다. 이미 상품화폐경제의 발달과 신분제의 해체 위기 속에서, 그들의 마지막 보루는 서원을 제외하고는 없었다. 그런데 대원군은 이들의 정치·경제적 기반을 일시에 제거할 권력이 없었다. 이들의 반발은 정권의 위기를 불러오기에 충분한 힘을 가지고 있었다. 더구나 병인양요의 발발이 대원군으로 하여금 이러한 정책을 강력하게 추진할 수 없는 상황을 만들었다.

대원군은 서원정책의 방향을 변경할 수밖에 없었다. 이것은 서원을 간접적으로 압박하는 것으로, 정부의 공식적인 행정체계를 통해 진행되었다. 의정부는 서원과 향사의 불법을 적발하고 시정을 촉구하며, 외곽에서 서원과 유생의 기반을 허물었다. 동시에 무단토호들에 대한 징치사업을 추진하였다. 이 과정에서 대원군은 농민항쟁의 수습과 국가재정 확대라는 명분하에서 군역의 확충이라는 효과를 거두었다. 이것은 서원의 원보를 군정에 편입하는 과정에서도 확인된다.

대원군은 고종 3년 공충감사 申檍이 結弊문제를 제기하는 것을 更張의 기회로 삼았다.[277] 사실 結總의 문제는 비단 공충도 만의 고질적인 폐단이 아니라 전국적인 현상이었다. 더구나 군정의 경우에도 이미 연전에 慈敎의 형식을 통해 校院과 각처의 稧房, 경향 토호들의 선산이 있는 곳을 정리하였다. 그러나 방백과 수령들이 조령을 따르지 않아 소민들만 고통을 받고 있었다. 의정부의 시원임대신과 정부당상들은 전교에 의해 政本堂에서 종합적인 방안을 논의하기에 이르렀다.

이 자리에서 의정부는 軍政의 개정방안을 논의하고, 서원을 투탁으로 인한 군역면제의 중요 도피처로 인식하게 되었다.[278] 그런데 이후 종친부가 서원정책에 관여한 흔적을 발견할 수 없다. 이것은 대원군의

---

277) 『承政院日記』 고종 3년 5월 27일.
278) 『議政府謄錄』 고종 3년 6월 2일. 의정부는 군역 도피처로 사대부의 묘지가 있는 마을, 고을 아전과 계방, 그리고 향교와 서원을 지목하였다.

서원정책이 정부기구를 통해 공식화되었음을 의미한다. 또한 대원군의 의정부체제에 대한 통제력이 증대되었을 의미한다. 대원군은 고종 5년 일차적으로 미사액서원에 대한 훼철을 단행했다.279) 그는 서원의 말류적 폐단을 전면에 내세웠으나, 실제적으로는 군정의 확대가 목적이었다. 그리고 이것은 대원군이 노론집권세력들을 직접적으로 억압하기 위한 준비과정이었다.

대원군은 서원 운영주체를 유생에서 수령중심체제로 전환했다.280) 그는 서원 운영체제를 바꾸어 중앙의 지방통제력을 강화하고, 향촌사회 유생들의 자의적 수탈과 불법의 제거를 구상한 것이다. 또한 이것은 수령권을 통해 유생들의 조직적·정치적 저항을 차단하는데도 효과적이라고 판단했다. 이 과정에서 대원군은 서원훼철의 범위를 사액서원으로 확대할 수 있었다. 이것은 노론집권세력에 대한 직접적 억압을 의미한다. 그러므로 서원정책은 통치차원에서 이루어진 개혁정책이었다.

그러나 수령들은 서원을 전적으로 장악하지 못하였다. 수령들이 비록 서원 사무의 일부를 장악했지만, 本孫이 제각기 해당 신주를 여전히 주관했다. 이 과정에서 파당이 일어날 경우 피해는 백성들에게 전가되는 것이 명확했다. 대원군은 이러한 서원의 경우 사액서원일지라도 훼철할 것이며, 신주를 땅에 묻어버릴 것이라고 경고하였다.281) 이

---

279) 『承政院日記』 고종 5년 9월 3일.
280) 공경과 재상이 서원 원장을 맡고 있지만, 이들은 원거리에 있어 일을 집행할 수 없으며, 또한 재생들이 원장의 세력을 빙자하는 단서가 되었다. 그래서 수령이 원장이 되어 서원에 관한 사무를 주관하게 하였다.
281) 『承政院日記』 고종 7년 9월 10일. 이것은 고종의 전교 형식으로 전달되었지만, 말미에 "해조는 대원군의 분부대로 거행하라"고 한 점에서 실질적인 명령은 대원군에게서 나온 것이다. 당시 서원훼철을 담당하고 있던 예조판서는 조성교였다.

러한 대원군의 조치는 전면적인 서원철폐정책에 대한 사전 정지작업의 일환으로 이루어졌다.

대원군은 고종 8년 예조를 통해 사액서원을 정리했다. 고종은 전교를 통해 사액서원의 疊設문제를 예조판서에게 일임했다. 대원군은 예조판서인 趙秉昌을 통해 서원철폐작업을 추진했다.[282] 고종은 차후 도학과 충절이 뛰어나 서원에 배향할 경우 그 기준을 『五禮便考』에 실어 만년법식으로 삼게 했다. 이로써 대원군의 서원정책은 정당성을 확보했다. 또한 고종은 문묘에 나아가 작헌례를 행하고 성균관 유생들에게 자신의 서원정책을 직접 설득, 협조를 구했다. 고종의 처신은 서원정책에 대한 성균관 유생들의 조직적 저항을 차단하기 위한 것으로, 상당히 주효하였다. 성균관 유생들은 일제히 고종의 취지에 찬동하였기 때문이다. 이것은 대원군이 국가권력를 완전히 장악하였음을 의미한다.

고종은 이날 敬謹門을 거쳐 운현궁에서 대원군을 만났다. 대원군은 서원정책과 관련해 고종과의 정치적 조율이 필요했던 것이다. 그런데 고종과 성균관 유생들의 대화내용은 영의정 김병학조차 모르고 있었다.[283] 서원훼철의 방향과 범위가 공개되지 않았기 때문이다. 이 과정에서 영의정 김병학은 정치적으로 소외되어 갔다. 대원군과 고종의 정치적 합의는 예조판서 趙秉昌이 실무적으로 처리하였다.

영의정 김병학은 이러한 권력행사를 인지하고 있었다. 이날 김병학은 고종과의 대화에서[284] 서원문제를 예조판서가 아뢰어 바로 잡을

---

282) 『承政院日記』고종 8년 3월 9일. 고종은 "예조판서가 대원군께 가서 품정하여 배향해 모실 곳 이외에는 모두 철폐하라"고 한 점에서 대원군은 서원철폐의 주도권을 갖고 있었다.

283) 『承政院日記』고종 8년 3월 16일. 김병학은 '일전의 서원에 대한 하교는 알고 있지만, 명륜당 유생들이 입시 했을 때의 하교는 미처 듣지 못했다'고 말하였다.

것이라고 대답하였다. 그러면서 갑자년 인평대군의 서원설립을 만류한 대원군의 계책에 감탄했다. 영의정 김병학은 대원군의 서원정책에 대해 긍정적인 입장에 있었던 것이다. 따라서 대원군의 서원철폐정책에 대해서는 정부 내 반대여론이 있을 수 없었다. 대원군은 의정부체제를 완전히 장악하였고, 이들을 억압할 수 있었기 때문이다. 그러므로 고종은 이러한 사실을 처음으로 조지에 반포할 수 있었다.

고종은 대원군과 합의한 이틀 뒤 문묘에 배향된 이외의 중첩된 서원은 철폐토록 지시했다.[285] 서원철폐의 범위와 대상은 대원군에게 일임하였다. 대원군은 예조판서 趙秉昌의 품의를 받아 전국의 사액서원 중 47개소를 제외한 서원철폐를 단행하였다. 이로써 대원군의 서원철폐 정책은 일단락되었다.[286] 그리고 대원군은 호조판서의 품의를 받아 서원의 결복에 대한 후속조치를 마무리했다. 동시에 이러한 정책이 대원군의 爲民차원에서 결행된 정책임을 과시하는 것을 대원군은 잊지 않았다.[287]

---

284) 고종은 서원설치 문제와 관련하여 영안부원군이 주벽으로 있는 서원을 거론한 것은 정치적 의미가 있다. 김문근은 철종의 국구로 공훈이 있었으며, 안동김씨계의 대표적 인물 중의 한 사람이었다. 고종은 그의 서원배향에 대해 土論이 반드시 그러하지 않다면서 부정적인 입장을 보였다.

285)『承政院日記』고종 8년 3월 18일. 고종은 문묘에 배향된 분 외의 서원은 모두 철향할 것이며, 공정한 처리를 위해 예조판서가 대원군에게 가서 품정하되 중첩된 서원철향은 전일의 하교에 따라 시행하게 하였다.

286)『高宗實錄』고종 8년 3월 20일. 대원군의 서원철폐에 대해 영남지방의 유생들만이 조직적인 저항의 움직임을 보였다. 물론 대원군의 무력을 동반한 강경정책이 이들을 일차적으로 와해시켰지만, 대원군이 처음부터 이들의 조직적 저항을 고려하여 서원정책을 단계적으로 시행하였다는 분석도 있다. 대원군은 미사액과 사액을 분리하여 高宗 5년, 高宗 8년에 서원철폐를 조치한 것은 유림들의 조직적인 대응을 약화시키기 위한 대원군의 고도의 계산된 조치라는 것이다(이수한, 1994,「大院君의 院祠毁撤과 嶺南儒疏」,『嶠南史學』6).

287)『承政院日記』고종 8년 3월 25일. 고종은 강녕전에서 시원임대신들과 서원

대원군의 국왕체제를 통한 서원정책은 노론세력의 저항을 받지 않았다. 이것은 명분에서도 취약한 것이지만, 대원군이 의정부를 중심으로 한 국왕체제를 통한 권력행사가 가능하였기 때문이다. 그러나 국왕체제를 통한 대원군의 권력행사는 국왕의 존재를 불안하게 만들었다. 대원군의 國王輔政은 위임된 권력의 행사에 한정되어야만 했다. 그런데 대원군의 국왕체제를 통한 권력행사는 국왕의 권위와 존재를 초월할 수도 있게 되었다. 노론집권세력들은 권력집단으로서의 기반해체에 위협을 느꼈고, 따라서 위기감이 고조되어 갔다. 이러한 국왕과 노론집단의 정치적 위기감은 국왕을 정점으로 한 반대원군세력으로 결집하게 되는 배경으로 작용했다.

대원군의 개혁정책은 통치기반의 강화와 맞물려 추진되었다. 그는 무단토호 징치정책과 경복궁 중건정책, 그리고 서원철폐정책을 통해 농민항쟁의 수습과 중앙통치권의 강화라는 목적을 일정하게 달성할 수 있었다. 또한 그는 이 과정에서 권력기반을 강화하여 전제권을 확립하였고, 종래 정치적 개혁의 대상이었던 중앙의 노론세력의 정치력과 경제기반을 약화시켰다. 중앙정부의 지방에 대한 통제력도 강화되었다.

그러나 대원군의 개혁정책은 그것이 가지고 있는 정책적 타당성에 대한 면밀한 검증을 거친 것이 아니었다. 이것은 봉건적 체제의 변혁를 지향하는 체제개혁이 아니라 권력기반의 강화와 봉건적 체제유지를 위한 통치차원의 개혁정책이었다는 것을 의미한다. 그가 지향한 것은 봉건적 왕조체제하의 왕권강화였으며, 실제적으로는 자신의 권력

정책을 정리하였다. 고종은 서원의 結卜문제를 거론하면서 호조판서가 대원군에게 품정하게 하였고, 영의정 김병학과 우의정 홍순목은 서원결복을 바로잡은 것은 백성을 위한 성상의 염려에서 나온 것이라고 하였다. 동시에 대원군이 독자적으로 추진한 호포제를 만년법식으로 삼게 하였다.

강화였다. 그러므로 그는 개혁정책을 추진하면서 일정하게 국왕을 배제하였다.

대원군의 통치정책은 집권관료들의 자발적인 참여와 전폭적인 지원을 받지 않았다. 새로운 사상이나 새로운 사회세력을 지지기반으로 삼은 것도 아니었다. 그의 개혁정책은 자신의 전제권이 배경이었으며 국가의 공적기구를 통한 것이지만, 소수의 친위세력들의 일방적인 주도하에 추진되었다. 이 과정에서 배제된 노론 문벌세력들의 저항은 국론분열의 위험성을 가지고 있었으며, 이들은 정치력을 회복하기 위해 국왕과 결합하여 갔다. 이 같은 정치적 현상은 대원군의 개혁정책이 지속될 수 없게 만든 근본적인 한계였으며, 기득권을 빼앗긴 보수세력들에 의해 그가 퇴진함으로써 그의 개혁정책은 근대적 개혁으로 전환할 수 있는 기회를 가질 수 없었다.

제5장 대원군 집권기 정치세력 구성의 변동

제1절 대원군정권의 통치기반

1. 왕권 및 종친세력의 성격과 한계

대원군은 집권과 동시에 종친부의 기능과 역할을 확대하려 했다. 이것은 단순히 종친과 선파인들의 사회적·정치적 위상강화 차원에 머무는 것이 아니라, 이들의 결집과 정치세력화를 통해 통치기반을 확보하려는 목적이었다. 그리고 안김세력들로부터의 권력 이양에 대한 준비과정이기도 했다. 대원군이 종친과를 이용하여 종친세력을 권력에 진입시키고, 고위관료로서의 지위를 굳건히 하기 위해 종정경체제를 만든 것은 이러한 목적을 조기에 달성하려는 구상에서 나온 것이다. 대원군의 권력의지는 이러한 방향에서 실현되었고, 이것은 곧 통치기반을 강화하는 것이었다.

대원군은 국왕의 국정결정권과 인사권을 이용, 종정경체제를 만들어 종친들을 고위관직에 배치했다. 이것은 일차적으로는 국왕권의 강화와 직결되는 문제이며, 이 과정에서 종친들은 앞 시기에 비해 고위관료의 진출이 확연히 두드러졌다. 종친부가 고종의 종친부 進香을 계기로 선파인 門蔭武 2품 이상의 참반 규례를 회복할 수 있었던 것은 이러한 정치적 목적에서 가능했다.[1]

대원군은 종정경체제를 적극 활용하여 종친들을 의정부에 배치했다. 대원군이 이러한 방식으로 권력의지를 실현한 것은 자신이 직접 국가체제를 장악하지 못한 한계에서 비롯되었다. 대원군은 현실적으로 종친부를 벗어나서 권력을 실현하기는 어려웠지만, 종정경들은 의례·차대 등 국왕이 존재하는 곳에는 어디든지 참여가 가능했다. 대원군이 이것을 정식화했기 때문이다.[2] 국왕은 이들의 정치적 활동을 보장해 주었고, 이 과정에서 이들은 대원군의 통치기반이 되었다.

대원군이 종친부의 위상을 강화하고 종정경체제를 만든 이유가 여기에 있었다. 그는 종친을 중심으로 권력기구의 고위직을 독점적으로 장악하려 했다. 구체적으로는 안김세력들이 장악하고 있던 요직을 빼앗는 것이었다. 이 과정에서 안김세력의 정치적 위상과 정치력을 약화시키려는 것이다. 그러므로 종친세력은 안김세력의 대응세력으로 성장했고, 대원군의 통치기반을 강화하는 방향에서 기능하게 되었다. 종친세력이 권력기구의 전면에 나설 수 있었던 것은 배후에 대원군이 존재했기 때문이다.

대원군은 종정경을 의정부를 위시하여 정부기구에 분산·배치했다. 이들은 대원군이 설정한 국왕 권력기반의 핵심이었다. 종정경은 殿座에 입시하거나[3] 承候와 의례에 전원 참여하기도 하여[4] 국왕의 호위와 배경을 이루었다. 그렇다고 이들이 안김중심 노론집단의 권력독점가 정국운영을 제어한 것은 아니다. 다만 종친들의 일부가 노론의 당색을 띠고 있어 이들의 저항을 억제하는 효과가 있었을 뿐이다. 대원군은 정치권을 안정시킨 가운데 권력교체를 이루어가려 한 것이다.

---

1) 『宗親府謄錄』 고종 1년 1월 25일.
2) 『承政院日記』 고종 2년 1월 5일.
3) 『承政院日記』 고종 2년 1월 5일.
4) 『承政院日記』 고종 1년 12월 17일.

이것은 현실적으로 종친들의 인적기반이 협소한데서 비롯되었다. 대원군과 국왕은 처음부터 정치적 기반이 허약했다. 그러므로 대원군이 종친들을 중앙권력기구에 배치하려 했던 것이다. 이 과정에서 종친들은 대원군정권의 핵심적인 정치집단으로 부상했다. 그리고 이들은 대원군의 통치기반이 되었다.

대원군은 제일 먼저 재정권과 군권을 장악하려 했다. 대원군은 이것이야말로 권력장악의 첩경으로 인식했기 때문이다.[5] 종친인 이돈영이 재정권을 맡았다. 그는 의정부 좌참찬을 거쳐 호조판서가 되어 재정을 관장했다.[6] 대원군은 숙부인 이도중을 호조참의에 배치하여[7] 종친이 재정을 독점하게 만들었다.

대원군은 종친들로 하여금 군권과 왕명도 독점하게 했다. 종친 이규철은 공조·형조판서를 거쳐 병조판서가 되었고,[8] 대원군의 심복이었던 이경하는 총융사 겸 금위대장이 되어[9] 군사권과 경찰권을 장악했다. 승정원의 경우에도 대원군의 조카인 이재원을 비롯해 종친들이 포진했다.[10] 대원군이 종친들을 군권과 재정권, 그리고 국왕의 주변에 배치한 것은 국가체제를 통해 권력을 완전히 장악하지 못한 현실에서 비롯된 정치적 선택이었다.

---

5) 김병기는 철종조 세도집권기 호조판서를 네 번이나 맡았다(『哲宗實錄』 철종 4년 4월~12월 ; 8년 1월~9년 1월 ; 11년 윤3월~14년 4월 ; 14년 2월~9월). 재정권은 국가권력의 장악과 유지에 미치는 영향이 지대하다는 사실을 보여주며, 대원군은 이 점을 분명하게 인식했던 것이다.

6) 『高宗實錄』 고종 1년 3월 9일.

7) 『高宗實錄』 고종 1년 1월 10일.

8) 『高宗實錄』 고종 1년 11월 18일.

9) 『高宗實錄』 고종 1년 3월 9일.

10) 종친으로 승정원에 배치된 인물은 수차례 도승지를 역임한 이재원를 비롯해 이휘중, 이경하, 이승수, 이세기, 이인명, 이장렴, 이종순, 이재면, 이세보, 이승보 등이 승지를 역임했다.

대원군정권의 핵심세력은 종친이었다. 이들의 정치적 활동이 활발하였지만, 대원군은 고종 3년까지 국가체제를 완전히 장악할 수 없었다. 이것은 <부표>에서 알 수 있듯이 육조판서로 진출한 종친은 안김에 비해 상대적으로 취약했기 때문이다. 종친으로 육조판서에 보임된 인물은 이돈영을 포함해 7인에 불과할 뿐이다. 이것은 정치권력이 여전히 안김집단에 있다는 현실을 반영하는 것이다. 대원군 집권기 육조판서를 역임한 종친은 <표 9>와 같다.

대원군 집권기 대원군의 심복은 종친출신이 대다수였다. <표 9>와 <부표>에서 확인되는 자는 李寅皐, 李圭徹,[11] 李承輔, 李載元, 李根弼, 李景宇, 李秉文, 李世輔, 李秉輔, 李是遠, 李容象, 李容熙, 李寅夔, 李周喆, 李導垂, 李敦榮, 李景夏, 李應夏, 李章濂, 李景純 등이다. 이들은 육조판서직에 빈번하게 등용되어 대원군의 권력의지와 정책을 실행했다. 이 과정에서 대원군을 정점으로 하는 정치집단을 형성했다.

그러나 이들은 총체적으로 하나의 정치집단이 된 것은 아니다. 이들이 대원군을 정점으로 집단화될 수 있었던 것은 혈연성 때문이었다. 이들은 하나의 정치이념으로 결합한 것은 아니었다. 그러므로 종친집단은 정치적 입장이나 당색이 다양했다.

종친세력 구성원들은 당색면에서 노론과 소론, 남인들이 혼재했다. 이들이 사회모순에 대한 인식과 이에 대한 대응방식이 통일적이지 못한 근본적인 이유가 여기에 있었다. 따라서 이들은 대원군의 권력이 강고할 때는 결합력이 뛰어나지만, 그렇지 못할 경우 내부적 결합력은 취약할 수밖에 없는 한계를 가지고 있었다. 그러한 한계는 대원군 하야시에 적나라하게 노출되었다. 종친부는 대원군이 권좌에서 물러날 때 종친세력을 결합하여 대응하지 못했기 때문이다. 이것은 대원군이

---

11) 李圭徹은 대원군의 신임으로 등용되었고, 三軍府 복설시 웨三軍府使가 되어 대원군정권의 군사적 기반을 확립한 핵심 인물이다.

이들을 하나의 정치집단으로 통일시키지 않은데도 원인이 있지만, 대원군의 입장에서는 이러한 정치집단의 형성이 필요하다고 생각하지 않았다.

<표 9> 대원군 집권기 종친출신의 판서 역임자

姓名	주요 歷官		黨色	관련정책 및 기타
李根弼	刑, 9.6.19	刑, 10.3.2	소론	
李景宇	工, 6.8.16	工, 7.4.24	소론	무장.
李景夏	刑, 3.3.25 刑, 10.윤6.11	兵, 6.6.30 刑, 10.7.9	노론	군사, 경찰권장악, 무장. 경복궁 중건. 大院君심복.
李圭徹	工, 1.4.29 刑, 1.11.18	兵, 2.12.27	노론	삼군부부활 척양정책, 무장. 逋吏, 軍弊엄금. 璿源譜略改張.
李敦榮	戶, 1.3.9		소론	서원향현사등토지조사. 경복궁 중건. 국결미납납부추진. 宗親府관제복구. 財政권장악. 該曹靡費弊端備陳.
李鳳周	工, 3.5.13		노론	무장.
李世輔	工, 3.11.7		노론	
李承輔	工, 3.6.9 吏, 8.2.12 禮, 9.9.5	禮, 6.7.13 工, 8.8.21	남인	宗親府관제복구. 璿源譜略改張.
李是遠	禮, 1.8.27	吏, 2.6.27	소론	병인양요시 자결. 보수척화론자.
李寅夔	工, 3.10.3	禮, 6.10.23	소론	
李章濂	刑, 5.6.11, 5.7.12		소론	병인양요시강화민심수습. 군사권 장악, 무신.
李載鳳	刑, 5.11.20	刑, 6.4.4	노론	무신.
李載元	工, 2.8.15 刑, 2.12.3 工, 3.2.25 工, 3.11.5 吏, 8.1.3 工, 10.7.4	禮, 2.10.15 工, 3.2.11 吏, 3.6.26 禮, 4.2.25 兵, 8.4.1	종친	경복궁 중건. 大院君의 조카. 명화적 체포강화. 康津顯淸山島設鎭.
李周喆	工, 3.5.22 刑, 3.8.18		노론	경복궁 중건. 무신.

* 출처 : 『承政院日記』, 『高宗實錄』, 『日省錄』. 숫자는 임명 연월일 표시.

대원군과 국왕의 정치적 관계는 정치의 輔政이었다. 그렇다고 대원

군이 국정의 전면에 나설 수 있는 관계적 지위를 가진 것은 아니었다. 대원군이 정계에 포진한 종친세력들은 명분상 국왕의 권력기반일 뿐 대원군 개인의 통치기반이 될 수는 없었다. 그러므로 이 과정에서 대원군과 고종은 정치적 갈등이 일어나지 않았다. 정치권의 입장에서도 대원군에 의한 국왕권 강화에 대해 이의를 제기할 명분이 없었다. 대원군이 종친부를 통해 종친들을 장악했을 뿐, 국왕체제를 장악한 것이 아니었기 때문이다.

종친들은 대원군과 고종의 가교역할도 했다. 대원군은 국왕으로부터 권한을 위임받거나, 종친 大臣을 통해 간접적으로 지시를 받았다. 대원군의 입장에서도 대신들에게 직접적으로 지시할 위치에 있지 않았다. 대원군은 철저하게 국왕의 권위와 위상강화에 치중했고, 강화된 국왕권을 초월하지 않았다.

대원군의 국정 장악은 고종 3년이 되면서 서서히 본격화되었다. 이 시기를 전후하여 종친들의 정부당상 진출이 두드러졌다.[12] 종친들의 정부당상 배치는 형식적으로는 국왕권의 강화에 있지만, 실제적으로는 안김과 노론세력의 국정운영권에 대한 제한을 가하는 것이었다. 이 과정에서 대원군은 종친들을 중앙관직과 지방관에 배치하였고, 이들을 통해 중앙과 지방의 통제가 가능하게 되었다. 그러므로 대원군의 종친들의 정부당상 배치는 국정장악을 위한 포석인 셈이다.

대원군이 종친들을 정부당상과 지방관에 배치할 수 있었던 배경은 신정왕후의 철렴, 즉 고종의 친정도 하나의 배경이 되었다. 고종의 친정을 계기로 대원군은 정권의 합법적 운영과 안정화가 가능했고, 대원

---

12) 고종 3년 정부당상에 진출한 종정경은 이최응, 이돈영 등 17명 이었으며, 이들은 공시당상, 예겸당상을 맡기도 했다. 이들은 호조·병조·형조 등의 판서직임을 겸직하였고, 개성·강화유수가 되기도 했다. 이것은 대원군이 중앙과 지방을 통제할 수 있게 되었다는 것을 의미한다. 앞의 <표 7> 종정경의 정부당상직 겸임자(고종 3년) 참조.

군의 권력장악과 행사에 대한 준비가 마무리되었기 때문이다. 이후 대
원군의 권력의지는 독자적인 성격을 띠면서 실현되어 갔다. 이것은 상
대적이지만 고종 3년 이후 종친출신의 판서직임자가 확대되고 있는
현실에서도 확인된다.

대원군은 고종 7년 이후 의정부체제에 대한 직접 장악과 통제가 가
능했다. 고종 7년이 되면 대원군은 의정부의 논의를 거치지 않고, 해
당 판서로부터 직접 국정에 대한 보고를 받기도 하고 결재하기도 했
다. 종래 육조판서는 의정부 논의를 거쳐 대원군에게 품의하고 경재받
는 방식에서 탈피하여, 대원군에 직접 정책을 입안하고 실행했던 것이
다. 이 과정에서 의정부의 존재는 약화되어 갔다.

대원군은 의정부체제를 독점적으로 지배했고, 이것은 대원군의 전
제권력이 가능하게 되었음을 의미한다. 그런데 국왕인 고종과 관료를
대표하는 영의정 김병학이 대원군의 정책결정과 권력행사에 대해 어
떠한 반응도 보이지 않았다. 이들은 대원군의 전제권력을 당연한 것으
로 수용했다. 이러한 정치적 상황에서 대원군은 자신의 권력소재를 종
친부에 설정할 필요가 없게 되었다. 종친부는 이제 대원군 권력행사의
통로가 아니었다. 이제는 대원군이 존재하는 것이 곧 권력의 소재가
되었다.

이와 때를 같이하여 종친출신 宗正卿의 정계진출은 현저히 줄어들
었다. 이것은 종정경의 정치적 역할이 약화된 것이 아니라, 대원군이
의정부의 결정권을 직접 행사한 결과였다. 대원군은 종래 국왕의 명령
이나 의정부에서 합법적으로 논의된 결과에 대해서만 정치적 영향력
을 행사했다. 그러나 고종 7년 대원군은 의정부에서 논의되기 전에 관
료들에게 직접 품의를 받는 존재였다. 이것은 대원군이 직접 국가정책
을 승인하는 것을 의미한다. 이 과정에서 의정부 회의를 거친 국가정
책에 대한 국왕의 승인절차가 생략되었다. 대원군이 육조를 직접 장악

316

한 결과였다.13) 육조는 대원군에게 직접 결재를 받아 정책을 집행했
다.

이러한 권력구조와 정치운영은 의정부체제를 약화시켰다. 이것은
국왕권의 약화와 관련된 문제였지만, 고종은 대원군의 전제권 행사를
수용했다. 그러면서 대원군의 정치적 위상에 대한 배려를 아끼지 않았
다. 대원군이 비정상적인 국가운영방식으로 합법성을 보장받을 수 있
는 배경은 여기에 있었다.14) 영의정 김병학을 중심으로 한 관료집단
들도 이러한 정치운영 방식을 수용했다.

대원군은 도성 밖 공덕리에서도 정책을 품의받고, 결재했다. 각 직
임자들은 대원군이 존재하는 곳에 나아가는데 제약을 받지 않았다. 그
러므로 대원군이 존재하는 곳이 곧 권력의 소재가 되었던 셈이다. 이
과정에서 국왕의 형식적인 결재조차도 생략되어 갔다. 대원군의 정치
적 위상은 최고조에 달하여 국왕권을 초월하는 인상을 주었다. 그러므
로 대원군은 이제 종정경들을 의정부에 배치할 필요가 없었다.

대원군은 고종 7년 종정경들을 의정부에서 배제시키기 시작했다.
이것은 대원군의 권력이 이제 정치권을 완전히 억압할 수 있었다는
사실을 보여준다. 이러한 이해를 바탕으로 종정경들의 변동상황을 다
음의 <표 10>에서 살펴보자.

---

13) 고종 7년의 대원군과 대신사이의 위상변화에 대해서는 연갑수, 2001, 앞의
   책, 28~30쪽 참조.
14) 고종이 묘당에 알리지 말고 대원군에게 품의하여 결정하라는 지시는 대원군
   의 권력행사에 대한 합법성을 보장하는 것이었다. 고종 7년 1월의 各 宮廟
   의절에 대한 이정, 5월의 공식적인 凶吉禮시의 재정문제, 고종 8년의 서원훼
   철에 관한 사항 등이 대표적인 사례이다. 고종은 각 판서들이 직접 대원군에
   게 아뢰어 결정하게 했다. 또한 고종 7년 7월 대원군이 도성 밖 공덕리로 행
   차하자 고종은 대원군에게 품의하여 결재받기 위해 병조판서, 각영 장신, 좌
   우포장들이 편리하게 다녀오도록 조치했다.

<표 10> 고종 7년~고종 10년 宗正卿의 정부당상직 겸임자

성명	高宗 7년	高宗 8년	高宗 9년	高宗 10년	비고
李最應	예겸	예겸	예겸, 7월누락	*	行判敦寧
李圭徹			5월 누락	*	判宗正卿
李景夏	공조판서(5월)			완릉군(3월)	宗正卿
李景夏	병조판서		9월 한성판윤	형조판서	行知宗正卿
李載元	예겸, 수원유사(4월)	이조판서(1월)	*	*	知宗正卿
李周喆	예겸, 주교사, 유사	8월 한성판윤			行知宗正卿
李寅夔		*	*	*	知宗正卿
李承輔	한성판윤(6월)	이조판서(3월) 공조판서(9월, 12월)	예조판서(10월) 유사(2월)	우찬성(2월)	行知宗正卿
李載鳳					知宗正卿
李章濂	지훈련원사(6월)				知宗正卿
李容殷		*	*	*	宗正卿
이병문		명단누락(10월)	*	*	知宗正卿
이제면	도승지(9월)				宗正卿
이회순	*	*	3월 등재		知宗正卿
이건필	*	*	형조판서, 예겸	5월누락	知宗正卿

* 출처 : 『宗親府謄錄』, *는 당상직에 보임되지 않음을 표시함.

고종 7년 종정경으로 정부당상의 역할을 수행한 인물은 13명이었다. 이후 종정경은 당상에서 줄어들어 고종 8년과 9년에는 11명만이 겸임했다. 그마저 고종 10년에는 9명뿐이었다. 고종 8년 이인석, 이병문, 이용은이 정부당상에서 체직되었지만, 이후 보충하지 않았다. 고종 9년 이최응, 이규철, 이재원이 물러났으나, 이회순과 이건필만이 보완되었다. 이건필은 고종 10년 5월 당상에서 물러났다.

고종 7년에서 10년까지 정부당상을 지낸 종정경은 李景宇, 李景夏, 李周喆, 李承輔, 李載鳳, 李章濂, 李載冕 등 7명뿐이었다. 대원군 집권기 종정경에 보임된 자는 총 50여 명이었다. 그런 점에서 고종 7년

이후 종정경의 정부당상 진출은 부진한 편이다. 대원군과 정치적 운명을 함께 한 종정경이 7명뿐이었다는 사실은 대원군의 통치기반의 한계를 보여준다. 동시에 종정경체제의 성립과 이들의 정치적 존재 목적이 어디에 있었는가를 시사한다. 대원군이 종정경을 통해 통치기반을 확대하려한 구상에도 한계가 있었던 것이다.

종정경들은 육조판서를 번갈아 맡았고, 정부당상으로 국정운영에 참여했다. 그러나 종정경이 맡은 정부당상은 요직이 아니었다. 이최응과 이재원은 예겸당상에 있은 반면, 이주철과 이승보는 의외로 주교사와 유사직임을 맡았다. 이들을 제외한 종정경들은 무임소당상이었다. 그러므로 종정경들이 의정부 운영에 직접 참여하더라도 정책결정에 직접적인 영향력을 행사하는 데는 일정한 한계가 있었던 셈이다.

대원군이 의정부와 육조로부터 직접 결재를 받으면서 종정경의 정부당상은 무의미해졌다. 대원군의 권력행사에 이들이 끼칠 영향력은 사라졌다. 대원군은 종정경을 더 이상 당상에 배치할 필요가 없었다. 대원군이 직접 이들을 통제하면 그만이었다. 이 과정에서 종정경들의 정치적 위상과 정치력은 약화되었다. 이것은 후일 대원군의 권력기반의 범위를 축소하게 만들었다.

그러나 종정경들이 정부당상 중 인사와 재정, 군권에 배치되었다는 점은 주목된다. 이것은 대원군이 가장 신임한 정치인이 결국 종친이었다는 사실을 말해주는 것이기도 하다. 대원군은 현실적으로 종친들에게 권력기반을 설정할 수밖에 없었고, 이것의 합법화를 위해 종정경체제를 만들어 권력행사를 보좌한 것으로 이해해야 한다. 이 과정에서 종친들은 독자적인 정치집단으로의 성장을 보장받지 못했다. 대원군은 그렇게 하지도 않았다. 그러므로 이러한 정치적 선택은 대원군의 권력기반을 축소시키는 계기로 작용하였다고 할 수 있다.

이러한 현상은 종친부의 위상과도 연관되어 진행되었다. 종친부의

권력행사는 위축되었고, 대원군은 더 이상 종친부를 통해 '대원위분부'를 내리지 않았다. 권력을 독점하고 전제권을 행사하게 된 대원군의 입장에서는 그렇게 할 필요가 없었다. 대원군은 국정운영에서 완충장치 역할을 하던 종친부의 존재와 의의를 부정하면서, 반대세력이 잠재적으로 성장할 수 있는 여지를 남겼다. 이러한 조건은 대원군과 국왕 사이의 갈등과 충돌을 예고했다. 고종은 정치적으로 불안하게 되었다.

종친부는 이제 더 이상 대원군의 권력소재가 아니었다. 이 과정에서 종친부도 독자적으로 권력을 재생산할 수 있는 단계에 이르지 못하였다. 종친부의 정치력 약화와 함께 종정경들은 대원군을 정점으로 더 이상 정치적 결합이 이루어지지 않았다. 이것은 종친부가 일시에 무너질 수 있는 내부적 조건이 되었다. 고종 9년을 기점으로 정부당상에서 물러난 이최응, 이재원, 이재면 등이 대원군의 퇴진에 동조하는 것은 이러한 종친부의 취약점에서 비롯된 것이다. 종친부는 대원군이 존재하지 않음으로써 종친집단 구심점의 기능을 상실했다. 이후 종친부는 대원군의 퇴진문제에서 조직적이고 효과적인 대처를 할 수 없었다. 이것은 대원군의 퇴진이 일시에 이루어지는 하나의 원인으로 작용했다.

2. 무반세력의 구성과 성격

대원군의 권력장악은 새로운 정치세력을 배경으로 이루어진 것이 아니었다. 대원군은 정치권에서 문반조직은 물론이고, 특히 무반직에 있어서도 기반이 취약했다. 이것은 안김집단이 장기간 비변사를 중심으로 권력을 독점했고, 비변사의 군사적 기반이 그것을 가능하게 만들었기 때문이다. 그러므로 이러한 안김집단의 물리력은 대원군이 권력

을 장악하는 과정에서 그의 정치력을 제한할 수 있는 배경이 될 수도 있었다. 대원군의 입장에서는 비변사의 군권을 장악해야만 했다. 권력행사의 근원이 그곳에 있었기 때문이다.

대원군은 새로운 권력구조의 구축이 절실했다. 대원군은 비변사의 폐지와 의정부체제의 부활을 통해 새로운 권력체계를 수립하려 했다. 이 과정에서 군권 확보에 필요한 무장세력들의 포섭을 추진했다. 대원군은 무장세력 중 신관호와 金鑣을 주목했다. 이들은 안김세도집권기 정치적으로 소외되었을 뿐만 아니라 철종년간 김정희의 여당으로 지목되어 장기간 유배된 경험이 있었다.

대원군은 김정희의 문하생으로 알려져 있다. 대원군은 학맥을 내세워 신헌과 결합할 수 있었고, 철종 11년에 복권된 이들은 대원군의 정치적 지향에 동조할 수밖에 없었다. 특히 신헌은 대원군의 통치정책을 상당히 높이 평가했으며,15) 이들은 안김집단의 정치력·군사력 약화에 목표를 같이 하면서, 반안김적 성향 무반세력의 결집에 구심적 역할을 했다.

대원군은 비변사 내 안김세력의 분화를 기대하면서 무장세력을 결집하고자 했다. 그는 비변사 당상에 반안김적 성향을 가진 원임장신들을 배치했다. 이들은 종래에 정치적으로 배제된 인물이거나 종친들이었다. 중심인물은 종친인 李熙絅, 李景純, 신헌이었다.16) 신헌은 특히 고종 1년 3월부터 김병기를 대신해 주교사당상을 맡으면서 역할이 증대했다.

대원군의 군권장악은 비교적 순조롭게 진행되었다. 이것은 비변사

---

15) 崔完秀, 1976, 『金秋史硏究艸』, 지식산업사 ; 朴贊殖, 1988, 「申櫶의 國防論」, 『歷史學報』 117, 55쪽. 신헌이 대원군의 정책을 높이 평가한 부분은 관리등용, 실력위주 인재선발, 국방력강화, 부역의 경감(사창과 호포), 숭정척사 등이었다.

16) 『高宗實錄』 고종 1년 1월 13일.

의 폐지와 같은 궤도에서 진행되었기 때문에 상대적으로 안김집단의
저항을 받지 않았다. 대원군은 집권과 동시에 정원용의 아들인 정기세
를 병조판서에 임명하고[17] 고종 2년 3월 군영대장 인사를 통해 군권
장악을 시도했다.[18] 대원군은 훈련대장에 임태영, 금위대장에 이경하,
어영대장에 허계, 총융사에 이현직을 배치했다.[19] 이들은 모두 대원군
에 의해 포섭된 무장들이다.

대원군은 군권장악의 첩경이 병조판서직에 있다고 판단했다. 병조
판서는 무반직을 통제할 수 있는 권한이 있었기 때문이다. 그러나 제
도적으로 무반은 병조판서에 보임될 수 없었다. 대원군은 무반의 지위
를 격상시키고, 무반이 병조판서가 되게 만들려 했다. 이것은 무반을
우대하는 것으로, 무반세력을 친위세력으로 포섭하려는 의도에서 비
롯되었다.

대원군은 무반이 병조판서가 될 수 있는 조치를 취했다. 이것은 무
반의 지위를 강화하는 것이었다. 대원군은 일차적으로 무반의 경우 병
조판서를 거치지 않아도 판의금부사가 되게 하고,[20] 곧 바로 무반의
품계가 정2품이 되면 병조판서의 후보자로 추천하게 만들었다.[21] 이
것은 병조판서가 될 수 있는 자격에 변화를 준 것이다. 이 과정에서
병조판서는 정기세, 신헌, 김병기로 교체하였다.[22] 이것은 안김집단이
보유하던 군권을 장악하기 위한 수순이었다.

---

17) 『高宗實錄』 고종 1년 1월 25일.
18) 『高宗實錄』 고종 2년 3월 29일.
19) 당시 군영대장을 살펴보면 훈련대장 김병국, 어영대장 임태영, 총융사 이경
    하였다. 김병국은 친형인 김병학이 좌의정이 되면서 사임했다. 그는 철종 9
    년 6월 9일부터 훈련대장을 맡으면서 안김집단의 군사적 기반이 되었고, 대
    원군은 이러한 김병학과 정치적 제휴를 모색했던 것이다.
20) 『高宗實錄』 고종 1년 5월 9일.
21) 『高宗實錄』 고종 1년 6월 26일.
22) 『高宗實錄』 고종 1년 6월 26일.

신헌의 병조판서 임명은 변화된 병조판서 자격을 실현한 것이며, 무반들의 정치적 위상강화에 일대 전기가 되었다. 이후 병조판서는 종친 및 대원군의 친위세력들이 핵심을 이루었고, 이들은 문반과 무반이 번갈아 맡는 형식을 취했다.[23] 이 과정에서 대원군은 군권장악의 기반을 마련했다. 대원군이 집권과 동시에 무반의 권한을 확대 강화한 결과였다. 이제 무반들은 병조판서는 물론이고, 고위관직에 진출할 수 있을 뿐만 아니라 정치세력을 형성할 수도 있게 되었다. 이것은 문반 중심의 노론집단과의 경쟁과 억압을 위한 대원군의 사전 포석이었다.[24] 이러한 무반의 성격은 대원군이 통치정책을 수행하는 과정에서도 확인된다. 무반들이 경복궁 중건정책에 투입되면서[25] 정치력을 발휘했기 때문이다.

대원군 집권기 무반들의 정치적 지위는 고종 3년 병인양요를 진압하면서 상승·확대되었다. 이것은 병인양요를 겪는 과정에서 군사력의 확대와 연관되어 일어난 현상이기도 했다. 대원군은 전쟁이 발발하자 종친출신의 무장들을 제일 먼저 전선에 투입했다. 이원희는 총융청 중군이 되어 군영대장과 함께 전장에 나아갔고, 이동현과 이장렴은 좌우포도대장으로 수도의 치안을 담당했다.[26] 이장렴은 곧 강화유수로 승격되었고, 훈련대장 이경하는 특별히 경기연해 도순무사, 이용희는 순무영의 중군으로 서울의 외곽을 수호했다.[27] 이들은 양요기에 일정

---

23) 대원군 집권기 병조판서는 정기세, 신헌, 김병기, 이규철, 김병주, 김수현, 이경하, 강로, 민치상, 민승호로 이어졌다.

24) 대원군이 하야한 직후 병조판서는 문반체제로 복귀되었다. 이것은 대원군 집권기 병조판서를 중심으로한 무반세력 강화가 대원군의 정치적 목적을 달성하기 위한 것이었음을 알게 한다(『高宗實錄』 고종 10년 12월 24일).

25) 『高宗實錄』 고종 2년 4월 3일.

26) 『高宗實錄』 고종 3년 9월 7일.

27) 『高宗實錄』 고종 3년 9월 8일.

한 전공을 세웠고, 대원군의 정치적·군사적 기반이 되었다. 대원군은 무반직을 종친세력 중심으로 장악하려 한 의도가 있었던 것이다. 대원 군은 군권장악도 종친에 설정하고 있음을 알 수 있다.

병인양요는 무장들에게 지위 상승의 기회를 제공했다. 이 과정에서 대원군은 군영대장과 병조판서를 동급에 설정할 수 있었다. 대원군은 군영대장을 병조판서와 같은 정2품에 위치하게 만들었다.[28] 이처럼 대원군이 무장들의 권한과 지위를 강화한 것은 그가 직접 군영을 장 악하려는 정치적 의도에서 비롯된 것이다.[29] 대원군이 군영대장을 병 조판서와 동급이 되게 만든 것은 이들의 종속적 관계를 단절하려는 의도였다. 한편으로는 문반의 무반통제를 어렵게 만드는 것으로, 문반 중심의 정치를 지양하는 것이기도 했다. 이러한 대원군의 군사권 구조 의 변화는 『삼반예식』으로 법제화되었다.[30] 이 과정에서 군영대장은 대원군의 직접 통제체제에 들어가게 되었고, 대원군은 백성들은 물론 이고 노론집단 마저도 억압할 수 있는 무력을 확보했다.

대원군의 입장에서 병인양요는 통치기반을 확대할 수 있는 절호의 기회였다. 그는 전쟁의 공로를 내세워 무반세력들의 권한을 강화했고, 이것은 급기야 문반중심의 노론집단에 대한 통제를 가능하게 만들었 다. 군권을 통해 통치기반을 확대하려 한 대원군의 구상이 실현되는 과정에서 대원군의 정치적 권위는 더욱 높아졌다. 대원군의 정치기반 은 무반세력을 중심으로 확고하게 형성되었다.

---

28) 『高宗實錄』고종 3년 4월 24일.
29) 대원군 하야 후 군영대장은 다시 종2품으로 격하되었다. 이것은 대원군의 기 반이 무장에 있었음을 단적으로 보여준다(『高宗實錄』고종 10년 12월 24 일). 이러한 舊規回復조치는 대원군의 권력기반 해체를 목적으로 시행된 것 이다.
30) 『高宗實錄』고종 5년 7월 2일. 대원군은 경복궁 이어와 동시에 문반과 무반 의 지위, 상견례에 관한 의절 즉 『삼반예식』을 작성하고, 직접 서문을 썼다.

대원군이 김병주, 김수현 등 안김 출신자들을 병조판서에 임명할 수 있었던 것은 이러한 권력구조의 변동이 있었기 때문이다. 병조판서는 이제 군영대장을 직접 통제할 수 없었고, 따라서 안김집단이 병조판서가 되어도 군권을 장악할 수 없었다. 대원군은 이후 군영대장에 친위세력을 배치해 군권을 직접 통제했다.

대원군은 훈련대장에 임태영(고종 2년 3월)·이경하(고종 3년 3월)·신헌(고종 3년 10월)을 배치했다. 특히 신헌은 고종 8년 4월까지 훈련대장을 역임하여 장기간 군권을 보유했다. 이 과정에서 그는 양이세력의 침투에 대비한 자주국방력을 강화하였다. 그는 기본적으로 정약용의 民堡방위론을[31] 계승하였으나, 대원군이 국방정책으로 채택하지는 않았다. 다만 대원군은 병인양요 이후 군제상의 부분적인 개혁과정에서 신헌의 陳軍務疏의 군무육조를 채택했을 뿐이다. 그는 장기간 훈련대장에 있으면서 대원군의 권력기반을 이루었을 뿐만 아니라, 오위제도 복구와 호포제 실시를 주장하여 대원군의 통치정책의 기반을 마련하기도 했다.[32]

대원군은 금위대장에는 종친만 배치했다. 종친인 이경하(고종 2년 3월)·이주철(고종 3년 4월)·이장렴(고종 6년 1월)이 그들이다. 금위대장은 국왕의 호위와 수도경비를 맡는 중임이기 때문에 가장 신뢰하는 종친만을 배치한 것이다. 금위영의 경우도 이러한 성격에서 벗어나지 않는다. 금위영은 대원군 자신과도 밀접하게 관련된 군영이기도 했다. 고종은 운현궁과 금위영의 담장을 허물어 대원군의 대궐출입을 자유롭게 한[33] 것도 이러한 측면을 엿보게 한다. 대원군은 금위영을 통

---

31) 정약용의 민보방위론에 대해서는 다음의 논문이 참고된다. 趙珖, 1976,「丁若鏞의 民權意識研究」,『아세아연구』56 ; 鄭景鉉, 1978,「19세기의 새로운 國土防衛論」,『한국사론』4 ; 鄭夏明, 李忠珍, 1981,「丁若鏞의 軍事防衛體制觀과「民堡議」」,『군사』3.

32) 朴贊殖, 1988, 앞의 논문.

해 종친부에 출입하였고, 이런 점에서 금위영과 대원군, 금위영과 종친부는 밀접한 관계에 있었다고 짐작된다. 금위대장에 종친만이 임명되는 것은 이러한 사정을 반영하는 것이다.

대원군은 어영대장과 총융사도 종친 중심으로 배치했다. 어영대장은 허계(고종 2년 3월)·이현직(고종 3년 2월)·이용희(고종 4년 6월)·김건(고종 5년 5월)·이원희(고종 5년 10월)가 역임했으며, 다른 군영대장에 비해 상대적으로 빈번하게 교체한 특징이 있다. 이런 현상은 총융사도 마찬가지였다. 총융사는 이경하, 이현직, 이주철, 신관호, 신명순, 이용희, 이규철, 이주철 등이 역임했다. 이들은 대다수가 종친이었다는 점에서 공통점이 있다. 그러므로 대원군은 군사적 기반을 전형적인 무반과 종친세력에 설정하였음을 알 수 있다.

한편 대원군은 군영대장 출신자를 육조의 판서가 되게 했다. 이것은 군영대장의 품계가 판서와 같은 정2품이었기에 가능했다. 이 과정에서 대원군은 무반중심의 정치세력화를 이룰 수 있었다. 대원군의 전제권은 이들을 배경으로 가능했던 것이다. 이들은 군권을 기반으로 의정부체제에서 강력한 정치력을 발휘했던 것이다.

대원군 집권기 군영대장 출신자들의 정치적 위상은 대단했다. 특히 이들 대부분은 형조판서에 보임되어 이들의 정치적 의도가 종래 정치집단에 대한 위협에 있음을 알 수 있다. 이러한 역할을 적극적으로 수행한 자는 모두 대원군의 친위세력으로 분류된다. 신헌(병조·형조), 임태영(형조·공조), 허계(형조·공조), 이규철(형조·공조), 이경하(형조), 이주철(형조·병조·공조), 이용희(형조), 이장렴(형조), 김건(형조) 등이 바로 그들이다. 이들이 공조판서를 역임한 것은 주교사당상과 관련된 것으로 이해된다.

---

33) 『高宗實錄』 고종 1년 6월 5일.

대원군은 고종 5년이 되면서 군권을 통합·관리할 필요성을 절감했다. 대원군은 종래 삼부체제 즉 종친부·의정부·삼군부를 통해 권력을 장악, 행사하였다.[34] 그러나 의정부를 중심으로 한 국왕체제를 장악하면서, 의정부와 삼군부에 분할되어 있던 군권을 정리해야 했다. 이것은 병조판서와 군영대장을 일원적인 체제로 흡수·통합하려는 방안이었다. 한편으로는 의정부 중심의 정치와 삼군부 중심의 군권 분리를 통해 상호 견제시키려는 목적도 있었다.

대원군은 병인양요를 경험하면서 국방강화의 필요성을 절감했다. 신헌의 경우 국방강화책을 여러 차례 제기하기도 했다. 그러나 대원군의 삼군부 복설은 침략적인 서양세력의 대응에 초점을 맞추지는 않았다. 대원군의 관심은 오로지 국내문제에 한정되어 있었다. 그러므로 삼군부 복설은 대내정치의 권력기반 확대와 강화의 측면에 더 치중했다.

삼군부 복설과정에서 드러난 삼군부 구성원은 이러한 입장을 분명히 한다. 사실 삼군부는 비변사가 폐지되면서 명칭이 사용되었으나[35] 정식 복설은 고종 5년에 이루어졌다. 삼군부의 구성원이 이때 갖추어졌기 때문이다. 그동안 대원군은 의정부체제의 성립과 군권장악, 그리고 경복궁 중건을 통해 정치세력을 통합·통제해 왔다. 이 과정에서 대원군의 정치적 권위는 높아졌고, 권력행사의 범위도 확대되었다. 그리고 정치세력의 재편과 군권을 통해 권력기반이 구축되어 있었다.

---

34) 삼군부가 삼부체제의 하나였음은 『운하견문록』을 통해서도 알 수 있다. 대원군의 측근인 金奎洛은 "근래에는 武備를 숭상하여 六曹위에 삼군부를 세우고 국내의 軍務戎政을 照管하게 하였다. 시원임 장신으로 하여금 주관하게 하고, 또한 대신으로 예겸하게 하였다. 그 중함은 의정부와 같다"고 기록하였다(金奎洛, 『雲下見聞錄』, 「創置三軍府講邊圍戎政條」). 그러므로 삼군부는 체제상 의정부와 동일한 지위에 있었다.

35) 『承政院日記』 고종 2년 5월 26일.

이러한 상황에서 서양의 침략은 대원군에게 충격이었다. 대원군은 서양의 위협을 직접 경험하였고, 빈번한 연안의 이양선 출몰은 국방체제의 수립을 요구했다. 대원군은 이러한 현실 속에서 군무를 총괄할 수 있는 독립적 군무기관이 필요하다고 판단했고, 이것은 또한 자신의 권력기반 구축과 연관되는 문제이기도 하였던 것이다. 삼군부의 복설은 이러한 배경 속에서 추진되었다.

대원군은 삼군부를 독립적인 기구로 복설하지 않았다. 그는 삼군부의 고위직을 겸직제로 만들었고, 안김세력의 핵심인 김좌근과 김병기 등을 영·판부사로 참여하게 했다. 대원군은 안김의 군권적 기반이 남아 있다고 판단했고, 이것은 대원군이 이들을 완전히 제압하지 못한 현실을 반영하는 것이다. 이러한 현실에서 대원군이 취할 수 있는 조치는 병조판서와 군영대장 중심으로 삼군부사를 조직하는 것이었다. 이것은 비변사와의 차별을 보인 것이지만, 이들이 이미 군영대장과 형조·공조판서를 역임하면서 대원군의 권력기반을 확대한 인물들이라는 점이 작용한 결과였다. 그러므로 이들은 삼군부의 유사당상이 되어 삼군부의 운영을 독점할 수 있었다.[36]

대원군 집권기 삼군부의 삼군부사를 역임한 자는 총 21명이며, 이들은 모두 무반출신자들이다. 이 가운데 이경우, 이규철, 이현직, 이재봉, 이장렴, 이주철, 이경하 등 7명은 종친이었고, 나머지는 친대원군 세력으로 분류되는 인물들로 신헌, 신명순, 이용희, 이원희, 정기원, 임상준, 김선필, 채동건, 양헌수, 김건 등이 그들이다.[37] 그러므로 삼군부는 김좌근과 김병기, 김병국을 제외한다면 전원 종친이거나 대원군의 친위세력들이 장악했음을 알 수 있다. 그리고 군영대장들은 전원

---

36) 『高宗實錄』 고종 5년 6월 12일.
37) 金世恩, 1990, 「大院君 執權期 軍事制度의 整備」, 『韓國史論』 23, 316~317쪽.

삼군부사에 언급된 인물이다. 이런 점에서 삼군부는 군영대장 중심의 확대 개편이었으며, 대원군의 무력적 기반이 되었음을 알 수 있다.

대원군은 삼군부에 대한 통제권을 강화했다. 이것은 삼군부 유사당 상에 군영대장을 배치한 것에서 확인된다. 군영대장은 병조판서의 통제에서는 벗어났지만, 대원군의 직접적인 통제를 받게 된 것을 의미한다. 이들의 독자적인 군권 행사는 불가능했고, 대원군을 정점으로 한 삼군부에 의한 균형, 통제, 협조체제가 성립되었다. 이것은 형식적으로는 국왕권 강화를 목적으로 했지만, 대원군은 이 과정에서 직접 이들을 통제했다. 이러한 삼군부의 존재는 이후 대원의 전제권력의 배경이 되었고, 또한 대원군의 군권장악은 완료되었다.

三軍府使는 전원 무반가문으로 구성되었다. 이들은 전통적인 문벌귀족이 아니었다. 이들은 대원군이 집권하는 과정에서 정치적으로 지위를 상승시켰고, 대원군의 정치기반이 되는 과정에서 정치세력으로 성장했다. 대원군의 권력장악과 이들의 정치적 성장은 같은 궤적을 가지고 있다. 대원군과 무반들이 정치적으로 결합할 수 있었던 것은 문반중심의 문벌세력에 대한 대응이라는 측면에 있었다.

대원군은 이 과정에서 노론집단의 정치·경제적 기반의 해체라는 정치적 목적을 달성할 수 있는 무력을 확보했다. 삼군부의 복설과 인적구성은 곧 서원철폐정책으로 나타났기 때문이다. 그러므로 대원군이 삼군부를 복설한 목적은 종래 기득권 세력에 대한 통제와 억압의 수단 확보에 있었던 것이다. 대원군이 인적 구성에서 삼군부와 의정부를 차별화한 이유도 여기에 있었다. 이후 안김을 중심으로 한 노론세력들은 서원철폐정책을 통해 억압될 수밖에 없었다.

그러나 이 과정에서 대원군의 권력기반은 전통적인 국왕체제와 권력구조를 위협하게 되었다. 이것은 국왕과 정치권을 경직되게 만들었고, 성리학의 통치이념과도 배치되는 현상을 보였다. 급기야 반대원군

세력이 국왕 중심으로 형성되는 여지를 남긴 것이다.

그러나 분명한 사실은 대원군의 현실적·실질적 권력기반이 삼군부와 군영대장직을 겸직한 그 구성원들이었다는 것이다. 이들 군영대장 직임자들은 대원군이 권좌에서 물러나는 과정에서 배제되었고, 반대원군세력인 조영하, 민규호 등 왕실의 외척세력들이 군영대장직을 장악했다. 급기야 고종은 삼군부의 무력화와 친영체제 구축을 위해 무위소를 창설했다.[38] 이후 무위소는 종래 삼군부의 역할을 수행하면서 고종의 통치기반이 되었다. 이 과정에서 대원군의 권력기반은 완전히 해체되었고, 그의 재집권을 추동할 수 있는 무력적 기반은 어디에도 없었다.

3. 남인세력과의 정치적 관계

대원군은 통치정책을 추진하는 과정에서 정치세력을 구축했다. 그는 집권을 위한 정치이념이나 정치집단의 결속이 없는 상태에서 권력의 핵심에 진입했다. 이 과정에서 자신의 통치이념과 권력의지를 실현할 수 있는 집단은 사적집단 뿐이었다. 그러므로 대원군은 비제도적이고 개인적인 조직력과 왕권에 의지할 수밖에 없었다. 그러나 이러한 정치세력으로는 거대한 국가 공조직의 장악이나 운용에 한계가 있었다. 이러한 현실에서 대원군은 종래의 정치집단과 차별화되는 정치세력이 필요했다. 그리고 대원군에 의해 형성되는 새로운 정치집단은 종래의 권력집단에 대응하는 성격을 지녀야 했다.

대원군은 일차적으로 왕권강화라는 정치적 목적을 뒷받침하는 정

---

38) 이병주, 1977, 「開國과 軍制改編」, 『韓國軍制史-근대조선후기편』, 육군본부 ; 金世恩, 1991, 「開港 이후 軍事制度의 改編過程」, 『軍史』 22 ; 崔炳鈺, 1990, 「朝鮮末葉의 武衛所研究」, 『軍史』 21 ; 殷丁泰, 1998, 「高宗親政 이후 政治體制 改革과 政治勢力의 動向」, 『韓國史論』 40.

치세력과 정치사상이 필요했다. 그리고 이들을 통해 수권체제를 갖추어야 했다. 이러한 목적에서 대원군은 종래의 정치에서 소외된 인물들을 주목했고, 이들은 바로 남인계와 북인계 인물들이었다. 대원군의 권력기반은 종친선파인들이 중심에 위치했지만, 이들을 중심으로 권력기반을 확대하기에는 한계가 있었다. 대원군이 노론계와 소론계를 의식할 수밖에 없는 현실도 이들을 주목한 이유의 하나였다.

대원군과 남·북인은 정치적으로 결합할 수밖에 없는 처지였다. 대원군의 입장에서는 남인과 북인의 정치이념이 왕권강화정책의 이론적 기반을 다져줄 것으로 확신했다. 이들은 기본적으로 왕권강화를 지향했기 때문이다. 더구나 대원군은 麟平의 후예로 그 근원이 남인으로 인식되고 있었다.[39] 또한 대원군은 남·북인의 등용을 통해 사색당파의 고질적 병폐를 제거한다는 정치적 명분을 활용했다. 그러므로 대원군은 기회균등과 신진인사의 발탁이라는 명분으로 종래 집권세력의 저항을 막을 수 있었다. 한편으로 남인과 북인의 입장에서는 정계진출의 통로가 필요했다. 이들은 李麟佐의 亂과 세도집권기 이래 정치적으로 배제되어 왔기 때문이다. 이러한 상호간의 필요성은 정치적 결합을 용이하게 만들었다. 대원군은 특히 남인세력에 주목했다.

大院君 執權期에 남인세력은 지역적으로 분화되어 있었다. 이들은 양분되어 영남지방을 중심으로 한 嶺南南人(嶺南)과 중앙 중심의 近畿南人(京南)이 그들의 존재를 대변했다. 嶺南의 경우에는 屛虎是非에서 알 수 있듯이 분열과 대립의 양상을 보이고 있었다.[40] 더구나 영남학파로 대변되는 영남지방의 남인들은 학문적 연원을 퇴계의 학문에 두어 동질성은 유지하고 있었지만, 내부의 다양한 분파와[41] 성리

---

39) 黃玹, 『梅泉野錄』上, 4쪽.
40) 신석호, 1930·1931, 「屛虎是非에 就하여」, 『청구학총』 1·3
41) 琴章泰, 1990, 「嶺南性理學의 傳統과 爭點」, 『民族文化論叢』 11. 퇴계학파

학 해석에 대한 입장의 차이, 그리고 새로운 종주의 출현 등으로 동일
집단의 기반이 해체되고 있었다.42) 그러므로 이들은 하나의 정치세력
으로 결집하기 어려웠고, 척족세도세력의 권력독점체제에서 정치적
활동이 불가능하였다.

대원군은 재야시 남인과 일정한 연계를 맺었다. 그는 영남지방을
순방하면서 재야의 남인 인사들과 접촉했고, 특히 상주와 안동지역의
諸家門을 순력하였던 것으로 알려졌다. 이 시기에 상주의 柳厚祚, 의
성의 申奭祐와 志氣를 통하였고,43) 양동의 무첨당과 봉화의 진양강씨
가문에는 대원군이 머물면서 썼다는 懸額이 남아 있다고 한다.44) 이
런 점에서 대원군은 집권 전부터 영남지방 남인들과 일정한 연계를
가지고 있었음을 알 수 있다. 그가 충청지방의 노론세력들에게 수모를
당한 것과는 대조적인 현상이었다.45)

그러나 이러한 사실만으로 대원군과 영남남인과의 정치적 결합을
속단할 수는 없다. 대원군의 집권이 남인들에게 정치참여의 길을 열어
줄 수 있다는 개연성은 충분한 것이 사실이다. 그리고 실제로 대원군
집권기 남인의 정계진출은 전 시기에 비해 확연히 달라진 것도 사실
이다. 남인과 북인은 세도집권기 당상관 진출이 전체의 8.3%에 불과

는 한말에 이르러 안동의 柳致明, 성주의 李震相, 칠곡의 張福樞, 창녕의 曹
兢燮, 김해의 許傳 등 다섯 학파로 분화되었다. 그러나 이들의 학맥의 특성
과 정치적 지향성이 완전히 구분되어 있었다고 보기는 어렵다.

42) 대표적인 사례로 들 수 있는 것은 성주 이진상의 心則理說이 퇴계의 학설과
배치된다는 이유로 그의 문집이 상주향교에서 불태워졌으며, 許薰은 「한주
문집」의 교열을 거부하기도 했다. 또한 奇正鎭을 종장으로 하는 蘆沙학파와
田遇를 중심으로 한 艮齋학파가 출현하였다.

43) 申錫愚, 『可軒集』 권3, 「行狀」.

44) 鄭震英, 1997, 「19世紀 後半 嶺南儒林의 政治的 同鄉」, 『지역과 역사』 4,
182쪽.

45) 黃玹, 『梅泉野錄』 上, 5쪽.

했지만, 대원군 집권 이후 18%로 확대되었기 때문이다.[46] 이 가운데 남인세력이 주류를 이루었다는 사실은 대원군의 정치적 의도가 작용한 것으로 이해된다. 대원군이 남인들의 중앙관료 진출에 일정한 영향을 미쳤지만, 그가 주목한 남인세력은 전체 남인이 아니었다. 대원군은 서울지방의 남인 즉 京南을 자신의 정치적 기반으로 삼고자 했다. 이러한 사실은 다음 절의 <표 13>·<표 14>·<표 15>에서 확인된다.

우선 대원군 집권기 중앙관료로 진출한 북인세력은 소수였다. 이들은 다음 절의 <표 13>·<표 14>·<표 15>에서 확인되듯이 姜浩, 任百經, 任百秀, 任商準 등 4명뿐이다. 대원군 집권기 남·북인 출신 당상관이 18%를 점유했지만, 대부분 남인이었던 것이다. 그런데 이러한 남인 가운데서도 영남남인은 柳厚祚, 李源祚가 중앙정치에서 영향을 주었을 뿐이다. 유후조는 공조판서와 우의정, 좌의정을 역임했고, 이원조는 한성판윤을 거쳐 공조판서에 이르렀다. 그런데 이들은 세도집권기에 이미 당상관으로 활약한 전력이 있다.[47]

대원군 집권기 남인으로 권력의 중심부에 진출한 인물들은 대다수 서울지방 출신의 남인 즉 京南세력이었다. 그렇다고 대원군과 영남남인이 정치적 입장을 달리하였던 것은 아니었다. 이들은 상호 협조가 필요했다. 대원군은 안동김씨 척족세력, 나아가 노론권력의 견제를 위해 영남남인의 지역적 기반이 필요했다. 영남남인들은 중앙정계의 진출과 정치세력화로의 부상을 위해 대원군의 정치적 지원이 필요했다.[48]

---

46) 槽谷憲一, 1990,「大院君政權의權力構造」,『東洋史硏究』49-2.

47) 柳厚祚는 철종 6년 강릉부사를 거쳐 공조참의, 좌우부승지, 대사간 등을 역임했으나, 그가 문과에 급제할 때는 이미 61세였다. 반면에 李源祚는 18세에 급제, 강릉부사, 형조참의, 좌우부승지, 병조참판 등을 역임해 대조를 이룬다.

대원군과 영남남인은 정치적 입장에서 동일한 목적을 가진 것은 아니다. 그러나 이들은 정치적으로 특수한 관계로 발전할 수 있는 여지는 충분했다. 대원군은 영남남인들의 정계진출을 보장하였고,[49] 분열된 영남남인과의 정치적 연결에 고심했다. 그가 영남남인들의 保合운동에 관여한 것은 이러한 이유였다. 물론 남인의 분열이 영남지방에서만 일어난 현상은 아니었지만, 영남남인 분열의 주요인은 병호시비로 대별되는 퇴계학통의 분열에 있었다.[50]

대원군 집권기 대원군과 영남남인, 영남남인 내부의 정치적 연대와 결속에 있어서 주도적인 역할은 유후조가 맡았다. 유후조는 고종 3년 우의정이 되면서 屛山과 虎溪의 보합을 추진했고, 이것은 대원군의 의지에서 비롯되었다. 유후조가 대원군의 의지에 의해 병호의 보합에 주력한 것은 고종 3년 봄부터였다. 이때 대원군은 안동부사 심동신에게도 조속한 보합을 지시했다.[51]

대원군은 집권과 동시에 영남남인의 보합문제에 주력했다. 이 점은

---

48) 鄭震英, 앞의 논문, 182쪽.

49) 대원군은 스스로 영남남인과의 정치적 관계를 거론한 바 있다. 그는 "갑자년 이후 남인 중에서 淸宦爵達한 자가 줄을 이었다"고 말했으며, 영남남인들은 "閣下의 眷愛를 입지 않음이 없다"고 화답했다. 이러한 점은 이들의 정치적 관계를 반영하는 것이다(朴周大, 『羅巖隨錄』「大院君抵李參鉉擬書」 및 宋基夏, 『雲坡先生文集』 권1, 「上洛坡柳相公」).

50) 屛虎是非에 대해서는 신석호, 1930·1931, 「屛虎是非에 就하여(상·하)」, 『청구학총』 1·3 참고. 병호시비가 일어난 이후 영남남인들은 공론을 모아야 할 상소운동에서조차 조직과 행동의 일치를 보이기 어렵게 되었다. 이것은 이후 영남남인들의 정치적 위상을 약화시키는 계기로 작용했다. 병호시비는 이후 영남의 전 재야세력들에게 파급되었고, 이들은 갈등과 분열의 양상을 보였다. 그러므로 이들은 세도집권세력의 권력독점에 대한 비판적 세력으로 존재하기 어려웠다.

51) 朴周大, 『羅巖隨錄』, 「雲峴宮抵安東倅書」 ; 柳厚祚, 『洛坡先生文集』 권1, 「上大院君書」.

대원군 스스로 "내가 이 일을 거론하는 것은 오랫동안 경영한 것이다" 라고 밝힌 사실에서 이해할 수 있다. 또한 보합을 주도하던 유후조의 입장도 이러한 사실을 반영하고 있다. 그는 "합하께서 반드시 어떠한 합당한 대책을 시달하신 것이 있으리라 짐작됩니다"라고 했다. 유후 조는 대원군에 의한 보합이 성공할 것이라 확신했다. 이러한 사실은 그는 "事勢가 一道을 보합하는 계기이므로 奉案하는 절차를 다시 정 하여 교시한다면 양쪽이 감축할 것이다"고 강조한 것에서 확인된다. 유후조는 보합에 진력했고, 그 결과 "명령을 받들어 보합한 이후로 별 다른 일이 없을 것이다"고 대원군에게 보고했다.[52] 그러나 이것은 정 치적이고 일시적인 보합에 불과하며 근본적으로 屛虎가 보합한 것은 아니었다.[53]

대원군과 유후조의 노력에도 불구하고, 영남남인들이 屛虎의 보합 에 실패한 것은 이들의 분열과 대립의 골이 그만큼 깊다는 것을 의미 한다. 이러한 상황에서도 유후조는 영남남인과 대원군정권을 연계시 키기 위해 노력하였고, 이것은 병인양요를 계기로 구체화되었다. 당시 영남출신으로 중앙정계에서 활동한 인물은 유후조와 許元拭이었다. 이들 영남출신 관료들은 병인양요시 일반적으로 벌어진 군수원납과 다른 의미의 원납운동을 전개했다. 유후조와 신석우, 허원식 등은 國 用과 軍需명목의 원납을 구상하고, 영남남인들의 동참을 요구하는 통 문을 작성했다.[54] 이 원납운동은 대원군과의 교감에서 이루어졌고, 이 과정에서 신석우는 경상도 捐補錢都有司로 천거되었다.[55]

영남남인 중심의 원납운동은 대원군의 정치적 입장 강화를 목적으

---

52) 柳厚祚, 『洛坡先生文集』 권1, 「上雲峴宮書」.
53) 영남남인의 병호보합에 대해서는 정진영, 앞의 논문, 186~191쪽을 참조하였 다.
54) 申錫愚, 『可軒集』 권2, 「丙寅斥洋丙子斥倭後事實」.
55) 위의 책, 「通道內各儒所文」.

로 했다. 병인양요를 거치는 과정에서 무반과 서리층을 중심으로 한 군수원납은 있었다.[56] 그러나 이것은 대원군의 정치적 입장과 무관한 것이었다. 대원군은 병인양요를 거치는 과정에서 국가재정을 상당히 소진하여, 재정면에서 정권을 유지하기 어려운 실정에 직면했다. 영남 남인들은 대원군의 이러한 실정을 간파했다. 그 결과 이들은 대원군의 개인적 재정지원을 위해 捐補錢운동을 벌였던 것이다. 이 과정에서 영남남인들은 대원군과 정치적 결합을 도모했고, 이것은 자신들의 관료진출의 기회확보 문제와 연관되었다.

한편 영남남인들은 대원군의 강경한 척화적 대외정책 변화에 편승했다. 이들은 대원군의 대외정책인 척화론의 이론적 기반을 제공했다. 이 과정에서 이들은 정계진출을 도모하기도 했다. 그런데 당시 남인들은 서양의 내응세력으로 지목되고 있었고, 이러한 정치적 현실을 영남 출신 거경관료들은 직감했다.[57] 이러한 현실을 탈피하는 하나의 방안이 대원군과의 사적인 교감을 이루게 했던 것이다. 이런 점에서 척화론을 중심으로 대원군과 남인들의 정치적 결합의 가능성은 열려 있었

---

56) 『高宗實錄』 고종 3년 10월 21일.

57) 개항과 더불어 재야에서는 척화의 분위기가 강화되었다. 당시 재야의 노론 들조차도 집권노론세력에 대해 개항문제를 비판했다. 특히 이들은 서양의 침략과 아울러 안으로부터 내응세력으로 남인들을 지목했다. 이러한 현상은 노론세력들의 현실적인 위기 극복을 위한 하나의 방안이며, 남인들을 정치적으로 견제하기 위한 것이다. 특히 김평묵은 강화가 이루어진 후에 "만일 남인 一帶가 私親(大院君)을 끼고서 창을 메고 죄를 성토하는 거사를 일으 킨다면 어떠한 지경에 이를지 모른다"는 우려를 강하게 피력할 정도였다. 그 러므로 대원군과 남인을 중심으로 한 척화론자들과의 정치적 결합에 대한 우려는 일찍부터 제기되어 왔던 것이다(김평묵, 『중암집』 권5, 「代京畿江原 兩道儒生論洋倭情迹仍請絶和疏」; 권22, 「與崔贊謙」; 권38, 「斥洋大義」; 김도형, 1993, 「개항이후 보수유림의 정치사상적 동향」, 『1894년 농민전쟁연 구』 3 ; 연갑수, 1993, 「개항기 권력집단의 정세인식과 정책」, 『1894년 농민 전쟁연구』 3).

다.

 그러나 영남남인들의 捐補錢 운동과 대원군의 정치적 결합은 성공
적이지 못했다. 이것은 대원군의 의지 부족이 아니라[58] 영남유림들의
비자발적인 행동에서 비롯되었다. 영남유림들은 지속적인 통문에도
불구하고 문전납부를 통해 책임을 모면하는 수준을 넘지 않았다.[59]
이것은 연보전을 주도하던 유후조 등의 거경관료들이 영남남인들을
통제하지 못한 데도 원인이 있었다. 그러므로 대원군이 구상한 영남남
인과의 정치적 연계, 그리고 이들을 통한 지역적 기반의 확보는 성공
할 수 없었다. 영남남인들은 대원군의 지역적 기반확보에 기여할 수
없는 한계가 있었다.

 대원군의 권력기반으로서의 남인은 京南이었다. 대원군이 고종 3년
부터 영남남인들과의 정치적 연계를 모색한 반면, 경남과는 정치적 결
합를 시도한 것은 고종 7년이었다. 대원군은 이미 의정부와 중앙권력
을 통제할 수 있는 상태에서 京南들의 解嫌을 추진했다.[60] 물론 이
시기에도 영남남인들의 보합운동은 지속되고 있었다. 경남의 남촌해

---

58) 대원군은 경복궁을 중건하면서 경복궁이 중건되면 남인이 發揚한다는 비기
  를 동원하면서 영남의 원납을 독려했다.그러나 영남지방의 원납은 사실 황
  해도와 평안도에 비해 1/10에도 미치지 못했고, 급기야 대원군은 영남남인에
  대해 신망을 유지하기 어려웠을 것이다(정진영, 앞의 논문, 194쪽 참고).

59) 유후조,『낙파선생문집』권1,「又(與李明吉承德書)」; 宋基夏,『雲坡先生文
  集』권1,「上洛坡柳相公」. 영남지방의 유림들이 대원군의 眷愛를 입은 것은
  사실이지만, 이들은 연보전을 낼 만큼 경제력이 뒷받침이 되지 못하였음에
  주 원인이 있었다. 여유있는 자보다 구차한 자가 더 많이 있었던 사실을 들
  어 이들은 오히려 불만을 드러낼 정도였다.

60) 徐鍾泰, 2001,「興宣大院君과 南人」,『韓國近現代史研究』16. 논자는『羅巖
  隨錄』의「남촌해혐일기」와「남촌해혐시제원시」의 자료를 통해 대원군이 남
  촌해혐을 단행한 과정과 내용을 상세하게 분석하고, 이들의 정치적 활동여
  부를 통해 대원군의 정치세력 기반 조성의 문제를 구명하였다. 자료와 일반
  적인 서술은 이 연구를 참고하였다.

혐의 움직임은 고종 7년 6월 도승지 한경원 집에서 시작되었다. 이날 남촌의 諸宰들은 이곳에서 결속을 다지기 위해 여러 날 시를 짓고 주연을 베풀었다.

대원군은 남촌해혐에 대해 소요물자를 직접 特賜했고,[61] 평안도관찰사 한계원에게 소요비용조로 200緡을 부조하게 하면서 적극적으로 개입했다. 이러한 대원군의 의지에 힘입어 詩會는 확대되었고, 남촌의 諸少年들도 승지 홍원식의 집에서 시회를 개최하면서 적극 동참했다. 다음날 대원군은 운현궁에서 奉事 洪大重을 통해 불참자들의 연고와 강문형 집안과의 世嫌에 대한 연고를 묻기도 했다. 급기야 대원군은 세혐에 대한 원인을 불문에 부치고 향후 화해에 힘쓰며, 반드시 강문형 집안과 해혐하여 훗날의 시회 개최에 동참할 것을 홍대중에게 당부하였다.[62]

한편으로 대원군은 판서 趙性敎를 통해 남인 중 반목하고 있는 자들에 대한 정보를 얻었다. 이 과정에서 대원군은 龍州 趙絅 자손과 惠潭 丁時翰의 자손들이 여러 해 동안 반목하고 있고, 채동술 집안과 직각 홍은모 집안 및 강문형 집안 사이에 세혐이 있다는 사실을 감지하게 되었다. 대원군은 이들의 세혐이 골이 깊어 특단의 조치를 취하지 않으면 해혐이 어려울 지경이다고 판단했다.[63] 대원군의 입장에서는 남인들의 이러한 반목을 방치할 경우 지지기반이 무너질 수 있다는 위기감을 갖기에 충분했다. 더구나 대원군은 전면적인 서원철폐정책을 앞두고 있어, 지지기반의 강화가 절실하게 요청되는 시기였다.

대원군은 다음달 7월 2일 오위장 정재두를 통해 이들의 해혐을 강

---

61) 대원군이 특사한 것은 壯周紙 2질, 宣惠廳米 10斛이었다.
62) 朴周大, 『羅巖隨錄』, 81~82쪽.
63) 남촌 제재간의 혐의에 대해서는 서종태, 앞의 논문, 15쪽의 <표 1> 남촌 제재간의 혐, 참조.

력하게 지시했다. 대원군은 해협의 명분으로 자신의 徐怀사건에 대한
해협을 들었다. 그리고 화합을 이루는 것은 복을 임금에게 돌려 원자
가 탄생할 수 있게 하는 것이라고 강조했다. 대원군은 만약 이 지시를
어긴다면 반역에 해당하는 것이므로 참수형에 처할 것이라고 위협하
기도 했다. 대원군은 경남인들의 내부결속이 절실했던 것이다. 한편으
로 이것은 남촌해협에 대한 대원군의 의지가 얼마나 강하였는가를 보
여준다. 이러한 대원군의 의지에 의해 남촌인들은 해협할 것을 약속하
기에 이르렀다.

　대원군의 지시에 따른 남촌해협은 7월 4일 한경원의 집에서 있었
다. 이날의 해협에는 대원군의 적극적인 개입64)과 물질적인 후원에
의해65) 京南人 23명이 모였다. 이들은 운을 내어 시를 지었고, 대원군
은 이들의 시에 대해 일일이 논평하기도 했다.66) 이 과정에서 대원군
은 판서 최우형을 통해 채동술의 딸과 홍은모의 아들 혼인을 주선하
였고, 혼인은 성사되었다. 이것은 이들의 해협이 성공적이었으며, 京
南이 내부적으로 결속력이 강화되었음을 보여준다. 이런 점에서 대원
군 집권기 嶺南과 京南은 정치적 존재가 달랐던 것이다.

　영남남인들은 대원군 집권전부터 중앙의 통치권력과 대치되며, 민
란의 배후로 지목되는 존재로 인식되었다. 이러한 인식은 진주민란을
계기로 안핵사로 파견된 박규수에 의해 제기되었다. 박규수는 민들의
동향과 실상을 살피면서 향촌사회의 세력변화와 대립관계를 분석하

---

64) 대원군은 권재두를 도승지 한경원에게 보내어 조제화와 정대조 집안의 해협
　　을 종용하고, 7월 4일 남촌제재가 전원참석하고 혐이 있는 조제화, 정대조,
　　홍대중, 이원규, 강문형, 정현은 및 홍은모, 강문형과 혐의 있는 채동술을 초
　　청하여 해협하게 하였다.
65) 운현궁은 壯聯紙 1攬, 소주 1병, 軟鷄 100首, 甘藿 10丹, 紅蛤 20斗를 내려
　　주었다.
66) 대원군이 논평하여 돌려준 시가 바로 「남촌해협시제원시」이다.

고, 농민항쟁의 원인 중 하나로 사림의 侵虐平民을 지적하였던 것이
다.67) 이 과정에서 이들은 농민항쟁의 禍主로 지목되었고, 급기야 공
세적인 반발로 저항했다. 장령 鄭直東은 사림의 법도이탈을 거론한
박규수의 의법처리를 주장하였고,68) 안동출신 부호군 이만운은 영남
의 서원에 모여든 사림들의 의견을 대변하면서 박규수를 비판했다.69)

사실 영남남인들은 재지사족으로서 향촌사회에서 지배자로 존립했
던 것은 사실이다. 이들은 서원을 거점으로 삼아 학문을 매개로 한 문
벌간 결속력이 강하였다. 또한 이들은 관권과 결탁되면서 토호적인 존
재로 군림하기도 했다. 특히 이들은 퇴계학문의 우월성을 강조하면서
지주경제를 통해 재지적 기반을 확보하였고, 동성촌락을 통해 혈연적
인 결집력을 강화하였다. 박규수는 새로운 사회세력으로 성장하던 요
호부민층을 인식하였고, 그들을 이러한 재지세력들과 대응시키려 하
였다. 그러므로 정부 입장에서는 농민항쟁을 억제하기 위해서라도 사
림들이 가지고 있던 종래의 신분적, 권력적 부정을 해소해야만 했
다.70)

박규수의 이러한 영남지방 사림에 대한 인식은 대원군의 정책입안
과 결정에 영향을 주었다. 그러므로 대원군의 무단토호 징치와 서원정
책을 고려할 때 영남사림들은 개혁의 대상에서 결코 자유로울 수 없
는 존재들이었다. 특히 왕권강화를 목적으로 한 대원군의 입장에서 이
들의 존재 자체가 왕권 및 중앙권력의 약화라는 측면을 저버릴 수 없
었다. 그럼에도 불구하고 대원군이 영남남인을 중용하고, 이들의 보합

---

67) 『壬戌錄』, 「到晉州行關各邑」, 4~5쪽 ; 「晉州按覈使査啓跋辭」, 22~37쪽.
68) 『哲宗實錄』 철종 13년 5월 20일.
69) 『壬戌錄』, 「李晩運上疏」, 84~89쪽.
70) 金炳佑, 1991, 「大院君 執權期 政治勢力의 性格」, 『啓明史學』 2, 60~61쪽.
　　대원군정권의 삼정개혁은 결과적으로 이러한 요호부민층의 입장과 이익의
　　성장에 일정하게 역할하는 것으로 이해해야 한다.

을 시도한 것은 노론집단에 대한 대응세력의 마련이라는 현실적인 문제에서 기인했다. 대원군은 유력가문들과의 정치적 제휴만이 비변사를 중심으로 결합되어 있던 안김노론세력들에 대한 대항력을 가질 수 있다고 판단했기 때문이다.

대원군 집권초기 판서 이상을 역임한 영남남인은 유후조와 이원조 두 사람뿐이었다.71) 이들은 안동과 상주, 성주, 인동(칠곡) 등 대표적 영남남인의 거점지역 출신자들이다. 그런데 이들은 영남남인들의 보합이 실패하면서 고종 5년 유후조를 마지막으로 정치권에서 멀어져 갔다. 이러한 점은 대원군과 영남남인들과의 정치적 연계가 한계가 있었음을 보여준다. 영남남인들의 捐補錢운동의 실패도 이와 같은 맥락에서 이해할 수 있다. 그리고 대원군의 고종 4년의 대대적인 토호 징치와 호포제 실시, 서원철폐에 대한 정치적 이해와 맞물렸을 것이다.

그러므로 대원군 집권기 중앙의 고위관료로 진출, 대원군정권의 핵심적 역할을 한 것은 서울남인들의 몫이었다. 대원군은 대대적인 서원철폐정책 시행에 대한 노론세력들의 저항을 고려하여 남인 전체에 대한 결속력을 강화할 필요가 있었다. 이것이 바로 서울남촌의 해협과 병호시비에 대한 보합을 시도하게 만들었던 것이다. 그러나 이 과정에서 영남남인과 남촌과의 정치적 입장의 차이가 분명하게 드러났고, 또한 대원군의 서원훼철정책에 대한 반응에서 명확하게 구분되었다.

대원군은 집권과 동시에 서원훼철에 대한 준비를 철저히 했고, 이

---

71) 유후조는 유성룡의 후손으로 상주에 거주하면서 병산서원을 대변하는 대표적 영남남인이었다. 그는 고종 2년 10월에 공조판서를 거쳐 고종 3년 1월에 우의정, 高宗 4년 5월에 좌의정에 올랐다. 이원조는 본관이 星山으로 고종 3년에 한성판윤을 거쳐 공조판서에 임명되었으나 별다른 활동을 하지 못하였다. 이외 장인원을 호조참판, 대사헌을 거쳐 이조판서를 역임한 것으로 이해하고 있지만, 장인원은 고종 5년 8월에 이조참판이었고, 이조판서에 보임된 기록은 없다(徐鍾泰, 앞의 논문, 29쪽의 <표 4> 장인원의 주요관력 참조).

것을 토대로 고종 5년 전국의 미사액서원의 철폐를 단행했다. 이러한
대원군의 서원훼철에 대해 영남남인들이 가장 격렬하게 저항했다. 이
과정에서 대원군은 서원을 망국의 근본으로 인식하였고,[72] 영남남인
들은 서원의 존망을 영남남인들의 존망과 일치시켰다.[73] 그러므로 경
남과 영남은 서원훼철의 정책에 대해 근본적인 입장의 차이가 있었다.
영남남인의 경우 내부에서도 서원에 따라 다른 입장을 보였다. 그러므
로 이들은 통일된 공론을 모으는 것에서도 취약성을 보였다.

　이러한 현상은 영남지방 유림들의 서원훼철에 대한 대응에서 분명
하게 파악된다. 柳厚祚와 대원군과의 정치적 관계속에서 훼철의 대상
에 포함되었던 병산서원은 분간되었고,[74] 지역단위별로 대응방안에
대한 논의가 분분했지만 조직적인 저항은 없었다. 안동과 상주지방의
경우 유림들은 통일된 공론을 모으지 못한 채 분열된 모습만 보일 뿐
이다.[75] 서원을 중심으로 한 유림들은 운현궁에 納賂하거나 各邑에서

---

72) 朴周大, 『羅巖隨錄』, 5쪽. 대원군은 "서원은 망국의 근본이며, 나라가 없어
　　지는데 서원이 獨享할 수 있겠느냐"면서 小民들이 지탱하기 어려운 지경에
　　있기 때문에 훼철하는 것이라고 분명하게 밝혔다. 서원의 평민침학과의 연
　　관성은 집권전 박규수의 서원인식의 연장선상에 있다고 이해해야 할 것이
　　다.
73) 鄭直愚, 『疏行日錄』, 4월 20일.
74) 병산서원은 미사액서원의 훼철대상에 포함되어 있었으나, 대원군은 유후조
　　의 분간요청을 받아들여 特下處分하였고, 급기야 병산서원은 고종 8년 전면
　　적인 훼철의 대상에서 제외되기에 이르렀다. 『낙파선생문집』 권1, 「上大院
　　君別紙」.
75) 영남의 연소한 유생들이 안동의 魯林서원에서 大同道會 개최를 위한 통문
　　을 발송하여 상소할 것을 선언하자, 이 사실을 보고받은 대원군은 통문의 내
　　용을 문제삼아 유생의 결박을 지시하는 등 강경하게 대처했다. 안동의 호계
　　서원은 牌旨를 내어 연소한 유생을 비난하고, 또한 태학에 嶺儒를 배척하는
　　통문을 내기도 하였다. 그리고 용궁향교에 모인 유생은 겨우 수십에 불과하
　　였고, 재차 영주향교에 모이기로 하는 등 조직과 행동에 통일성을 가지지 못
　　하였다(『羅巖隨錄』 7쪽, 정진영, 앞의 논문, 196~197쪽).

훼철의 책임을 맡고 있던 수령을 통해 개별적으로 대상에서 제외되거나, 훼철 기일의 연기를 통해 반전의 기회를 엿보기도 했다. 이러한 지방의 시정을 인식한 대원군은 納賂圖免의 행위를 극률로 다스릴 것을 지시하고, 관망하는 수령에 대해서는 狀罷할 것을 표방했다. 대원군은 이러한 유생들의 동향을 원천적으로 봉쇄하려 한 것이다.[76] 그런데 京南들의 서원훼철에 대한 동향은 정확하게 알 수 없지만, 조직적인 저항의 흔적은 발견되지 않아 영남과 대조를 보였다.

대원군의 서원훼철에 대한 영남의 적극적인 반대는 고종 8년의 전면적인 훼철단계에서도 나타났다. 이것은 성균관의 남인계 유생들의 권당으로 표출되었다. 대원군은 영남남인인 우부승지 李晩運과 서울남인인 판서 조성교를 통해 권당의 부당성과 峻論에 대한 회유와 경고를 병행했다.[77] 동시에 대원군은 권당의 주동자로 지목된 李寅華, 李晩起, 柳寅睦, 李承濟 중 이만기와 유인목 등을 분별을 달리하여 대응했다.[78] 또한 안동 진사 金喆銖가 儒巾을 毀裂하여 옥상에 던지고 낙향하는 사태가 발생하자, 吳翊相은 이승제와 김철수는 悖類이므로 儒籍에서 削去해야 한다고 주장하였다.[79] 이에 대원군은 李相翼, 李承濟, 이인화에 대한 사류대접을 거두고, 김철수는 충청도 문의현에 부처하게 했다. 이러한 대원군의 강경과 회유책의 병행 속에서 이들은

---

76) 李樹煥, 1994,「大院君의 書院毀撤과 嶺南儒疏」,『嶠南史學』6 ; 정진영, 앞의 논문.

77) 鄭直愚,『疏行日錄』,「雲宮抵李台晩運書」;「抵趙台性教書」. 서울남인인 조성교는 예조판서로서 서원훼철을 주도하였다. 그러므로 영남남인들과 서원훼철에 대한 입장이 달랐다.

78) 이만기는 이만운의 동생이며, 유인목은 유후조의 조카였다. 이들은 孫相駿, 金奎學 등과 함께 동재와 서재에 통문하여 이인화가 독단으로 사론을 빌려 권당한 것으로 자신들과는 무관하다는 입장을 표명하였다(『疏行日錄』,「回通東西齋文」).

79)『疏行日錄』,「抵太學西齋」.

구심점을 잃었고 급기야 통일된 행동을 하지 못했다.

영남지방에서의 서원훼철에 대한 儒疏는 상주 도남서원을 중심으로 논의되었다. 영남지방의 대표적 서원은 도산서원, 병산서원, 호계서원, 도남서원, 옥산서원 등이다. 이중 도산과 병산, 옥산서원은 훼철의 대상에서 제외되었다. 그러므로 반대의 유소가 도남과 호계서원을 중심으로 일어나는 것은 자연스러운 현상이다. 도남서원을 중심으로 일어난 영남유소는 『疏行日錄』에 자세히 기록되어 참고된다.[80] 그러나 이러한 영남지방의 유소운동은 대원군의 강경책에[81] 의해 亂民으로 취급되었다 이 과정에서 대원군은 정치적으로 영남남인들과 일정한 거리를 둘 수밖에 없었고, 이것은 대원군정권에서 영남남인들의 정치적 영향력 감소로 나타났다.

이러한 영남들의 움직임과는 대조적으로 서울남인들은 자중했다. 이들은 영남의 유소운동을 지지하지 않았던 것이다. 오히려 서원훼철을 경남출신자들이 주도했다. 예조판서 조성교는 서원훼철정책을 주도했다. 강난형과 허전 등은 그의 자식들이 영남유생들과 합류하는 것을 적극적으로 만류하기까지 했다.[82] 이와 같이 서울남인과 영남남인은 대원군의 서원훼철정책에 대한 입장이 근본적으로 달랐던 것이다. 이것은 아마도 이들의 사회경제적 기반의 차이에서 비롯된 것으로 이해할 수 있다.

---

80) 이 시기 도남서원을 중심으로 일어난 영남유소의 전말에 대해서는 앞의 이수환의 논문에 정확하게 분석되어 있다. 정진영, 앞의 논문도 유림들의 동향과 관련하여 주목된다.

81) 대원군의 의지는 『近世朝鮮政鑑』의 내용이 가장 적절하게 전하고 있다. 대원군은 크게 노하여 말하기를 "공자가 다시 살아와도 내가 용서하지 않을 것인데 하물며 서원이 이 나라의 선유를 제사지내면서 도적이 되는 장소가 되었음에 있었으랴"면서 군사를 동원하여 강밖으로 축출하였다고 한다.

82) 金喆銖, 『魯園集』권5, 「西遷錄」, 3월 25일.

서울남인들은 세도정국하에서 정치적 부침을 하면서, 그들도 이미 경화거족적 생활기반을 다져가고 있었다. 반면에 영남남인들은 정권에서 배제되면서, 향촌사회에서 지배자의 위치에 만족하고, 지주경제의 발달과 동성촌락, 서원을 매개로 한 재지적 기반만을 확보한 채 기득권을 유지하거나 강화하면서 거의 토호적인 존재로 군림했을 뿐이다. 그러므로 이들은 비록 사상적 동질성을 가지고 있었다 하더라도, 현실에 대한 인식에서는 커다란 차이가 있었다. 그러나 이들의 관료지향적 성향은 공통적으로 강한 편이었다. 이것이 대원군의 출신과 이력, 왕권강화라는 정치적 목적과 결합되면서 권력에 진입할 계기를 만들었다. 다만 영남남인의 경우 대원군의 토호, 서원 등 대민정책에서 결코 자유로운 입장에 있지 못한 차이가 있었다.

대원군은 집권초기 유후조와 이원조, 장인원 등 영남남인을 등용했다. 그러나 대원군이 권력을 독점하게 되는 고종 7년을 전후하여서는 서울남인들을 중심으로 권력을 구성했다. 다음 절의 <표 13>에서 알수 있듯이 우의정 한계원과 함께 강난형, 이승보, 유치숭, 허전, 조성교, 이명적 등이 육조의 판서직임을 맡으면서 대원군을 보좌하였다. 그러므로 대원군이 정치적으로 남인의 후원자를 자처하였지만[83] 그가 지향하는 정치는 남인 전체를 대상으로 한 것이 아니었다. 물론 그렇다고 대원군이 스스로 지역적 기반을 축소시키지는 않았다.[84] 대원군의 개혁정책이 비록 체제적 변혁을 추구한 것은 아니지만, 사회적

---

83) 黃玹, 『梅泉野錄』, 3쪽. 大院君은 "나는 천리를 지척으로 만들고, 태산을 깎아 평지로 만들고, 남대문을 3층으로 만들고자 한다"고 하여 남인을 기용하겠다는 의지를 피력하였다.

84) 영남의 유소들이 대원군의 국정전반에 대한 비판이 없었다는 점과 만인소와 관련하여 처벌을 하지 않았다는 점을 지적하고, 대원군과 영남유림은 극단적으로 대립하지는 않았으며, 우호적인 대립관계에 있었다는 분석이 있다 (정진영, 앞의 글, 202쪽).

생산력의 발전을 토대로 새로운 사회계층의 성장을 지향하였다는 점을 감안할 때 영남남인의 계급적 입장과는 차별을 가질 수밖에 없는 것이다.

제2절 대원군 집권기 정치세력의 변동과 安金勢力

1. 중앙정치세력 구성의 변동

대원군은 집권과정에서 통치기반의 구축이 가장 시급했다. 이것은 정치세력의 재편을 통한 해결할 수 있는 문제였다. 그러므로 대원군은 일차적으로 혈연의식의 강조를 통해 宗親 · 璿派人을 결합하였고, 동시에 명문족이면서 종래 정권에서 배제된 후손들을 과거를 통해 발탁하여 관료로 충원하는 방식을 택하였다. 특히 노론세력들에 의해 권력에서 배제되어 왔던 남인과 북인들을 통해 권력기반을 확대하기도 했다. 이 과정에서 대원군은 국왕의 인사권을 이용하여 친위세력을 형성하기도 했다.

대원군은 자신의 권력소재를 종친부에 설정했다. 이것은 국가의 공적체제를 장악할 수 없는 한계를 극복하려는 방안에서 비롯된 것이다. 그런데 대원군의 권력행사는 근본적으로 왕권의 위임에 있었다. 그러므로 대원군의 입장에서는 권력행사의 정당성을 확보하기 위해서는 국왕체제의 확립이 필요했다. 대원군이 무엇보다도 의정부체제의 부활에 주력한 것은 이러한 이유에서 비롯되었다.

대원군은 의정부와 육조의 정치적 기능을 회복시켰다. 그리고 삼군부 복설을 통해 군권을 장악하고, 국왕의 인사권을 통해 의정부와 삼군부, 육조에 자파세력을 배치했다. 또한 대원군은 의정부와 육조에 정치력을 집중시켰다. 이것은 안김집단의 존재와 비변사 중심의 정치

력 때문이었다. 이들은 장기간 비변사를 중심으로 권력을 독점, 권력 기반을 구축해왔다. 그런데 대원군은 비변사를 장악할 수 없었다. 이러한 현실에서 대원군이 취할 수 있는 방안은 의정부체제의 확립뿐이었다.

대원군 집권기 의정부 역임자들은 대원군의 통치정책 결정에 참여했다. 또 육조의 판서직임자는 대원군의 통치정책 실행에 참여했다. 이 과정에서 이들은 대원군의 권력기반이 되었다. 이들이 정치집단으로 존재할 수 있었던 것은 정점에 위치한 대원군의 존재 때문이었다. 그러나 이들은 다양한 정치집단으로 구성되어 내부적으로 대립과 갈등의 양상을 보이기도 했다. 그리고 대원군의 개혁정책이 체제유지와 변혁의 성격이 공존하는 것은 바로 이러한 정치세력의 성격에서 비롯되었다.85) 대원군 집권기 육조판서 역임자를 정리하면 <부표>와 같다.

대원군 집권기 정치세력의 형성은 동일한 사회적 기반에 근거한 것은 아니었다. 이들은 대원군의 통치정책의 성격과 방향에 따라 교체되거나 흡수되는 특징을 보였다. 이러한 성격은 대원군이 자신의 권력장악 여부와 권력행사의 방향에 따라 정치세력을 재편한 것에서 비롯되었다. 그러므로 대원군의 권력기반이 되었던 정치세력들은 대원군의 통치정책에 따라 이해관계를 달리하면서도 통합·분화될 수 있었다.

대원군 집권기 정치세력은 일차적으로는 혈연과 당색·인맥·정책을 중심으로 결합했다. 이들은 친대원군세력·안김노론보수파·남북인 및 상대적으로 개혁을 지향하는 세력으로 大別된다.86) 이들 각 정

---

85) 金炳佑, 1991,「大院君 執權期 政治勢力의 性格」,『啓明史學』2.
86) 金炳佑, 1991,「大院君 執權期 政治勢力의 性格』,『啓明史學』2, 53~60쪽,
    <표 2> 친대원군정치세력가 ; <표 3> 안김척족보수세도정치가 ; <표 4> 남
    ·북인 및 상대적 개혁론자 참고.

치집단은 대원군의 권력행사와 통치정책의 성격에 따라 통합되거나 제압되기도 했다. 또한 정치세력 상호간에는 연합하거나 대립하기도 했고, 심지어는 집단내부에서 분화되는 양상을 보이기도 했다. 이것은 대원군이 하나의 정치이념으로 통합하여 새로운 정치세력으로 결집하지 못한 한계에서 비롯된 것이다.

대원군은 정치인들을 권력체제에 흡수하기 위해 국왕의 인사권을 사용했다. 정치인들은 개별적으로 육조판서에 임명되면서 정권에 참여하였다. 이것은 대원군이 권력기반을 구축하는 전형적인 방법의 하나였다. 이 과정에서 대원군이 제일 주목한 세력은 종친이었다. 그러므로 대원군은 종정경체제를 통해 종친들을 의정부와 육조에 배치했던 것이다. 이들은 대원군의 권력의지의 실현에 주도적인 역할을 했다. 이것은 대원군이 권력집단 내부에 존재하는 안김세력과 노론세력을 의식한 대응책이기도 했다.

대원군은 집권과 동시에 의정부 중심의 공식적, 합법적 권력을 행사할 수 없었다. 안김과 노론들이 권력의 핵심에 위치했고, 또한 이들은 비변사를 중심으로 권력을 독점하고 있었기 때문이다. 대원군은 권력체제내에 존재하는 안김과 노론들의 협조와 지지가 필요했다. 김병학 형제들과의 정치적 동맹은 이러한 현실인식에서 비롯되었다. 이 과정에서 대원군은 권력의 균형과 안정을 유지할 수 있었다. 그러므로 대원군의 입장에서는 최대의 정치집단을 구성하고 있던 안김과 노론세력에 대응할 수 있는 정치세력을 형성하는 것이 시급한 과제였다.

대원군이 종친부의 권력기구화를 통해 종친세력들을 결집하였고, 국왕의 인사권을 행사하여 친위세력을 구성하려 한 것은 이러한 현실인식에서 나왔다. 종친들은 의정부와 육조에 배치되었고, 이들의 정치적 결집은 비변사를 폐지할 수 있는 배경을 이루었다. 대원군은 지속적인 통치정책을 통해 권력을 강화했다. 의정부체제의 확립과 경복궁

중건정책, 비변사의 폐지와 삼군부의 부활이 그것으로, 이러한 통치정책은『대전회통』의 편찬을 통해 법제적으로 확립되었다. 이 과정에서 대원군은 통치의 정당성을 확보했고, 급기야 권력구조·관료제도의 재편을 가능하게 만들었다. 뿐만 아니라 정치권에 대한 억압의 강도를 높여갈 수도 있었다.

대원군 집권기 정치세력은 의정부와 육조판서 직임자를 중심으로 분석하려 한다.87) 대원군 집권기 중앙정치세력 구성의 변동은 이들 중심으로 이루어졌기 때문이다. 일차적으로 이들의 정치적 성향을 이해하기 위해 정치집단을 당색별로 분류하였다. 그리고 이러한 정치집단의 정치적 역할을 살펴보기 관련된 정책과 연계하여 검토한다. 이것은 이들과 대원군의 통치정책과의 상관관계를 분명하게 알려줄 것으로 예상하기 때문이다. 우선 노론집단에 속하면서 대원군 집권기 육조판서 직임을 역임한 인물을 정리하면 다음의 <표 11>과 같다.

대원군 집권기 최대의 정치집단을 형성한 세력은 노론들이었다. 이들은 안김세력(<표 16> 참고)과 연합하였고, 정치력은 대단하였다. 그러므로 대원군의 입장에서는 정권의 안정을 위해 이들과의 정치적 연대가 필요했다. 대원군은 이들의 정치적 이해를 현실적으로 거부하기 어려웠다. 대원군이 이들의 정치적 입지를 보장하면서 통치정책의 시행에 따라 이들과 협력체계를 구축한 이유가 여기에 있었다. 그러므로 대원군 집권기 노론세력들은 대원군으로부터 정치적 제약을 받지 않았다. 이것은 노론세력들의 다양성에도 원인이 있었다. 안김세력들이 노론집단의 중심이며 최대기반을 이루었지만, 여기에는 종친세력

---

87) 육조판서 직임자 전원을 분석의 대상으로 설정하였으나, 여기서 언급하는 정치세력들은 대원군정권과 정책의 추진에 영향력을 행사하였거나, 할 수 있었다고 판단되는 인물에 한정했다. 그리고 대원군의 통치정책의 실행과 연관하여 분석했다.

<표 11> 大院君 執權期 老論系 정치세력

성명	본관	주요관직			관련정책
민치구	여흥	공, 1.12.20			
송근수	은진	이, 4.7.3			쇄국정책(반개화정책)
송내희	은진	공, 2.5.26			萬東廟停享 철회상소
이경재	한산	우, 1.1.2 영, 3.4.13	이, 2.7.17		
이경하	전주	형, 3.3.25 형, 10.윤6.11	병, 6.6.30 형,10.7.9		경복궁 중건, 군사·경찰권장악, 무장 세력의 규합
이규철	전주	공, 1.4.29 병, 2.12.27	형, 10.7.9		삼군부복설, 척양정책, 逋史·軍弊 엄금정책, 『璿源譜略』 改張
이근우	전의	형, 2.8.20 이, 9.3.24	공, 3.11.8.		
이봉주	전주	공, 3.5.13			
이세보	전주	공, 3.11.7			
이용희	덕수	형, 3.11.25	형, 4.5.14		병인양요진압, 보수쇄국척화론
이원희	덕수	형, 6.1.27	공, 7.9.25		병인양요진압
이재봉	전주	형, 5.11.20	형, 6.4.4		
이주철	전주	공, 3.5.22	형, 3.8.18		경복궁 중건
임태영	풍천	형, 1.4.16 형, 3.8.25	공, 2.5.28 공, 5.1.23		경복궁 중건
홍순목	남양	이, 3.4.28 예, 4.8.2 영, 9.10.12	이, 3.12.24. 우, 6.1.22		호조·선혜청·각영각사 경차인 혁 파, 보수쇄국척화론자
민규호	여흥	이, 2.1.21			개국론자, 북학파
민치상	여흥	형, 7.12.5 공, 9.10.4	예, 9.8.1 병, 9.10.10		고종봉영, 개화론자
박규수	반남	공, 2.3.12 형, 6.6.15 형, 10.5.10	예, 2.4.11. 형, 9.5.14		서원정책, 개화통상론, 대전회통편찬, 제너럴셔먼호사건
신석희	평산	형, 1.5.22 예, 7.9.17	이, 7.4.6 이, 10.1.18		친북학파
신응조	평산	이, 3.11.22 이, 10.10.10	형, 10.3.20		친북학파
신헌	평산	형, 1.2.7 공, 2.2.2 공, 8.6.8	병, 1.6.26 형, 5.4.2 공, 10.윤6.10		삼군부복설, 군사기반 확대, 북학파 수뢰포제작, 武將錄薦 절목작성, 강화 연안포대구축, 개항론자

* 출처 :『承政院日記』,『高宗實錄』,『日省錄』. 숫자는 임명 연월일 표시.

들의 일부도 포함되어 있었다. 따라서 대원군정권의 노론집단의 핵심 기반은 점차 종친세력으로 변화되어 갔다.

대원군은 노론집단을 다양한 혈연성으로 구성했다. 이것은 대원군 의 인사권에 의해 가능했고, 이들의 중심에 종친계 노론세력을 배치했 다. 이것은 노론당색의 정치집단들이 안김집단을 중심으로 결합하는 것을 차단하는 효과가 있었다. 대원군 집권기 안김집단이 노론집단을 하나의 정치집단으로 재통합하지 못한 이유는 여기에서 비롯되었다. 이것은 한편으로 대원군의 인사정책이 노론집단을 주도했기 때문이기 도 했다. 노론세력들은 대원군의 통치정책 실행과정에서 대원군과 연 합하거나, 심복의 역할을 수행하기에 이르렀다.

대원군은 집권과 동시에 전제권을 행사한 것은 아니다. 그는 중앙 권력을 합법적으로 장악할 수 없었다. 그리고 대원군은 수년간 권력을 장악한 안김·노론집단을 제압할 수 있는 권력과 정치세력을 가지고 있지 않았다. 대원군이 집권초기 노론집단의 정치적 이해관계와 배치 되지 않는 범위내에서 무단토호 등 지방세력의 발호를 억제하는 정책 만을 시행한 것은 이 때문이었다. 사실 무단토호 징치정책은 대원군의 권력기반을 확대시키는 정책이었지만, 노론집단도 중앙권력의 강화를 추구했기 때문에 이들의 정치적 이해를 같이 했다고 판단된다. 물론 이 과정에서 대원군은 종친부와 국왕의 인사권을 이용하여 안김집단 과 노론세력의 통합을 막았다.

이후 대원군은 의정부를 장악하면서 통치정책의 실행기구를 바꾸 었다. 종친부가 추진하던 무단토호 징치정책은 의정부체제에 흡수되 었다. 의정부는 이러한 통치정책을 공식화해 암행어사를 통해 무단토 호를 징치하기에 이르렀다. 이것은 종친부의 권력기구화에 대한 정치 권의 반발을 의식한 결과이기도 했다. 의정부를 장악한 상태에서 종친 부는 통치정책을 수행할 이유가 없었다. 이 과정에서 종친부는 권력기

구로서의 성격이 약화되어 갔다.

한편 대원군은 노론세력에 대치할 수 있는 문벌세력의 영입을 추진했다. 노론에 대항할 수 있는 인적, 사회적 기반을 갖춘 집단은 현실적으로는 소론세력밖에 없었다. 대원군 집권기 정원용, 조두순, 이유원 등 소론계 삼정승의 등장은 이러한 현실인식과 맞물려 일어난 정치현상이었다. 대원군 집권기 소론으로서 육조판서를 역임하면서 정치적 영향력을 발휘한 인물을 정리하면 <표 12>와 같다.

조선후기 소론계 정치세력은 노론과 대별되는 유력한 문벌가문이었다. 그러나 세도집권기에 이르러 노론세력들이 권력을 독점하고, 여타 집단에 대한 정치적 억압이 장기화되면서 소론계들은 정치집단으로서의 유지가 어려웠다. 그 결과 이들의 일부는 안김집단과의 정치적 이해관계속에서 권력의 중추부에 나아가기도 했다. 소론인 정원용과 조두순이 안김세도정권의 핵심적 실무관료가 되었던 것도 이러한 측면에서 가능했던 것이다. 이들은 대원군이 집권하면서 대원군정권의 최고 실력자로 변신했다. 이들과 맥을 같이하면서 이유원은 고종 1년과 5년 좌의정을 역임했고, 『대전회통』의 편찬에 참여했으며, 종친인 이돈영은 대원군정권의 재정기반을 독점적으로 장악했다. 이들은 모두 당색으로는 소론이었다.

소론계 정치인들은 개별적으로 대원군정권에 참여했고, 또한 대원군정권 초기 국정운영의 방향을 설정했다. 이러한 역할은 정원용과 조두순, 이유원이 두드러졌다. 대원군이 소론인 정원용과 조두순을 발탁한 이유는 이들이 안김세도정권의 고위관료를 역임한 점과 안김집단이 가장 신임한 실무관료였다는 점에 있었다. 이것은 대원군이 안김 및 노론세력들과의 정치적 적대감을 형성하지 않으려는 의도였다.

<표 12> 大院君 執權期 少論系 정치세력

성명	본관	주요관직		관련정책
이유원	경주	좌, 1.6.15 영, 10.11.13	좌, 5.윤4.11	대전회통편찬, 개항론자, 각읍·포구 무명잡세혁파
신명순	평산	형, 3.9.8		경복궁 중건
정건조	동래	공, 9.1.15	공, 9.10.13	친북학파, 靈巖郡所安島設鎭
허계	양천	공, 1.7.5	형, 1.8.6	경복궁 중건, 개혁론자
이근필	전주	형, 6.9.19	형, 10.3.2	
이경우	전주	공, 6.8.16	공, 7.4.24	
이돈영	전주	호, 1.3.9		서원·향현사토지조사, 경복궁 중건, 국결미납부추진, 종친부관제정비, 재정권장악, 該曹靡費弊端備陳
이시원	전주	예, 1.8.27	이, 2.6.27	병인양요시 자결, 보수척화론자
이원명	용인	예, 1.5.28 공, 6.2.18 형, 7.10.11	이, 3.10.27 형, 6.5.6	
이유응	경주	형, 5.12.9	형, 7.4.18	
이인석	전주	공, 3.10.3	예, 6.10.23	
이장렴	전주	형, 5.6.11	형, 5.7.12	병인양요진압, 강화민심수습, 군권장 악
이삼현	용인	형, 6.9.8 예, 8.9.17	형, 8.3.19	
이풍익	연안	형, 3.3.14 예, 5.8.25	공, 5.1.19 형, 8.12.14	
정기세	동래	병, 1.1.25	형, 7.9.8	대전회통편찬, 정원용의 아들
정원용	동래	영, 5.윤4.11		고종봉영, 원상, 암행어사제정비
조두순	양주	좌, 철종년간 영, 2.5.17	영, 1.6.15	무토수세혁파, 양전실시, 대전회통현 찬, 포도청미가조종엄금, 비변사폐지, 삼군부복설, 경복궁 중건, 守令殿最查 起多少制, 암행어사제도정비, 천주교 탄압
조병창		吏, 5.12.29 工, 6.10.8 吏, 9.10.25	예, 6.2.5 禮, 7.11.25 刑, 10.11.1	서원정책

* 출처 : 『承政院日記』, 『高宗實錄』, 『日省錄』. 숫자는 임명 연월일 표시.

대원군은 안김집단과 노론세력들의 정치적 불안감을 덜어 주었다. 정원용과 조두순의 등용으로 종래의 정치적 기조를 유지하겠다는 의지를 보였기 때문이다. 한편 안김과 노론세력들은 자신들이 신임했던 인물들이 권력의 핵심에 배치됨으로써 종래의 정치력을 유지할 수 있을 것으로 믿었다. 대원군이 소론계 원로 인물들을 권력의 중심에 배치한 근본적인 이유는 바로 이러한 정치적 목적의 실현에 있었다. 그러므로 안김과 노론세력들은 대원군의 권력장악과 행사에 대해 적극적으로 저항할 수 없었다.

이들은 대원군의 통치정책을 수행하는 과정에서 안김노론 세도정권기의 정치적 역할과는 차별성을 보였다. 정원용과 조두순은 안김세도정권이 폐기한 삼정이정책을 적극적으로 실행했고, 이돈영은 호조판서로 재직하면서 재정권을 독점해 대원군정권의 경제적 기반을 수립했다. 이유원의 경우도 폐정개혁에 적극성을 보여, 각읍의 무명잡세 혁파를 추진하기도 했다. 대원군정권에서 소론계 정치인들은 노론과 대별되면서 그들의 정치적 이념을 발휘하기도 했고, 정계진출이 활발하게 이루어졌다.

그러나 소론세력의 한계는 구심적 역할을 한 인물이 없다는 점이다. 이들은 당색적 결합의 취약성을 보였을 뿐만 아니라, 혈연적 기반도 다양하여 결집력이 두드러지지 않았다. 정원용, 조두순, 이유원 등은 소론세력을 통합하거나 독자적 정치세력으로 키우지 못했다. 그러므로 소론계 정치인들은 대원군의 인사권에 의해 개별적으로 정권에 참여하는 수준을 넘어서지 못했다.

그럼에도 불구하고 소론계 정치인들은 대원군의 통치정책 수행에 주도적인 역할을 했다. 소론계인 이돈영, 신명순, 허계 등은 경복궁 중건정책의 핵심에 위치했고, 이유원·정기세·조두순 등은『대전회통』의 편찬에 적극 참여했다. 이시원·이장렴 등은 병인양요 진압의 과정

에서 보여준 역할이 돋보였다.

소론세력은 노론세력과 대치되는 세력으로 존재하지는 않았다. 대원군 집권초기 경복궁 중건 役事가 시작되기 전, 순수 소론계 판서는 3명뿐이었다. 허계, 이원명, 정기세가 그들이다. 물론 소론계로는 이돈영·이시원이 있었지만, 이들은 종친계였다는 점을 고려해야 한다. 고종 3년 이후 소론계 정치인들의 정계진출이 다소 진전되었다. 이들 중 종친계를 제외하면 신명순, 이원명, 이유응, 이삼현, 이풍익, 조병창 등을 지적할 수 있다. 이것은 소론계의 정치참여 범위가 확대되었음을 의미하며, 점차 대원군정권의 권력기반이 강화되는 추세와 맞물려 진행되었다. 특히 신명순, 허계가 주로 군영에 참여하여 대원군정권의 치안과 군권의 기반을 이루기도 했다는 점에 주목할 필요가 있다.

그러나 이들의 정치력은 대원군의 독재권력 수립과 함께 약화되는 모습을 보였다. 대원군은 고종 7년을 전후하여 독재적 권력이 가능해졌고, 이후 노론세력들에 대해 직접 억압하는 통치를 펼쳤다. 그런데 이 시기 소론으로 대원군의 통치정책에 참여한 인물은 이풍익과 조병창, 이삼현 등에 한정되고 있다. 그러나 이들의 역할은 결코 무시할 수 없는 수준이었다. 조병창은 예조판서로서 서원철폐를 주도했고, 이조판서로 인사권을 장악했기 때문이다. 정기세, 이원명, 이삼현, 이풍익 등은 서원철폐정책이 추진되는 과정에서 형조판서를 역임했다.

대원군 집권기 소론계 정치세력은 노론세력과 대립되는 정치집단으로 성장하지 못했다. 이들은 소론세력을 정치집단으로 부상시키려는 움직임을 보이지 않았다. 이것은 대원군정권의 존재라는 특성에서 기인한 것이기도 했지만, 근본적으로는 정치집단으로서의 결집력, 구심점의 한계에서 비롯되었다. 이들은 최고 권력자인 대원군의 존재로 인해 개별적으로 권력의 핵심에 부침했을 뿐이다.

그러므로 이들은 대원군과의 정치적 이해가 동일한 것은 아니다.

조병창의 경우 대원군의 심복이 되어 권력의지를 실현하는데 주력했다. 특히 그는 대원군 하야기 형조판서로 강하게 저항했다. 이러한 조병창의 권력진입과 활약은 대원군과의 개인적인 관계에서 이루어진 것이다. 반면에 이유원의 경우 오히려 대원군과 반목하면서 반대원군 세력 형성의 선봉이 되면서 정치적 입장을 달리했다. 이러한 소론계 정치인들의 정반대의 정치적 입장은 소론이 정치집단으로서 갖는 한계에서 비롯된 것이다.

대원군정권의 정치세력 중 가장 주목되는 세력은 남인이며, 대원군과 남인과의 정치적 관계는 해석이 분분하기도 하다. 이러한 측면은 이미 앞장에서 분석하였고, 여기서는 대원군과 남인의 정치적 관계를 정권에 참여한 인물을 중심으로 살펴보려 한다. 남인세력으로 대원군 정권에 참여하여 판서직을 역임한 인물을 정리하면, 다음의 <표 13>과 같다.

대원군과 남인세력들은 정치적으로 가장 밀접하게 결합할 수 있었다. 이들은 모두 왕권강화를 지향했기 때문이다. 심지어 대원군은 남인의 후예로 지목되기도 했다. 그러나 대원군 집권기 남인들의 정치적 활약은 그리 두드러지지 않았다. 앞장에서 살펴보았듯이 대원군이 남인에 대해 정치적 배려를 하지 않은 것은 아니지만, 대원군의 정치적 기반이 전적으로 남인에 있지 않은 것에서 기인한다. 더구나 남인세력들은 경남과 영남으로 분화되어 있었고, 대원군은 남인 중 京南에 더 관심을 가졌다.

대원군 집권초기 종친계 남인을 제외하면, 남인 가운데 판서를 역임한 자는 이의익, 강시영, 유후조, 이명적 정도에 한정된다. 이후 경복궁 중건정책이 진행되는 과정에서 이현직, 조성교, 최우형, 한계원 등이 권력의 핵심에 배치되었다. 이들은 대원군의 통치정책 추진과정에서 대원군의 권력의지를 실현했다.

<표 13> 大院君 執權期 南人系 정치세력

성명	본관	주요관직		관련정책
이승보	전주	공, 3.6.9 이, 8.2.12 예, 9.9.5	예, 6.7.13 공, 8.8.21	종친부관제정비, 선원보략개장, 선혜 청당상, 재정권장악
이의익	광주	예, 1.5.16 공, 1.8.4 이, 2.7.29	예, 1.6.13 형, 2.6.28 공, 3.2.16	
이현직	경주	공, 3.5.4 형, 7.1.17	형, 4.9.21 형, 7.3.25	경복궁 중건
강난형	진주	형, 10.5.24	형, 10.11.26	
강시영	진주	이, 2.1.2	공, 2.8.1	
유치숭	기계	형, 9.1.23	형, 9.6.13	
유후조	풍상	공, 2.10.13	좌, 4.5.18	
이명적	경주	형, 3.2.11 이, 9.1.20	예, 7.윤10.13	
조성교	한양	형, 5.8.5 예, 7.6.3 예, 10.윤6.10	형, 7.1.26 예, 8.4.4.	서원정책
최우형	삭녕	형, 3.10.26 공, 7.10.23	예, 6.8.17	
한계원	청주	공, 2.6.28 예, 3.8.25 이, 5.4.27 우, 9.10.12	형, 2.8.16 이, 5.3.5 공, 5.8.7	최익현 처벌 주장
허전	양천	형, 10.윤6.18	형, 10.10.30	향약강론, 개혁론자

* 출처 : 『承政院日記』, 『高宗實錄』, 『日省錄』. 숫자는 임명 연월일 표시.

이들은 이후에도 대원군정권의 핵심에 위치했다. 대원군의 전제권이 가능해지고, 노론에 대한 직접적인 제압을 가하기 시작한 고종 7년이후 이현직, 이명적, 조성교, 최우형 등이 정권의 요직에 배치되었다. 이후 대원군 하야기에 접어들어 강난형, 유치숭, 조성교, 허전 등이 정권에 참여했다. 이들은 공통적으로 대원군의 하야에 반대한 세력들이었다.

대원군 집권 전 남인들의 정치적 기반은 소론보다 더 취약했다. 대

원군정권의 성립은 이들에게 관료진출의 기회를 보장했다. 남인으로 대원군정권과 함께한 정치인은 서원정책을 추진한 조성교, 대원군의 하야에 저항한 강난형, 한계원 등이 대표적이다. 물론 종친인 이승보가 보인 역할도 주목된다. 남인세력들의 정치적 역할을 가로막은 것은 무엇보다도 지역적 분열, 즉 京南과 嶺南의 분리에 있었다. 영남으로는 柳厚祚가 가장 적극적으로 활약했다. 이런 점에서 남인은 대원군의 정치적 기반이 될 수 없는 구조적인 한계가 있었다고 이해해야 할 것이다.

북인세력의 정치적 입장과 운명은 남인의 경우와 대동소이했다. 흔히 대원군 집권기 남인과 북인이 대거 등용되어 사색당파를 해결한 것으로 이해하지만, 북인은 이러한 문제를 해소할 정도의 정치세력을 형성하지는 않았다. 임백경이 북인으로 좌의정이 되었으나 그는 곧 사망함으로써 북인세력을 통합하지 못했다. 이후 북인들은 독자적 세력으로 결합·성장하지 못했다. 북인세력으로 대원군정권에 참여하여 판서직을 수행한 인물을 정리하면 다음의 <표 14>와 같다.

<표 14> 大院君 執權期 北人系 정치인들의 명단과 역관

성명	본관	주요관직		관련정책
강로	진주	공, 7.2.7 병, 8.4.3	예, 8.2.5 좌, 9.10.12	서원정책, 최익현처벌
임백경	풍천	좌, 1.6.15		제도개선론자
임백수	풍천	예, 1.2.3	이, 7.3.23	
임상중	풍천	형, 8.4.19		

＊출처 : 『承政院日記』, 『高宗實錄』, 『日省錄』. 숫자는 임명 연월일 표시.

대원군 집권기 정치세력은 이러한 당색과 혈연성 만을 분석의 대상으로 삼으면 그 성격의 도출에 한계가 있다. 대원군정권의 정치세력들의 성격을 정확하게 이해하려면 대원군과의 관계 특히 대원군의 통치

정책의 수행과 연관해 고찰해야 한다. 이러한 관점에서 대원군 집권기 정치세력을 대원군의 통치정책과 연관하여 분류하면 <표 15>와 같다. <표 15>는 대원군의 통치정책을 중심으로 권력에 진입하거나 주도적인 역할을 수행한 인물만을 정리했고, 종친세력과 안김세력을 포함했다. 이들은 모두 대원군의 정치적 이해와 목적에서 동일한 입장을 견지했다. 이런 점에서 <표 15>는 대원군의 통치정책, 대원군의 권력 행사의 변화를 보여 줄 뿐만 아니라, 대원군정권에 참여한 정치인의 개인적 정치성향, 시기적 변화과정도 짐작하게 할 것으로 기대한다.

<표 15> 大院君 執權期 시기별 정치세력 분류

기간	주요정책	분류	의정부	이조	호조	병조	예조	기타
고종 1~2년	경복궁 중건, 무단토호 서원실태조사	종친		이재원	이돈영	이규철	이인고 이재원	
		안김	김병학(좌)	김병학 김병국	김병기	김병기	김세균 김병학 김병국	김병교 김응균 김대근
		노론	이경재(우)	홍순목		신헌	박규수	임태영 신석희 민치구
		소론	조두순(좌, 영) 이유원(좌)			정기세	이원명	허계
		남인		강시영			이의익	한계원 유후조
		북인	임백경(우)				임백수	
고종 3~7년	병인양요 진압, 삼군부복설	종친		이재원		이경하	이승보	이인석 이재봉 이도중 이휘중
		안김	김병학(좌, 영)	김병기 김병덕 김병교	김병국	김병주	김세균	김병익 김대근 김병필
		노론	이경재(영) 홍순목(우)	홍순목			홍순목 박제인	송근수 이용희 신헌 이원희 임태영 신석희 민치구 민치상 남병길

시기	정책	붕당						
고종 8~10년	서원철폐	소론	이유원(좌)	조병창			조병창	신명순 이풍익 이장렴 이원명 이삼현 정기세 이경우
		남인	유후조(우, 좌)	한계원 최우형			한계원 최우형 조성교	이명적 이현직 이의익 남성교
		북인		임백수				강로
		종친		이재원 이승보		이재원	이승보	이근우 이근필 이회순 이경하 이인응
		안김	김병학(영)	김세균 김병운 김병기 김병주			김병기 김학성	
		노론	홍순목(영)			민치상 민승호		신석희 정건조 신응조 박규수 남병길
		소론	이유원(영) 10,11,13	조병창			조병창 이삼현	정기원 이풍익 임상준
		남인	한계원(우)				조성교 강로	이명적 강난형 허전
		북인	강로(좌)					

* 출처 : 『承政院日記』, 『高宗實錄』, 『日省錄』.

대원군은 집권초기 종친부를 통해 권력을 행사했다. 이것은 대원군이 처음부터 국가의 공적기구를 장악할 수 없는 한계에서 비롯되었고, 그 결과 대원군의 권력행사는 제한적이었다. 그러므로 종친부는 무단토호의 징치와 삼정개혁 방향 설정의 수준을 넘어서지 못했다. 이것은 대원군이 공적기구를 통해 정치권을 완전히 제압하지 못한 현실을 보여주며, 이러한 측면은 정치세력의 분포에서도 확인된다.

대원군의 권력진입은 정치세력의 재편을 통해 권력을 장악하는 과정이었다. <표 11>과 <부표>는 대원군이 집권하는 시기 정치세력 분포면에서 노론세력이 우위를 점한 상황을 확실히 보여준다. 노론세력

의 경우 구성원의 다양성으로 인해 단일한 정치집단으로 분류하기에
한계가 있다. 노론세력은 종친과 안김세력을 동시에 포함하면서 순수
노론도 공존했기 때문이다.

이러한 성격은 종친세력의 경우에도 동일했다. 종친인 이돈영, 이근
필, 이경우, 이인석, 이장렴 등은 소론계인 반면 이승보는 남인세력이
다. <표 15>에 의해 종친과 안김세력, 그리고 순수 노론으로 구분되
는 인물을 살펴보자. 이들은 광의의 의미에서 노론과 정치적 지향을
같이한 측면이 강하게 나타난다.

우선 노론집단은 개인적 정치성향에 따라 대원군과 정치적 결합을
하거나 대립의 양상을 띠었다. 대원군과 친밀한 관계를 형성한 인물은
종친의 이돈영, 이재원, 안김의 김병학과 김병국, 김세균, 노론의 신헌,
임태영, 박규수 등이었다. 이들은 대원군을 중심으로 최대의 정파를
이루었고, 정치력은 파괴력을 가졌다. 그러나 이들의 존재 자체는 대
원군에게 위협적인 것일 수도 있다. 대원군은 노론의 정치적 기반을
일시에 붕괴시킬 수도 없었을 뿐만 아니라 억제할 수도 없었다. 그러
므로 대원군은 안김의 김좌근을 용퇴시면서 소론계 조두순을 영의정
으로 포섭했다.

대원군 집권초기 통치정책은 노론집단을 의식한 것이었다. 노론계
박규수는 임술농민항쟁을 경험하면서 이미 서원과 사림들이 토호적
존재로 군림하면서 특권을 남용하고, 국가적 통치질서를 위배하고 있
다고 지적했다.[88] 대원군은 박규수와 동일한 현실인식을 가지고 있었
으나, 그는 근본적인 대책을 수립·실행할 수 없었다. 그가 종친부를

---

88) 『壬戌錄』, 「到晉州行關各邑」, 4~5쪽 ;「晉州按覈使查啓跋辭」, 22~37쪽.
　　박규수의 이러한 인식은 서원을 중심으로 한 사림세력과 대립하게 되었고,
　　掌令 鄭直東과 副護軍 李晩運에 의해 저항을 받았다(위의 책, 「掌令鄭直東
　　上疏」, 38쪽 ;「李晩運上疏」, 86~87쪽).

통해 서원에 대한 실태조사와 무단토호에 대한 징치 정도에 그친 것은 이러한 정치권의 역관계에서 비롯된 것이다.

노론집단은 서원과 직접적 연계를 가지고 있지만, 지방의 토호는 존재양상이 노론과 달랐다. 안김을 위시한 노론집단과 토호는 존재방식이 현저한 차이가 있었고, 정치적 이해관계도 달랐다. 오히려 노론의 입장에서는 지방세력의 성장이 부담스러웠다. 노론집단은 중앙권력 중심체제를 지향했기 때문이다.

대원군의 종친부를 통한 무단토호 징치가 노론집단의 저항을 받지 않은 근본적인 이유였다. 종친부의 서원에 대한 실태 조사도 별다른 저항을 받지 않았다. 대원군의 이러한 통치정책은 노론집단의 이익을 침해하지 않았다는 점이 주목되며, 순조롭게 진행된 이유이기도 했다. 이런 점에서도 대원군의 권력장악 여부를 살필 수 있으며, 정치세력의 분포에서도 확인된다.

남인과 북인의 정계진출은 전 시기에 비해 진전되었다. 이 가운데 남인은 이의익, 이원명, 강시영, 한계원, 유후조 등이 주목되지만, 북인의 경우는 임백수 뿐이었다. 소론계는 영의정 정원용의 아들인 정기세와 허계가 주도적으로 참여했음을 알 수 있다. 이들은 이 과정에서 독자적인 정치집단으로 성장하지 못했고, 그 결과 대원군의 정치적 기반이 되는 여력에 한계가 있었다. 그러므로 대원군의 집권 과정에서 노론을 배제한 채 독자적 권력구축과 전제권 행사는 불가능했다. 대원군이 안김 중심의 노론집단과의 정치적 제휴가 필요한 이유였다.

그러나 대원군은 이 과정에서 정권장악의 기반을 확보했다. 대원군은 점차 안김세력을 퇴조시킬 수 있었고, 그 공백을 여타 정치세력으로 채워 나갔다. 그 결과 남인과 북인, 그리고 소론계들은 의정부와 육조에 진입할 수 있는 여지가 있었다. 물론 이들의 상당수는 철종년간부터 육조를 맡았지만, 이들은 권력주체의 변화를 계기로 정치적 입

장을 분명히 할 수 있었다는 점이 특징이다. 대원군은 이러한 정치인들을 중심으로 친대원군세력을 형성했다.[89] 대원군은 이들을 중심으로 재정권과 군권을 통제했다.

이 과정에서 대원군은 호조판서 김병기를 이돈영으로 교체했다. 이것은 안김의 재정기반이 대원군의 재정기반으로 전환하는 것을 의미한다.[90] 이러한 인사운용은 안김세력의 정치적 약화를 목적으로 했으며, 대원군의 권력기반 확대를 고려한 것이다. 대원군은 군권 장악을 위해 신헌, 임태영, 허계, 이규철 등을 병조판서와 군영대장에 배치했다. 그러나 대원군이 군사적 기반을 독점적으로 확보한 것은 아니었다. 안김세력과 노론집단의 정치력은 비변사 중심으로 잔존했으며, 이것은 대원군 권력행사의 장애로 작용했다. 이러한 현실에서 대원군은 안김 및 노론세력과의 정치적 합의를 구상했던 것이다.

대원군은 경복궁 중건정책을 계기로 정파를 초월한 정치집단을 구성했다. 이들은 병인양요를 거치면서 하나의 정치집단으로 내부적 결속력을 강화했다. 이후 대원군은 삼군부를 복설했고, 이 과정에서 군권을 독점했다. 그 결과 대원군의 권력은 독자적, 전제적인 성격을 지니게 되었다. 그러므로 대원군의 권력은 시기와 정책을 통해 구체화, 강화되는 변화과정을 거쳐 확립되었다. 정치세력들은 이러한 통지정책이 추진되는 과정에서 정치적으로 연합하거나, 분명한 색깔을 나타

---

89) 친대원군 정치집단의 대원군과의 관계, 정치적 입장은 김병우, 1991, 앞의 논문, 참조.

90) 이돈영은 고종 3년 4월 16일 김병국으로 교체될 때까지 호조판서로 재정을 독점했다. 이러한 체제는 대원군이 종친인 李裕膺, 李鎬俊, 李會淳을 호조참의로 임명하면서 강화되었고, 전 집권기에 걸쳐 호조를 독점하는 기반이 되었다. 더구나 종친이며 측근인 이승보는 선혜청 당상으로 재정권 장악에 진력했다. 이것은 대원군의 재정권 장악에 대한 총체적인 대응의 일면을 알게 한다.

내게 되었다. 이러한 변화속에서 정치세력의 구성은 변동을 겪었다.

대원군은 고종 3년에서 7년사이 정치세력을 재편했다. 그 결과 대원군 집권 중후반기 정치집단은 상호간 균형을 이루었다. 대원군의 통치정책을 중심으로 정치세력을 통합한 결과로 이해된다. 이 가운데 특징은 <표 14>에서 알 수 있듯이 전 시기에 비해 종친세력의 진출이 두드러진 점이다. 종친들은 거의 종정경체제를 통해 의정부체제에 진입했고, 친위세력의 성격이 있다. 또 하나의 특징은 조대비계 정치인들의 약화를 지적할 수 있다. 이 기간에 판서에 보임된 풍양조씨계는 조헌영 뿐이었다. 이후 조대비계는 정치집단으로서의 의미를 잃어갔다. 대원군과 조대비계가 반목하게 되는 원인이 여기에 있다고 판단된다.

이러한 정치세력과 역관계의 변화 속에서도 안김세력은 여전히 최대의 세력으로 존재했다. 오히려 대원군 집권초기보다 관직자의 수가 늘었다. 이들은 이조와 병조 등 요직을 담당하면서 六曹에 분산·배치되었다. 대원군은 이들의 정치적 저항을 줄이는 방법의 하나로 이들을 권력구조에 통합하려 한 결과로 이해된다. 그러므로 이들은 노론과 연대할 경우 최대의 정파가 된다. 다만 이들은 김좌근 사망이후 구심점을 잃었고, 대원군과의 정치적 관계가 심화되면서 내부적으로 분화되었다. 이들 가운데 대원군에게 가장 중요한 정치인은 김병학과 김병국, 김세균이었다.

이 시기 少論과 南人들이 대거 등장했다. 이들은 대원군정권의 노론집단에 대한 대체세력으로 급부상하려 했다. 이들은 숫적으로 증대되었고, 정치적 비중도 확대되었다. 소론의 경우 조병창, 이장렴, 이경우가 대표적이다. 남인의 경우 한계원, 조성교 등이 대원군의 통치정책과 밀접한 연관을 가졌다. 이들은 노론세력의 약화와 정치기반의 확보라는 정치적 입장을 견지했다. 그러므로 이들은 대원군의 통치정책

을 적극적으로 수행했고, 특히 노론에 대한 직접적 억압의 성격을 지닌 서원철폐정책을 주도했다.

대원군은 다양한 정치집단을 하나로 통합하고, 내부에서의 정치적 저항을 약화시키기 위해 김병학을 영의정에 임명했다. 이것은 정치운영의 주도권을 노론안김세력에 주고, 남인세력으로 견제하게 만들려는 대원군의 구상에서 나온 것이다. 영의정 김병학, 좌의정에 유후조와 이유원, 우의정에 임백경과 유후조, 홍순목을 배치한 것이 바로 그것이다. 그러나 정치세력의 분포와 역관계를 고려하면 남인은 안김노론세력의 상대가 되지 못했다. 그러므로 대원군은 이러한 세력을 통치정책을 통해 하나의 체제로 흡수해야 했던바, 경복궁 중건과 병인양요 진압 과정에서 어느 정도 목적을 달성했다.

경복궁 중건정책은 두 가지 목적이 동시에 제시되고 실현되었다. 첫째는 왕권강화라는 목적이며, 이 과정에서 정치세력을 결집했다. 두 번째는 대원군이 통치정책의 주체로 부상하려는 목적이며, 이 과정에서 대원군은 권력행사의 정당성·합법성을 보장받았고, 국왕체제의 통제가 가능하게 되었다. 대원군은 이러한 정치권의 변화를 배경으로 정파를 초월해 억압이 가능한 권력기반을 구축했다.

경복궁 중건의 명분은 왕실의 존엄성과 왕권강화에 있었다. 조두순과 김병학은 경복궁 중건정책을 의정부 차원에서 지원했고, 이것은 정치권내 내부적인 반발이 일어나지 않는 배경으로 작용했다. 오히려 卿宰들은 출력요구를 수용했고, 김좌근은 적극적으로 재정지원을 했다. 이 과정에서 대원군은 국태공의 권위를 확보했으며, 정치집단에 대한 직접적인 통제가 가능하게 되었다. 무장세력들로 구성된 영건도감은 경복궁 중건을 통해 대원군정권의 무력적 기반을 형성했다.

대원군은 丙寅洋擾를 계기로 대원군 중심의 노론집단을 통합했다. 이후 노론집단은 대원군의 대외정책의 이념을 제공하는 보수척화론자

들로 구성되었다.[91] 이러한 성격의 노론세력은 천주교 탄압과 병인양
요시 전면에서 활약했고, 金世均을 중심으로 한 안김집단도 천주교,
대외정책에서 대원군을 절대적으로 지지했다. 金左根과 金炳冀도 대
외강경정책에 적극성을 보였다. 뿐만 아니라 이들은 當百錢 주조와
淸錢의 유입 등 화폐정책 실시에도 동참했다. 대원군은 천주교, 재정
정책, 대외강경책을 통해 이들을 체제속에 흡수·통합했던 것이다. 이
후 이들은 대원군과 공조체제를 이루었다. 따라서 이들의 보수성은 대
원군의 또 다른 권력기반이었다.

대원군은 이러한 정치세력들의 통합과 공조체제를 이루면서 한편
으로는 통치기반을 확고하게 구축했다. 이것은 무장세력의 성장과 이
들에 대한 통제로 달성할 수 있었다. 이 시기 무관직은 이경하, 이규
철, 이주철, 이봉주, 이재봉 등 종친들이 독점했다. 여기에 전통적인
무반가문이 결합되었다. 任泰瑛(훈련대장), 許棨(어영대장), 李景夏
(금위대장), 李顯稷(총융사) 등이 그들이며, 申櫶은 대원군 집권기 병
권을 장악했다. 신헌은 대원군과 학맥이 같으며, 그의 제안에 따라 대
원군은 자주국방정책을 채택하기도 했다. 병인양요시 군제상 부분적
인 개혁은 신헌의 군무육조를 바탕으로 한 것이다.[92]

대원군은 삼군부의 복설을 통해 무력적 기반을 확립했다. 병조판서
와 군영대장은 이규철, 이경하, 이경순, 이장렴, 이주철, 임태영, 허계,
이현직, 임상준 등이 독점적으로 차지했다. 이들의 중심에는 신헌이
있었다. 이들은 대원군을 정점으로 하나의 정치집단이 되어 대원군의
권력기반을 확립했다. 대원군은 이들을 통해 군사조직을 장악하고, 諸

---

91) 송근수, 송내희, 이경재, 이근우, 이원희, 이정재, 임태영, 홍순목 등이 바로
   그들이다.
92) 대원군과 신헌은 김정희의 제자였다. 대원군은 무장 중 신헌을 가장 신임했
   고, 신헌 역시 대원군의 정책을 높이 평가했다(朴贊殖, 1988, 「申櫶의 國防
   論」, 『歷史學報』 117).

정치세력들의 대립과 갈등을 통제했다. 그리고 정치권 전체에 대한 억압이 가능했다.

대원군은 서원철폐정책을 통해 정치권에 대한 억압의 성격을 드러냈다. 이 정책은 특히 종래 기득권을 가지고 있던 노론세력을 겨냥하는 것이었다. 대원군이 종래 다양한 정치세력의 통합과 연합이 필요했던 것은 국가권력 장악의 강도 때문이었다. 대원군은 고종 7년경 군권과 군사적 기반을 통해 국왕체제를 통제하게 되었다. 이후 대원군은 세도정권의 청산을 위해서도 서원철폐정책은 필요했고, 이것은 전제권의 시발이었다. 이제 대원군정권은 자신감을 가지게 되었다는 의미이다. 동시에 대원군 개인의 권력에 대한 오만의 성격도 내포하고 있다.

고종 7년 이후 종래 정치집단의 범위는 축소되었다. 종친과 노론은 물론이고, 남인과 북인도 퇴조하는 모습을 보였다. 의정부와 육조를 중심으로 한 국왕체제를 장악한 대원군은 기존의 정치집단의 균형과 견제의 정치구도가 필요치 않았다. <표 13>은 이러한 현상을 단적으로 보여준다. 이것은 대원군이 새로운 권력의 틀을 구상하고 있다는 것을 반영한다. 그러나 대원군의 새로운 권력구도는 노론의 정치적·사회적 기반의 해체를 통해 실현할 수 있다. 이러한 목적에서 대원군은 서원철폐정책을 추진한 것이다. 그러나 이것은 단순히 노론에 한정되는 문제만은 아니었다.

대원군은 일차적으로 노론을 겨냥했다. 그는 서원철폐정책의 핵심에 소론 조병창과 이삼현, 남인 이명적, 조성교, 북인 강로를 배치했기 때문이다. 물론 노론계 신석희, 김병주, 김병기가 참여했지만, 이들은 서원정책의 주체는 아니었다. 이들은 서원철폐가 본격화되는 고종 8년 전후 예조판서를 역임했다. 신석희는 노론이지만 박규수와 밀접한 교유관계를 통해 개혁적 성향이 강한 인물이라는 점이 주목된다.

대원군의 서원정책은 예조판서 趙性敎가 입안했다.[93] 소론의 조병창은 대원군의 지시를 받들어 서원훼철의 선정과 실행에 주도적으로 참여했다.[94] 이러한 과정을 거쳐 서원중첩은 원천적으로 봉쇄되었고,[95] 대원군의 서원정리는 장구한 계책으로 평가되었다.[96] 영의정 김병학도 대원군의 처사에 전적으로 동감했고, 고종은 전교를 통해 문묘에 배향된 분 이외의 서원을 모두 철향하게 했다.[97] 大院君은 예조판서를 통해 서원훼철정책을 집행했다.

소론출신 조병창의 서원업무는 남인 강로에게 인계되었으나, 그는 노론과 영남남인의 저항을 받았다. 그래서 서원문제는 안김인 노론의 김병기에게 넘어갔다.[98] 대원군은 노론과 영남남인 및 재야유생들의 조직적인 저항과 상소운동을 고려하여 군권을 더욱 강화했다.[99] 그러므로 서원철폐정책은 소론과 남인을 통해 노론의 기반을 해체하는 것임을 알 수 있다. 이것은 대원군이 노론세력을 직접 억압할 수 있게

---

93) 趙性敎는 고종 7년 6월 3일 예조판서에 임명되었으나, 곧 8일 鄭建朝로 교체되었다. 조성교는 대원군의 지시이행에 대한 종합보고서를 토대로 수령이 장악하지 못한 사액서원에 대해 붕당과 小民에 미치는 피해를 명분으로 사액서원철폐에 대한 정책을 입안했다. 대원군은 노론인 申錫禧를 예조판서에 임명, 노론과 유림들의 조직적인 저항을 무마하려 했다.

94) 趙秉昌은 고종 7년 11월 25일 예조판서에 임명되어 장기간 현직에 있었다. 서원철폐정책은 조병창이 주도했고, 훼철대상에 대한 선정도 그에 의해 이루어졌다. 그는 대원군의 심복과 같은 인물이다.

95) 『承政院日記』 고종 8년 3월 12일. 이날 고종은 운현궁에서 대원군을 覲親하였다.

96) 『承政院日記』 고종 8년 3월 17일.

97) 『承政院日記』 고종 8년 3월 18일.

98) 김병기는 고종 8년 6월 8일 예조판서에 임명되어 서원문제를 담당했다.

99) 대원군은 고종 8년 4월 1일 이재원을 병조판서에 임명하였다가 이틀뒤 姜㳣로 교체하였고, 任商準을 형조판서에 임명하였다. 李晩運는 영남남인의 상소운동을 고려하여 한성우윤으로 배치하였고, 훈령대장에 李元熙, 어영대장과 지삼군부사에 任商準을 임명하여 군권동원에 대비하였다.

되었다는 것을 말한다. 그러나 노론세력들은 대원군의 권력기반과 위세에 눌려 조직적인 저항을 하지는 않았다. 이것은 대원군의 권력장악과 권력행사가 전제권의 성격을 띠게 되었음을 의미한다.

대원군은 이제 노론과 안김집단과 협조체제가 필요하지 않았다. 고종 9년 의정부 구성원의 교체는 이러한 통치정책의 결과였다. 영의정 홍순목과 좌의정 강로, 우의정 한계원은 대원군의 권력기반으로 전면에 부상했다. 홍순목의 경우 당색은 노론이지만, 정치적으로는 대원군의 심복과 같은 존재였다. 우찬성 이승보, 우참찬 조성교, 임상준은 삼정승 체제를 보완했고, 이조판서 조병창, 신석희, 병조판서 민치상, 예조판서 조성교 등은 육조에서 대원군의 주체세력으로 존재했다. 이러한 정치세력 구성의 변동은 급기야 안김과 노론을 위협했고, 그 결과 이들의 저항은 反대원군세력을 결집하는 배경으로 작용하게 되었다.

2. 대원군과 안김세력의 관계

대원군 집권기 대원군과 안김세력의 정치적 관계는 협력·공조·해체의 과정을 겪었다. 이것은 정치권력의 주도권 변화와 맥을 같이하였다. 안김세력은 철종년간 정치권력의 주도권을 장악했고, 이때 대원군은 자신의 존립을 위해 그들과 정치적 협력관계를 유지했다. 이들의 정치적 협력관계는 고종의 왕위계승으로 귀결되었고, 대원군이 집권과 권력을 행사하는 과정에서도 지속적으로 유지되었다.

철종년간 안김집단은 공적기구의 장악을 통해 권력을 독점했다. 이들은 수십 년간 비변사를 통해 권력을 독점했고, 이것이 최대의 정파를 유지하는 비결이었다. 대원군은 처음부터 국가의 공적기구를 장악하지 못하였다. 그러므로 그는 안김집단의 정치기반을 파괴할 수 없었다. 그 결과 안김집단은 대원군 집권기 최대의 독자적인 정치세력으로

존재하게 되었다.

대원군 집권기에도 안김집단은 노론세력 전체를 주도했고, 권력체제의 핵심에 위치했다. 그러므로 대원군은 안김세력의 협력 없이는 권력을 행사할 수 없었다. 김좌근은 철종년간 영의정을 독점했고[100] 대원군이 집권하면서 비로소 사직했다. 그러나 대원군은 김좌근체제를 일시에 허물 수 없어, 철종년간 좌의정으로 김좌근을 보좌했던 조두순을 영의정으로 임명했다. 이것은 김좌근이 소론인 조두순을 정치적으로 신뢰했다는 점과 대원군이 김좌근체제를 유지해야만 했던 이유에서 비롯된 것이다.

그러나 영의정 조두순과 김좌근은 정치적 지향이 동일했던 것은 아니다. 이들은 당색면에서 노론과 소론이라는 차이점이 있었을 뿐만아니라, 혈연적으로도 연계되어 있지 않았다. 이러한 상이점에 의해 이들은 사회모순에 대한 인식과 대응방식에서도 차이가 있었다. 조두순은 철종년간 임술농민항쟁 수습책을 마련하는 과정에서 이미 안김집단의 한계를 절감했다. 그 결과 조두순은 대원군을 중심으로 한 새로운 권력체제의 성립을 수용했고, 대원군체제에서 사회개혁이 이루어질 것을 기대했다. 조두순의 사회개혁에 대한 열망은 동포제 실시로 구체화되었다.[101] 이 과정에서 대원군은 조두순과 삼정개혁 방안을 중심으로 정치적 결합을 이룰 수 있었다.

대원군은 안김세력과 정치적 협력체제를 유지했지만, 한편으로는 안김노론체제의 기반을 허물기 시작했다. 이것은 안김척족세력의 분화를 유발하는 효과를 가져왔다. 고종 즉위시 원상을 지낸 정원용은 안김세도집권기 실무형 관료로 신임이 두터웠으나, 대원군이 집권하

100) 김좌근은 철종 4년 2월에서 고종 1년 4월 12일에 이르기 까지 네 번이나 영의정을 역임하여 그의 정치적 위상을 짐작할 수 있다.
101) 『高宗實錄』 고종 1년 6월 16일.

는 과정에서 대원군의 통치정책을 적극적으로 수용했다. 소론인 정원용은 대원군이 비변사와 의정부의 업무분장을 단행할 때 지대한 역할을 했다. 정원용이 대원군의 의정부체제 확립에 적극 동참한 것은 새로운 체제의 성립과 사회개혁을 지향하고 있었기 때문에 가능했다. 이러한 소론계 세력의 안김집단과의 정치적 분리는 안김세력의 입장에서는 심대한 타격이었다. 반면에 대원군의 입장에서는 정치기반을 확대할 수 있는 기회였다.

그럼에도 불구하고 안김세력은 대원군 집권기 최대의 정파를 유지했다. 비록 비변사가 폐지되면서 누대에 걸친 권력기반은 해체되었지만, 이들은 의정부체제에서도 최대의 권력집단으로 존재했다. 이것은 대원군이 이들과 정치적 협력관계를 지속한 결과이다. 한편 안김집단은 대원군과 협력관계를 유지하는 것이 권력의 중심에 위치할 수 있다는 현실적 판단을 했다. 그 결과 안김세력들은 육조의 판서직에 빈번하게 등용되었고, 대원군의 통치정책 실시에 깊숙이 개입했다. 안김 출신으로 대원군 집권기 육조판서를 역임한 인물들을 대원군의 통치정책과 관련하여 정리하면 다음의 <표 16>과 같다.

안김집단의 일부는 대원군과의 정치적 제휴를 통해 대원군정권의 핵심세력으로 활약했다. 김병학·김병국 형제들이 바로 이들이며, 대원군은 집권과정에서 이들과 정치적 제휴를 이루었다.102) 이 형제들은 고종 1년 이조판서를 번갈아 역임하면서 정치세력 재편을 주도했다. 대원군은 안김세력들과의 정치적 대립을 원하지 않았던 것이다. 특히 김병학은 대원군 가문에 대한 차별화를 주장하기도 했다. 그는 대원군의 부친인 南延君의 충정과 학식을 극찬했던 것이다. 또한 동시에 조대비 가문의 정치적 입장도 고려하는 치밀함을 보이기도 했

---

102) 黃玹, 『梅泉野綠』上, 대원군은 고종이 즉위하면 김병국의 딸을 왕비로 간택하겠다는 언약을 하였다.

<표 16> 大院君 執權期 安東金氏 정치가

姓名	주요 관직		黨色	관련정책 및 기타
金大根	刑, 1.7.20	吏, 6.1.17	노론	각궁방노비안소각
	禮, 6.9.15	吏, 6.12.26		
金炳喬	刑, 1.4.29	吏, 5.7.13	노론	
	工, 6.1.17	工, 7.4.29		
金炳國	吏, 1.8.27	禮, 2.6.22	노론	경복궁 중건, 大院君과 제휴,
	禮, 2.10.24	戶, 3.4.16		천주교탄압, 사창제실시
金炳冀	兵, 2.1.2	工, 3.1.4	노론	統制中軍설치, 경복궁 중건
	禮, 3.2.11	吏, 4.9.28		
	禮, 8.6.8	吏, 10.4.17		
金炳德	吏, 4.12.30	吏, 5.2.3	노론	
金炳雲	吏, 9.7.26		노론	
金炳柱	刑, 3.1.11	兵, 3.7.20	노론	천주교탄압
	兵, 3.11.11	刑, 7.7.20		
	禮, 7.윤10.23	刑, 9.5.12		
	刑, 9.10.5	吏, 10.11.5		
金炳地	工, 4.10.5		노론	
金炳弼	禮, 3.12.20	禮, 5.7.29	노론	
金炳學	吏, 1.1.25	吏, 1.2.5	노론	당백전주조, 천주교탄압, 보수척화
	禮, 1.8.29	工, 2.1.13		론자, 대전회통편찬, 大院君과 제
	左, 2.3.3	左, 4.5.3		휴, 경복궁 중건
	領, 4.5.18	領, 5.윤4.23		
金世均	工, 1.5.30	禮, 1.7.9	노론	서원향사존철조사, 大院君심복
	禮, 2.2.24	禮, 4.4.18		
	禮, 4.8.21	禮, 5.7.12		
	禮, 5.8.2	禮, 6.3.1		
	吏, 8.7.7	禮, 8.8.12		
	工, 9.8.16	戶, 9.9.22		
金左根	領, 1.4.18 사직		노론	양전실시, 향약, 오가작통법
金漢淳	工, 1.4.16		노론	

* 출처 : 『承政院日記』, 『高宗實錄』, 『日省錄』. 숫자는 임명 연월일 표시.

다.[103] 대왕대비는 그를 공조판서에 임명하면서 정치적 활로를 열어

___

103) 『高宗實錄』 고종 2년 1월 13일. 김병학은 상소를 통해 綾原大君과 麟坪大
君이 병자호란시에 벌인 활약상과 함께 남연군의 충정과 학식을 언급하였
다. 동시에 신정왕후의 입장을 고려하여 豊恩府院君(趙萬永)을 칭송하였고,

주었다.104) 이러한 사실들은 대원군과 조대비, 그리고 김병학과의 정치적 관계를 알 수 있게 한다.

김병학은 대원군과 안김세력들과의 정치적 제휴를 유지하는 매개역할을 했다. 대원군의 김병학의 좌의정 발탁은 파격적인 인사였다.105) 이것은 안김집단의 정점에 김병학을 위치하게 하려는 대원군의 구상에서 비롯된 것이다. 이후 김병학은 안김척족세력의 핵심으로 존재하게 되었고, 대원군의 정치적 기반 확대의 역할을 했다. 그러나 김병학은 안김집단의 수장으로서의 역할은 미미했다.

대원군과 안김세력은 모두 김병학을 안김집단의 수장으로 인정하지 않았다. 김병학은 대원군과 안김집단의 정치적 통로가 되었으나, 안김세력들은 개별적으로 대원군정권에 참여하는 양상을 보였기 때문이다. 대원군은 안김집단의 내부적 결합을 원치 않았던 것이다. 대원군이 안김세력을 국왕의 인사권을 통해 개별적으로 정권에 참여시키는 방식을 택한 것은 이러한 이유에서 비롯되었다. 이 과정에서 대원군과 안김집단은 통치정책에 따라 협력체제를 유지했다.

金炳國은 고종 1년 8월 이조판서를 거쳐 예조판서, 공조판서를 지냈다. 그는 예조판서로 재직하던 고종 2년 11월 고종 즉위의 당위성을 分星의 논리로 정당화했다. 그는 "태종때 혁파된 圜邱로 인해 圜邱之祭는 근거가 없지만, 分星之祭는 근거할 것이 있다"고 주장하면서 別設壇壝하여 위로 분성에 제사할 것을 요청했다.106) 김병국의 분성제사 논리는 고종의 정치적 권위를 하늘의 권위와 연계하려는 목적이 분명했지만, 한편으로는 대원군의 집권과 역할을 강조하는 것이기도

남연군과 풍은부원군의 純祖廟 배향을 주장하였다.
104)『高宗實錄』고종 2년 1월 13일.
105)『高宗實錄』고종 2년 3월 3일.
106)『承政院日記』고종 2년 11월 11일.

했다.

국왕은 천도의 주재자였다. 그러므로 분성에 대한 제사는 각자의 역할을 강조하는 것으로, 이 과정에서 대원군의 역할이 강조되기에 충분했다. 하늘의 별 가운데 고종에게 해당하는 별자리에 제사를 지내는 것은 하늘의 권위와 국왕의 권위를 연결하는 것이다. 그런데 분성의 논리를 확대할 경우 대원군의 별자리가 내포되어 있는 것이다. 김병국의 분성 강조는 아마도 이러한 의미가 강했을 것으로 보인다. 그러므로 대원군은 이것을 정치권에 공론화했다. 대원군은 이 과정에서 정치권에 대한 통합을 요구했고, 다른 한편으로는 정치인들의 태도를 분명히 할 것을 요구했다.

신정왕후는 분성제사 문제를 자문을 구하는 형태로 공론화했다. 이틀 뒤 예조가 보고한 내용을 살펴보면 정치권의 동향을 짐작할 수 있다. 예조의 보고에 의하면, 정원용과 이유원은 신병을 이유로 의견을 개진하지 않았고, 반면에 영돈녕 김좌근과 영의정 조두순, 판돈녕 이경재와 좌의정 김병학이 의견을 제시했다. 김좌근은 壇享논의는 거조에 부합하는 일이며, 南斗星을 함께 제사하자는 것은 예조판서가 인용한 근거가 매우 분명하다고 인정했다. 그러나 제사는 매우 중대한 것이므로 억측할 수 없다면서 반대의 입장을 밝혔다.

영의정 조두순은 분야가 분명하고, 宋은 辰星, 晉은 參星에 제사하여 백성들을 보살폈다면서 총체적인 입장에서 찬성했다. 그리고 分星之祭는 백성을 위해 복을 비는 성인이 펴는 큰 정사라고 강조해 대원군의 집권과 권력행사를 지지했다. 이러한 찬동입장은 이경재와 김병학의 경우도 마찬가지였다. 대원군은 영의정 조두순과 좌의정 김병학, 판돈녕 이경재의 논리를 수용했다. 그 결과 동방의 분야에 해당하는 尾星과 箕星에 대한 제단의 儀節이 南壇의 예로 시행하게 되었다.[107]

이 과정에서 대원군은 관료집단의 관심을 통합하려 했다. 대원군은

김병국의 分星之祭를 통해 고종의 왕위계승을 天心과 연계시켜 정통성·당위성을 확보하려 했다. 그리고 이러한 입장을 백성들에게 확대시켰다. 대원군이 민들의 합의를 위해 神異한 일을 유포했던 것이다. 대원군은 이 과정에서 국왕을 중심으로 상하를 일체가 되게 하려 했다. 이것은 모두 대원군이 주도했다.

대원군은 湖左에서 운현궁에 바친 '一莖十六穗의 玉糖'을 공개했다. 때맞추어 동궐과 西土에서는 白雉가 나타났다고 보고했다. 국왕과 대왕대비는 옥당을 함께 보았고, 이것이 異事임에는 틀림없는 사실이다.108) 대원군은 이러한 吉兆를 통해 관료들을 체제속에 흡수하고, 백성들에게 吉祥을 보여 안정적 기반을 확보했다. 김병국의 分星之祭와 대원군의 異事는 동일한 목적에서 나온 것이다. 이후 김병국은 고종 3년부터 호조판서로 재직했고, 대원군 집권기 국가의 재정을 장악했다.

김좌근의 아들인 金炳冀는 호조판서에서 광주유수로 자리를 옮기면서 정치의 주도권을 상실해 갔다.109) 그러나 김병기가 권력에서 완전히 배제된 것은 아니었다. 그는 고종 2년 병조판서로 복귀하여110) 장기간 병권을 장악했다. 이후 김병기는 경복궁 중건의 영건도감 제조로 참여하여 대원군의 통치정책을 수행했다.111)

---

107) 『承政院日記』 고종 2년 11월 13일.
108) 『高宗實錄』 고종 2년 11월 13일. 고종은 玉糖에 대해 序文을 지어 識喜로 삼았다. 그리고 제신들에게 반포해 화답의 글을 짓게 했다.
109) 김병기는 고종 1년 3월 9일 이돈영에게 재정권을 넘겨주었고, 광주유수에 보임되었다. 이때 비변사와 의정부는 업무분장이 진행되고 있었으며, 四都留守의 천망권은 의정부로 이관되었다. 그러므로 김병기의 광주유수는 의정부가 주관했고, 이것은 대원군의 의지에서 비롯되었다.
110) 『高宗實錄』 고종 2년 1월 2일.
111) 김병기는 고종 2년 3월 3일에 의정부 좌찬성이 되어 좌의정 김병학과 함께 의정부체제를 주도했다. 좌찬성은 김병학(고종 2년 1월 30일), 김병기(고종 2

　대원군과 안김척족과의 정치관계를 논할 때 중요한 위치를 점하는 사람은 金世均이다.[112] 그는 신정왕후와 이종사촌 사이였으며, 조인영의 생질이었다. 그는 철종대 김문근과 정치적 이해를 함께 하기도 했다.[113] 그는 혈연성과 인간관계로 볼 때, 대원군과 안김, 조대비와 대원군, 안김과 조대비의 정치적 연계에 일정한 역할을 하였을 것이다.

　김세균은 공조판서·예조판서·이조판서를 역임했다. 특히 그는 예조판서에 6차례나 임명되었다. 이것은 그가 서원·천주교·외교정책의 입안과 실행과정에서 대원군의 의지를 적극적으로 수행한 것으로 이해된다. 이 과정에서 김세균은 안김집단과 정치적 지향을 달리하게 되었다. 이것은 안김집단 내부의 대응방향의 분화와 함께 정치세력들이 분화되고 있었다는 점을 의미한다. 이러한 내부 분화는 안김집단의 정치력 약화로 연계되었다. 이것은 대원군의 권력과의 밀착여부와도 연관된 문제였다. 이후 김세균은 대원군의 억압정치가 자행되는 고종 9년 호조판서가 되어, 대원군 전제정치의 재정적 기반을 담당했다.

　대원군 집권기 안김척족세력의 정치적 지위는 단계적으로 약화되었다. 이들은 집권초기 대원군의 정치적 파트너로 존재했다. 물론 이 과정에서 권력장악을 둘러싼 갈등은 있었지만, 공세적인 입장에 있지는 않았다. 대원군이 집권하고 정치세력의 재편, 무단토호에 대한 정

　　년 3월 3일), 김학성(고종 6년 4월 27일), 김대근(고종 7년 12월 19일)으로 이어져 대원군 집권기간 안김척족이 독점하였다. 그러므로 안김척족은 의정부 체제가 확립된 이후에도 정치적 영향력은 여전했음을 알 수 있다.

112) 김세균은 고종 3년 5월에 의정부 유사당상이 되어 고종 10년까지 공사당상으로 활약하여 대원군에 절대적인 신임을 받은 인물로 평가된다(연갑수, 앞의 책, 56~59쪽).

113) 김세균의 문집인 『晩齋遺稿』에는 외삼촌 조인영과 김문근에게 보낸 편지가 많다고 한다. 그러므로 김세균은 안동척족이면서도 정치적 입장은 차이가 있었다(연갑수, 위의 책, 57~59쪽).

책을 수행하는 시기 정치의 주도권을 일정하게 행사했다. 대원군은 안 김세력들과의 정치적 연대 내지는 협조체제를 유지했던 것이다.

김좌근의 영의정 사임은 안김집단의 내부적 분화가 일어나는 계기 가 되었다. 이때 종친세력들의 중앙정계 진출이 급속하게 진행되었고, 이 과정에서 이들의 권력독점은 약화되었다. 특히 비변사가 폐지되면 서 이들의 권력기반은 해체되기에 이르렀다. 비변사 구성원들이 의정 부체제에 그대로 흡수되었으나, 이들의 정치적 지위까지 그대로 존속 되기에는 한계가 있었다. 그럼에도 이들은 최대세력으로 존재할 수 있 었다.

대원군은 경복궁 중건과정을 통해 국왕의 권위를 강화했다. 이후 국왕외척의 정치적 비중은 약화되었다. 대원군은 국왕과 외척의 정치 적 고리를 차단했고, 그 사이에 종친들의 종정경체제가 들어섰다. 대 원군의 입장에서는 국왕의 외척이 정치적 기반으로 필요했던 것이 아 니었다. 이들은 오히려 제거의 대상으로 변해갔다.

대원군은 의정부체제와 경복궁 중건을 통해 정치권을 장악했다. 그 러나 국왕체제를 장악·통치할 수 없는 처지였다. 대원군은 여전히 안 김집단의 정치적 협조가 필요했다. 그는 김병학과 이유원을 영의정과 좌의정으로 등용했다. 이들을 통해 안김세력과 노론세력을 흡수하여, 이들의 저항을 줄이는 가운데 통치를 하겠다는 의지였다. 이들은 대원 군의 삼군부 복설과 군권장악 과정에서 정치적 동요를 사전에 차단하 는 역할을 했다. 이 과정에서 김병학은 조두순의 개혁정책을 계승하여 양전사업을 추진하였고,[114] 대원군정권의 재정확보를 위해 당백전을 주조하기도 했다.[115]

대원군의 통치정책이 실행되는 과정에서도, 안김은 노론과 함께 최

---

114) 『高宗實錄』 고종 3년 5월 10일, 16일, 22일.
115) 『高宗實錄』 고종 3년 10월 30일.

대의 정치집단을 이루었고, 의정부체제내에서 영향력을 행사했다. 그러나 안김은 대원군과의 개인적 관계에 따라 분화되었고, 대원군은 이러한 안김세력을 개별적으로 정치에 흡수하는 방식을 택했다. 즉 이들은 개인적 성향에 따라 대원군정권에 협조한 것이다. 고위관료로 흡수된 金漢淳, 金炳喬, 金大根, 金賢根, 金基纘, 金敬鎭 등이 그들이다. 이것은 대원군이 안김과 노론적 입장의 정치세력들에 대한 제압이 어려웠다는 것을 반영한다. 앞 <표 13>에서도 이러한 사실을 확인할 수 있다.

대원군의 권력장악은 삼군부 복설을 통해 확립되었다. 대원군은 삼군부의 무력적 기반을 배경으로 정치권을 제압할 수 있게 되었다. 이러한 정치상황의 변화는 대원군과 안김의 협조체제를 유지하기 어렵게 만들었다. 급기야 이들의 대원군에 대한 불만은 토목공사에 집중되었다. 이것은 안김집단의 정치적 영향력이 감소되면서 정치적 지위가 하락하였음을 반영한다. 특히 김병학의 정치력과도 상관관계가 있었다.

영의정 김병학은 고종 6년이후 대원군의 권력행사와 통치정책에 대해 소극적으로 대응했다. 이때를 기점으로 그는 영의정으로서의 정치력이 미미함에 대한 불만을 터뜨렸다. 김병학은 고종과의 차대에서 국가의 재정문제를 거론하기에 이르렀다. 그는 가장 시급한 것은 재정이며, 수입은 적고 지출은 많아서 경비가 부족하게 된 현실을 지적했다. 그리고 그는 이것이 시정되지 않음에 대한 고민을 털어 놓았다. 김병학은 여기서 정치의 주체를 국왕에게 설정하고 있으나, 국왕의 배후에 있는 대원군의 존재에 대한 부담감과 정치력이 미치지 못함에 대한 고민임을 알 수 있다. 그는 "大農之封椿이 거덜나고 小民의 抒柚가 비게 되어 나라가 되지 못하는 지경이다"고 하면서 타개할 요점으로 절약과 검박한 생활을 강조하였다.116)

영건공사는 經始之初에 정해진 규모와 계획이 변경되어 기초가 다시 정해지고 칸 수가 늘어나면서 비용이 날로 증대되었다. 그래서 그는 수차에 걸쳐 무절제하게 취하지 말 것을 국왕에게 건의하였다. 그는 "한두 번이 아니다"고 하여 수차에 이러한 사실을 들어 재정의 빈곤을 언급하였음을 알 수 있다. 그러나 그때마다 국왕은 마음에 새겨두겠다는 비답을 내렸을 뿐 실질적인 정사와 혜택에는 받아들이지 않았다. 그는 자신의 간언이 형식이고, 국왕은 늘 빈말만 하게 되는 현실을 개탄하기도 했다.

영의정 김병학의 정치적 건의는 정치권에 변화를 주지 못했다. 이것은 김병학의 정치적 지위와 정치력의 강도를 짐작하게 한다. 그는 국왕이 받아들인 것이 제대로 시행되지 않은 것은 대원군에 의해 채택되지 않았다는 것으로 이해하였다. 이것은 대원군의 토목공사에 대한 간접적 불만의 표시였다. 이러한 현상은 영의정의 정치적 지위가 약화되었기 때문에 일어난 것이며,117) 동시에 안김집단의 정치적 배경이 약화되고 있는 현실을 반영하는 것이기도 하다.

안김세력의 정치력 약화는 의정부 구성원에서도 나타났다. 종친과 남·북인들을 중심으로 친대원군계 정치세력이 형성되면서 이들이 의정부를 장악했기 때문이다. 친대원군세력들은 의정부내 안김과 노론집단의 정치적 영향력을 약화시켰다. 이것은 대원군이 의정부를 직접 장악·통제가 가능하였다는 사실을 보여준다. 그러므로 대원군은 안김과 중앙의 노론세력들에 대한 직접적 억압과 이들의 사회·경제적 기반을 해체하기 위해 서원철폐정책을 단행했던 것이다. 이것은 안김집단과의 정치적 결별을 가능하게 만든 배경으로 작용했다.

---

116) 『高宗實錄』 고종 6년 5월 29일.
117) 김병학은 고종 7년 이후 의천과정에서 영향력이 감소하였고, 대원군은 직접 의천을 장악하였다(연갑수, 앞의 책, 49~50쪽).

그러나 김병학을 중심으로 한 안김세력과 대원군 사이에 직접적인 정치적 충돌은 발생하지 않았다. 김병학의 정치적 불만은 대원군 측근 세력에 대한 탄핵으로 나타났다. 영의정 김병학의 병조판서 강로에 대한 직접적인 탄핵은 김병학과 안김의 대원군관을 잘 보여준다.[118] 고종은 이해 3월 개성행궁에 행차하여 제릉과 후릉에 친제하였다. 개성 행궁으로 돌아올 때 폭우가 쏟아져 일정이 지체되었고, 횃불도 제대로 밝힐 수 없었다. 藍輿의 호위는 물론이고 軍伍조차 엉망이어서 군사 들의 체모에 실수가 많았다.[119] 병조판서 강로는 이에 대한 책임으로 훈련대장 등에 대한 죄명등록을 요구하였고, 영의정 김병학은 병조판 서 이하 군영대장의 귀양처분을 주장했다.[120] 그러나 고종은 특별히 용서하였고, 우의정 홍순목은 이러한 고종의 처분을 찬양했다. 이것은 대원군의 처분이었다. 대원군은 친제시 아헌관으로 참여했다.

환궁과 동시에 병조판서 이하 관련자는 연명상소를 올려 처분을 요 구하였다.[121] 이들은 명소패 반납·파면·서용의 과정을 거쳤고, 영의 정과 우의정도 책임을 면하기 어려워 자핵상소를 올리기도 했다.[122] 이러한 과정에서 영의정 김병학의 정치력은 현저하게 약화되었다. 이 것은 대원군과 직접 관계된 문제이기도 했기 때문이다.

이러한 정치적 갈등은 4개월 뒤 재현되었다. 고종은 9년 7월 16일

118) 『高宗實錄』 고종 9년 7월 18일~25일.
119) 『高宗實錄』 고종 9년 3월 2일~7일. 고종은 폭우로 개성행궁에 머물렀고, 7 일에 파주목 행궁을 거쳐 경복궁에 돌아왔다.
120) 영의정 김병학은 병조판서 강로, 훈련대장 임상준, 금위대장 이장렴, 금군별 장 이학영, 관리사 이인응은 귀양을 보내고 각 진영의 장수와 군사는 군기효 수할 것을 제의하였다. 이들은 모두 대원군의 군사적 기반을 이룬 인물들이 다. 그러나 개성유수 이인응은 오히려 수고한 댓가로 품계가 올라갔다. 그는 종정경이었다.
121) 『高宗實錄』 고종 9년 3월 9일.
122) 『高宗實錄』 고종 9년 3월 11일.

영희전 작헌례를 친행했다. 이때에도 금군의 국왕 호위와 수직에 문제가 있었다. 영의정 김병학은 봄의 일과 결부하여 병조판서 강로와 금군별장 이학영의 귀양처분을 요구했다.[123] 그러나 고종은 이학영을 용서하고 포도대장의 직무도 돌려 주었다. 그러면서 병조판서 강로가 직접 금군에 대해 엄징하게 하였다.[124] 이로써 김병학의 강로 탄핵은 무위로 끝났다. 대원군은 철저하게 친위세력을 보호하였고, 이들에 대한 탄압은 봉쇄되었다. 이것은 대원군의 독자적인 권력체제의 완성을 의미한다. 이런 양상은 이날 종친부를 통해 이하전을 덕흥대원군의 후사로 복권시키는 것에서도 알 수 있다. 이 과정에서 대원군은 안김집단을 완전히 제압하였고, 반대로 안김시대는 종말로 치닫게 되었다.

안김세력의 정치적 위상은 대원군의 인사권 행사를 통해 정리되었다. 김병학 형제들의 모친상은 대원군이 권력을 재편할 수 있는 기회를 제공했다. 대원군은 홍순목을 영의정으로 승진시키고[125] 좌의정에 북인 강로, 우의정에 남인 한계원을 임명했다. 이것은 대원군 친정체제의 성립을 의미한다.

이들은 모두 친대원군계이며 반노론·반안김적 성향이 강한 정치인들이다. 이미 강로는 김병학에 의해 두 차례나 탄핵되었고, 한계원은 순조년간 안동김문을 탄핵하였던 韓鎭戻의 아들이었다. 이들의 정계장악은 안김세력의 정치적 위상 약화로 귀결되었다. 그 결과 안김세력들은 의정부에서 배제되어 갔다. 이후 안김세력은 김병기가 이조판서가 되어 명맥만을 이어갈 뿐이었다.

---

123) 『高宗實錄』 고종 9년 7월 18일.
124) 『高宗實錄』 고종 9년 7월 25일.
125) 홍순목의 아들인 홍영식은 고종 9년 7월에 등과하였고, 연령과 학문을 위해 사가를 요청하여 허락을 받았다.

제6장 대원군의 하야와 정치세력의 동향

제1절 反대원군세력의 형성과 정국동향

1. 대원군 집권기의 정치적 갈등과 반대원군세력의 형성

대원군은 통치차원의 개혁정책을 통해 독재체제를 구축하고, 기득권을 가지고 있던 안김과 노론집단을 제압했다. 그의 통치행위는 국왕의 통치행위와 동일하게 간주되었고, 스스로 위민책으로 표방하기도 했다. 그의 개혁정책은 집권노론세력을 위시한 정치집단의 기득권을 해체시키는 방향에서 추진되었다. 이 과정에서 국왕과 집권세력들은 대원군의 권력행사에 대해 위기감을 가졌으나, 직접적인 갈등이나 저항을 드러내지는 않았다.

이후 국왕은 대원군에게 위임한 권력행사의 정당성을 회수하려 하였고, 안김과 노론세력들은 독점적인 국정운영과 권력행사에 대해 거부감을 보이기에 이르렀다. 국왕은 이들과 함께 국정운영의 주체문제를 고민했고, 인식을 같이하게 되었다. 이러한 인식은 고종이 대원군에게 위임한 권력을 회수하게 만드는 배경이 되었고, 반대원군세력이 결집하게 되는 여건을 만들었다. 이들은 대원군의 개혁정책이 國家재정 확충 부분에서는 상당한 성과를 거두었다고 판단했다.[1] 그 결과

---

1) 『承政院日記』 고종 10년 3월 5일. 반대원군세력인 병조판서 閔致庠은 해마

이들이 표적으로 삼을 수 있는 것은 결국 토목공사와 권력의 독점문제에 한정되었다.[2]

　이러한 여론은 고종 10년을 전후하여 정리되었고, 五衛의 당하관들은 대원군의 실정을 비판의 분위기를 만들었다. 副護軍 姜晉奎와 副司果 權仁成의 상소는[3] 대원군의 정치운영에 대한 비판의 여론을 환기시키는 계기가 되었다. 이들은 대원군의 독단적인 정치운영에서부터 과거제도의 폐단·토목공사 등 구체적인 정책에 대한 비판적 견해를 제시했다. 그런데 이들은 언관계통이 아니라 모두 대원군의 권력기반을 이루고 있던 군권계통인 오위의 당하관이었다는 점에 문제의 심각성이 있었다.[4] 이것은 결국 군권을 중심으로 한 대원군의 지지기반이 무너지고 있다는 것을 의미한다.

　이들의 상소는 고종으로 하여금 정치적 입장을 정리하는 계기를 만들었다. 고종은 이에 "너의 말이 없더라도 나도 깊이 생각하고 있다"거나 "내가 이런 일들을 모르고 있는 것이 아니다"라는 말과 함께 은

　　다 부족한 병조의 재정이 대원군의 특별한 糾正과 절약으로 창고가 부족하여 새로 건축할 정도로 확충되었다고 긍정적인 평가를 하였다. 이러한 재정확보책의 성과는 두 차례의 양요를 거치는 과정에서의 위기의식을 감안하다면, 대원군이 대외강경책의 추진을 위한 준비과정에서 군사비용의 마련을 역점적으로 추진한 결과였다.

　2)『日省錄』고종 3년 9월 12일, 李恒老上疏 ; 5년 10월 10일, 25일, 崔益鉉上疏.

　3)『承政院日記』고종 10년 5월 7일, 10일. 副司果 權仁成은 대원군의 정치실태를 비판하면서 10년간 정직한 諫言이 나오지 않은 점을 들어 독단적인 정치운영과 과거제도의 폐단, 수령의 책임문제를 집중 거론하였고, 부호군 姜晉奎는 건청궁 공사 자체에 대한 반대보다는 현재의 부족한 재정실태와 토목공사로 인한 민생문제를 고려하여 화려하게 하지말 것을 요구하였다.

　4) 병조판서는 閔致庠이었고, 도승지는 閔奎鎬였다. 권인성과 강진규는 군직으로 상소하였기 때문에 금령에 저촉되어 퇴거되어야 하나 이들의 상소가 봉입된 것은 도승지 민규호의 역할이 있었다. 그는 反大院君적인 인물이다.

전을 베풀었다.5) 이것은 고종이 새로운 정치질서를 수립하려는 의지
를 보인 것이다. 또한 대원군의 국정운영에 대한 비판을 허용하는 것
이고, 그러한 분위기에 편승하여 국정운영과 권력행사에 대한 주도권
을 재정립하려는 것이다. 三司는 이들의 상소에 대해 비판적 여론을
일으키지 않았다. 그러나 고종은 왕권강화를 목적으로 한 토목공사 자
체를 부정할 수 없었다.

姜晉奎가 문제 삼은 乾淸宮은 대원군이 직접 주관하던 공사였다.6)
대원군정권의 정책에 대한 비판적 여론에 대한 대응은 3개월이 지나
좌의정 姜㳣와 우의정 韓啓源에게서 나왔다.7) 이들은 모두 대원군의
권력의지를 실현하던 인물들이다. 이들은 상소자에 대한 탄핵을 제기
하지 않은 채, 건청궁 공사에 대한 당위적인 설명으로 대응했다. 이것
은 대원군계 정치집단이 이들의 상소내용과 고종의 처사를 문제 삼지
않았다는 것을 의미한다. 대원군은 국왕과의 정치적 갈등이 표출되는
것을 원치 않았던 것이다.

대원군의 정치적 위상과 지위는 성균관 유생 李世愚의 상소로 위기
를 맞았다.8) 그는 상소에서 대원군의 정치적 위상을 높여 '大老'로 추

---

5) 고종은 姜晉奎를 禮曹判書로 특탁하고, 權仁成에게는 깊이 생각하는 바가
   있다는 비답을 내렸다. 고종은 이들의 상소를 계기로 국정운영의 방향을 바
   꾸려는 태도를 보였고, 이것은 곧 대원군의 권력행사에 대한 비판을 허락하
   는 분위기를 만들었다. 이런 점에서 고종의 정치적 결단이 사전에 준비되었
   음을 알 수 있다.
6) 건청궁중건은 대원군의 독자적인 지시로 진행되어 좌의정 강로와 우의정 한
   계원은 내막을 잘 알지 못하고, 다만 이들은 10년 토목공사에 연이은 役事여
   서 백성들의 부담과 불만을 염려하였다. 그리하여 우려를 표시하고, 재정절
   감을 요구하였다.
7) 『承政院日記』 고종 10년 8월 19일.
8) 『承政院日記』 고종 10년 윤6월 20일. 그는 표면적으로는 대원군의 정치적
   위상을 높여 주는 것 같지만 실제로는 정치적 은퇴를 종용하였다. 黃玹은 이
   세우가 高宗의 정치적 의도를 짐작하여 '大老'추대를 건의하였다고 이해하

대하자고 제의했다. 고종은 이세우의 정치적 의도를 짐작하고 즉각 대원군을 '대로'로 추대했다. 고종은 대원군의 정치적 은퇴를 고려한 것이며, 대원군의 정치적 輔佐에서 독립하겠다는 의지를 표현한 사건이었다. 고종은 이제 직접 국정운영의 중심에 위치하겠다는 것을 내외에 선포한 셈이다. 이후 고종의 의지는 都城門稅의 폐지로 실현되어 갔다.

고종은 민폐제거라는 명분에서 都城門稅 폐지를 단행했다.9) 도성문세는 경복궁 중건과 군사정책의 재정기반이었고, 나아가 대원군정권의 경제기반이었다. 고종은 대원군정권의 경제기반 해체를 통해 정치력을 약화시키려 했던 것이다. 그리고 대원군의 정계은퇴를 전제로 '대로' 추대를 실행한 것이다. 이것은 대원군의 집권 명분을 회수하기 위한 조치이기도 했다. 고종은 이미 정부당상에 대한 인사 조치를 직접 단행했다.10)

고종 10년대 중앙정치세력은 친대원군세력을 중심으로 형성되어 있었다. 이들은 의정부11)와 육조판서12)그리고 승정원 도승지13)에 포

여다(『梅泉野錄』上, 甲午以前).

9) 『承政院日記』고종 10년 8월 26일.

10) 도성문세 철폐를 지시하는 정부당상과의 인견시 左議政 姜㳣, 右議政 韓啓源과 정부당상 金世均, 李容熙, 李章濂, 閔致庠, 趙性教, 任商準, 梁憲洙, 李學榮, 趙義復 등이 참여했다. 그러나 새로 임명된 유사당상 鄭建朝와 당상 金䎘鎮, 姜蘭馨, 朴齊寅, 徐堂輔, 金炳始, 南廷益 등은 참석하지 않았다. 이것은 고종에 의해 정부당상 중심의 세력교체가 이루어지는 과정에 있음을 알게 한다.

11) 『承政院日記』고종 9년 10월 4일. 당시의 영의정은 홍순목, 좌의정은 강로, 우의정은 한계원이었다. 친대원군계인 홍순목은 고종 10년 4월 29일에 사직하여 의정부는 노론세력이 완전히 퇴조하게 되었다. 이때부터 노론중심의 경화거족의 위기감이 시작되었다.

12) 당시 육조판서로서 주요인물은 이조의 申錫禧, 金炳翼, 申應朝와 호조의 金世均, 병조의 閔致庠, 閔升鎬 등을 들 수 있다. 金炳佑, 앞의 논문 46~47쪽,

진하여 정책결정과 정무집행, 그리고 왕명을 장악했다. 그러나 중앙세력의 구성비율면에서 최대 정파는 안김을 위시한 노론세력이었다.14) 김병학과 김병국, 그리고 김세균이 정치적인 면에서 대원군과 이해관계를 같이 하였지만, 이들은 기본적으로 안김척족세력의 일원이었기 때문이다.

북인인 강로나 남인인 한계원은 정치기반이 미약하여, 독자적으로는 노론척족의 견제세력으로 존재하기 어려웠다. 대원군은 다양한 정치세력의 정계진출을 보장하면서 정치참여의 기회와 범위를 확대시킨 것은 사실이다.15) 그러나 이러한 제세력의 갈등을 조정하거나 이견을 수렴하는 제도적 장치를 마련하지는 않았다. 특히 특정집단의 우위를 인정하지 않았기 때문에 대원군을 배제할 경우 이들은 동일한 목적을 가질 수 없는 세력들의 결합에 불과했다. 반대원군세력들이 대원군을 개혁의 대상으로 지목할 수 있었던 이유가 여기에 있었다.

고종은 척족인 閔奎鎬와 趙寧夏, 그리고 金輔鉉 등의 도승지 발탁

<표 1> 참조.

13) 고종 9년 말부터 10년 10월까지 도승지를 역임한 자는 남정순(9년 10월 3일), 조인희(9년 10월 15일), 정범조(9년 10월 16일,), 朴齊寅(9년 12월 26일), 任應準(10년 3월 5일), 閔奎鎬(10년 4월 24일), 趙寧夏(10년 7월 1일), 鄭基會(10년 9월 2일) 등이었다. 민규호와 조영하는 도승지로서 고종의 친정체제에 대한 대비를 하였다.

14) 金炳佑, 앞의 논문, 134쪽 참조.

15) 대원군은 지방의 경우 水源府(閔致庠과 閔升鎬)를 제외하면 철저하게 친대원군계 인물을 배치하였다. 지방재정권 장악과 권력기반의 확대차원이었다. 특히 경상도와 전라도의 감사는 임기를 연기하면서 이 지역의 물력과 인력을 활용하였다. 대표적으로 경상도 金世鎬, 평안도 韓啓源과 남정순, 전라도 李鎬俊, 경기도 金在顯, 강원도 申應朝와 윤병정, 수원부 申錫禧, 함경도 洪祐吉, 충청도 金炳始와 성이호, 개성부 한경원과 朴齊寅 등이 대원군 집권 말기 감사를 역임하였다(『備邊司謄錄』고종 9년 10월 15일 ; 10년 1월 22일 ; 2월 19일).

으로16) 정치세력의 변동에 대비하게 했다. 고종이 승정원에 주목한 것은 국왕의 정치적 비중이 높아질 경우 승정원의 역할과 정치적 비중이 동시에 높아지기 때문이다. 그동안 대원군이 권력을 행사하였고, 국왕인 고종은 정치적으로 비중이 낮았다.17) 국왕의 정치적 위상을 강화하려는 의지를 가진 고종은 당연하게 승정원을 통해 친위세력을 양성하려 한 것이다. 고종이 발탁한 도승지는 모두 척족이지만, 노론적 기반을 가진 세력들이고 이들은 대원군의 퇴진에 앞장서는 인물들이었다.

이러한 고종의 변화에 조대비와 그 측근세력들이 가담했다. 조대비는 대원군의 정권 장악시 정치적 동맹을 이루었지만, 대원군의 독단적인 정국운영을 둘러싸고 갈등을 유발하였으며, 그의 퇴진에 주도적으로 참여했다.18) 양 세력간의 정치적 갈등이 표면화되지는 않았지만,

---

16) 민규호와 조영하는 각각 조대비와 閔氏척족을 대변하는 반대원군세력의 핵심인물이다. 민규호는 친대원군계인 좌승지 이회정과 고종 9년 12월 26일에 동반사퇴 하였다가 고종 10년 4월 24일에 다시 도승지가 되었다. 金輔鉉은 대원군에 의해 배척된 인물이다. 이들은 일차적으로 승정원을 중심으로 반대원군세력을 형성하였다.

17) 고종은 정상적인 권력을 행사한 것이 아니라 이러한 권력행사에 대한 권한을 대원군에게 위임하였다. 그러므로 고종의 권력행사는 대원군을 통한 권력행사라는 점에서 국왕의 정치적 비중이 낮을 수밖에 없었다. 그동안 승정원의 정치적 비중은 이러한 권력구조에서 발생한 것이며, 국왕권을 강화하려는 입장에 선 고종은 승정원을 강화할 필요가 있었다. 고종은 친정체제 즉 정상적인 권력구조, 또는 공식적인 통로를 통해 권력을 행사하려는 의지를 가졌던 것이다.

18) 조대비는 대원군 집권초기 적극적인 후원자였으나 대원군의 정치적 위상이 강화되면서 조대비의 친족세력들은 권력의 핵심에서 멀어지고 정치적 갈등을 일으키게 되어, 급기야 조대비는 고종의 친정과정에서 국왕을 도와주었다(成大慶, 1984, 『大院君政權性格研究』, 성균관대 박사논문, 23~26쪽 ; 김세은, 1990, 「大院君 執權期 軍事制度의 整備」, 『韓國史論』 23 참조). 또한 유독 조대비는 대원군의 천단을 좋아하지 아니하였고, 이에 閔奎鎬, 趙寧夏

병인사옥을 계기로 조대비의 측근이 권력의 핵심에서 멀어지면서 갈등이 잠재화되었다.[19] 고종 10년대 조대비의 측근은 한성좌윤인 趙敬夏 정도였다.[20] 조대비는 조영하를 도승지로 전면에 내세우면서 고종 친정의 후원자로 변모하기에 이르렀다.

閔氏척족들은 권력의 핵심을 장악하지는 않았지만 상당수 정계에 진출했다. 그러나 이들은 閔妃의 적극적인 후원을 받지 못하여 혈연적 기반에 기초한 정파로서 성장할 수 없었다. 고종의 친정의지와 그에 대한 민비의 역할을 통해 이들은 정치집단을 이루게 되었다. 閔致庠, 閔升鎬, 閔奎鎬가 중심적인 활동을 했고,[21] 급기야 이들은 고종의 친정세력에 합류할 수 있었다.

안김세력의 일부도 반대원군세력에 가담하게 되었다. 김병학과 김병국, 김세균 등이 대원군정권의 핵심인물로 활동하면서[22] 안김은 최

등이 대원군의 장남 李載冕 등과 모의하여 고종의 친정을 권하였다(박은식, 『한국통사』, 15쪽)는 기록에서 볼 때 조대비가 반대원군세력 결집의 핵심인물인 것은 사실이다.

19) 조대비의 친정조카인 趙寧夏와 조성하는 고종 원년에 조대비의 후원으로 동부승지에 특제되어 정계에 진출하였으나, 이들은 공통적으로 대사성, 이조참의, 홍문관부제학 등을 역임하여 비권력기구에 머물고, 趙寧夏는 개성부 유수를 거쳐 동지부사로 다녀온 이후 정치적 활동이 전무하였다. 조성하도 1865년 이조참의 이후 중용되지 않았다.

20) 『日省錄』 고종 10년 윤6월 10일.

21) 閔致庠은 공조판서와 병조판서를 거쳐 수원유수로 재임하고, 閔升鎬는 수원유수에서 병조판서로 중앙에 진출하였다. 閔奎鎬는 도승지를 두 번이나 역임하면서 반대원군세력의 형성과 고종의 친정을 도모하였고, 민영위는 형조판서와 한성판윤에 있으면서 정부당상으로 정권에 참여하였다. 민겸호는 이조와 병조의 참판직이고, 민태호는 황해도 관찰사여서 중앙정계의 영향력은 약하였다.

22) 김병학은 고종 5년 윤4월 23일 영의정, 김병국은 고종 3년 4월 15일 호조판서에 임명되어 친모상을 당한 고종 9년 9월 29일 사직하였다. 김병학은 정치을 주도하고, 김병국은 재정권을 장악하여 대원군정권의 가장 핵심적인 인

대의 정파를 이루고 있었다.23) 그러나 안김집단 전체는 대원군의 戶
布制와 書院撤廢 등 내정개혁의 방향에 대해 반대 입장을 보여 왔고,
대원군의 권력독점에 대한 불만이 누적되어 있었다. 이들은 김병학 형
제의 喪事를 계기로 의정부가 남·북인에 의해 장악되자 정치적 위기
가 증폭되게 되었다. 이들의 입장에서는 유력가문의 명맥을 유지하기
위해서라도 정치적 변동이 필요했다.

　이러한 반대원군세력의 형성은 고종이 반대원군정책을 시행할 수
있게 만든 배경이었다. 고종은 이러한 정치권의 변화를 직시했다. 그
렇기 때문에 고종은 문세철폐에 대한 반발을 감수할 수 있었다.24) 또
한 대원군 집권기 탄핵을 받았거나, 정권에서 소외된 인물들을 승정원
에 배치하였다.25) 이후 이들은 고종의 친위세력으로 변화되었다. 이
과정에서 고종은 승정원의 정치적 위상과 역할을 강화했다. 閔奎鎬는
연이어 도승지가 되어 국왕의 친정체제 정비에 주력했다.

　대원군과 그의 측근들은 이러한 정치권의 변화에 대해 종합적인 대
책을 수립하지 않았다. 이들은 수년에 걸친 권력장악에 대한 안이함

물이었다.

23) 김병기는 고종 10년 4월 17일 이조판서에 임명되었으나 10월 10일 사임하였
　다. 대원군은 측근인 신응조를 임명하였다가 보름 뒤 安金세력인 김병주로
　교체하였다. 이들이 이조판서직을 장악한 것은 당시의 가장 유력한 정치세
　력이 安金세력임을 반영한 것이다. 또 김병국에 이어 김세균이 장기간 호조
　판서직을 장악하고, 高宗친정기 재정적 기반을 이룬 것도 같은 이유였다. 김
　세균의 후임으로 閔致庠이 임명된 것은 高宗이 재정권을 척족에게 일임하
　기 위한 조치였다. 김병운은 정부당상, 한성판윤으로 권력에 진입하고 있어
　현실적으로는 최대의 정파를 이루었다.

24) 문세철폐가 대원군정권의 재정기반 약화를 의미하지만, 강로는 민폐제거라
　는 고종의 정치적 명분을 무시할 수가 없었고, 다만 운영상의 미숙성을 들어
　朝紙반포를 거부하였다.

25) 『承政院日記』 고종 10년 10월 10일. 최익현과 김시연, 심이택의 승지 발탁
　과, 김보현의 도승지 임명은 승정원을 통한 친위세력 형성의 한 단면이다.

속에 고종의 친정체제로의 전환에 대한 위기감을 전혀 감지하지 못했다. 대원군은 이조판서를 교체하여 인사기강을 확립하고, 이들에 대한 경고와 정치적 결속의 약화에 주력하였을 뿐이었다.[26] 고종은 홍문관 운영의 舊例回復을 통해 도승지의 정치적 역할 범위와 비중을 확대시켰다.[27] 이 과정에서 최익현은 체직되고, 시폐상소를 올려 대원군정권의 정치적 존립자체를 총체적으로 위협하게 되었다. 그럼에도 불구하고 대원군과 그의 측근세력들은 失政에 대한 반성이나 국면전환을 위한 조치를 취하지 않았다.

2. 崔益鉉上疏와 정국동향

반대원군세력의 존재는 최익현의 同副承旨 임명과 상소문 제출과정에서 구체적으로 드러났다. 최익현의 승정원 진출은 새로운 정치세력의 재편을 예고하는 신호탄으로 고종의 문세철폐라는 반대원군정책과 맞물려 이루어졌다. 그러나 그는 대원군측의 방해로 직임을 수행하지 못하였고, 급기야 반발의 체직소를 올리면서 시폐를 거론하기에 이르렀다. 최익현은 상소문이 대원군에 의해 반려되자, 직접 상경하여 제출했다. 이 과정에서 상소문 내용이 유포되었다.[28] 그의 상소문 내

---

26) 『承政院日記』 고종 10년 10월 10일, 14일, 19일, 25일, 30일. 고종의 정치세력 형성은 대원군측의 조직적인 저항을 받았다. 이들은 대원군계인 申應朝의 이조판서 임명을 통해 인사권을 장악하였고, 승지로 발탁된 金始淵과 沈履澤은 숙배할 수 없었다. 이들은 결국 경기연안과 호남연해에 정배되었다가 방면되고, 崔益鉉은 체직되면서 시폐상소를 올렸다. 이와 같이 고종 친정세력 형성은 현실적으로 어려움이 있었다.

27) 『承政院日記』 고종 11년 1월 29일 ; 7월 26일 ; 8월 2일. 고종은 홍문관 운영의 구례회복을 지시하고, 아패를 승정원에 내려 규장각을 장악하게 했다. 이것은 규장각을 통해 정치세력을 형성하고, 승정원을 통해 이들을 통제하려는 고종의 의도에서 비롯되었다. 도승지가 내각의 직함과 예문관 직제학을 겸임하게 한 것은 이러한 이유였다.

용을 둘러싼 찬·반론자가 있었던 것이다.

최익현상소는 병조판서 閔升鎬와 李載冕, 趙寧夏 등의 책모에 의한 것으로 알려져 있다.[29] 고종이 '忠臣의 正直한 말'이라고 단정한 점이나, 조대비의 명령에 의거하여 상소문을 처리한 것은 반대원군세력의 조직적인 움직임이 있었다는 사실을 의미한다. 그러나 반대원군세력은 권력집단 내부에서 독립적으로 출현하기는 어려웠다. 당시에 대원군의 '大老' 추대가 이루어졌고, 또한 중앙관료의 인적구성이 친대원군계로 이루어졌기 때문이다. 결국 반대원군세력은 고종의 주변에서 형성되었다. 반대원군세력은 민씨척족이 중심이 되어 고종과 민비, 그리고 조대비를 배후로 하여 형성되었다.

최익현은 상소문에서 대원군 집권기 정책집행에 대해 총체적으로 부정적인 평가를 내리고, 정계개편을 요구했다.[30] 특히 그는 대원군계 세력들의 자질 부족을 거론하고, 사적 권력구조로 평가하여 대원군을 개혁의 대상으로 지목하기에 이르렀다. 고종은 최익현의 이러한 견해를 衷曲으로 이해하고, 이에 대한 반론을 제기하는 자는 小人으로 단정하여 반대논리를 차단시키는데 급급했다.[31] 동시에 고종은 최익현

---

28) 최익현 상소문을 처음 접수한 경기감사 김재현은 대원군에게 품의했다. 대원군은 상소문 내용에 대한 불만을 표시하고, 반려시키게 했다. 이에 최익현은 직접 상경하여 상소문을 정원에 제출하였고, 이 과정에서 상소문 내용이 유포되었다(『勉菴集』 2, 186~187쪽).

29) 黃玹, 『梅泉野錄』, '甲午以前'.

30) 『日省錄』 고종 10년 10월 25일~26일. 최익현상소의 주요 내용은 "근래 정령이 옛 전장을 변경하고 있으며(政變舊章), 대신과 6경(6조판서)들이 제의하는 일이 없고, 대간과 시종신은 일을 벌이기 좋아한다는 비난을 회피하고 있어, 조정에서는 俗論이 멋대로 횡행하여 正誼가 없어지고, 아첨하는 사람들이 멋대로 한다. 조세를 매겨 거두는 것이 끝이 없어 백성은 도탄에 빠지고, 彝倫斁喪으로 사기가 저하되었으며, 오로지 개인(大院君)을 섬기는 자만이 제대로 된 계책이 된다"는 것이다.

31) 『承政院日記』 고종 10년 10월 27일. 고종은 전·현임대신과 삼사, 정원 등이

을 호조참판에 特擢하여 정치적 입지를 보장했다. 이것은 사전에 반
대원군세력 내부에서 합의가 이루어지지 않고는 불가능한 처리과정이
었다.

최익현의 상소와 고종의 처리는 대원군계 중심의 정치권에 심대한
충격을 주었다. 의정부(좌의정 姜㳣, 우의정 韓啓源)와 三司 및 승정
원, 유생들은 연명상소를 통해 최익현의 상소내용과 고종의 처리를 문
제 삼았다. 특히 姜㳣와 韓啓源은 "大臣六卿의 建白之議가 없다"는
비판에 대한 책임론으로 저항했고, 이에 고종은 언로개방이라는 명분
에서 이해를 구했다. 고종은 통치차원의 언로개방으로 상소내용을 회
피하면서 정치쟁점화를 피하려는 의도를 가지고 있었다. 그래서 그는
충신의 행위라고 강조하여 지지세력의 대두를 기대했다. 그러나 현실
은 오히려 반대여론이 비등했다. 이것은 대원군의 존재를 부정할 수
없는 권력구조 때문이었다.

고종은 승정원과 三司에 친위세력을 배치하고,32) 捲堂儒生들을 협
잡의 무리로 지목했다. 동시에 대원군계인 許元拭과 安驥泳을 찬배하
고33) 연명에 참여한 현직 판서들은 3개월 감봉시키는 것으로 압박했
다.34) 이후 고종은 유생들의 상소봉입 금지와 권당주모자에 대한 유

'정변전장'과 '이륜역상' 및 '輔相'의 잘못에 대한 책임문제를 거론하자 충신
과 소인의 논리를 들어 설득하였다.

32) 『承政院日記』고종 10년 10월 27일. 대사헌에 서당보, 대사간에 홍원, 도승
지에 김보현이 임명되어 고종 친정세력이 약진하였다. 다만 허전을 홍문관
제학과 강관에 임명한 것은 대원군지지세력, 특히 근기남인세력의 반발과
흡수를 고려한 인사였다.

33) 『日省錄』고종 10년 10월 28일~29일. 형조참의 안기영은 전라도 능주목, 정
언 허원식은 평안도 중화부에 찬배되었다.

34) 연명에 불참한 이조판서 신응조를 제외한 병조판서 서상정, 호조판서 김세
균, 예조판서 조성교, 공조판서 이인응, 전 형조판서 서당보 등은 고종 친정
초기 고위관료로 참여한 자들로, 이들의 일괄사직은 고종에게 친정세력 형

배조치를 지시하는 등 강경책으로 일관하였다. 그러나 고종은 자신의 통지의지를 실현할 수 있는 정치세력이 형성되지 않았다. 오히려 고종은 전·현직 관료들로부터의 저항에 직면하는 처지였다. 고종은 이들의 지지를 받지 못했던 것이다.[35]

고종은 사헌부 장령 洪時衡의 상소를[36] 계기로 정치적 입지를 강화했다. 홍시형은 최익현상소문을 '鳳凰朝陽'에 비유했고, 고종에 대해 "大聖人이 直言을 포용하였다"고 극찬하면서 구체적인 정책상의 폐단을 지적했다. 고종은 홍시형상소 내용을 근거로 반대원군정책의 시행과 친정세력 결집의 계기로 삼았다. 곧바로 고종은 홍시형을 副修撰에 임명하고, 願納錢과 結斂의 혁파를 지시했던 것이다.

고종은 대원군 집권기와의 차별적인 정책을 통해 민심을 수습하고, 대원군정권의 경제적 기반을 약화시키려 했다.[37] 한편으로 이들이 제

성의 기회를 제공하기 위한 것이었다. 그러나 고종은 이들에 대한 대체세력의 부족으로 이러한 처분만 내린 것이다.

35) 허전과 조병창은 형조판서 직임과 유생 형배를 거부하였다. 허전은 대원군의 정치적 기반인 남인이었고, 조병창은 대원군의 심복이었다. 이우는 유생들의 형배를 시행하였지만 최익현 재차상소후의 권당 유생들의 형추를 거부하였고, 그는 곧 광주유수로 좌천되었다. 이들의 형조판서 임명과 형배거부는 고종의 지지기반의 취약점을 드러내는 것이며, 박규수도 권당유생들의 행위를 옹호한다는 점에서 고종 정치력의 한계가 드러난다(『承政院日記』 고종 10년 11월 1일).

36) 『日省錄』 고종 10년 10월 29일. 고종은 2일 전인 10월 27일에 홍시형을 사헌부 장령에 임명하였다. 그는 고종의 정치적 입장을 고려한 상소를 준비하였고, 그의 상소에 힘입은 고종은 그를 허심탄회하게 계도할 인물로 여겨 홍문관 부수찬에 임명하였다. 이러한 인사는 친정세력을 규합하려는 의도를 공개한 것이며, 정치세력의 참여를 독려하는 것이었다.

37) 『承政院日記』 고종 10년 11월 3일. 원납전의 정지명령은 이미 하달된 상태였고, 결렴의 경우에도 전년 겨울에 마감되어 있었다. 다만 화재로 소실된 서창의 영건비용과 곡식의 보충분이 6도에 가결된 상태였다. 좌의정 강로는 이 정책은 대로각하의 분부에 의해 진행된 것으로 고종이 취소할 성격이 아

기한 호포혁파와 萬東廟 복설문제는 東朝의 簾敎라는 점을 강조하여, 조대비와의 정치적 결합성을 강조했다. 그러나 고종의 친정체제 세력의 실체는 부각되지 않았다. 고종의 정책변경은 沿江收稅 폐지로 축소되었고, 월봉처분의 취소와 파면자들의 사면으로 후퇴하기에 이르렀다. 유생들이 捲堂을 철회하였지만[38] 이것은 오히려 고종의 정치력 위축으로 나타났다.

고종은 국정운영의 주도권을 장악하기 위해 우선적으로 대원군의 집권명분을 사라지게 해야 했다. 대원군이 권력의 핵심에 존재하는 한 고종의 통치권 장악은 불가능한 것이다. 최익현은 이러한 현실을 직시했다. 그래서 그는 호조참판을 사직하는 것을 계기로 삼아 대원군을 개혁의 대상으로 다시 지목하였던 것이다. 그는 현실의 고질적인 폐단은 俗論과 邪說, 權貴와 近幸[39]이라고 주장하여 고종 중심의 정치세력의 재편과 국정운영 장악의 단서를 열었다. 최익현은 權貴(대원군)와 近幸(대원군의 정치세력)을 퇴진세력의 실체로 규정하고, 俗說과 邪說(유생의 상소와 논리)를 이들의 배후 지지세력으로 지목했던 것이다.

최익현은 대원군과 그 추종세력을 공격의 목표로 설정하였지만, 직접적인 권력투쟁의 방법은 피하였다. 그는 대원군과 고종의 인간적 관계를 고려하여 대원군에게 후한 녹봉과 높은 지위를 통해 정치적 은퇴를 종용했기 때문이다. 이것은 성년이 된 고종이 국정운영권을 장악

니라고 지적하고 있는 점에서 대원군의 정치적 무기력을 도모하는 고종의 의도가 명확하게 드러난다. 강로는 지방에서의 혼란이 가중될 것을 우려하고, 박규수도 참작하여 신중하게 처리할 것을 요구하였다.

38) 『承政院日記』고종 10년 11월 2일.

39) 『日省錄』고종 10년 11월 3일. 그는 과거정치는 국왕의 유충한 시절의 일로 치부하여 고종의 정치적 책임을 희석시키고, 현재의 고질적인 폐단에 대한 책임을 대원군과 그의 지지세력에게 돌렸다.

할 수 있는 명분을 축적하기 위한 것이기도 했다. 고종은 대원군을 정치개혁의 대상으로 인식했지만, 정치적·혈연적 입장을 고려하지 않을 수 없었다. 그러므로 1차상소와는 달리 최익현에게 귀양처분을 내렸던 것이다.

대원군은 정치의 전면에 나서지 않았다. 반면에 전·현직 관료들이 최익현 처벌문제를 둘러싸고 고종과 대립구도를 형성했다. 전·현직 관료들은 請對를 요구했고, 삼사는 연명상소로 대응했다. 유생들은 권당으로 고종을 압박했고, 종친들은 연명상소로 항의했다.40) 이러한 친대원군계의 대응은 鞫廳 실시로 집약되었으나,41) 고종은 효과적인 대안을 제시하지 못했다. 특히 좌의정 姜㳞는 고종과 조대비의 정치적 연대를 감안하여 최익현을 국왕과 조대비의 죄인임을 부각시키기도 했다. 이것은 최익현에 대한 조대비의 관심과 고종의 유화적인 처분과의 연계 고리를 차단하려는 것이었다. 이런 와중에서 반대원군세력들의 조직적인 움직임은 실체를 드러내지 않았다.

고종은 최익현에 대해 島配로 등급을 올려 정치권을 무마하려 했지만, 친대원군계의 鞫廳論을 잠재울 수는 없었다. 전·현직 고위관료

---

40) 최익현이 부자간의 윤리와 귀신의 후사문제를 지적한 것은 대원군의 정권장악 명분을 약화시키고, 선파인들의 정치적 결합력을 약화하여 대원군의 지지기반을 해체하려는 의도였다. 선파인들의 저항은 당연하여 李最應과 李承輔가 전면에 나섰다. 선파인의 경우는 대원군의 정치기반인 동시에 고종의 정치세력이지만 이들의 지위가 격상되고 정치적 활동이 가능한 것은 대원군의 역할이었다. 이런 점에서 당시의 선파인은 대원군의 지지기반으로 이해되어야 한다.

41) 『承政院日記』고종 10년 11월 4일. 국청실시는 領敦寧 洪淳穆, 左議政 姜㳞, 右議政 韓啓源등이 전면에서 요구하였다. 영돈녕 홍순목은 崔益鉉의 죄가 職事有罪가 아님을 밝히고, 우의정 한계원은 亂臣賊子로 규정하였다. 반면에 삼사 연명상소에 부교리 민영목과 부수찬 洪時衡 등이 참여하여 이들이 조직적으로 大院君의 정치적 은퇴에 대처하지 못하고 있음을 알 수 있다.

60여 명은 賓啓를 통해 국청을 요구하였고,42) 일부 고위관료들은 사
직으로 저항하기도 했다.43) 의금부는(判義禁 趙秉徽, 知義禁 朴珪壽,
沈舜澤)는 최익현의 찬배 시행을 거부하였고, 이에 종친부도 연명으
로 반대입장을 분명히 했다. 고종은 권당유생들의 상소봉입과 처벌로
대처하였으나, 이는 자신이 천명한 언로개방과 배치되면서 설득력을
잃었다. 고종의 정치적 위기는 일시적으로 심화되는 형국이었다.

고종은 이러한 위기상황을 극복하기 위해 親政 선포를 검토했다.44)
이 과정에서 고종은 정치주체로서의 국왕권을 회복했다. 친정 선포가
비록 朝紙에 실리지는 않았지만, 논의자체가 정치주체에 대한 인식을
명확히 하는 계기가 되었던 것이다. 고종이 고위관료들과의 대화에서
국왕의 機務親總을 강조한 것은 정치주체로서의 대원군의 존재를 부
정하는 효과가 있었다. 이것은 그동안 대원군에게 위임한 권력행사의
권한을 회수하는 것 이상의 정치적 의미가 있다.

이 과정에서 고종은 이미 성년이 되었음이 강조되었다. 이것은 대
원군의 국정참여를 거부하는 고종의 의지였다.45) 대원군은 스스로

42) 『日省錄』 고종 10년 11월 5일. 고종 친정세력인 박규수, 閔奎鎬, 趙寧夏, 조
   성하 등도 빈계에 참여하여 고종의 결단을 촉구하고 있어, 최익현 처리에 대
   한 군신간의 입장 차이를 짐작할 수 있다.
43) 이조판서 신응조와 병조판서 서상정은 사직을 청하였다. 신응조는 통례의
   전형에서 이조를 거치지 않고 中官이 승정원 하리에게 지시하고, 결원이 생
   길 경우에 기록해 들이라는 사실을 들어 부당성을 제기하였다. 이에 대해 고
   종은 통례는 자신의 지시로 선발한 것이고, 기록해 보고하라는 것도 자신의
   지시였다는 점을 밝혔다. 고종의 자의적인 인사가 이루어지고 있었다. 서상
   정은 유임되었으나 이조판서는 김병주로 교체되었다.
44) 고종은 10년 11월 4일 밤 승정원이 서무친재를 조지에 반포할 것을 지시하
   였으나 5일 대신들이 불응하였다. 고종의 친정선포의 조지발표는 종래의 정
   치적 결정권이 대원군에 의해 행사되어온 관행에 종지부를 찍고, 실제적이
   고 공식적인 국왕권의 행사를 위한 조치의 일환이었다. 고종은 대원군의 국
   왕과 같은 존재로서의 정치적 위상을 부정한 것이다.

"국왕의 나이가 어려서 輔政하였다"'고 술회하고 있듯이[46] 친정선포는 대원군의 권력행사에 대한 정당성과 합법성을 상실하게 하는 조치였다. 대원군의 입장에서는 성년이 된 고종의 친정에 반대할 명분이 없었다. 이로써 대원군은 권력을 행사할 명분을 가질 수 없게 되었다.

고종의 친정선포는 승정원에서 검토되었다. 도승지 金輔鉉은 승정원을 중심으로 친정문제를 제기했고, 그 결과 고종은 친정문제를 승정원이 담당하게 만들었다. 김보현은 반대원군세력의 중심에 위치하면서 철저한 대비책을 강구한 결과였다. 친대원군계인 洪淳穆과 韓啓源도 일의 체모에 합당하다며 흠양할 수밖에 없었다. 고종은 최익현에 대한 국청을 수용하는 대신에 친정선포를 통해 국권을 장악하게 되던 것이다. 그러므로 친대원군계의 정치적 공세는 고종을 비켜갈 수밖에 없었다. 機務親總의 국왕에 대한 직접적인 저항은 왕조체제하에서 원천적으로 불가능한 것이다. 급기야 이들은 고종의 측근인물에 대한 정치적 공세로 선회하였다. 이는 고종의 정치력 약화를 목표로 진행되었다. 부호군 洪萬燮은 최익현의 신분문제를 부각시켰고,[47] 趙愿祖와 奇觀鉉은 홍시형을 기회주의자로 규정했다.[48] 그러나 고종은 이들을 협잡과 무례로 단정하고 삭직시켜, 정치적 공세의 명분과 기회를 차단하였다.

특히 고종은 국청을 하루 만에 철파하여 대원군측의 반전을 허용하

45) 『羅巖隨錄』 107, 112쪽.
46) 成大慶, 1982, 「大院君의 保定府談草」, 『鄕土서울』 40, 135쪽.
47) 『承政院日記』 고종 10년 11월 6일. 부호군 홍만섭은 최익현이 자기집안 청지기 羅德錫의 외속 근속이며, 미천한 신분으로 仕籍에 올라 과분한 분수를 저버리고 있다면서 출신을 문제시하였다.
48) 『承政院日記』 고종 10년 11월 6일~7일. 조원조는 최익현 탄핵시 홍시형 행적을 비판하였고, 기관현은 강진현에서의 그의 父喪 사례를 들어 불충불효죄, 상소번복을 들어 기회주의자로 지목하였다.

지 않았다.[49] 게다가 조대비는 "지금은 때가 다르니 특별히 가벼이 처벌하는 법을 시행하라"면서 국청철폐를 지시하여 동조했다. 고종은 조대비의 명령을 명분으로 최익현을 제주도에 위리안치시켰다. 이것은 고종의 정치적 배후에 조대비가 존재하고 있었다는 사실을 의미한다. 조대비와 그 주변 인물들은 고종의 친정과 대원군의 퇴진에 적극 가담하였다.

고종은 추국철파에 대한 저항을 무마하기 위해 조대비의 권위를 내세웠다. 전·현직 관료의 반발[50]과 승정원, 삼사의 연대, 의금부의 위리안치 시행의 거부 등에 고종은 滋教로 일관했다. 추국철파와 형률의 부당성도 수라를 거부하고 있는 조대비에 대한 효의 논리 앞에서는 무력해졌다. 더구나 추국연기론조차 거부하고 있는 점에서 볼 때 고종은 아마도 최익현 배후세력의 실체에 대한 부담도 작용하였을 것으로 이해된다.

고종은 대원군과 반목하고 있던 李裕元을 영의정에 등용하고, 좌의정 姜㳨와 우의정 韓啓源을 파면시켰다.[51] 이유원은 수차 고사하였으나, 결국에는 사무지체를 명분으로 정계에 복귀했다. 이러한 인사 조치는 고종 친정세력 실체의 단면을 보여준다. 의금부는 위리안치 시행으로 문제를 매듭짓고, 이 과정에서 친대원군세력은 약화되어 갔다.[52]

---

49) 『承政院日記』 고종 10년 11월 8일~9일. 당시 위관은 대원군계인 영돈녕 홍순목이었다.

50) 『承政院日記』 고종 10년 11월 9일, 10일, 11일, 12일. 도승지 김보현은 불참하여 정치적 노선을 분명히 하였지만, 반대원군세력인 판의금 김세균, 지의금 박규수, 부교리 민영목 등은 연명상소에 참가하였다.

51) 『承政院日記』 고종 10년 11월 12일.

52) 『承政院日記』 고종 10년 11월 12일~15일. 좌통례 장호근과 부사직 오경리는 대원군계 세력들의 교체를 요구하였고, 대원군계인 권정호와 백규섭은 탄핵을 받아 이들의 정치적 영향력은 위축되었다. 부사과 강운중은 정치운영에 대한 비판과 최근의 고종의 정치적 결단을 적극 지지하였다. 이러한 상

고종은 점차 정치의 중심에 서면서 정치세력의 교체를 단행하였다. 최익현과 홍시형이 제기한 정권교체의 결과가 나타났던 것이다. 이러한 정치변화는 武兼 金魯壽의 상소에 집약적으로 드러난다.[53]

이와 같이 고종 친정 논리는 당하관들이 제기한 특징을 보인다. 대원군이 권력을 독점하고, 그 지지세력이 고위직을 독점한 상황에서 국왕권을 회복하려는 이들의 논리는 고종에게 적극 수용되었다. 대원군의 정치력 한계는 정치적인 비중이 약한 중앙 하급관층의 동향을 제대로 파악하지 못한 것에 있었다. 대원군을 지지하고 변호한 세력이 의정부와 육조의 당상관인 반면에 그의 퇴진을 요구한 최익현, 홍시형, 吳慶履, 張皓根, 姜運重, 金魯壽 등은 당하관이었다. 대원군의 지지기반과 고종의 친정세력은 이런 점에서 대조적인 면을 보였다.

제2절 종친부 및 대원군 지지세력의 대응

1. 종친부 및 종친세력의 대응

종친부는 최익현의 대원군 탄핵상소에 대해 조직적인 대응을 하지 않았다.[54] 최익현의 1차상소에 대해서는 宗正卿 李承輔만이 문제를 제기하였을 뿐[55] 종친부는 어떠한 반응도 보이지 않았다. 이승보는 慈慶殿에서 進講을 마친 후 고종과의 대화에서 체직을 요구하면서

황에서 고종은 강경노선을 선택할 수 있었다.

53)『承政院日記』고종 11년 1월 14일. 김노수는 최익현과 홍시형 논리의 연장선에서 종래 정치적 업적과 정책의 방향과 결과를 정리하고, 차후의 정책방향, 미진한 부분의 보완을 요구하고 있다.

54) 당시 종친부의 최고위는 영평군 李景應이었고 1유사당상은 李昇應, 2유사당상은 李承輔였으며 3유사당상은 李載冕이었다.

55)『承政院日記』고종 10년 10월 28일.

최익현을 비판했다. 동시에 안기영과 허원식을 충성스러운 신하로 평가하여 고종과 상반된 견해를 나타냈다.

종친부의 조직적인 움직임은 최익현의 재차상소와 맞물려 일어났다. 종친부는 빈청의 연합상소에 참가하기로 하고 초5일로 예정된 빈청에서 啓辭를 제출할 때 나아갈 인원을 정하였다. 2유사당상 李承輔와 지종정경 李章濂, 종정경 李升洙, 李沈應이 바로 그들이었다.56) 이들은 賓廳을 통해 시원임대신들과 연합하였고, 이것은 의정부가 대원군계 정치세력으로 이루어져 있었기 때문에 가능했다. 종친부의 입장에서는 이러한 방법이 더 효과적이었다고 판단했다. 고종은 지속적인 대신의 청을 거부하기 어려워 鞫廳설치에 합의했다.57)

종친부는 이와는 별도의 독자적인 宗臣聯名上疏와 선파인 연명상소를 올렸다.58) 종친부의 종정경체제에 있는 종신들은 종신 연명상소를 준비한 반면에 선파인들은 별도의 연명상소를 준비한 것이다. 선파인들은 종친부를 중심으로 11월 2일 聯名上疏를 위한 종친부 명의의 통문발송을 준비했다. 이 과정에서 璿派廳 發文有司를 선정하여, 집의 李容萬, 좌승지 李起鏞, 부호군 李根秀, 금부도사 李勝宇가 선임

---

56) 『宗親府謄錄』 고종 10년 11월 2일, 160쪽 ; 『承政院日記』 고종 10년 11월 5일. 그러나 11월 5일 빈청의 연합상소에 참여한 인원은 이보다 많았다. 이날 참여한 인원과 직명은 우찬성 이승보, 지중추부사 이용희, 지종정경부사 이장렴, 판서 이인응, 종정경 이승수, 이인명, 이돈응, 이철우, 병조참판 이방현, 종정경 이연응, 이인설, 이회정, 이명응 등이 참여하여 최익현을 탄핵하고 국정의 실시를 요구하였다. 이들은 정부당상의 자격으로 빈청의 연합상소에 참여한 것이었다.

57) 고종은 의금부당상을 모두 체차하여 판의금에 趙秉徽, 지의금에 朴珪壽, 沈舜澤, 동의금에 黃鍾顯을 낙점하여 국청에 대비하였다. 그리고 이조판서 申應朝가 사임하고 金炳㴷가 임명되었다.

58) 『承政院日記』 고종 10년 11월 5일, 8일 ; 『宗親府謄錄』 고종 10년 11월 5일, 160~161쪽.

되었다. 이들은 종친부에 璿派疏廳을 설치하고, 초5일 회동을 알리는 帖文을 발통하였다. 좌승지 이기용은 發通有司가 되어 임무를 수행했다. 이들은 초4일에 통문을 수결없이 '宗字'을 누르고 유사 4원이 일체가 되어 종친부에 제출하기에 이르렀다.

종친부는 초5일에 통문을 발송하는 한편 종신 연명상소를 제출했다. 종정경과 선파인들이 각기 다른 방향에서 대응했던 것이다. 이것은 종친부가 선파인들을 선동할 수 없는 입장이었던 점에서 연유한다. 발통유사들은 전체 선파인들에게 최익현 탄핵에 적극 동참할 것을 호소하였고, 이것은 곧 고종에 대한 압박여론을 조성하는 것이었다. 이들은 종정경의 연명상소와 별개의 상소운동을 펼친 것이다.

종정경들이 주체가 되어 작성된 宗臣 연명상소는 11월 5일 고종에게 전달되었다.[59] 이들은 상소문을 통해 최익현에 대한 難安한 의리에 대한 처분을 내려주기를 바랐다. 이 과정에서 종정경들은 상소문에서 허다한 잡설에 대한 公議문제는 정치권에 위임하는 방식을 택했다. 이들이 최익현의 상소문 중 다만 '繼后事' 만을 문제 삼겠다고 전제했기 때문이다. 정치적인 문제는 정치권의 공의를 통해 해결하고, 종친부의 고유업무인 선파인들의 계보문제에 대한 날조적인 언급을 지적하려 했던 것이다. 이것은 종친부가 정치와 종친의 계보문제를 분리하여 대응하려는 입장에 있었음을 보여준다.

종친부는 전년도 大君王子無后와 橫被罪名人에 대해 立后하라는 명을 받았다. 이들은 이것을 "追遠曠絶의 盛意였다"고 강조하고, 종친부의 계보정리에 대한 정당성을 주장했다. 종친부의 종정경들은 성

---

59) 『承政院日記』 고종 10년 11월 5일. 宗親府 聯合上疏에 참가한 자는 다음과 같다. 判宗正卿 李最應, 永平君 李景應, 李景宇, 完平君 李昇應, 知宗正卿 李承輔, 李景夏, 李周喆, 李彙重, 李載鳳, 李章濂, 李寅應, 宗正卿 李升洙, 李寅命, 李敦應, 李邦鉉, 李沈應, 李容直, 李明應, 李寅高, 李會正 등으로 종친부의 종정경이 총동원되었다.

지를 받들어 각파를 考閱하여 昭穆을 밝히고 상세하게 교정하였다는
입장을 분명히 했던 것이다.

이들의 주장은 최익현이 이것을 '鬼神出後' 이하의 여러 조목에서
句語가 劫逼凌駕가 아님이 없으며, 심지어는 "奉行之臣이 善承하지
못하여 드디어 금지옥엽의 후예로 하여금 見利妄義하여 무소부지하
게 하여 천년의 역사를 더럽히게 하였다"고 주장했다. 이들은 최익현
이 見聞한 것이 무엇인지를 밝혀야 한다고 강조했다. 그리고 璿派修
系는 최익현과 상관없는 일인데 무함하는 이유를 알고자 하였다. 종
정경들은 상소문 말미에 "成命을 받들어 정성을 다한 것이다"고 강조
하여 고종을 압박하기도 했다. 이는 고종의 책임을 강조하는 것이다.

고종은 비답을 통해 종정경들을 설득하려 했다. 그는 "최익현의 소
론은 이 일을 상세히 모르고 그러한 것인데 하필 이같이 말할 필요가
있는가"라면서 이해를 구하였다. 이것은 고종이 최익현의 疏論 중 璿
派修系에 대한 부분을 문제 삼지 않겠다는 의사를 표시한 것이다. 이
문제를 정치쟁점화 할 경우에 고종도 자유롭지 못한 것이다. 이날 巳
時에 자경전에서 있은 진강이 끝나고 강관으로 참여한 李承輔는 상소
내용을 다시 강조하였다. 그는 "최익현이 彛倫을 썩게 한다는 말을 하
다가 도리어 이륜을 썩게 하는 죄과에 돌아갔다"고 강조했다. 이승보
는 이 점 때문에 선파의 사람들이 분노하고, 장차 소리를 모아 성토하
려 한다면서 선파인들의 동향을 전했다.

사실 '鬼神出後'나 '見利忘義'의 문제는 정치권의 문제가 아니라 종
친부의 고유한 업무와 관련된 문제이다. 또한 이것은 국민과 정치의
문제가 아니라 종친선파 한 집안의 문제일 수도 있는 것이다. 그러므
로 종친부와 종정경들은 이 부분을 집중적으로 부각시켜려 했다. 이들
은 정치적인 문제에 대해서는 정치인의 입장에서 대처하였고, 종친선
파의 문제는 철저하게 종친부를 중심으로 문제를 풀어가려 하였다. 이

것은 종친부가 합법적인 권력기구가 아니었기 때문이었다.

종친선파인들의 연명상소는 疏廳을 중심으로 추진되었다. 이들은 11월 5일 통문을 발통했다. 그러나 통문의 내용은 종정경들의 연명상소와 차이가 없었고, 동일한 논리구조를 이루었다. 이들은 모든 종친선파인들이 참여해 줄 것을 요구하였고, 금월 초7일에 종친부에서 齋會하여 同聲으로 聖明之下 呼籲하여 최익현의 誣罔之罪가 亟正되기를 바랐다. 이들은 참석의 범위를 광범위하게 잡아 文蔭武 生進幼學은 물론이고 鄕宗으로 서울에 머물고 있는 모든 종친선파인들을 대상으로 설정했다. 그리고 불참자에 대해서는 宗罰을 시행할 것임을 강조하여 참여를 독려하기도 했다.[60]

선파소청은 7일 종친부에서 회동하고, 통문을 한성부와 5부에 감결로 보냈다. 이것은 한성부와 5부가 部隷들을 많이 징발하여 지역내에 거주하는 璿派宅에 일일이 輪鑑한 후 성책을 만들라는 지시였다. 이 성책은 某君派 某名 아래 着啣을 써서 반드시 명일 申時前에 남김없이 수납하게 하였다. 이는 聯疏에 기록하기 위한 것이었으며, 모든 선파인들은 7일 早期에 종친부에 재회하기를 구전으로 전달 받았다.

이러한 과정을 거쳐 종친선파인들의 연소는 8일에 봉입되었다. 소두는 부호군 李時夏였고,[61] 이들의 상소문은 종정경의 연합상소와 동일한 논리구조와 내용으로 구성되었다. 다만 이들이 덧붙인 것은 종성의 반열에서 九族을 화목하게 하는 교화를 두루 입고 一室之恩을 두터이 입었는데, 도리어 聖明之政에 누를 끼치게 된 것을 두려워한다는 것이다. 이들은 최익현을 국왕의 정치문제와 연결시키려는 단초를 가지고 있었다. 그러면서 이들은 典刑의 快正을 바랐다. 그러나 고종

---

60) 通文은 疏廳發通유사 4명의 이름으로 璿派各派僉宗에게 전해졌다.

61) 『承政院日記』 고종 10년 11월 8일 ; 『宗親府謄錄』 고종 10년 11월 8일, 161 쪽.

은 "이미 종정경에 대한 비답에서 말하였는데 너희들이 이같이 紛紛
한가"라는 비답만 내렸을 뿐, 구체적인 대응을 하지 않았다.

　이후 종친부와 선파인들의 연명상소는 더 이상 일어나지 않았다.
『承政院日記』와 『高宗實錄』, 『宗親府謄錄』 어디에서도 그 흔적을 찾
을 수 없다. 『종친부등록』은 이후부터 일체 典例와 관련된 것만을 기
록하고 있어 이후 종친부 차원의 대응을 정확하게 이해하기 어렵다.
이것은 한편으로 종친부의 무력화를 지적할 수 있다. 疏廳이 일어날
때만 하여도 종친부는 한성부와 5부에 감결로 지시를 내릴 수 있었다.
그것은 종친부가 상급기관으로 하급기관에 대한 통제가 가능하였음을
의미한다.

　종친부는 대원군의 권력의지를 실현한 기관이었지만, 합법적인 권
력기관은 아니었다. 종친부는 어디까지나 예우아문이었으며, 고유업
무는 정치적 영역에 있지 않았다. 그러므로 종친부는 행정부서의 체계
를 갖추고 있지 않았다. 대원군의 권력행사는 국왕과 의정부체제라는
공식적인 권력구조의 범위를 넘어서지 않았다. 그동안 종친부의 권력
은 대원군의 존재와 '대원위분부'에 의한 것이었다. 그리고 이것은 국
왕의 위임 때문에 가능했다.

　고종은 이미 친정을 천명했다.[62] 이것은 그동안 대원군에게 위임한
국정운영권의 회수를 의미한다. 대원군은 더 이상 국정에 참여할 명분
이 없었고, 이것은 그의 권력에 대한 정당성과 합법성을 부정하는 것

---

62) 고종의 친정체제 언급은 11월 4일 밤에 있었다. 이날 고종은 巳時에 자경전
　　에서 진강이 있었고, 또한 대신들의 청대가 있었다. 고종은 대신들의 반발
　　움직임과 종친부의 연합 상소, 이어지는 선파인들의 연명상소 소식 등을 접
　　하고 이에 대한 대책을 강구하였다. 『承政院日記』에는 이날의 오후 기록이
　　누락되어 정확한 내막을 알 수 없으나 아마도 승정원을 중심으로 종합적인
　　대책을 수립한 것으로 이해된다. 고종은 친정선포를 통해 대원군의 통치행
　　위를 부정함으로써 정치에 개입할 여지를 원천 차단하고자 한 것이다.

이었다. 그러므로 종친부는 자연히 무력화될 수밖에 없었다. 종친부의 종정경들이 종친선파인들과 연대하는 방법을 택하지 않은 것도 이러한 이유에서 비롯된 것이다. 종친부는 정치세력을 결집할 구심점을 잃었던 것이다. 따라서 종친부는 정치권의 움직과 연대할 수 없었고, 성균관 유생들의 상소운동과 연대할 수도 없었다. 이것은 종친부 자체가 가지고 있는 한계이기도 하지만, 대원군의 정치적 위상이 가지고 있는 한계에 근본적인 원인이 있었다.

이후 대원군이 취한 행보는 이러한 점을 확인하게 한다. 대원군은 이러한 정치적 격변기에 어떠한 정치적 입장도 표명하지 않았다. 그는 종친부가 아닌 운현궁에 있으면서 내방객과 詩酒로 스스로를 달래거나 鶴氅衣를 입고 程子冠을 쓰고 隱流할 뿐이었다.[63] 그가 운현궁에 은거한 것은 자진 은퇴의 의미를 주기 위한 것이었다.[64] 대원군은 국왕의 친정이 재천명된 상황에서 국정을 언급할 위치에 있지 않았다. 이것은 국왕체제하에서 불충과 관련되는 민감한 사안이기 때문이다.

대원군은 정치적 재기를 기약할 수 없었다. 그가 부식한 종정경들은 이미 정부직에서 물러나 그 힘을 잃어가고 있었다. 고종 12년 종정경 출신들은 정부당상직에서 배제되면서 정치적 영향력을 완전히 상실했다.[65] 주교사와 유사인 이경하, 공시당상 이승보는 당상에서 배제되었고, 이재봉, 이회순, 이회정 등은 의정부체제에서 물러났다. 종정경 자격으로 정권에 잔류한 자는 李最應, 李景宇, 李載元, 李載冕 등이었고, 이후 이들은 반대원군세력에 가담한 인물들이다. 그러므로 종

---

63) 『羅巖隨錄』, 112쪽.
64) 『承政院日記』 고종 10년 11월 20일. 고종은 운현궁의 대원군을 만났다. 그러나 종래의 覲親의 형태가 아니었다. 그러므로 대원군에 대한 정치적 예우는 사라졌다. 대원군이 운현궁을 쉽게 떠날 수 없었던 것은 이러한 고종의 대원군에 대한 정치적 예우 때문이었다.
65) 고종 11년의 『備邊司謄錄』은 누락되어 구체적인 상황을 알 수 없다.

친부의 정치적 역할은 기대할 수 없는 상황이었다.[66]

대원군의 失權은 고종의 成年으로 인한 국왕과의 보정관계의 해체에 있었다. 그리고 대원군의 권력소재였던 종친부와 그의 핵심세력기반이었던 종정경들이 적극적인 저항을 모색하지 않은 것은 같은 논리선상에 있다. 대원군의 집권명분의 상실은 권력을 행사하던 종친부를 일시에 무력화시켰다. 종친부는 본래부터 행정집행기관이 아니어서 재생산되는 체계를 갖추지 못하였다. 종친부는 근본적으로 국왕의 권위와 통치기반이었다. 이것을 대원군이 행사할 수 있을 때만이 대원군의 권력기구로 존재할 수 있었다. 국왕의 친정체제에서 종친부의 권력은 국왕으로부터 나오는 것이다. 그러므로 이들은 국왕의 친정에 반대할 어떠한 명분도, 힘도, 조직도 없었다.

2. 대원군 지지세력의 동향

대원군의 정계은퇴가 기정사실화 되자, 그를 정점으로 한 정치세력들은 자신들의 존립을 위해서도 반전을 도모하지 않을 수 없었다. 이들의 목표는 대원군에게 재집권의 명분을 제공하여 정치운영에 복귀시키는 것이었다. 그러기 위해서는 고종친정의 연합세력을 해체할 필요가 있었다. 純熙堂 화재사건은[67] 고종의 친정과 최익현 처리과정에

---

66) 이경하는 고종 12년 3월에 정부당상직에서 물러났고, 이승보는 7월에 한성판윤에 잠시 머물다가 배제되었다. 이재원은 병조판서가 되었고, 이재면은 종정경 자격으로 정부당상에 머물렀다. 좌의정 이최응은 12월에 영의정으로 승진되었고, 고종친정체제의 중심인물이 되었다. 그는 종친부의 최고위인 판종정경이었으나, 호위대장을 역임하면서 고종친정세력을 규합하였다. 이것은 고종에 의한 종친부의 장악과 통제를 의미한다.

67) 『日省錄』고종 10년 12월 10일, 17일. 자경전은 조대비가 거처하던 곳으로 이해되어 일반적으로 자경전 화재사건으로 알려져 있다. 그러나 불이 난 곳은 자경전 옆에 있는 순희당이었다. 자경전은 고종이 정무를 보거나 경연을

서 드러난 조대비의 권위와 역할에 대한 불만의 표시였다. 純熙堂은 조대비의 처소이며, 고종은 慈慶殿에서 주로 정무를 보았다.

그러나 순희당 화재사건은 고종 중심의 정치세력을 결속하는 계기만 제공하였고, 대원군계의 정치적 반격의 효과는 없었다. 화재사건을 계기로 고종은 궁궐수비를 강화하였고[68] 화재가 내응세력에 의한 방화임에도 대원군과의 직접적인 충돌을 피하기 위해 철저한 조사에 부정적이었다.[69] 고종은 이를 계기로 이유원과 박규수 등 내부의 협조세력을 형성할 수 있었다.[70]

고종의 정치행위에 대한 부정적인 평가는 副司果 朴遇賢에 의해 제기되었다.[71] 그는 종래에 시폐가 개혁되고 사회가 안정된 것은 부

열던 곳이며, 이날도 巳時에 자경전에 나가 진강하던 중 순희당 화재소식을 들었다. 고종은 순희당 화재에서 대왕대비전의 대소 慈敎(慈旨 3部, 問安牌 1부)가 소실된 점을 주시하고 다시 만들 것을 호조에 지시하였다. 그러므로 자경전과 순희당은 고종과 조대비의 정치적 연합이 이루어지던 공간이었으며, 조대비의 정치적 영향력이 행해지던 곳이었다.

68) 당시 군무책임자는 훈련대장 이경하, 금위대장 이장렴, 어영대장 양헌수 등이다. 화재사건을 계기로 이경하는 금위대장에 겸직으로 특탁되어 궁궐경비뿐만 아니라 군부세력의 동요를 막고, 이후 이들은 고종 친정기의 군사적 기반으로 재편되었다. 궁월수비의 증원은 훈련도감군 300명, 어영청 군사 100명, 총융청 군사 100명 등 총 500명으로 보충되었다. 이들은 복구작업과 경계를 동시에 진행하였고, 반대세력들에 대한 하나의 시위적인 역할도 하였다.

69) 영의정 이유원은 불이 잠겨있는 누각에서 발생하였다는 점을 들어 방화로 추정하고 환관과 궁녀들에 대한 철저한 수사를 요구하였으나 고종은 거절하였다. 자경전 화재사건은 결국 미제로 남았다.

70) 화재사건은 영의정 이유원과 우의정 박규수의 등청명분을 제공하였고, 고종은 이들을 결합시켜 반대원군 정치세력의 구심점을 형성하였다. 특히 우의정 박규수에게 효명세자, 헌종, 조대비와의 특별한 관계를 언급하면서 정치적 협조를 당부하였다. 박규수와 조대비의 연계, 이를 통한 대원군과의 연결고리를 차단하고자 하였다. 대원군과 적대시하던 이유원의 영의정 등용도 이러한 측면에서 이해되어야 한다.

자간의 孝理를 바탕으로 한 대원군의 지도력 때문이라면서 대원군의
존재를 부각시켰다. 또한 최근의 정국불안은 孝理未盡에 기인한 것으
로 이것은 최익현이 제공하였으며, 고종의 정승해임과 귀양처분, 권당
유생의 처리문제, 인사제도의 모순과 정실인사의 실상 등 고종 친정체
제와 정치운영을 종합적으로 비판하였다. 또한 대원군의 서원철폐의
타당성을 변론하기도 했다. 그는 현재의 정국을 타개하는 방안은 고종
이 대원군의 지도력을 인정하고, 국정을 함께 하는 방안뿐이라고 주장
했다.

그러나 朴遇賢의 상소는 이날 南廷順과 韓啓源이 島配되고, 三司
의 관원이 교체되는 정국 속에서 지지를 받지 못했다. 대원군 측근세
력이 도배를 당하는 상황은 이들의 조직적인 저항을 어렵게 만들었다.
특히 박우현은 최익현과 연계되어 처리될 가능성도 있었지만,72) 고종
은 이를 거부하였다. 박우현의 추국에서는 배후세력을 밝히지 못하였
다.73) 고종 친정세력은 이를 계기로 반대세력의 근원을 제거할 계획
이 수포로 돌아가자, 洪萬燮과 李舜儀의 찬배와74) 대원군정권의 재정
기반을 해체하였다.75) 그리고 金炳喬를 형조판서에 임명하여 이들의

---

71) 『日省錄』 고종 10년 12월 12일. 고종은 박우현의 疏語가 흉패하여 臣子의
　　道가 아니어서 국청을 실시해야 하지만, 蟣風의 류는 사람으로 책할 수 없
　　다고 하면서 영광군 신지도에 종신 충군토록 지시하였다.
72) 『日省錄』 고종 10년 12월 13일~14일. 대사헌 조성교와 대사간 정태호는 연
　　명상소를 통해 최익현 사건과 연계하여 처리할 것을 주장하였다. 고종은 이
　　를 거부하고 추국을 거쳐 조대비의 지시에 따라 귀양처분하였다.
73) 『日省錄』 고종 10년 12월 15일, 18일.
74) 『日省錄』 고종 10년 12월 27일 ; 『承政院日記』 고종 11년 1월 2일, 4일. 부호
　　군 홍만섭은 최익현을 비난한 죄로 전라도 익산군에, 부수찬 이순의는 대사
　　간 윤현기와 사관 권종록의 탄핵으로 박우현과 동류로 지목되어 찬배되었
　　다.
75) 『日省錄』 고종 11년 1월 6일. 淸錢혁파는 대원군계의 재정기반을 무너뜨리
　　는 조치였다.

정치적 공세를 차단하였다.[76)

　대원군측은 고종 친정체제 핵심세력의 약화 방안을 모색했다. 副司
果 趙愿祖는 대원군의 지방세력을 약화시킨 洪玩을,[77) 副司果 李有
臣은 친정 이후 과거제도 운영담당자에[78) 대한 탄핵을 제기했다. 이
들은 대체로 고종 친정세력의 기반이 된 자들이다.[79) 그리고 권력중
추의 閔升鎬에 대한 암살[80)과 영의정 李裕元의 비리를 폭로하여[81)

---

76) 김병교는 고종 11년 1월 6일에 형조판서에 임명되었지만, 그는 대원군 집권
　　기 한성판윤에서 해직되어 은거한 인물이다. 그를 형조판서로 임명한 것은
　　대원군세력에 대한 정치적 압박을 가하기 위한 것이다. 이보다 앞서 고종 10
　　년 12월 25일에 홍순목을 영돈영부사, 강로를 영중추부사로 정계복귀를 시
　　킨 것은 이들을 통해 반대세력의 저항을 줄이려는 의도였다. 이들은 이후 고
　　종의 정치에 동참하지는 않지만 직접적인 저항의 모습도 보이지 않았다.

77) 『承政院日記』 고종 10년 10월 27일 ; 11월 5일. 홍훈은 최익현 상소직후 대
　　사간에 임명되어 고종의 입장을 지지한 대표적인 인물이며, 경상도관찰사로
　　보임되어 경상감사 김세호와 안동준의 처벌에 앞장 선 인물이다. 부사과 조
　　원조는 당시에 대사간이던 홍훈이 최익현 탄핵 연명상소에 불참한 점을 비
　　판하였다.

78) 『承政院日記』 고종 11년 5월 9일.

79) 이유신의 상소로 자핵한 인물은 대사성 이면영, 병조참의 李乾夏, 부호군 兪
　　晩源, 교리 吳麟泳, 부사과 尹祖榮, 부교리 김학진, 부교리 이근명, 우윤 조
　　병식, 좌윤 서신보, 대호군 정건조, 공조판서 조귀하, 종정경 이승수, 종정경
　　이용직, 수찬 김옥균, 형조참판 정기회, 호군 심순택, 동부승지 임면호, 동부
　　승지 김연수, 우승지 오덕영 등이다. 이들은 고종의 친정에 합류한 자들이다.
　　이들에 대한 비판은 고종의 정치세력들의 부정을 지적하여 정치력을 약화시
　　키는 것이 목적이었다(『承政院日記』 고종 11년 5월 14일 ; 5월 17일~18일
　　; 5월 20일~21일 ; 6월 22일 ; 6월 24일).

80) 『承政院日記』 고종 11년 11월 28일. 閔升鎬의 암살은 그가 대원군의 퇴진에
　　서 결정적인 역할을 하였기 때문이다. 그가 정권장악을 기도하자, 민비는 안
　　에서 후원하고, 諸閔들은 밖에서 도와주었으며, 민비가 이미 政昞을 대원군
　　에게서 빼앗자 자신이 차지하였다(鄭喬, 『大韓季年史』, 8쪽). 민승호는 죽을
　　때 운현궁을 지목하였고, 당시의 사람들은 모두 대원군이 보내었다고 믿었
　　다(黃玹, 『梅泉野錄』 上, 甲午以前).

81) 『日省錄』 고종 11년 11월 29일. 전 장령 손영로는 이유원이 강곽한 품성을

압박하기도 했다.

고종은 처음부터 측근세력에 대한 비판을 수용하지 않았다.[82] 閔升鎬는 반대원군의 핵심인물이었고, 고종 또한 중용을 고려했다.[83] 대원군측의 저항은 민씨세력으로 확대된 반면, 閔氏척족은 오히려 친정체제의 핵심세력으로 부각되기에 이르렀다.

친대원군계는 무능을 부각시켜 영의정 李裕元을 비판했다. 이것은 대원군의 재집권의 명분을 마련하는 방안이기도 했다. 이 과정에서 前掌令 孫永老는 대원군 집권기 정책을 긍정적으로 평가하고, 고종의 불효를 부각시켰다. 그는 주자학적 정치원리를 내세워 "마땅한 輔相을 얻어 君德을 啓沃하고 庶績을 밝힐 것을 요구하면서 이유원이 보상에 적합한 인물이 아니며 사악한 우두머리"라고 단정했다.[84] 그는 고종의 핵심세력과 정책에 대해 논리적이고 총체적인 비판을 가했다. 그러나 그에게 돌아온 것은 국청이었다. 고종은 이유원을 위무하고, 根因과 窩窟의 糾明이란 명분하에 국청을 열었다. 위관들은 손영로에게 비우호적인 인사들이 배치되었고[85] 이러한 입장에서 문사낭청을

지난 기회주의자로 평가하고, 10년의 美法을 일시에 변경하였으며, 정부의 題辦은 다 친지와 주고받는 자가 暗賂에 말미암으며, 특히 양적에 대한 원수를 잊고서 도리어 면포의 무역을 독차지하였다고 비판하였다. 이유원의 범죄 사실은 조정신하가 알고 있지만 禍機를 밟는 것을 두려워하고 있으니, 이러한 사악한 우두머리를 물리쳐야 조정이 청명하고 성상의 교화가 새로워진다고 주장하였다.

82) 『承政院日記』 고종 11년 5월 10일, 조원조와 이유신은 협잡으로 폄하되고, 불량한 무리들의 계략과 민심선동으로 인식되어 귀양처분을 받았다.

83) 『高宗實錄』 고종 11년 12월 16일.

84) 손영로가 지적한 이유원의 비리는 부모의 명을 어기고 정승으로 복귀한 점, 아들의 과거합격과 관련한 사항, 서양침략의 위기 속에서 개인적 사욕을 위해 무명장사를 한 점 등이었다.

85) 『日省錄』 고종 11년 11월 30일. 영부사 홍순목은 위관으로 차임되었으나 칭병 사임하였고, 문사랑청에 고종 집권기 승정원 출신인 한장석·조동필·강

보완하기도 했다.[86] 그러나 강압적인 방법의 국청임에도 불구하고 손영로의 배후세력은 밝혀지지 않았다. 손영로는 이후 금갑도에 위리안치 되었다.[87]

손영로의 추국철파는 양측에서 반대했다. 영돈녕 김병학은 사직 상소하고, 전·현직관료는 조례에 불참하는 사태가 벌어졌다.[88] 대원군의 측근인 判義禁 李承輔는 손영로의 위리안치 시행을 거부하기도 했다. 고종의 친정세력은 根因과 窩窟을 밝혀 반대세력 잔재 청산을 위한 국청이 필요했다. 반면에 대원군측은 국청을 통해 집권세력의 부도덕과 무능을 부각시켜려 했다. 이들은 이 과정에서 대원군 재집권의 명분을 축적하려 했다. 이에 고종은 이유원을 파면하고 대간의 교체를 통해[89] 난국을 수습하려 했다. 그러나 이 과정에서 이유원의 유배와 복귀의 혼란이 일어났고[90] 급기야 고종은 권력기반의 취약성을 보이기까지 했다. 한편으로는 대원군계 정치인들의 비리조사에 착수했다.[91]

문형·박용대 등이 임명되었다. 이들은 추국과정에서 손영로에게 두 차례에 걸쳐 신장 9대, 신장 12대를 가하였다.

86) 『承政院日記』 고종 11년 12월 1일. 문사낭청으로 보완된 자는 부사과 박봉빈, 임상호, 목승석, 부사직 유석이었다.

87) 『日省錄』 고종 11년 12월 2일~6일.

88) 『承政院日記』 고종 11년 12월 3일. 시원임 대신들과 삼사의 대론이 일어나자 의금부는 위리안치를 거부하였다. 판의금부사 이승보와 지의금부사 김재현, 강난형 등은 대원군계 인물들이다. 대론에는 문사낭청에 가담한 한장석, 강문형 등이 포함되어 이들의 정치적 입장이 동일한 것은 아니었다.

89) 『承政院日記』 고종 11년 12월 4일.

90) 『承政院日記』 고종 11년 12월 11일, 16일. 이유원은 사직을 거듭하여 천안군에 중도부처되었으나 하루 만에 취소되고, 형조판서 김학근을 통한 전유문을 받고 궁중에 돌아왔다. 그의 사직 고수는 손영로 처리에 대한 불만이었다.

91) 『承政院日記』 고종 11년 12월 13일. 전 경상감사 김세호, 전 동래부사 정현덕, 경주부윤 임한수, 전 부산훈도 안동준에 대한 비리추적은 이러한 정치적

고종은 손영로와 이유원의 처리에 형평성을 잃었다. 前正言 鄭勉洙는[92] 비리의 핵심인 이유원은 총애가 융숭하고, 논박한 손영로가 절도 유배되는 것을 이해하지 못하였다. 그는 이유원의 수원유수 재직시의 비석 착복 사실을 들어 그의 도덕성을 거론했다. 이 과정에서 이유원은 趙氏집안의 은사물이라고 변명하였고, 부호군 李承澤은 뇌물임을 논리적으로 밝혔다.[93] 고종은 이유원 개인비리 차원보다는 친정세력의 정치적 부도덕성이 가져올 정치적 파장을 고려했다. 그는 이유원의 입장을 받아들이고, 적극적인 변론으로[94] 반대세력들의 정치적 공세를 차단했다.[95] 그러나 이 사건을 계기로 고종 친정세력은 내부에서 분화되는 모습을 보이기까지 했다.

興寅君 李最應과 우의정 金炳國은 영의정의 정치적 능력과 도덕성을 부정적으로 평가했다.[96] 이들은 작금의 어려운 현실에서 마땅한 輔相이 필요하다는 논리를 들어 이유원을 반대했던 것이다. 이러한 현상은 고종의 친정체제가 확고하지 못한 상태에서 권력내부 주도권

상황 속에서 이루어졌다.

92) 『日省錄』 고종 11년 12월 24~25일.

93) 『日省錄』 고종 12년 1월 12일, 23일. 이승택은 이유원의 증언 자체가 거짓으로 사리에 맞지 않는 것으로 조씨 집안의 은사물건이라면 문적에 기재될 수 없고, 조상의 묘비로 사용한 것은 읍민이 목격한 사실로 본토의 선비들이 시를 지어 기롱하고 배척함이 만연하여 뇌물임이 탄로 나자 묻어 은폐하였다고 주장하였다.

94) 『承政院日記』 고종 12년 1월 4일.

95) 『承政院日記』 고종 11년 12월 25일 ; 12년 1월 15일, 20일. 정면수는 무고죄로 도배되었고, 이승택은 두 차례에 걸쳐 각각 신장 30대 후 원악도에 안치되었다.

96) 『承政院日記』 고종 11년 12월 25일. 흥인군 李最應은 "큰 집을 완전히 수리함에 서툰 목수가 맡으면 오히려 집을 무너지게 한다"고 비유하고, 보상과 현신을 얻기 어려운 현실을 통찰할 것을 요구하였다. 우의정 김병국은 "보상이 마땅하지 못하면 장석과 윤여라도 집과 수레를 고치지 못한다"고 설명하고, 사직을 청하였다.

확보와 연관되면서 일어난 현상이었다.

이러한 결과는 이유원의 파면으로 귀결되었고,[97] 좌의정 이최응과 우의정 김병국 체제가 출범하는 계기가 되었다. 이들은 정치적 안정에 목표를 설정했다. 이들은 대사면을 통해 친정이후 정치세력간의 갈등을 해소하고자 했기 때문이다. 대원군계의 李景夏도 이 방안에 참여하였다.[98] 사면대상은 모두 高宗의 친정과정에서 대원군의 입장을 표방한 자들이며[99] 사면은 정권교체의 물꼬를 튼 최익현 석방문제와 연계되었다.[100] 이최응과 김병국 등은 양측의 입지를 고려해 화해와 통합을 시도했던 것이다. 좌의정 이최응과 우의정 김병국, 판의금 이경하는 사면문제를 주도했고 효과가 있었다.[101] 다만 대원군계 安東晙만은 犯法의 滋甚을 들어 군기 효수되었다.[102]

안동준의 처형은 고종이 저항세력에 대해 강경책을 시도한 일면을 보여준다. 고종은 영남을 중심으로 한 유생들의 대원군 奉還 움직임에 대해서도 강경한 입장을 취했다. 상소문의 주도자인 柳道洙 등을 엄형 후 귀양을 보내었던 것이다.[103] 이것은 고종이 중앙과 지방의 대

---

97) 『日省錄』 고종 11년 12월 27일~28일 ; 12년 1월 2일, 7일. 고종은 이유원을 영의정 직임에서 일단 파직하였다가 다음날 다시 서용하였다. 그리고 이유원에게 사직서와 영의전, 군기시, 사역원, 훈련도감 도제조의 책임을 맡겼고, 세자책봉도감 도제조, 奏請使, 冊封正使에 임명하였다. 고종의 이유원에 대한 신임은 대단하였다.

98) 『日省錄』 고종 12년 2월 10일, 12일, ; 5월 29일.

99) 『承政院日記』 고종 12년 1월 21일. 대표적인 인물로는 김세호, 채동건, 정현덕, 강문형, 이만운, 안시협, 안동준, 이순익 등으로 이들은 대원군 측근세력들이다.

100) 『承政院日記』 고종 12년 2월 9~11일. 고종은 세자생일을 기해 최익현 석방을 지시하였으나, 전·현직관료들의 반대에 부딪혔다.

101) 『高宗實錄』 고종 12년 2월 9일, 12일.

102) 『承政院日記』 고종 12년 3월 4일.

103) 『高宗實錄』 고종 12년 3월 5~6일. 영남유생이 중심이 된 대원군 지지세력

원군 지지세력의 결합을 사전에 차단하려는 것이었다. 이후 대원군계 정치세력은 그들을 결집하는 구심점이 사라지고, 게다가 이들은 점차 정치권에서 멀어져 갔다.[104] 이후 중앙권력기구 내에서는 더 이상 대원군 재집권을 도모하려는 정치적 저항은 보이지 않았고, 영남유생을 중심으로 한 상소운동만이 유일하게 전개되었을 뿐이다.

제3절 고종의 親政과 정치세력의 성격

1. 고종의 지방통제와 대원군 재집권의 좌절

고종은 중앙정치권에서는 대원군 지지세력의 저항을 막으면서, 한편으로는 대원군이 장악하고 있던 지방으로 통치력을 확대했다. 대원군은 집권기 중앙정치에서는 다양한 세력의 공존을 허용하였지만, 지방은 철저하게 친대원군계열의 인사들을 포진했다. 대원군 집권기 지방관들은 지속적인 업무추진의 명분 속에서 임기가 연장되는 것이 일반적이며,[105] 대원군은 이들을 통해 지방을 직접 통제했다. 지방관들

---

104) 『承政院日記』 고종 12년 2월 15일, 27일, 29일 ; 3월 14일 ; 4월 24일. 대원군 집권기 정치인들은 점차 한계에 직면하면서 정치참여를 거부하였다. 이원명은 고관직임을 사임하고, 이돈우와 송근수는 수원유수 및 빈객 직임을 사임하였고, 이승보는 武衛所와 선혜청의 제조직을 사임하였다. 고종은 대원군 측근인 이승보만 사직을 수리하고 나머지는 반려하였지만 이들은 정치적으로 무기력해졌다. 한편으로 이최응의 아들인 이재긍을 승륙시키고, 이재선을 삼군부 종사관으로 발탁하여 친족세력의 결합을 도모하여, 대원군의 친족 결합을 막았다.

105) 전라감사 이호준은 4년간, 경상감사 김세호는 6년간 재직하였다. 이 과정에서 영남지방의 남인 유생들은 일정하게 대원군의 정치적 기반을 이룰 수 있었다.

의 동향은 정진영, 1997, 「19세기후반 영남유림의 정치적 동향」, 『지역과 역사』 4 참조.

은 錢穀 및 租稅징수를 통해 대원군정권의 경제기반을 마련하였다. 이 과정에서 일부 지방관은 수령과 결탁하기도 하고, 수령은 아전층과 결합하는 모습을 보이기도 했다.

대원군의 퇴진에 대해서는 지방세력들도 저항의 움직임을 보였다. 특히 영남지방 南人 유생들은 성균관 유생들과 보조를 맞추었다. 성균관 유생들과 영남지방 유생들은 결합을 통해 대원군 재집권의 명분을 축적하려 했다. 고종은 언로개방을 내세워 최익현을 두둔하였지만, 지방의 대원군 지지세력이 언로를 통해 조직적인 저항을 보이는 점은 경계했다. 이것은 곧 중앙정치의 불안으로 연결되기 때문이다. 고종은 지방세력이 중앙에 미칠 영향력을 사전에 차단하기 위해 지방 수령에 대한 대대적인 인사를 단행했고, 이들을 통해 지방을 통제하려 했다.106)

副司果 吳慶履는 대원군 집권기 지방관들의 폐단을 제기했다. 그는 감사와 수령의 임기연장에 대한 폐단을 거론하면서,107) 고종의 聚斂금단 지시가 이행되지 못하는 것이 이러한 지방관의 구조적인 문제라고 지적했다. 고종은 이것을 기회로 지방의 통제력을 강화하였고, 이것은 대원군의 지방세력을 해체하는 것을 목적으로 진행되었다. 지방감사에 대한 대대적인 인사는 이러한 배경에서 추진되었다.

고종은 전라감사 李鎬俊을 趙性敎로 교체하고,108) 경상감사 金世

---

106) 『承政院日記』 고종 10년 12월 27일.

107) 『日省錄』 고종 10년 11월 14일. 오경리는 대원군 측근인 검교전한 권정호와 사관 백규섭을 무례와 불경의 문제로 탄압하였다. 그는 대원군의 지방세력 뿐만 아니라 중앙하급직의 세력도 목표로 설정하고 있었다.

108) 고종 친정기 대원군이 임명한 지방관 중 전라감사 이호준이 제일 먼저 정치적 반응을 보였다. 그는 친정 이후 黔毛浦 漕倉 창설과 威鳳의 城役 미완성을 들어 요구한 유임을 거부하였다. 그 자신은 스스로 구임의 효과에 대해 부정적인 입장이었다. 그러나 그는 조성교에 의해 교체된 이후 비리추적을 당하지 않은 것은 고종 친정기 歷官을 고려할 때 정치적 포섭의 대상이었으

鎬를 兪致善과 바꾸었다.109) 이들은 모두 대원군과 정치적 입장을 같
이한 자들이었다. 영의정 이유원은 김세호의 비리를 추적하여110) 이
들을 압박하였다. 그는 특히 영남지방에는 奸吏가 많다고 지적하여
대원군과 金世鎬, 김세호와 연관된 하부세력의 연결고리를 차단하여
대원군 지지기반을 해체하고자 했다. 이를 계기로 영남유생들도 제약
을 받게 되었다.111)

김세호는 대원군의 절대적인 신임 하에서 6년간 경상감사로 재직했
다. 이유원은 대원군의 대일외교를 담당하고 있던 동래부사 鄭顯德을
奸吏로 지목했다. 고종은 朴齊寅을 동래부사로 교체하고112) 특히 下
納米, 米木, 布가 적체된 점과 폐단을 주지시키면서 선참후계권을 부
여하기도 했다. 고종은 유생들의 조직적인 저항을 누르면서, 한편으로
는 대원군의 재정기반을 차단하는 양동작전을 폈던 것이다. 이유원과
閔氏세력들은 개국문제에 유화적인 입장을 보이고 있어 일본과의 관
계개선을 위한 사전조치와도 연관성이 있었다고 판단된다.

講官으로 자리를 옮긴 김세호에 대한 정치적 정리는113) 고종 친정
체제의 외교정책의 변화를 예고했다. 그러나 현임 講官인 김세호의
비리추적은 쉬운 일이 아니었다. 이에 고종 친정세력은 일본과의 서계

며, 고종의 친정에 적극 참여하였음을 알 수 있다. 그는 병조참판, 검교, 도승
지를 거쳐 자헌에 승급되었고, 지삼군부사, 형조판서 등 정치적 역할이 두드
러졌다(『承政院日記』고종 10년 12월 23일 ; 11년 3월 5일 ; 5월 27일 ; 6월
25일 ; 8월 2일 ; 9월 20일 ; 11월 8일 ; 12년 4월 14일).

109) 『高宗實錄』고종 10년 12월 30일 ; 11년 1월 4일. 유치선은 칭병을 들어 사
직하였지만 고종의 특탁을 거부하지는 못하였다.

110) 『承政院日記』고종 11년 1월 9일. 金世鎬는 講官이었다.

111) 『日省錄』12년 3월 10일. 홍훈이 경상감사로 부임하여 사람을 억압하여 영
남지방의 유생이 반발하는 것은 이러한 현상의 한 단면이다.

112) 『高宗實錄』고종 11년 1월 3일.

113) 『承政院日記』고종 11년 5월 3일.

문제를 거론하고, 교린단절의 책임을 물어 訓導 安東晙을 문책했다. 이 과정에서 안동준의 직권남용과 무역상의 폐단을 들어 파직 및 당률 시행에 합의했다.[114] 고종은 이미 실정탐지를 위한 조치를 구상하고 있었고,[115] 영의정의 제의에 박규수가 적극 동조했다. 동시에 고종은 상소하는 선비들을 잡된 무리로 규정하고 형조와 한성부, 포도청에 수도와 지방을 들락거리는 유생들의 체포를 지시하기도 했다.

이러한 고종의 조치는 단순히 金世鎬, 鄭顯德, 安東晙의 개인적인 비리 차원에 대한 대응이 아니었다. 이들은 대원군의 측근으로 대원군 정권의 재정기반 뿐만 아니라 대외강경책을 주도한 인물들이었기 때문이다. 유생들은 대원군의 퇴진에 대한 반대상소를 제기하여 고종을 압박하였다. 고종은 이들의 재결합을 차단하고, 한편으로는 대외정책의 수정을 위한 조치가 필요하였다. 이것은 반대원군 정책의 표현이었다.

김세호는 견책파면 되었고, 정현덕은 유배되었으며[116] 안동준은 2차례나 심문을 받았다.[117] 그러나 그들이 원하는 情跡은 밝히지 못하였다.[118] 安東晙은 고신을 넘겨 卽其地定配하고, 빚진 공금을 기일내 갚도록 조치하여 개인적인 비리로 마무리 되었다.[119] 이들의 조직

---

114) 『承政院日記』고종 11년 6월 29일.
115) 『日省錄』고종 11년 12월 13일. 고종은 실정파악을 위해 박정양을 경상좌도 암행어사로 파견하였다. 박정양은 비리추적의 과정과 결과를 복명서계에서 밝히면서 안동준을 탐장죄로 처벌할 것으로 건의하였다.
116) 『日省錄』고종 11년 7월 3일, 영의정 이유원은 수하관원을 안찰하여야 할 감사가 사적인 관계로 믿어 변정의 일에 대처하고, 오히려 은폐하여 변방을 혼란스럽게 만들었다고 개탄하고, 전 경상감사 김세호의 견책파면과 전 동래부사 정현덕의 유배를 요구, 고종은 추인하였다. 정현덕은 관리임면과 송사에서의 뇌물수수, 형장남용 등의 죄목으로 영불서용되어 함경도 문천군에 유배되었다.
117) 『承政院日記』고종 11년 8월 16일, 18일.
118) 『承政院日記』고종 11년 8월 18일, 21일.

적인 탐장죄를 밝힌 것은 암행어사 朴定陽이었다.120) 박정양에 의해
김세호는 幕裨와 冊客의 허물을 단속하지 못한 책임을 져야 했고,121)
급기야 안동준은 군기 효수되었다.122) 이로써 대원군 지방세력의 한
축이 무너졌다. 고종은 대외정책의 수정으로 정치적 사건을 마무리했
다.

고종은 친정 후 성균관과 지방유생들의 상소에 대해 강경책을 폈
다. 유생들의 요구사항은 萬東廟와 화양서원 복설이었다. 만동묘는 최
익현과 홍시형이 제기한 후 지속적으로 제기되어 왔다.123) 고종은 유
생들의 요구를 수용하여 만동묘 요구는 받아들이고,124) 화양동서원
복설은 수용하지 않았다.125) 고종이 勤悉과 泮長을 거치지 않는 상소

---

119) 『日省錄』 고종 11년 8월 29일.

120) 『日省錄』 고종 11년 12월 13일, 18일, 21일.

121) 『承政院日記』 고종 12년 1월 10~11일, 20~21일. 김세호는 과천에서 체포
되고 공초사실을 대부분 시인하였다. 그는 유배형(평안도 중화부)에 처했으
나, 당시 산적중, 독감 등으로 식음을 전폐하고 있어 위독한 상태로 인식되
고, 보방을 거듭하였으나 호전되지 않은 상태였다.

122) 『備邊司謄錄』 고종 12년 3월 4일. 안동준은 조정을 속이고 여러 해 동안 공
미와 공목을 가지고 농간을 부려 백성들의 원망이 자자하고 변방의 정사가
어지러워졌다는 이유로 군민 효수되었다. 그의 처벌은 서계문제로 인한 일
본과의 새로운 관계설정에 따른 선조치의 성격이 강하다. 그는 종래 오랫동
안 일본과 상대한 인물로 누구보다도 이 부분에서 실무적인 경험이 풍부하
고, 따라서 차후에 일어나는 일본과의 관계개선에 걸림돌로 작용하거나 반
대론이 대두될 수 있기 때문에 사전에 제거한 것이다.

123) 『承政院日記』 고종 10년 11월 14~15일, 24일 ; 11년 1월 14일 ; 2월 9일. 전
헌납 이규형·부사과 강운중·수찬 권익수·무겸 김노수·충청 보은유생
조영표 등은 연이어 상소하였다.

124) 『日省錄』 고종 11년 2월 13일. 만동묘 복설의 허용은 노론의 지지기반을 확
대하고, 이를 지지기반으로 삼으려는 의도였다.

125) 『承政院日記』 고종 11년 2월 26일. 지평 김재봉 상소, 3월 4일 유학 황학주
등 398인 상소, 3월 6일 충청도 유생 165인 상소, 3월 10일 경기유생 오규선
등 871명 상소, 4월 15일 경상유생 성석후 등 81인 상소.

봉입을 금지하자126) 유생들은 이러한 절차가 필요없는 복합 상소의 형태를 띠기도 했다.

대원군은 이러한 고종의 反대원군정책에127) 대해 직접적인 반응을 보이지 않았다. 그는 운현궁에서 내방객을 맞이하면서 소일했을 뿐이다. 그러나 강화 진무영의 폐지조치와128) 內營의 설치가 취해지자, 대원군은 고종의 처사에 강한 불만을 표시했다. 그는 고종에게 반대의견을 밝히고, 곧바로 德山을 거쳐 양주 직곡에 은거하였다.129) 강화 진무영 폐지에 대한 우려는 권력내부에서도 있었다. 영의정 이유원은 강화도가 두 차례 양화를 당한 상태에서 방비를 허술히 할 수 없으며, 문신대장 임명에도 우려를 표하였다.130) 그러나 고종의 입장에서 시급한 것은 대원군의 잔재를 지우는 일이었다. 그러므로 이유원의 건의는 묵살되었다.

대원군은 고종의 국정운영에 대한 불만을 地方行으로131) 표출했다.

126)『日省錄』고종 11년 2월 16일 ; 3월 10일 ; 6월 1일 ;『承政院日記』고종 11년 6월 29일.
127) 청전통용폐지(11년 1월 6일), 武衛所신설(11년 7월 4일), 만동묘목설(11년 7월 27일) 등.
128)『日省錄』고종 11년 7월 28일, 30일. 고종은 진무사의 등단을 혁파하고 구례를 회복하며, 강화유수직을 복구하도록 명령하고 조병식을 강화유수에 임명하였다.
129)『羅巖隨錄』, 129~130쪽.
130)『高宗實錄』고종 11년 7월 30일 ; 8월 4일, 20일. 고종은 진무중군 및 교동부사에 대한 구례를 부활하여 강화중군 및 교동수사로 차의하고, 교동수사의 삼도통어사 예겸 역시 구례를 회복토록 거듭 지시하여 진무영의 지위와 역할을 축소하였다. 또 신설된 武衛所의 재정기반을 확보하기 위해 진무영 소관 蔘稅 4만 냥을 무위소에 이획시켜 진무영의 재정기반을 축소시켰다.
131) 대원군이 서울을 떠난 정확한 일자는 알수 없지만 사찬기록인『羅巖隨錄』에 의하면 고종 11년 8월에 진무영의 축소와 숙위군 증강에 따른 반발로 양주 직동으로 내려갔다고 한다. 그러나 대원군은 7월 30일 집을 떠나 8월 3일에 덕산군에 도착하였고, 8월 6일 남연군 묘소를 둘러보고 8월 7일 예산읍에

이것은 중앙정계에 대한 강한 경고의 메시지였으며, 한편으로는 지지
세력을 결합하기 위한 방책이기도 했다. 또한 대원군은 재집권에 대한
명분을 축적하고, 고종에게 봉환하는 명분을 제공할 것으로 생각했다.
대원군의 지방행 의도가 무엇을 겨냥한 것인지는 명확하지 않지만, 대
원군의 지방행은 정치집단간의 정치적 대립을 초래하기에 충분했다.

　대원군 지지세력은 이유원에 대한 탄핵과 대원군의 봉환을 요구하
는 상소를 제출하였고, 한편 閔升鎬를 폭사시켜 정치권을 불안하게
만들었다. 이들의 정치적 저항은 안정기로 접어드는 고종의 친정체제
에 대한 위협 자체였다.[132] 李彙林은 禮安에서 상소문을 통해 대원군
의 환궁을 강력하게 요구하였고, 남인계 유생들은 결집하기 시작했
다.[133] 고종은 측근들의 이휘림에 대한 국청 요구를 거부하고,[134] 서
둘러 고금도 위리안치로 종결했다. 이것은 고종이 영남유생들의 저항
을 조기에 차단하려는 의지와도 연계되었다. 영남유생들은 대원군이

머물렀다. 다음날 新昌, 牙山에서 숙박하고, 8월 9일 칠원을 거쳐 오산, 8월
10일 용인, 송파를 거쳐 양주 직동에 은거하였다. 고종은 의관 전동혁을 파
견하여 氣候를 살피게 하고, 동정을 보고받았다. 그리고 종정경 이연응, 도
승지 이호준, 종정경 이돈응, 도승지 조인희, 동승지 김병시, 종정경 이용직,
도승지 정범조 등을 판견하여 문후하게 하였다. 또한 11년 12월에는 이재선
을 양주목사로 파견하여 대원군을 보필하게 하였다(『承政院日記』고종 11
년 8월 5일~13일 ; 9월 14일 ; 10월 20일 ; 11년 11월 14일).

132) 고종은 이러한 위기를 조기에 차단하기 위해 이휘림과 손영로를 유배와 위
리안치하였다. 이유원의 퇴진과 李最應, 김병국 중심의 의정부체제가 출범
한 것은 이러한 대원군 지지세력의 정치적 공세와 연관성을 가지고 있다.
133)『日省錄』고종 11년 10월 20일~24일. 고종은 이휘림을 평안도 위원군 극변
으로 귀양 보내라고 지시하였지만 경상도 예안에 있어 현지에서 압송하여
전라도 강진현 고금도에 위리안치 하였다. 이휘림을 단시간에 처리한 것은
안동지방을 중심으로 한 남인계 유생들의 저항을 사전에 차단하려는 의도였
다. 예안의 이만유는 동부승지에 숙배하지 않았고, 이조참판 이만운은 체직
을 요구하였으나 좌승지로 발탁하여 강온 양면으로 대응하였다.
134)『日省錄』고종 11년 10월 20일~24일.

保養이라고 하였지만, 고종이 장기간 대원군을 방치하는 것을 '孝'문
제와 연관시켰다. 따라서 고종은 그만큼 선택의 폭이 좁았다.[135]

　고종의 우려는 이휘림과 손영로의 상소 이후 현실화되었다. 고종
12년 2월 영남남인은 대원군의 환궁을 위한 만인상소를 준비했고,[136]
3월 3일 제출되었기 때문이다. 그러나 대원군은 이들의 상소운동에 반
대 입장을 보였다.[137] 그럼에도 불구하고 영남남인이 봉환만인소를
전개한 것은 대원군에게 환궁과 재집권의 명분을 제공하려는 의도가
다분했다.[138]

　영남남인의 상소운동은 내부적으로 한계가 있었다. 애초에 영남유
생들은 성균관에 집결하여 상소할 것을 결의했다. 그러나 掌議 洪承
烈의 방해가 있었고, 좌의정 李最應은 복합상소가 오히려 大院位에게

---

135) 『日省錄』 고종 11년 11월 29일 ; 12월 2일~5일. 손영로의 상소문 처리는 이
　　휘림 처리와 동일한 수순을 밟았다. 삼사와 의금부, 홍순목과 박규수 등의
　　국청요구를 거부하고, 서둘러 위리안치로 종결하였다. 반대세력들의 여론이
　　비등할 것에 대한 대비였다. 손영로 위리안치 후 이유원이 다시 영의정에 복
　　귀한 것은 반대세력의 저항에 의해 체제가 위협받아서는 안 된다는 고종의
　　판단 때문이었다.
136) 『羅巖隨錄』, 131쪽 ; 柳厚祚, 『洛坡先生文集』, 「答鄭僑」 ; 『柳道洙行狀草』.
　　영남남인은 대원군정권의 지지기반으로 이해되고 있다. 『羅巖隨錄』에는 영
　　남유생이 중심이 된 대원군봉환 만인소의 전개과정을 상세하게 기술하고 있
　　다. 이 상소는 퇴계계열의 후손과 서애의 후손들이 주도하였다. 대원군의 서
　　원훼철시 호계서원과 관련된 인사들은 반대만인소에 적극적으로 참여함으
　　로써 대원군정권과 대립적인 관계로 돌아섰다. 반면에 풍산유씨 계열인 유
　　후조와 그의 아들인 유주목은 이를 저지하고자 하였다. 유후조는 대원군에
　　의해 좌·우의정으로 발탁되고, 호계서원 출신은 중앙관료로 진출하지 못하
　　였다. 대원군의 봉환상소에는 반대현상이 나타나고, 특히 서원훼철과 호포문
　　제로 내부 분열현상을 보였다.
137) 『羅巖隨錄』, 「大院位答嶺儒書,初度」, 137쪽.
138) 정진영, 1997, 「19세기 후반 嶺南儒林의 정치적 동향」, 『지역과 역사』 4, 206
　　~214쪽.

해가 된다는 뜻을 參知 張時杓를 통해 전했다. 이 과정에서 이들은
결행여부를 결정하지 못하고 있었다. 이러한 상태에서 都事 李純榮과
護軍 徐輿輔가 상소문제로 나포되었고, 洪承烈이 四部都事가 되면서
상소론자들을 위축시켰다. 그럼에도 상소 제출일이 도달하자 嶺南과
京南의 인사 77명이 참여하고, 이틀 뒤에는 100명이 동참하였다. 특히
경기유생(20명)과 평안유생(17명)이 참석하자 정치권은 긴장하였고,
고종은 강경책을 선택할 수밖에 없었다.

고종은 유생들의 상소봉입을 원천 봉쇄하고, 京外의 잡류들이 儒疏
를 칭탁하여 폐단을 일으키는 것으로 해석해 원악도 정배를 지시했
다.[139] 고종의 대원군에 대한 親迎은 세자 책례문제와도 연계되어 제
기되었으나, 고종은 이를 무시했다.[140] 그리고 대원군계인 형조판서
金在顯을 중추하고, 친정에 합류한 李鎬俊, 金輔鉉, 李秉文, 徐相鼎
등으로 교체했다. 그러나 이들은 유생들의 상소봉입을 막지는 못했다.
더구나 고종은 유생들이 성균관 유생들과의 결합하자[141] 충격을 받았
고, 친정체제는 일시적으로 위협을 받게 되었다.

고종의 강경책은 일시적인 효과는 있었다. 이후 상소운동은 위축되
었고, 그 틈을 이용하여 3차 복합의 유생들을 刑吏로 하여금 성외로
추방시켰다. 그러나 오히려 봉환상소는 확대되어 영남유생을 중심으

---

139) 『日省錄』 고종 12년 3월 5일. 疏頭인 유도수, 製疏 이학수, 이상철, 서승렬은
   정배되었다.
140) 『日省錄』 고종 12년 2월 4일. 전 도사 이순영과 부호군 서석보는 각기 상소
   하여 책례가 임박하였기 때문에 대원군을 친영하여 함께 경사를 누릴 것을
   제의하였다. 고종은 군부를 핍박하는 것으로 인식하여, 이들을 귀양 보내고,
   상소를 봉입한 승지 이순익도 책임을 물어 유배시켰다.
141) 성균관 유생 이건양, 정남용, 홍종선, 박선현 등은 유생상소와 관련한 재원마
   련에서 부작용이 발생하여 고종 12년 3월 21일 유배되었고, 사흘 뒤 24일에
   는 이들과 동류로 지목된 이중진, 이수형, 이장호, 이병수 등이 정배되었다.
   성균관 유생들은 영남남인의 만인소에 조직적으로 참여하였다.

로 湖儒, 關儒, 海儒와 小北人 등 150여 명이 가담하여 5도 유생 천여 명에 이르게 되었다. 도성내 여론도 이들에게 유리하게 작용하여 서울의 인민들도 대원군의 봉환을 바라면서 민심이 불안하게 되었다. 고종은 긴급대책을 논의하지 않을 수 없었다. 고종의 입장에서는 疏儒가 대원군과의 倫紀문제여서 독단적인 처리가 부담으로 작용하였다.

고종과 함께 熙政堂에 모인 시·원임대신들은 적절한 대책을 강구하지 못했다. 이에 고종은 대신들이 정토의 전면에 나서지 않는다고 질책하고, 차후 犯上不道律을 적용할 것임을 천명해 정치권을 압박했다.[142] 이에 따라 李純榮과 徐兼輔는 원악도 안치를 지시하고, 경상 疏首 崔華植, 충청소수 洪學周, 경기소수 崔忠植, 京疏首 任度準, 강원소수 李炳岳, 평안소수 李脩 등은 曉諭하여 退送하게 했다. 그리고 대원군의 환궁은 유생들의 상소에 의해 좌우될 수 있는 문제가 아님을 분명히 밝혔다.

그러나 대원군 환궁 상소운동은 중단되지 않았다. 崔華植, 崔忠植, 趙秉萬, 任度準 등이 중심이 되어 대원군의 還次를 청하면서, 고종의 불효를 풍자했다. 이에 고종은 국왕의 효유와 지시를 고의로 범한 것이라고 분노했다.[143] 고종은 시·원임대신들의 반대에도 불구하고,[144]

---

142) 『日省錄』고종 12년 5월 17일. 희정당에 모인 대신들은 도승지 김병시를 비롯하여 영부사 李裕元, 영돈녕 김병학, 판부사 홍순목, 박규수, 좌의정 李最應, 우의정 김병국 등이었다. 고종은 대신을 전면에 배치하여 유생들의 정치적 행위를 막고자 하였다. 그는 대원군의 지방행차를 휴양으로 강조하여 정치적 의미를 축소하고, 대원군과의 사전교감을 밝혀 유생들의 상소를 자제시키고자 하였다. 유생들의 상소운동에 대해 大院君이 반대하고 있다는 것은 증명할 수 없지만, 고종은 자신이 만류하였다는 사실을 가지고 간접적으로 표현하였다.

143) 『日省錄』고종 12년 6월 17~18일.

144) 『承政院日記』고종 12년 6월 19일~21일. 이들은 지난 5월 17일의 희정당 모임에서 범상부도율의 적용에 찬성하였으나, 이날에는 국청 없이 의금부에

이들을 남간에 구금케 한 후 서소문 밖에서 참형토록 지시했다.145)

이에 대원군은 극한적인 대립과 무모한 희생을 줄이기 위해 還次하지 않을 수 없었다.146) 대원군은 고종과 대왕대비에게 결단의 뜻을 전했다. 고종은 대원군과 관련된 상소봉입 금지를 승정원에 지시했고 이후 송원자는 끊어졌다.147) 대원군의 무조건적인 환차는 정치적 패배를 인정하는 것이었다. 고종은 이러한 대원군의 입장을 감안하여 崔華植 등 남간 죄인에 대한 減死定配로 대응했다.148) 고종에게 남은 문제는 대원군의 잔존세력에 대한 처리였다.

판의금 李承輔는 유생상소를 지원하여 대원군의 환궁을 주도하고, 최화식 등의 참형저지에 주력하면서 친대원군계 입장을 고수했다. 이승보는 대원군의 환궁을 계기로 그의 재집권을 희망하였으나 현실은 대원군의 참담한 패배로 나타났다. 그 결과 그는 유생 상소운동의 배후인물로 지목되어 前掌令 申泰觀의 탄핵을 받기에 이르렀다.149) 동

의해 간략하게 처리할 수 없다고 반대하였다. 김병학, 홍순목, 박규수, 李最應, 김병국 등은 금오문 밖에서 대명하고, 명소패를 반납하였다. 도승지 김병시와 영부사 이유원은 고종의 처분 반대에 참여하지 않아 정치적 성향을 분명히 하였다. 옥당과 의금부는 전례가 없다는 점을 들어 반대하였다. 고종은 의금부당상을 대령시켰으나, 판의금 이승보는 집에서 석고대죄하면서 시행을 거부하였다.

145) 『日省錄』고종 12년 6월 17~18일.
146) 『政治日記』고종 12년 6월 22일 ;『承政院日記』고종 12년 6월 23일. 대원군은 이날 환차하여 詣闕하고 의금부 문밖에서 대왕대비의 명을 기다려 하교에 따라 운현궁으로 돌아갔다. 그의 환차는 더 이상의 희생을 감내하기 어려운 현실적인 판단이었다.
147) 『梅泉野錄』上, 18쪽.
148) 『日省錄』고종 12년 6월 23~24일.
149) 『日省錄』고종 12년 7월 9일. 신태관은 유생에 대해 겉으로 의리설을 청탁하면서 분수에 넘치는 짓을 하는 쓸모없는 족속들로 규정하고, 이들의 투소는 일시적인 투식이므로 차제에 금고나 과거금지를 통해 정치활동을 차단할 것을 제안하였다. 그가 유생의 배후로 지목한 이승보는 남인의 후예였다. 신

시에 대원군 측근인 蔡東述과 權鼎鎬 등은 어사파견의 형태로 원지에 유배되었다.150) 이승보는 前장령 李東榮의 상소에 의거 찬배되었다.151) 대원군은 이승보의 찬배조차 막을 수 없었다.

이로써 남인유생들을 중심으로 하는 대원군 재집권의 명분은 무산되었다. 이것은 대원군계 인사들의 조직적이지 못한 대응의 한계에서 비롯된 것이다. 이후 대원군계 정치세력들은 중앙정계에서 거의 도태되었고, 고종의 친정체제와 정치운영에 대한 전·현직관료 내부에서의 저항은 더 이상 나타나지 않았다.152) 유생들의 상소 움직임도 소강상태로 접어들어, 대원군 지지세력은 잠복하게 되었다. 이것은 고종의 친정체제 형성이 일차적으로 완료되었음을 의미하며, 대원군 재집권의 좌절로 귀결되었다.

2. 고종의 친정초기 정치세력의 성격

고종 친정체제 형성기 정치세력의 특징은 反대원군세력의 결집이었다. 그러나 성균관 유생들의 권당과 상소를 통한 저항에서 나타나듯이, 고종은 정권교체에 대한 준비 부족과 정치적 결집의 어려움을 경

태관은 상소절차를 어긴 죄로 승정원의 탄핵을 받았으나 고종은 홍문관 부교리에 제수하였다. 대원군 측근세력에 대한 탄압이 준비되어 있었음을 알게 한다.

150) 『羅巖隨錄』, 155쪽.

151) 『日省錄』고종 12년 8월 12일, 13일. 당시의 지의금 이병문과 동의금 홍원식은 이미 한성부로 자리를 옮겨 문책당하지 않았다. 이러한 상반된 결정은 이승보의 처벌이 직무자체보다는 정치적 사안이었기 때문이다.

152) 고종 12년 8월경에는 고종의 친정세력이 정계를 장악하고, 대원군계 인사는 중앙정계에서의 활동이 보이지 않는다. 의정부체제는 좌의정 李最應, 우의정 김병국, 이조판서 閔奎鎬, 병조판서 이재원, 호조판서 閔致庠, 형조판서 김병시, 예조판서 김수현, 공조판서 김상현 등으로 구성되었고, 대원군계 인물은 철저하게 배제되었다.

험했다.153) 더구나 대원군 지지기반의 약화를 목적으로 남인 許傳을
영입하려 했으나,154) 그는 형조판서 직임을 거부했다. 고종은 남인들
의 지지를 획득하기에 한계가 있었다.155)

고종은 친정체제와 정치세력의 재편을 위해 趙大妃의 권위를 이용
했고, 그 결과 정국운영의 주도권을 장악할 수 있었다. 조비대의 권위
와 관계는 洪淳穆과 姜㳣, 韓啓源의 파면, 李裕元과 朴珪壽의 등용에
각기 작용했다.156) 그리고 조대비의 권위는 崔益鉉과 朴遇賢의 상소,
萬東廟와 서원의 복설문제 처리시에도157) 이용되었다.

---

153)『承政院日記』고종 10년 10월 28일. 고종이 최익현상소에 의거, 사직을 청한
호조판서 김세균, 예조판서 조성교, 공조판서 이인응, 병조판서 서상정, 전
형조판서 서당보를 3개월 감봉에 처하고 현직에 둘 수밖에 없었던 것도 이
들을 대체할 정치세력이 형성되지 않은 현실을 반영하는 것이다.

154)『承政院日記』고종 10년 10월 27일. 고종은 허전의 문학과 식견을 높히 평
가하고, 홍문관 제학과 강관에 차임하여 자주 면대할 것을 요청했다. 허전은
경연에서 고종에게『詩傳』제8권의 내용 중 明明을 설명하고 "알기 보다는
행하기가 어렵다"고 강조하기도 했다.

155)『日省錄』고종 10년 10월 27일, 30일. 허전은 최익현과 같은 포천출신이지만
당론은 달랐다. 그는 학문과 덕망을 갖춘 근기 남인의 종장으로 老少 동료와
추종세력이 많았다. 따라서 고종은 이들을 지지기반으로 흡수하고, 남인계
유생들의 저항을 무마하려 했다. 고종이 그를 형조판서에 임명하여 권당유
생들의 형추를 처리하게 한 것은 이러한 의도였다. 그러나 남인으로 대원군
정권에 참여한 그가 대원군을 지지하는 유생들의 형배를 시행할 수는 없었
다. 그는 숙배하지 않음으로써 高宗의 친정체제 합류를 거부했다. 이것은 고
종이 근기남인세력의 흡수에 실패하였음을 의미한다.

156)『日省錄』고종 10년 11월 11일, 13일. 고종은 대원군계 정치인들에 대해서는
자성의 하교를 이행하지 않는다는 이유를 들어 파면시키고, 신임자의 경우
는 자성과의 관계를 이례적으로 강조했다. 그는 영의정 李裕元과 우의정 박
규수에게 '자성이 의지하신다'라고 하면서 협조를 구하고, 특히 박규수에게
는 憲宗과의 관계까지 언급하여 대조적인 입장을 드러냈다.

157)『日省錄』고종 10년 10월 29일 ; 11월 3일 ; 11년 2월 13일. 고종은 장령 홍시
형과 최익현의 재차상소에서 거론한 만동묘와 서원복설은 "염교로 철폐하였
기 때문에 거론할 수 없다"라고 거부했다. 그러나 만동묘는 결국 조대비의

조대비의 慈敎는 반대원군 정책이 실시되는 과정에도 영향력을 행사했다. 고종은 淸錢혁파로 심각한 재정난을 겪자[158] 자교에 의거 병인년 별비환의 作錢문제를 처리했다.[159] 만동묘와 병인별비환은 대원군 집권기 대민정책의 일환으로 시행된 주요한 정책이었기 때문에 고종은 정치적 부담을 가졌다. 그러므로 대왕대비의 慈敎는 고종에게 반대원군정책 시행의 명분을 제공한 셈이다. 고종은 이 과정에서 필요한 경우 제도개혁을 지시하여 정책집행의 주도권을 과시하기도 했다. 조대비의 권위가 고종 친정의 실체는 아니었다.

대원군정권의 무력적 기반은 삼군부였다. 고종은 자신의 정치력을 확보하기 위해서 삼군부가 장악하고 있는 병권과 이들의 정치세력을 약화시켜야 했다. 고종은 삼군부를 폐지할 수 없는 현실이었다. 그는 삼군부를 대신할 武衛所를 설치해 대응했다. 무위소는 순희당 화재사건을 계기로 설립되었지만,[160] 국왕권의 급격한 성장과 측근세력의 부상으로 전·현직 관료들조차 우려하였다. 이 과정에서 고종은 조대비와의 연대를 과시하기 위해 趙寧夏를 都統使에 임명하고,[161] 武衛所를 통해 兵權을 장악했다.[162]

지시로 복설되었다.

158) 청전 혁파후의 국가재정 부족실태는 James B, Palais, 이훈상 역, 1993, 「10. 청전의 유통금지」, 『전통한국의 정치와 정책』 참고.

159) 『日省錄』 고종 11년 1월 18일. 대신들은 동조의 하교로 시행되어 함부로 논의되어 시행할 수 없다면서 난처해 하였다. 그러나 이는 사실 대원군의 대민정책의 일환으로 시행되었다.

160) 『日省錄』 고종 11년 6월 20일. 武衛所의 설치와 변천에 대해서는 다음의 논고가 참조된다. 이병주, 1977, 「개국과 군제개편」, 『한국군제사-근대조선후기편』, 육군본부 ; 최병옥, 1990, 「조선말기의 武衛所연구」, 『군사』 21 ; 배항섭, 1999, 「高宗친정초기 군사정책과 武衛所」, 『국사관논총』 83 ; 은정태, 1998, 「高宗친정이후 정치체제개혁과 정치세력의 동향」, 『한국사론』 40.

161) 『日省錄』 고종 11년 7월 4일.

162) 武衛所는 宿衛뿐만 아니라 군사업무 전반을 관장하였고, 막대한 재정을 보

고종의 병권장악은 병조판서에 친위세력을 배치하고, 종친이거나 대원군의 측근세력이었던 군영대장의163) 일부를 교체하거나 포섭하는 형태로 이루어졌다. 대원군 퇴진에 동조한 李載元은 병조판서에 임명되었고,164) 친정세력화된 훈련대장 李景夏와 금위대장 趙寧夏, 어영대장 閔奎鎬가 군영을 장악했다. 특히 훈련대장 이경하는 宿衛의 重任과 勳戚大將의 중요성이 부각되는 과정에서165) 재정마련과 체제개편 등의 임무를 담당했다.166) 이 과정에서 이경하는 武衛所 병력지휘에 방해되는 제반요소를 제거하고, 숙위권을 포함하여 궁궐내의 군권을 장악했다. 그러나 禁衛大將 趙寧夏가 武衛都統使가 되면서167) 그는 정치권에서 배제되었다.

조영하의 군권장악은 조대비의 정치적 후원 때문이었다. 그러나 조대비의 정치기반은 인적기반의 부족으로 조직적이지 못했다. 趙成夏는 고종의 지방세력 장악 명분으로 외방에 나갔고168) 趙康夏는 비권력기구로 밀려났다.169) 그 결과 고종의 군권은 척족 민씨에게 넘어갔

유하였을 뿐만 아니라 맡지 않는 직임이 없고, 거행하지 않는 일이 없었다. 특히 무위도통사의 지위가 정승과 같은 반열로 격상되어 군사문제에 한정된 것이 아니라 실제적인 최고의 권력기구로 부상하였다.

163) 권력교체기의 훈련대장은 이용희, 금위대장 이장렴, 어영대장 양헌수, 총융사 정기원이었다.
164)『日省錄』고종 11년 9월 16일.
165)『承政院日記』고종 11년 3월 20일 ;『日省錄』고종 11년 8월 20일.
166)『日省錄』고종 11년 4월 29일 ; 5월 5일.
167)『日省錄』고종 11년 7월 4~5일. 이경하는 훈련대장 직임을 趙寧夏에게 넘겨주고 잠시 어영대장(12년 1월 25일~2월 14일)을 맡은 이후에는 정치권에서 완전히 탈락하였다. 대원군세력의 몰락과 같은 궤도였다. 반면에 趙寧夏는 훈련대장 직임을 겸찰하면서 일시적으로 군권을 장악하였다.
168)『高宗實錄』고종 11년 9월 1일. 조성하는 대원군계인 신응조의 후임으로 평안도관찰사에 보임되어 줄곧 지방에 머물러 있어 중앙정계의 변동에 영향력을 행사하지 못하였다.
169)『承政院日記』고종 10년 6월 11일 ; 윤6월 10일 ; 12년 2월 20일 ; 9월 11일.

다. 이조판서 閔奎鎬가 무위도통사가 되면서 인사와 군권을 동시에 장악하였기 때문이다.[170] 이것은 고종 친정세력 내부의 권력변동을 의미한다. 물론 이것은 외척내부의 문제였지만 이후 閔氏세력이 권력을 장악하는 디딤돌이 되었다.

고종은 재정권 장악에도 주력했다. 대원군정권의 재정권은 김병국, 김세균이 호조판서를 장기간 역임하였고,[171] 종친으로 남인인 이승보가 선혜청제조를 장악했다. 이들은 친대원군계로 대원군정권의 핵심적인 인물이었다. 고종은 호조의 재정기반을 흡수하기 위해 김세균을 유임시키고, 무위소 신설에 따른 재력확보를 위해 이승보를 일단 존속시켰다. 그러나 친정체제가 형성되면서 閔致庠을 호조판서에 임명하여 재정권을 확보하고,[172] 이승보는 대원군계의 약화와 함께 무위소제조와 선혜청당상에서 물러났다.[173] 이로써 재정권은 친정체제 형성기부터 閔氏척족이 장악할 수 있었다.

고종은 암행어사 파견을 통해 지방관에 대한 정치적 압력을 행사하

조강하는 대사성·한성좌윤·이조참의를 지냈으나 趙寧夏의 정치력 약화와 동시에 대사성 이외의 고위직임을 맡지 못하였다.

170) 민규호는 고종 12년 8월 이조판서(3일)와 무위도통사(6일)를 겸임하면서 권력의 핵심이 되었다. 그러나 조영하는 이후 훈련대장 이외의 주요직책을 맡지 못하였다. 이것은 조영하의 정치적 비중이 약화되는 것을 의미한다.

171) 金世均은 金炳國의 후임으로 고종 9년 9월 29일에 호조판서에 임명되었다. 그러나 외척인 閔致庠이 고종 11년 11월 7일에 호조판서가 되면서 대원군과 지지세력의 재정기반은 해체되어 갔다.

172) 『高宗實錄』 고종 11년 11월 7일.

173) 이원명은 우찬성인 이승보가 맡고 있던 공시당상 직임을 고종 10년 12월 24일에 넘겨받았다. 도승지 김보현은 김유연이 맡고 있던 관북구관·유사당상 직임을 넘겨받았다. 이들은 모두 고종의 측근세력들이었다. 이들의 재정권 장악은 대원군계 정치세력들의 기반을 약화시켰다. 특히 이승보는 고종 11년 1월 9일 내각제학에서 해임되었고, 고종 12년 3월 14일 무위소와 선혜청 제조를 사임하였다. 그는 이와 같이 정치적 기반을 상실하게 되자 이후 대원군의 재집권을 위한 유생들의 상소운동에 전념하였다.

고,[174] 친정 및 척족세력으로 감사들을 교체했다. 친대원군세력인 경상감사 金世鎬를 俞致善으로 교체하였고,[175] 이후 洪玩을 투입하였다.[176] 이후 대원군 지방세력에 대한 비리추적을 통해 통치력을 확대했다. 전라도는 趙性敎를 통해 장악하였다.[177] 평안도는 남정순을 탄핵하고 申應朝를 임시로 파견, 이후 趙成夏가 직접 장악했다.[178] 함경도와 강원도의 경우 徐堂輔, 李會正, 閔永緯가 장악했고,[179] 경기도는 閔台鎬가 맡았다.[180] 이들은 모두 고종의 친정세력, 특히 척족세력들이라는 공통점이 있다.

이와 같이 고종 친정체제 형성기 정치세력들은 하나의 세력으로 통일되어 있었던 것은 아니었다. 고종의 친정에 합류한 척족세력들은 인사와 군사 및 재정권을 장악하였다 하더라도 이들의 정치력이 강하게 작용한 것은 아니다. 고종은 자신을 대리하여 친정세력을 통합할 인물이 필요했다. 독자세력이 전무한 이유원을 영의정으로 발탁한 것은[181] 이러한 현실에서 비롯되었다. 고종이 이유원을 영의정으로 선택한 것은 그의 반대원군 입장과 非戚族系라는 점이었다.

영의정 이유원은 고관직 역임자들을 중심으로 정치체제를 구축했다.[182] 그러나 이 과정에서 정책시행을 둘러싸고 내부적으로 의견이

---

174) 고종의 암행어사 파견은 영의정 李裕元의 주청에 따른 것이다. 암행어사를 동한 外邑의 통제는 이들의 동요를 사전에 차단하는 효과와 정권교체에 따른 입장변화를 유도하는 것이다(『日省錄』 고종 11년 1월 13일).
175) 『高宗實錄』 고종 10년 12월 30일.
176) 『高宗實錄』 고종 11년 7월 9일.
177) 『高宗實錄』 고종 10년 12월 23일.
178) 『高宗實錄』 고종 11년 9월 1일.
179) 『承政院日記』 고종 10년 12월 12일 ; 12년 11월 20일.
180) 『高宗實錄』 고종 11년 8월 28일.
181) 『日省錄』 고종 10년 11월 13~14일.
182) 李裕元의 주청에 따라 정부당상직을 역임하거나 정경으로 발탁되어 정치체제에 참여한 대표적인 인사는 이원명, 김보현(10년 12월 24일), 홍우길, 이병

있었다.183) 더구나 척족계열이 군권과 재정권을 장악하고 있었기 때문에 그는 독자적인 정치활동을 하기에 구조적인 한계가 있었다. 그는 반대원군정책을 시행하는 과정에서 민심을 확보하지 못했고, 국가재정의 보완책을 마련하지도 못했다.184) 이후 중앙 및 지방재정은 악화되고, 수령체차와 관련한 영송의 폐단이 자심했다. 더구나 아전들의 부정과 농간은 늘어나고 있었다.185) 이러한 상황에서 고종의 內帑金으로 정부가 운영되었고,186) 이것은 한계에 직면하게 되었다.

고종은 친정체제를 형성했지만, 오히려 왕과 정부의 권위는 약화되는 현상이 나타났다.187) 물가가 지속적으로 상승하면서 민심은 불안했고, 서울 근교의 약탈행위와 鄕曲에서의 火賊黨이 성행했다.188) 그러므로 고종의 친정 명분은 퇴색되는 실정이었다. 급기야 민심은 대원군의 재집권을 요구하는 방향으로 흘러갔다. 이러한 현상은 정권교체기의 경색된 정국과 정권담당자들의 시폐개혁에 대한 한계,189) 고종

문, 조기웅(11년 1월 14일), 오취선, 조병창, 조봉하, 윤자덕, 閔奎鎬, 정범조(11년 3월 5일), 박제인(11년 4월 29일), 조병휘, 신응조, 閔致庠(11년 11월 15일), 김재현(12년 6월 14일), 이호준, 김보현, 유자덕, 정기회(11년 9월 20일)등이다.

183) 고종은 이유원을 상당히 신임하였지만 독자적인 정치활동과 독단적인 정치운영을 허용하지는 않았다. 고종은 박규수를 우의정에 임명하여 그의 정무처리를 보완, 견제토록 하였다. 박규수는 청전혁파 문제 등 구체적인 정책시행을 둘러싸고 李裕元과 대립적인 양상마저 보였다(『日省錄』고종 11년 1월 13일).

184) 『日省錄』고종 11년 1월 17일. 淸錢革罷後 各營各司는 청전 처리방침을 수립하였으나 실효성이 없었다. 국가재정은 영남의 결두전을 作錢하는 대책에서도 드러나듯이, 호조의 경비는 물론이고, 各營의 奉足, 貢人의 需價조차도 내줄 수 없는 상태였다.

185) 『承政院日記』고종 11년 1월 29일.

186) 『承政院日記』고종 11년 2월 5일.

187) 『承政院日記』고종 11년 4월 5일

188) 『日省錄』고종 11년 10월 8일.

친정체제가 강고하지 못한 현실에서 비롯되었다.

반대세력들은 李裕元체제에 대해 정치적, 개인적, 도덕적 자질문제를 증폭시켰다.190) 그리고 체제 내부에서도 반발이 일어나 관료들의 정무불참이 성해했다.191) 이러한 현실에서 영의정 이유원은 좌의정 李最應과 우의정 金炳國으로부터 부정적인 평가를 받았다.192) 이러한 정치적 상황은 고종에게 부담으로 작용했고, 급기야 이유원은 체제를 유지하기 어려웠다. 이후 이유원이 정계에서 완전히 배제되지 않은 채,193) 이최응과 김병국의 연합체제가 출범하기에 이르렀다.194) 이 과정에서 조대비계열은 퇴조하였고, 閔氏척족세력은 부상하였다.

이최응과 김병국 연합체제가 주력한 것은 정치기강의 확립이었다. 이최응은 정치세력의 통합을 추진했지만195) 국왕의 권위는 신장되지

189) 이유원은 공무에 불성실하지 않았다. 그는 입직 한 달을 잊을 정도로 직무에 충실하였다. 그의 권력지향적인 성격은 청전혁파문제에서 단적으로 드러난다. 그는 청전의 문제를 국가재정의 위기에 대한 개혁·개선의 차원에서 접근하지 않고, 오히려 민심회복 차원에 접근하여 고종의 은택을 부각하고자 하였다. 이런 점은 그가 근본적인 사회모순에 대한 인식과 해결방안에 대해 한계가 있었다는 점을 보여준다(『承政院日記』고종 11년 3월 5일).

190)『承政院日記』고종 11년 11월 29일 ; 12월 24일 ; 12년 1월 11일.

191)『承政院日記』고종 11년 12월 3일.

192)『承政院日記』고종 11년 12월 25일.

193) 이유원은 정계를 떠난 것이 아니었다. 고종은 그의 영의정 직책에 대해 파직·등용을 반복하면서 정치적 명맥을 유지시켰다(『高宗實錄』고종 11년 12월 4일 파직, 5일 재등용, 27일 파직, 28일 재등용, 12년 2월 15일 재임명, 12년 4월 22일 사직 허락). 고종은 그를 정치적으로 보호하였고, 또한 세자책봉 도제조로 임명하였다. 그는 고종 12년 1월 7일에 주청사가 되었고, 12년 7월에 중국으로 떠났다. 이것은 고종 친정체제 형성기 이유원의 정치적 역할이 일단락 되었음을 의미한다.

194)『高宗實錄』고종 11년 12월 17일. 고종이 영의정을 공석으로 둔 것은 자신이 국정운영의 주도권을 장악하려는 의도였다.

195) 李最應은 閔氏척족의 핵심인물인 閔奎鎬를 고종 12년 3월 3일에 정부당상에 흡수하여 협조를 구하고, 두달 뒤인 5월 24일에 정기세와 김원식을 정부

않았다. 고종의 特敎에 의한 賓對에 臺閣의 신하들이 한명도 참여하
지 않았고,[196] 고종이 친림한 冬享大祭에도 불참자가 많아 위의조차
갖추기 어려운 실정이었다.[197] 이 과정에서 고종은 現告한 문신 40명
에 관대한 처분을 내리면서[198] 閔氏척족에게 병권을 일임했다.[199] 한
편으로 李最應은 고종에세 정치기강의 확립을 위해 전면에 나서 줄
것을 요구하기도 했다.[200] 이후 고종을 정점으로 좌의정 이최응, 무위
도통사 민규호 중심의 정치체제가 유지되었다.

고종은 백성의 안정에 대한 책임과 통치권의 소유가 자신에게 있음
을 인식하고, 체제구축에 나섰다. 그는 이최응을 영의정으로 승진시키
고,[201] 우의정 김병국의 지지를 받으면서 안동김씨계열의 협조를 구
했다. 그러나 이들은 이미 정치력이 상당히 위축되어 있어 효과는 미
지수였다. 그것은 이미 민규호 중심의 척족세력이 권력의 한 축을 형
성했기 때문이다. 좌의정 김병국은 고종의 강력한 체제형성에 회의적
인 반응을 보이기도 했다.

이후 閔氏척족은 군권과 재정권을 장악하면서 친정의 주체세력으

당상으로 보강하였다.

196) 『承政院日記』 고종 12년 5월 10일.
197) 『承政院日記』 고종 12년 9월 27일.
198) 『承政院日記』 고종 12년 10월 4일 ; 8~9일 ; 10일 ; 13일. 현고한 인물은 이
　　 병문, 조인희, 신헌, 정기세, 김병주, 김병덕, 김원식, 이규영, 조인희, 김익현,
　　 윤우선, 홍종헌, 서승보, 박내만, 이현익, 윤자승, 김익용, 이희로, 신태운, 조
　　 강하 등이며, 전·현직 판서, 승지, 대사성, 참의, 참판 출신자들이다.
199) 『承政院日記』 고종 12년 9월 30일 ; 10월 6일. 어영대장 신헌과 총융사 이희
　　 승은 파직되었다. 무위도총사 閔奎鎬는 이들의 직임을 겸직하면서 병권을
　　 완전 장악하였고, 閔氏중심의 정치세력을 구축하는 계기가 되었다.
200) 『承政院日記』 고종 12년 10월 25일. 그는 대·내외적 위기속에서 군신상하
　　 간의 일체감 없이는 기왕의 폐단을 고칠 수 없고, 국왕이 결단을 내려 군신
　　 을 계칙해야 대도에 이를 수 있다고 주장하였다.
201) 『高宗實錄』 고종 12년 11월 20일.

로 부상했다. 정권교체기 민씨세력은 병조판서 閔升鎬[202) 외에는 권력의 핵심에 접근한 인물이 없었다. 대원군이 친족 및 척족의 정치참여를 철저히 배제하였기 때문에 이들의 소수만이 정치권에 진입할 수 있었다. 대원군 집권말기 閔永緯의 교체와[203) 閔台鎬, 閔致庠의 지방관 보임으로[204) 이들의 정치력은 미미하였다. 이러한 점들은 이들로 하여금 반대원군세력에 가담하는 요인으로 작용했다. 그러므로 이들은 閔妃를 중심으로 대원군의 퇴진에 적극적이었다.

민씨척족 중 대원군 퇴진에 적극 가담한 자는 민승호와 민규호였다.[205) 그러나 민승호는 대원군세력의 정치적 음모로 살해되어 정치력을 발휘하지 못했다.[206) 이 과정에서 민씨척족의 정치적 영역은 확대되었으나 대체로 낮은 직급이었고, 비권력기구에 포진되어 있었다. 민태호와 민영위는 외방에서[207) 고종의 지방세력을 형성하였고, 閔種

---

202) 閔升鎬는 수원유수로 재직중인 고종 10년 9월 10일에 병조판서인 閔致庠과 상환되었다. 최익현상소 이전인 10월 6일 서상정이 병조판서가 되면서 민승호는 권력의 핵심에서 멀어져 갔다. 그의 대원군 퇴진운동은 이때부터 본격화되었다고 이해할 수 있다.

203) 민영위는 고종 10년 7월 19일에 대사헌이 되었으며, 다음달 6일 한성판윤이 되었다. 그러나 보름만인 8월 23일에 김병덕으로 교체되었다.

204) 민태호는 고종 10년 4월 1일 황해도관찰사가 되었고, 閔升鎬는 고종 10년 9월 10일 수원유수가 되어 지방에 있었다.

205) 鄭喬, 『大韓季年史』, 8쪽 ; 黃玹, 『梅泉野錄』上. 甲午以前. 閔升鎬는 모친상으로 인해 여막생활을 하였지만 封書를 통해 정사에 관여하였다. 그러나 朴殷植은 閔升鎬가 아닌 閔奎鎬를 배후인물로 지목하였다. 閔奎鎬가 趙寧夏, 李載冕 등과 모의하여 고종의 친정을 권하였고, 고종에게 書下의 예를 만들어 행할 것을 권하였는바 이것은 대원군의 정권을 꺾으려는 생각이었다고 한다(朴殷植, 『韓國痛史』, 15쪽).

206) 고종은 민치록이 죽자, 이 집안의 불행을 언급하면서 閔升鎬에 대해 "장차 크게 쓰려고 하였는데, 天理이지, 鬼理인지" 난감해 하였다. 이런 점에서 그의 정치적 역할을 짐작할 수 있고, 반대세력의 정치적 음모로 이해할 수 있다(『承政院日記』 고종 11년 11월 28일 ; 12월 16일).

默과 閔昌植208)은 연령과 정치적 경험의 부재로 정책결정 참여에 한계가 있었다. 고종의 측근에 포진할 수 있었던 자는 閔泳穆 뿐이었다.209) 그러므로 閔氏척족세력은 구심점이 없었고, 독자적인 세력으로 존재하기에 어려움이 많았다.

고종의 친정체제 형성기 핵심세력으로 부상한 인물은 민규호와 민치상이었다. 이들은 주로 군권과 재정권을 장악하면서 정치영역을 확대했다. 閔奎鎬의 경우 고종의 친정 전부터 정치적 참모역할을 했고,210) 인사권에 개입하면서211) 친정세력의 확대와 閔氏세력의 결합을 주도하기도 했다. 이후 그는 다양한 직임을 거쳐 풍부한 정치와 행정 경험을 축적하였고,212) 무위도통사가 되면서 정치적 주도권을 장

---

207) 민태호는 고종 11년 8월 28일 황해감사에서 강원감사로 전보되면서 품계가 올라갔고, 민영위는 고종 12년 11월 20일 함경감사, 동년 12월 13일에 강원감사로 재직하게 되어 정권의 핵심으로 부상하기는 어려웠다.

208) 민종묵은 고종 11년 6월 20일에 부수찬에 특채되었고, 민창식은 고종 12년 1월 28일에 대사성에 임명되었다.

209) 그는 규장각 提學, 右諭善, 대사성, 이조참의, 한성좌윤, 예조참판을 거쳐 도승지가 되었다(『承政院日記』 고종 11년 5월 2일 ; 9월 14일 ; 10월 7일 ; 12년 1월 6일 ; 2월 20일 ; 3월 17일 ; 8월 20일).

210) 민규호는 고종의 친정 직전(10년 4월 24일) 도승지가 되면서 고종과 밀접한 관계를 맺고, 정치적 참모의 기능을 수행하였다. 친정이후(11년 2월 15일) 도승지가 되어서는 왕명에 의지하여 반대원군세력의 형성과 퇴진에 주력하였다고 이해된다.

211) 민규호는 이조참의, 이조참판, 이조판서직을 통해 관료임면에 영향권을 행사하였다. 민영목의 都承旨 발탁도 같은 맥락에서 이루어졌다(『承政院日記』 고종 10년 12월 2일 ; 11년 5월 14일 ; 12년 8월 3일).

212) 閔奎鎬는 의정부 우참찬, 예조판서, 한성판윤, 세자 좌·우빈객, 左右賓客, 규장각과 홍문관 제학 등 민씨척족 중 가장 화려한 경력의 소유자이다. 그는 이러한 직임을 통해 정책결정과 집행에 참여하였으며, 세자와의 정치적 결합을 통한 정치보장, 권력을 이용한 정치세력의 확대가 가능하였다(『承政院日記』 고종 11년 1월 19일 ; 10월 19일 ; 11월 7일 ; 12년 1월 28일 ; 2월 23일 ; 3월 2일 ; 7월 24일, 28일).

악하게 되었다.

閔致庠은 고종의 친정과정에서 결정적인 역할을 하지는 않았다. 그러난 그는 호조판서에 보임되면서 고종 친정기의 재정기반을 형성했다. 그의 중앙정계로의 복귀는 무위소 설치와 趙寧夏의 군권장악에 대한 견제차원이었다. 조영하가 고종과 조대비의 연결고리로서 주도세력으로 성장함에 대한 閔妃측의 위기가 반영된 것이다. 특히 김병국이 정권에 참여하고 있지만, 이전 시기부터 재정권을 독점하고 있던 안동김씨계열의 약화도 고려한 것이었다. 이들의 배후에는 민비가 존재하고 있었고, 민규호와 민치상의 부상은 고종 친정체제 형성기 정치세력의 주류가 변화되고 있음을 반영하는 것이다.

그러나 閔氏척족이 권력을 독점하고 정치를 專斷할 수 있었던 것은 아니었다. 영의정 李最應과 우의정 金炳國의 협조없이는 정권유지가 어려웠다. 다만 고종 친정체제 형성기를 통해 민씨척족은 최대의 독자적 정치세력으로 부상할 수 있었고, 開港이후 권력독점을 가능케 하는 발판을 마련할 수는 있었다. 고종은 친정체제를 구축하면서 척족을 중심으로 諸세력을 통합하려는 정치적 구상을 하였으나, 이질적인 집단들의 공존은 그것을 어렵게 만들었다. 결과적으로 고종은 자신의 정치력이 발휘될 수 있는 정치체제를 성립시키지 못했다. 이것은 고종이 독자적이고 강력한 통치력을 발휘하지 못한 것이 원인이었으며, 한편으로 이것이 開港을 전후하여 閔氏척족의 권력독점이 나타나는 배경으로 작용하였다.

제7장 결 론

　대원군은 19세기 조선사회가 대·내외적 모순이 격화되어 파탄상태에 이르렀을 때 정권을 장악했다. 대원군이 집권하던 시기는 안으로는 反封建 농민항쟁이 빈발하였고, 밖으로는 체제를 위협하는 서양 제국주의세력들의 침략이 본격화되고 있었다. 이 과정에서 대원군은 宗親과 宗親府 중심으로 권력기반을 구축하고, 종친부를 통해 공식적이고 합법적인 권력을 행사했다. 대원군의 권력행사가 가능했던 통로는 국왕의 인사권이었고, 대원군은 이 권한을 대행했다. 이 과정에서 대원군은 종친 및 自派세력을 권력기구에 배치하고, 통치권을 행사하는 방식을 택했다.

　대원군의 권력행사는 조선왕조의 권력구조와 정치과정에서 나왔다. 조선왕조의 통치구조는 국왕을 정점으로 성립되었고, 어떠한 경우에도 국왕의 절대권을 부정할 수 없었다. 세도정권기 집권세력에 의해 즉위한 哲宗은 왕위계승의 정통성에 대한 논쟁을 불러왔다. 그 결과 철종은 국왕으로서의 독자성 확보에 한계가 있었다. 더구나 純元王后의 정치력 부재는 수렴청정기간 정치집단 간의 권력투쟁을 야기했고, 安東金氏세력의 권력 독점으로 귀결되었다. 수렴청정권은 왕위계승자에 대한 지명권을 포함하여, 친정가문의 정치적 입지 확보와 권력장악으로 기능했다. 이 과정에서 정치집단은 권력장악과 권력유지의 중

요한 요인으로 국왕과의 혈연성을 인식하게 되었다.

安金집단의 독점적인 권력행사와 정국운영은 비변사를 통한 인사와 재정·군권의 독점을 통해 이루어졌다. 이러한 정치운영 방식은 관료제도 운영의 폐쇄성을 심화시켰고, 새로운 정치세력의 성장과 분화에 장애가 되었다. 그러므로 집권세력은 시대적 변화를 수용할 수 없었으며, 급기야 모순을 사회 내부적으로 극대화시켰다. 삼정문란으로 인한 임술농민항쟁은 이러한 봉건적 체제가 초래한 사회모순을 총체적으로 보여준 일대 사건이었다. 그러나 집권안김세력들은 개혁정책를 포기했고, 사회적 변화를 수용하지 않았다. 국왕의 독자적 정치행위는 '中批'에서조차 배제될 정도로 제한되었다.

이러한 현실에서 종친들은 왕권강화의 기반을 이루면서, 독자적인 세력으로 성장할 가능성이 있었다. 종친과 종실은 외척세력의 비대와 권력독점에 대한 대응세력의 성격을 가지고 있기 때문이다. 그러나 종친세력은 정치적으로 약화되어, 그들조차 안김집단의 정치영역 내에서만이 존재할 수 있는 처지였다. 이들이 왕권강화의 기반이 되려면 우선 종친세력 자체의 결집이 필요했다. 대원군은 종친부 유사당상으로 이러한 현실을 정확하게 이해했다. 그리고 그는 권력교체기 권력의 향방이 수렴청정권에 있다는 것을 주목했다. 대원군과 神貞王后와의 정치적 결합은 이러한 시대인식을 바탕으로 이루어졌다.

대원군은 세도정권의 정치적 현상을 경험한 왕족이며 정치인이었다. 그 결과 그는 집권의 명분과 목표를 왕권강화에 설정할 수 있었다. 대원군의 왕권강화정책은 세도정권의 낡은 정치적 관행을 깨는 것임과 동시에, 시폐의 개혁을 요구하는 농민들의 요구를 수용하는 방안이기도 했다. 대원군이 왕권강화에 집착한 것은 자신의 경험과도 연관된 문제였다. 그는 왕권과 왕실의 허약함 때문에 안김가문이 권력을 집중했다고 판단했다. 이러한 경험을 바탕으로 대원군은 집권과정에서 통

치정책을 실시했고, 이 과정에서 권력기반을 확대했다. 그는 강력한 왕권이 중앙집권체제의 구축에서 비롯된다고 확신했다.

대원군은 왕족의 일원으로 활동했고, 철종년간 왕실과 종친을 중심으로 집권에 대비했다. 그는 종친부의 유사당상이 되어 종친부 중심으로 宗親璿派 가문의식을 확대시켰다. 이것은 왕권강화의 기반을 확대하는 방안이기도 했다. 그러나 그는 세도정권하에서는 철저하게 비정치적인 행보를 보였으며, 정치적 격변기에는 세도정권에 정면으로 맞서기보다는 타협하는 방안을 선택하기도 했다. 이 과정에서 그는 종친부와 종친선파인 중심의 독자적 영역을 구축했다. 이것은 그가 安金 집단으로부터 정치적으로 자유로웠기 때문이며, 이러한 배경하에 안김 내부의 金炳學 형제와의 정치적 연대도 가능했다. 대원군이 조대비와 정치적 연대를 모색한 것은 철종사후의 수렴청정권 장악을 목적으로 했다. 그와 趙大妃와의 정치적 동맹은 상호간 정치적 입장이 반영된 절묘한 정치적 결합이었다.

대원군은 종친부의 재건과 종친선파인들의 정치적·사회적 지위 향상에 주력했다. 종친부는 종친들의 상징이며 결집의 구심점이었다. 그러나 종친부는 조선후기 이래 종친들의 지위하락과 같은 길을 걸어 퇴락했다. 대원군의 종친부 재건책은 종친부의 권위회복이 목적이었으나, 왕권의 약화와 국가재정의 부족이라는 현실을 극복하지는 못했다. 다만 그의 집요한 노력으로 종친부는 五上司의 실질적인 지위를 회복하였고, 하급기관에 명령을 하거나 군역청에 예산의 선배정을 요구할 정도의 권위는 되찾았다. 그럼에도 종친부는 물리적 공간을 확보할 수 없는 처지였다.

한편으로 대원군은 『璿源譜略』의 수보를 추진했다. 이것은 몰락한 宗親璿派人들의 정치적·사회적 지위향상을 도모하고, 국왕의 정치적 기반 확보가 목적이었다. 종친부는 璿派人들에 대한 吏胥의 잡역

침탈을 막기 위해 신역탈급을 주도했다. 그러나 종친부는 하급기관을
통제할 수 있는 권한과 조직을 갖추고 있지 않아 신역탈급과 이서배
의 嚴治는 실질적인 효과는 미미했다. 이 과정에서 대원군은 국왕과
안김집단과 정치적으로 협력했고, 급기야 종친부는 璿派人 各派世譜
의 수정권을 확보했다. 이것은 종친부가 의정부·비변사·육조 등과
의 관계를 재정립할 수 있는 배경이 되었다. 종친부는 百司之首·莫
嚴重地의 지위를 회복하고, 이것은 대원군의 집권과 아울러 종친세력
의 결합과 종친부 권력기구화의 토대가 되었다.

대원군은 새로운 정치세력이나 정치적 이념을 바탕으로 집권한 것
이 아니라, 幼沖한 국왕의 '輔政'이라는 명분으로 국정을 장악하고 권
력을 행사했다. 안동김씨 세도집단은 비변사를 중심으로 권력을 장기
간 독점하고, 비판·견제세력의 존재를 인정하지 않았다. 특히 이들은
비변사를 통해 정부의 合議와 그들에 의해 조장된 士林의 公論을 들
어 왕권을 제압하기도 했다.

세도집권세력들은 대원군의 등장과 권력장악을 예상하지 않았으며,
그러한 정치변동에 대한 대비책이 전혀 없었다. 또한 이들은 대원군의
권력진입을 저지하는 어떠한 조치도 취하지 않았다. 이들은 대원군의
종래 행적과 연관하여, 대원군에 대한 제압이 가능할 것으로 생각했
다. 특히 이들은 최소한 대원군과 정치적 타협이 가능할 것이라고 기
대했다. 안김세력들은 대원군의 실체에 대한 인식을 결여했던 것이다.
오히려 대원군이 집권하는 과정에서 안김세력들은 親·反大院君세력
으로 분화되었다.

일반적 관료집단과 농민들은 농민항쟁과 서양의 중국진출에 대한
위기를 직·간접으로 경험했다. 이 과정에서 이들은 안김집단의 부적
절한 대응을 직시하였고, 북경함락이 가져온 대내·대외적 위기를 절
감했다. 급기야 이들은 새로운 대안을 구상하였고, 그러한 대안이 실

현될 수 있는 새로운 정치질서의 수립과 지도자의 출현을 기대했다. 이들은 대원군이 그들 각자에게 새로운 기회를 제공할 것이라고 기대하기에 이르렀다. 그러므로 대원군의 권력장악은 이들의 여망과 부합되었다.

대원군은 권력행사의 합법적 근거 마련를 위해 종친부를 최고아문으로 만들었다. 그는 '大君'에 준하는 예우를 받았고, 종친부 최고위인 '句管位'의 지위에 위치했다. 그리고 대원군의 권력행사는 국왕의 인사권을 통해 실현되었다. 이 과정에서 그는 종친부 최고위와 국왕의 생부라는 권위를 국왕권과 등치시켰다. 그는 고종으로부터 인사권을 위임받아 행사하면서 자파세력들을 권력기구에 배치했고, 이들을 배경으로 권력기반을 강화하여 통치권을 행사했다.

대원군의 권력행사는 합법적인 정치과정과 관행의 범위 내에서 행해졌다. 그는 스스로 신하의 지위에 위치하기를 거부하였지만, 국왕의 절대적인 권위를 초월하지는 않았다. 오히려 그는 정권의 목표를 왕권 강화에 설정하고, 국왕과 왕실의 권위를 높였다. 이것은 그의 정권이 안정적으로 유지될 수 있는 기반이 되었으며, 이러한 정치관행은 세도집권기의 정치관행을 원용한 것이기도 했다. 대원군은 고종과 대왕대비로부터 신하의 예우를 받지 않았고, 관료들은 자신들과의 차별성을 고려하여 '冠百僚烈位之上'으로 예우했다.

대원군의 정치적 존재와 지위는 관념적이지만 국가의 尊屬인 '國太公'이었다. 그는 스스로 재상의 윗자리에 서서 '太公'으로 자존하기도 했다. 그의 권력의지는 국왕의 전교가 아니라, 종친부의 '大院位分付' 형식으로 실현되었다. 종친부는 종친들의 정치세력화의 구심점이었다. 종친부는 종부시와의 합부를 통해 고유업무를 확보했고, 대원군의 재건정책에 의해 외연을 확대하기에 이르렀다. 이 과정에서 종친부는 합법적인 권력기구가 되었다.

　대원군은 자신의 권력소재를 종친부에 설정했다. 이것은 대원군이 종친부를 통한 권력행사가 가장 합법적인 것이라 생각한 데서 비롯되었다. 종친부는 종친들의 정치세력화를 위해서도 가장 합리적인 방안이었다는 점도 고려했다. 종친부를 통한 대원군의 권력행사는 국왕체제를 직접 장악할 수 없는 정치적 한계를 극복하게 만들었다.

　대원군은 종친부의 '我在堂'에서 정국을 운영했고, 宗正卿체제를 신설했다. 이후 종정경은 실직이 되었고, 종정경의 관직분화가 이루어지면서 종친들을 東班官階와 동일하게 되었다. 이 과정에서 종정경들은 인사권을 통해 의정부와 육조에 분산 배치되었다. 종친부는 대원군을 의식해 종친부 인신을 은으로 新鑄했고, 이는 '대원위분부'의 정당성과 합법성을 보장했다. 이것은 대원군의 권력행사가 사저인 운현궁이 아니라 합법적인 종친부, 다시 말하면 私的 영역이 아니라 국가의 公的機構를 통해 실현되었다는 사실을 보여준다. 그러므로 '대원위분부'는 왕명과 같은 권위와 정당성 · 합법성을 가지고 있었으며, 전 국가기관에 미칠 수 있었다.

　종친부는 대원군의 정책집행과 권력행사를 위해 조직을 개편하는 과정에서 구성원을 확충했다. 대원군은 이러한 종친부를 통해 국왕과 별개의 독자적인 정책결정과 집행이 가능했다. 특히 서원의 철폐과정에서 단적으로 드러나듯이, 爲民之策의 경우에는 국왕의 형식적인 재가조차도 거치지 않았다. 고위관료들은 대원군의 권력행사를 국왕의 통치행위와 일치시켜 수용했다. 그러므로 대원군은 실제적인 정책결정과 정치운영에서 국왕권을 행사하였고, 이러한 국정운영은 정치관행으로 굳어졌다.

　그러나 종친부는 구조적으로 행정부서를 갖출 수 없었다. 이것은 종친부가 권력의 집행기관이 될 수 없게 만들었다. 종친부의 국정개입은 대원군의 권위에 의해서만 가능했고, 합법적으로 행정업무를 집행

할 수 없었다. 종친부가 비록 대원군의 정책을 수행하는 아문으로 변하였지만, 국정을 언제나 선도할 수는 없었다. 대원군이나 종친부가 입안한 정책, 예컨대 서원철폐와 무단토호의 징치정책 등도 결국에는 의정부에 이관되었기 때문이다.

이런 점에서 대원군정권의 전제성은 국왕과 의정부체제라는 공식적인 권력구조의 범위를 넘어설 수 없는 한계가 있었다. 이것은 종친부가 행정집행기관이 될 수 없는 한계에서 비롯되었지만, 이러한 이유로 종친부 중심의 국정결정과 운영은 관료조직의 저항에 직면하기도 했다. 종친부는 재생산되는 체제를 가지고 있지 않았고, 급기야 이러한 정치운영은 대원군의 失權과정에서 종친부가 무력해지는 실정과도 연관된다.

대원군 집권기 정치세력은 대원군의 통치정책과 상관관계를 이루면서 존재했다. 대원군이 집권할 시기 안김집단과 노론세력은 비변사를 통해 정치권력을 독점적으로 장악했다. 대원군은 이들을 통제할 합법적인 정치적 지위가 보장되지 않았고, 정치기반이 구축되어 있지 않았다. 그는 안김집단의 협력없이는 권력유지가 어려웠기 때문에, 김병학 중심의 안김집단과 정치적 협력체제를 이루었다. 이러한 현실 속에서 그는 국왕체제의 회복을 통한 왕권강화정책과 개혁정책을 추진했다. 이러한 대원군의 개혁정책은 권력기반의 확대를 위한 통치차원에서 이루어졌다.

대원군은 국왕체제의 회복을 위해 비변사를 폐지하고 의정부체제를 부활시켰다. 이것은 비변사를 중심으로 형성된 안김과 노론세력들의 정치기반 해체와 맞물려 진행되었다. 이 과정에서 정치세력들은 분화되었고, 親대원군세력들이 급성장했다. 한편으로 대원군은 안김과 노론의 저항을 고려해 이들의 이해와 배치되지 않는 범위내에서 개혁정책을 추진했다. 무단토호 징치정책과 서원의 실태조사, 부분적인 삼

정개혁정책이 바로 이것이다. 이들 정책들은 안김과 노론집단의 정치적, 경제적 이해와 직결되지 않았다. 그러므로 이들은 대원군의 개혁정책을 반대할 명분이 없었다. 대원군의 개혁정책이 집권세력들의 저항을 받지 않은 이유이기도 했다.

대원군은 의정부 부활을 통해 국왕체제를 회복했다. 그는 인사권을 통해 종친을 중심으로 한 자파세력을 의정부 구성원으로 충원했다. 이 과정에서 종친들은 종정경체제를 통해 독자적인 위상을 정립했고, 의정부체제에 분산·배치되어 대원군의 권력기반이 되었다. 이들은 대원군의 권력의지를 실현하게 했으며, 대원군정권의 핵심세력에 위치했다. 그렇다고 대원군이 의정부와 육조 등 국왕체제를 직접 통제할 수는 없었다.

대원군의 개혁정책은 통치차원에서 실행되었다. 이 과정에서 정치권을 제압했고, 정치세력들은 정치적 이해관계에 따라 분산·분화되면서 개별적으로 대원군의 지배체제에 흡수되었다. 대원군정권에 노론과 소론은 물론이고, 남·북인계 인사들이 배치되었던 것은 이러한 이유에서 비롯되었다. 그러므로 대원군 집권기 정치세력은 종친이 그 중심에 위치했지만, 다양한 당파의 인물로 형성되어 사상적·조직적 통일성을 유지할 수 없는 한계를 내포했다. 이러한 한계는 대원군이 권좌에서 밀려나는 대응과정에서 그대로 노출되었다.

대원군은 통치정책을 통해 정치기반을 확대하였고, 권력장악과 행사의 정당성을 확보했다. 의정부 삼공체제의 부활은 의정부를 권력의 중심부에 위치하게 만들었고, 그 배후에 대원군이 존재했다. 경복궁 중건정책은 국왕권 권력소재의 변동과 새로운 정치운영의 상징성을 대표했다. 이 과정에서 대원군은 정궁회복이란 명분으로 정치권을 통합했고, 경복궁 중건의 주체로 부상하면서 '국태공'의 지휘를 획득했다. 그는 병인양요의 진압과 삼군부의 복설을 통해 군권을 장악했다.

이후 대원군은 삼군부의 무력적 기반과 의정부체제 등 국왕체제를 독
점했다. 이것은 안김과 노론 등 종래 기득권세력에 대한 직접적 억압
과 통제를 가능하게 했다.

이제 대원군은 안김집단과의 정치적 연합체제를 유지할 필요가 없
었다. 종친부의 권력기구로서의 존재도 무의미해졌다. 대원군은 친위
체제가 필요할 만큼 권력이 강화되었다고 판단했다. 이것은 김병학과
의 연합체제를 해제시켰고, 홍순목과 강로·한계원 등의 친위체제 구
축으로 귀결되었다. 이후 종친부의 '대원위분부'는 사라지고, 종정경들
의 정치적 위상과 역량도 크게 감소했다.

대원군의 서원철폐정책은 안김집단과 노론세력의 정치적·사회적
기반의 해체를 목적으로 한 통치정책이다. 대원군은 노론세력에 대한
직접적인 억압과 통제가 가능하다고 판단했다. 이것은 대원군정권의
존립에 있어 노론세력들의 존재가 최대의 위협이었음을 반영한다. 그
러므로 대원군은 김병학체제의 퇴진과정에서 안김을 포함해 노론세력
을 개혁의 대상에 포함했던 것이다. 이러한 통치정책의 기조에는 안김
과 노론집단이 왕권약화의 실체였다는 인식이 깔려 있었다.

이후 대원군은 국왕과 관료집단, 안김과 노론, 서원철폐의 피해자인
지방 유생들과 대립구도를 이루었다. 국왕은 대원군의 권력행사가 輔
政의 범위와 국왕의 권위를 초월한다고 판단하면서 존재에 대한 불안
감을 가지게 되었다. 노론과 안김집단은 권력기반의 해체에 위협을 느
끼면서 관료집단으로서의 존립에 대한 위기감이 고조되었다. 대원군
과 의정부체제의 결합은 공식적인 관료조직의 기반, 합법적인 권력구
조와 정치관행의 범위를 넘어서고 있었기 때문이다. 이러한 배경 속에
서 국왕과 안김, 노론집단과 재야세력들이 반대원군세력으로 결집했
다.

反대원군세력 형성의 중심에는 국왕이 존재했다. 이들은 국왕의 成

年과 친정의지, 대원군의 내정개혁에 대한 비판, 그리고 정권에서 소외된 세력들의 이해관계를 중심으로 결합했다. 그러나 대원군과 그의 측근세력들은 失政에 대한 반성이나 국면전환을 위한 어떠한 시도도 하지 않았다. 이것은 권력행사에 대한 정당성의 확보와 권력독점에 대한 자만이었다.

고종은 친정을 선언했고, 이것은 대원군에게 위임한 국정운영권을 회수하는 것이었다. 그는 대원군의 권력행사를 가능하게 한 통로를 차단했으며, 인사권 행사를 허용하지 않았다. 이 과정에서 대원군은 공식적이고 합법적인 권력행사의 명분을 잃었다. 대원군과 국왕의 輔政 관계는 자연 해체되었다. 이후 대원군 지지세력은 국왕의 인사권에 의해 정권에서 배제되었고, 종친부는 구심점을 상실하면서 무력해졌다. 宗正卿과 宗親璿派人들의 상소운동은 통일성을 가지지 못하였고, 정치권과의 조직적 연합도 이루어지지 않았다. 이것은 종친부가 본래 국왕의 통치적 기반이지, 대원군 개인의 정치적 기반이 아니었기 때문이다.

대원군의 재집권을 바라는 성균관 유생들과 영남유생들의 상소운동은 조직적이지 못했다. 대원군 정치기반의 핵심세력이었던 종정경들은 개인적인 차원에서만 저항했다. 대원군과 정치적 재결합을 노리던 남인유생 중심의 복합상소는 고종의 강경책에 의해 약화되었다. 이후 대원군은 지방에서 운현궁으로 돌아왔지만, 재집권의 기회와 명분은 없었다. 고종의 친정체제 성립은 당연한 수순이었다. 대원군은 스스로 '국왕이 성인되어 輔政을 그만두고 물러났다'고 밝혔다.

고종은 反大院君 정책을 시행했다. 이 과정에서 정치세력을 재편하고 친정체제를 강화했다. 대원군의 권력기반이었던 삼군부가 폐지되고 武衛所가 신설되었다. 이 후 閔氏勢力이 새로운 주체세력으로 부상하면서 무위소를 중심으로 인사·군권·재정권을 장악했다. 이들의

배후에는 민비가 존재했고, 개항 이후 혈연을 바탕으로 권력을 독점하는 발판을 구축했다.

민씨척족의 성장은 다른 정파의 인물이 정치에 참여하는 폭을 제한했다. 고종은 다양한 정치세력이 공존할 수 있는 체제, 즉 정치세력의 통합을 구상하지 않았다. 이것은 고종 스스로 자신의 지지기반을 약화시켰고, 강력한 통치력을 발휘할 수 없는 결과를 초래하게 되었다. 또한 개항을 전후하여 대원군계와 척사파가 결합하면서 개화파와의 갈등과 대립을 초래했고, 정치체제의 개혁이 사회적 변화를 수용하는 탄력성을 상실하게 만들었다. 이 과정에서 민씨를 중심으로 한 정치집단은 자강정책을 추진하였지만 국민과 유리되었고, 壬午事變과 甲申政變을 거치면서 지지기반이 축소되어 갔다.

이상에서 대원군 집권기를 중심으로 통치체제의 변화와 대원군의 권력소재, 그리고 통치정책의 추진과 성격을 살펴보았다. 그리고 대원군의 권력장악의 강도의 변화와 통치정책의 상관성을 추적했다. 또한 통치정책의 성격과 관련한 정치집단의 이합과 집산의 양상, 집권과 퇴진시기를 전후한 정치세력의 동향을 살펴보았다.

그러나 본서는 대외정책과 관련한 문제들을 포함하지 않아 대원군이 대내문제와 대외모순을 통일적으로 인식하지 못한 점을 간과하는 한계를 갖고 있다. 비록 대원군이 의도한 것은 아니지만, 대내문제의 해결을 위한 그의 개혁정치는 역사를 진전시키는 방향으로 나아가게 하였고, 서양의 강제적 개방에 맞서 자주권을 실현하려는 측면이 강하였다. 대원군의 대외인식과 과학기술에 대한 인식이 민씨정권보다 구체적이고 적극적이었다는 점을 밝힌다면 대원군의 쇄국정책에 대한 올바른 평가가 가능할 것이며, 대원군과 대원군정권에 대한 긍정·부정의 이분법적 평가에서 벗어날 수 있을 것으로 기대한다.

<부표> 大院君 執權期 六曹判書 歷任者

년월	이조판서	호조판서	병조판서	예조판서	형조판서	공조판서
1. 1	洪說謨(현) 金炳學(25)	金炳冀(현)	徐戴淳(현) 鄭基世(25)	金炳德(현)	沈宜冕(현) 趙獻永(17) 宋應龍(26)	金大根(현)
1. 2	金炳學(5)			任百秀(2)	申觀浩(7)	
1. 3		李敦榮(9)				徐衡淳(21)
1. 4				洪鍾應(16)	任泰瑛(16) 金炳喬(29)	金漢淳(16) 趙得林(20) 李圭徹(29)
1. 5				李宜翼(19) 李源命(28)	申錫禧(23)	金世均(30)
1. 6	趙得林(26)		申觀浩(26)	李宜翼(13)		
1. 7	尹致定(3)			金世均(9)	金大根(20)	許棨(5)
1. 8	金炳國(27)			李寅皐(11) 金世均(12) 李是遠(27) 金炳學(29)	許棨(6)	李宜翼(4)
1. 9					曹錫雨(21)	
1. 11				趙獻永(3)	李圭徹(18)	
1. 12						閔致久(19)
2. 1	姜時永(2)		金炳冀(2)	曹錫雨(3)		李鼎在(3) 金炳學(13)
2. 2				洪鍾序(7) 趙徽林(23) 金應均(24)		申觀浩(2)
2. 3	洪鍾序(25)					朴珪壽(15) 宋宗洙(29)
2. 4				朴珪壽(11)		李導重(11)
2. 5						宋來熙(26) 任泰瑛(28)
2.5(윤)						趙然昌(7)
2. 6	李是遠(27)			金炳國(22)	朴齊紹(17) 尹敎成(22) 李興敏(28)	徐元淳(22) 韓啓源(28)
2. 7	홍원섭(15) 李景在(17) 李宜翼(29)				洪鍾序(23) 徐元淳(28)	
2. 8				沈敬澤(12)	韓啓源(16) 李根友(21)	姜時永(1) 李載元(15)

날짜					
2. 9				尹正求(10)	
2. 10				李載元(5) 金炳國(24)	柳厚祚(15)
2. 12	趙得林(27)	李圭徹(27)		李載元(13) 徐戴淳(22)	
3. 1				金炳㴉(11)	金炳冀(4)
3. 2			김병기(11)	李明迪(11)	李載元(11) 李宜翼(16) 李載元(25)
3. 3			兪章煥(24)	宋廷和(2) 趙龜夏(5) 金益文(8) 李豊翼(14) 李景夏(25)	金東獻(25)
3. 4	洪淳穆(28)	金炳國 (16)			李熙絅(24)
3. 5			南秉吉(9)		鄭憲容(1) 李顯稷(4) 李鳳周(13) 李周喆(22)
3. 6	李載元(26)		李興敏(11)	尹教成(28)	李承輔(9)
3. 7		金炳㴉(20)	서원순(15) 趙龜夏(20)		
3. 8			韓啓源(25)	趙得林(4) 李周喆(18) 任泰暎(25) 徐衡淳(30)	
3. 9				申命淳(8)	
3. 10	李源命(27)		윤정영(21)	崔遇亨(26)	南性教(1) 李寅夔(3) 尹正求(21)
3. 11			吳取善(10)	趙啓昇(22) 李容熙(26)	李載元(5) 李根友(10)
3. 12	洪淳穆(24)				林永洙(9) 趙得林(14)
4. 1					兪鎮五(12)
4. 2			李鼎在(22) 李載元(25)		鄭文升(17) 林永洙(20)
4. 4			宋廷和(15) 김세균(18)		

날짜						
4. 5				尹敎成(23) 金益文(26)	李容熙(14)	兪致善(14)
4. 6						曹錫雨(4)
4. 7	宋近洙(3)				徐衡淳(11)	
4. 8	趙獻永(9) 曹錫雨(18)			洪淳穆(2) 金世均(21)		尹正求(11)
4. 9	金炳冀(28)	金壽鉉(27)			李顯稷(21)	
4. 10						金炳地(5)
4. 11				徐衡淳(23)		
4. 12	金炳德(30)					吳取善(12)
5. 1				曹錫雨(2)	朴永輔(23) 兪鎭五(29)	朴永輔(6) 任泰瑛(23) 朴承輝(26)
5. 2	金炳德(3) 徐憲淳(24)					李豊翼(19)
5. 3	韓啓源(5)					
5. 4	韓啓源(27)				申㯝(2) 金有淵(11)	
5. 6					李章濂(1) 金鑱(9)	
5. 7	金炳喬(13)			金世均(12) 金炳㴤(29)	李章濂(12)	金益文(2)
5. 8				金世均(2) 李豊翼(25)		韓啓源(7)
5. 9						朴承輝(10)
5. 11					李載鳳(20)	
5. 12	趙秉昌(29)				李裕膺(9)	
6. 1	朴承輝(14) 남상길(14) 金大根(17)			沈承澤(27)	沈承澤(12) 李元熙(27)	金炳喬(17)
6. 2	趙秉昌(5)			林永洙(21) 朴齊韶(25)	嚴錫鼎(10)	李源命(18)
6. 3				金世均(1)		
6. 4					李載鳳(4)	
6. 5					李源命(6) 朴永輔(19)	閔致久(6)
6. 6	南性元(29)	李景夏(30)			朴珪壽(15)	
6. 7				李承輔(13)		
6. 8	崔遇亨(17)			최우형(17)		李景宇(16) 李圩(17)

日						
6. 9				金大根(15)	吳取善(2) 李參鉉(8)	
6. 10				李寅夔(23) 兪鎭五(25)		趙秉昌(8)
6. 12	金大根(26)				金在顯(29)	
7. 1				趙炳徽(10)	李顯稷(17) 趙基應(22) 趙性教(26)	林肯洙(22)
7. 2				林肯洙(7)		姜溎(7)
7. 3	任百秀(23)			崔遇亨(2)	李顯稷(25)	
7. 4	申錫禧(6)				李裕膺(18)	李導重(23) 李景宇(24) 金炳喬(29)
7. 5						趙基應(9)
7. 6				趙性教(3) 鄭建朝(8)		
7. 7	趙秉徽(15)				金炳湖(20)	
7. 9				申錫禧(17)	鄭基世(8)	李興敏(17) 李元熙(25)
7. 10					李源命(11)	崔遇亨(23)
7. 10 (윤)				홍종석(11) 李明迪(13) 金炳湖(23)		
7. 11				趙秉昌(25)		
7. 12					閔致庠(5)	
8. 1	李載元(3)					李彙重(26)
8. 2	李承輔(12)					
8. 3				姜溎(25)	李容象(14) 李參鉉(19)	尹致容(1) 趙秉徽(8)
8. 4			李載元(1) 姜溎(3)	趙性教(3)	任商準(19)	
8. 6				金炳冀(8)	徐衡淳(27)	申檍(8)
8. 7	金世均(7)					洪祐吉(26)
8. 8						李承輔(21)
8. 9				李參鉉(17)	鄭岐源(4)	
8. 12					李豊翼(24)	
9. 1	李明迪(20) 林肯洙(28)				兪致崇(23)	鄭建朝(15)
9. 2					閔升鎬(14)	李會淳(14)
9. 3	李根友(24)					
9. 4	嚴錫鼎(22)			金學性(28)		金元植(28)

9. 5	趙基應(12)				金炳湜(12) 朴珪壽(14)	
9. 6					俞致崇(13) 李建弼(19)	
9. 7	金炳雲(26)			俞鎭五(5)		
9. 8				閔致庠(1)	金壽鉉(26)	金世均(26)
9. 9		金世均 (29)		李承輔(5)		
9. 10	宋廷和(14) 趙秉昌(25)		閔致庠(13)	趙炳徽(19)	金炳湜(5)	閔致庠(4) 鄭建朝(13)
10. 1	申錫禧(18)				鄭天和(13)	
10. 2					朴孝正(5) 洪遠燮(6) 尹塒(19)	
10. 3					李根弼(2) 洪鍾雲(6) 申應朝(20)	
10. 4	金炳冀(17)				李圩(15) 閔泳韋(27)	徐堂輔(27)
10. 5			朴齊寅(24)		朴珪壽(10) 姜蘭馨(24)	
10. 6					徐相鼎(7)	
10. 6 (윤)				趙性教(10)	許傳(10) 李景夏(11)	申憶(10)
10. 7					李景夏(10)	李載元(4)
10. 8						李寅應(8)
10. 9			閔升鎬(10)			
10. 10	朴孝正(10) 申應朝(12)		徐相鼎(6)		徐堂輔(6) 許傳(30)	
10. 11	金炳湜(5)			朴齊寅(27)	趙秉昌→ 李圩(1) 朴齊寅(4) 姜蘭馨(27)	
11. 1	金炳湜(7) 趙基應(14)	김세균사직 (1.20)			金炳喬(6) 趙秉徽(15) 이경우(24)	김익진(5)

* 출처:『高宗實錄』,『承政院日記』,『日省錄』,『備邊司謄錄』, ( )의 숫자
는 임명일자임.

참고문헌

1. 資料

『高宗純宗實錄』, 1970, 探求堂.

『禁衛營謄錄』(藏2-3292).

『大典會通』, 保京文化社, 1975(高麗大 民族文化研究所, 1982, 『國譯 大典會通』).

『東典考』, 1991, 민창문화사.

『丙寅洋亂錄』(高麗大 B3-A9).

『備邊司謄錄』(1982, 國史編纂委員會 影印本 22~27).

『三班禮式』(奎5117, 高宗 3年 ; 奎5118, 高宗 5年).

『巡撫營謄錄』(藏2-3335).

『承政院日記』(影印本 및 民族文化推進委員會 飜譯本 1~55).

『兩銓便攷』, 法制處, 1978(『法制資料』 제96집).

『御營廳謄錄』(藏2-3349).

『六典條例』, 1979, 保京文化社.

『(宗親府)釐正節目』(奎9749).

『日省錄』(高宗篇, 서울大 奎章閣, 影印本 64~71).

『壬戌錄』(國史編纂委員會, 韓國史料叢書 8, 1971).

『宗親府謄錄』(奎13007 ; 國史編纂委員會, 『各司謄錄』 56·57·58).

『宗親府條例』(奎5043 ; 『各司謄錄』 58).

『宗親府派譜廳謄錄』(奎12984 ; 『各司謄錄』 57).

『增補 文獻備考』, 1959, 東國文化社.

『捕盜廳謄錄』, 1985, 保景文化社.

『訓局謄錄』(藏2-3400).

『興宣大院君墓地銘』(藏2-4024).
『興宣大院君略傳』(藏2-879).

國史編纂委員會, 1972,『大韓帝國官員履歷書』.
國史編纂委員會, 1970,『高宗時代史』1~5, 探求堂.
國史編纂委員會, 1958,『從政年表・陰晴史』.
姜瑋, 1990,『姜瑋全集』, 아세아문화사.
權載鐸,『直谷上書』.
金奎洛, 1990,『雲下見聞錄』西璧外史海外蒐佚本, 亞細亞文化社.
金允植, 1960,『續陰晴史』上, 國史編纂委員會.
金平默, 1975,『重菴別集』, 宇鍾社.
金平默, 1975,『重菴集』, 宇鍾社.
朴珪壽, 1978,『朴珪壽全集』, 亞細亞文化社.
朴殷植, 1944,『韓國痛史』, 上海, 大同編譯局.
朴齊炯 著, 李翼成 譯, 1981,『近世朝鮮政鑑』上, 探求堂.
朴周大, 1980,『羅巖隨錄』, 國史編纂委員會(韓國史料叢書 27).
朴周大, 1986,『羅巖遺稿』, 여강출판사.
宋相薰, 1971,『騎驪隨筆』, 國史編纂委員會.
申櫶, 1990,『申櫶全集』, 亞細亞文化社.
柳厚祚, 1995,『洛坡先生文集』, 大報社.
尹孝定, 1984,『風雲韓末秘史』, 영신아카데미 한국학연구소.
姜斅錫 編著, 1981,『典故大方』, 明文堂.
李建昌, 1978,『李建昌全集』(上・下), 亞細亞文化社.
李晚燾, 1985,『響山日記』, 國史編纂委員會(韓國史料叢書 31).
李恒老 著, 金冑熙 譯, 1978,『華西集』, 大洋書籍.
李恒老, 1989,『華西集 : 附 華西雅言』, 學固房.
日本外務省 編, 1936,『日本外交文書(韓國篇)』, 日本國際聯合協會(1981, 泰
　　　東文化社).
鄭喬, 1967,『大韓季年史』, 國史編纂委員會(韓國史料叢書 5).
鄭直愚,『疏行日錄』(계명대 도서관 소장).
中央研究員 近代史研究所 編, 1972,『清季中日韓關係史料』.
崔奭祐, 1986,『한불관계자료-1846~1887』, 韓國敎會史研究所.
崔益鉉, 1978,『국역 勉菴集』, 民族文化推進會.

許傳, 『成齋文集』.

黃玹, 1955, 『梅泉野錄』, 國史編纂委員會.

黃玹 著, 金濬 譯, 1994, 『完譯 梅泉野錄』, 敎文社.

황현 지음, 김종익 옮김, 1994, 『번역 오하기문』, 역사비평사.

2. 著書

姜萬吉, 1973, 『朝鮮後期 商業資本의 發達』, 高大出版部.

姜在彦, 1983, 『近代韓國思想史研究』, 한울.

姜在彦, 1985, 『韓國의 近代思想』, 한길사.

姜在彦 外, 1982, 『封建社會解體期의 社會經濟構造』, 청아출판사.

高承濟 外, 1981, 『傳統時代의 民衆運動』下, 풀빛.

國史編纂委員會, 1975, 『한국사』 16 · 17.

權錫奉, 1986, 『淸末對朝鮮政策史研究』, 一潮閣.

權泰檍, 1989, 『韓國近代綿業史研究』, 一潮閣.

金度亨, 1994, 『大韓帝國期의 政治思想研究』, 知識産業社.

김양식, 1996, 『근대한국의 사회변동과 농민전쟁』, 신서원.

金榮國 外, 1991, 『韓國의 政治思想』, 博英社.

김영작, 1989, 『한말 내셔날리즘 연구 : 사상과 현실』, 청계연구소.

김영작 외, 1995, 『한국 근대정치사의 쟁점』, 집문당.

金玉根, 1984, 『朝鮮王朝財政史研究』, 一潮閣.

김용구, 1997, 『세계관 충돌의 국제정치학-동양 禮와 서양 公法』, 나남출판.

金容燮, 1975, 『韓國近代農業史研究(上 · 下)』, 一潮閣.

金容燮, 1982, 『朝鮮後期 農業史研究』 2, 一潮閣.

金容燮, 1984, 『(增補版)韓國近代農業史研究』, 一潮閣.

金雲泰, 1970, 『朝鮮王朝行政史-近代編』, 一潮閣.

金源模, 1992, 『近代韓美關係史 : 韓美戰爭編』, 철학과현실사.

金義煥, 1972, 『韓國近代史研究論集』, 成進文化社.

金鎬逸, 1982, 『韓國開港前後史』, 한국방송사업단.

류시원, 1996, 『풍운의 한말 역사 산책』, 한국문원.

망원한국사연구 19세기농민항쟁분과, 1988, 『1862년 농민항쟁』, 동녘.

閔斗基, 1985, 『中國近代改革運動의 研究』, 一潮閣.

閔斗基 編, 1985, 『中國의 歷史意識』, 創作과 批評社.

458

朴琪淙, 1972, 『韓末外交秘錄』, 成進文化社.

박상섭, 1996, 『근대국가와 전쟁 : 근대국가의 군사적 기초, 1500-1900』, 나남
　　　출판.

朴日槿, 1968, 『近代韓美外交史』, 博友社.

朴宗根 外, 1983, 『甲申・甲午期의 近代變革과 民衆運動』, 청아출판사.

朴宗根 著, 朴英宰 譯, 1989, 『淸日戰爭과 朝鮮』, 一潮閣.

白鐘基, 1977, 『近代韓日交涉史研究』, 正音社.

碧珍李氏大宗會 編, 1996, 『華西 李恒老先生 研究』.

북한사회과학원 역사연구소 편, 1964, 『김옥균』(1990, 역사비평사).

徐仁模, 1989, 『丙寅・辛未洋擾史』, 國防部戰史編纂委員會.

孫炯富, 1997, 『朴珪壽의 開化思想研究』, 一潮閣.

宋炳基, 1985, 『近代韓中關係史研究』, 檀國大學校出版部.

安秉台, 1975, 『한국근대경제와 일본제국주의』(1982, 백산서당).

楊尙弦 編, 1985, 『韓國近代政治史研究』, 사계절.

연갑수, 2001, 『대원군 집권기 부국강병정책 연구』, 서울대학교출판부.

吳瑛燮, 1999, 『華西學派의 思想과 民族運動』, 國學資料院.

溫陽民俗博物館, 1989, 『安東金氏墳墓發掘調查報告書』.

외솔회 발행, 1972년 봄, 『나라사랑 : 면암최익현선생』.

元裕漢, 1975, 『朝鮮後期貨幣史研究』, 韓國研究院.

유봉학, 1995, 『燕巖一派北學思想研究』, 一志社.

劉元東, 1977, 『韓國近代經濟史研究』, 一志社.

柳洪烈, 1975, 『增補 韓國天主敎會史』(上・下), 가톨릭出版社.

李光麟, 1979, 『韓國開化思想研究』, 一潮閣.

李光麟, 1981, 『韓國史講座 : 近代篇』, 一潮閣.

李光麟, 1985, 『(改訂版)韓國開化史研究』, 一潮閣.

李光麟, 1986, 『韓國開化史의 諸問題』, 一潮閣.

李瑄根, 1931, 『朝鮮最近世史』, 유성사서점.

李瑄根, 1963, 『韓國史 : 最近世・現代篇』, 乙酉文化社.

李瑄根, 1981, 『大院君의 時代』, 세종대왕기념사업회.

李完宰, 1989, 『初期開化思想研究』, 民族文化社.

李完宰, 1998, 『韓國近代 初期開化思想研究』, 漢陽大出版部.

李完宰, 1999, 『朴珪壽研究』, 集文堂.

林明德, 1970, 『袁世凱與朝鮮』, 中央研究院 近代史研究所.

田保橋潔, 1940, 『近代日鮮關係의 硏究』(上,下), 朝鮮總督府 中樞院.

丁淳睦, 1979, 『朝鮮書院敎育制度硏究』, 嶺南大出版部.

조재곤, 2001, 『한국근대사회와 보부상』, 혜안.

陳德圭 外, 1982, 『19世紀 韓國傳統社會의 變貌와 民衆意識』, 고려대 민족
　　　문화연구소.

車文燮, 1996, 『朝鮮時代軍事關係硏究』, 단국대출판부.

崔完期, 1975, 『朝鮮書院 敎育政策硏究』, 영남대출판부.

崔完秀, 1976, 『金秋史硏究艸』, 지식산업사.

崔昌圭, 1971, 『韓國人의 政治意識-1860년대 御洋論을 중심으로』, 서울대 한
　　　국문화연구소.

崔昌圭, 1972, 『韓國近代政治思想史硏究』, 一潮閣.

韓國史硏究會 編, 1995, 『近代國民國家와 民族問題』, 知識産業社.

한국역사연구회 19세기정치사연구반, 1990, 『조선정치사 : 1800-1863』, 청년
　　　사.

韓國政治外交史學會 編, 1987, 『朝鮮朝政治思想硏究』, 平民社.

韓㳞劤, 1971, 『東學亂 起因에 關한 硏究』, 서울대학교출판부.

韓哲昊, 1998, 『親美開化派硏究』, 國學資料院.

洪以燮, 1975, 『韓國近代史』(대학문고1), 연세대출판부.

洪以燮, 1975, 『韓國近代史의 性格』(춘추문고6), 한국일보사.

3. 論文

姜大德, 1984, 「華西 李恒老의 生涯와 思想基盤」, 『關東史學』 2, 관동대사학
　　　회.

姜萬吉, 1979, 「軍役改革論을 통해 본 實學의 性格」, 『東方學志』 22.

姜在彦, 1993, 「李恒老의 衛正斥邪思想-西歐의 衝擊과 鎖國攘夷論理」, 『韓
　　　國近代思想史硏究』.

高其陽, 1949, 「李朝後期의 政治支配關係-大院君硏究의 하나」, 『歷史學硏
　　　究』 1.

고동환, 1992, 「대원군 집권기 농민층 동향과 농민항쟁의 전개」, 『1894년 농민
　　　전쟁연구』 2.

郭東璨, 1975, 「高宗朝 土豪의 成分과 武斷樣態」, 『韓國史論』 2, 서울大 國
　　　史學科.

460

郭信煥, 1986, 「華西 李恒老의 西學觀」, 『論文集』, 崇實大, 人文科學篇.

權錫奉, 1977, 「大院君 被囚問題에 대한 再檢討(上,下)」, 『人文學研究』 3, 4
 ·5합집.

權錫奉, 1981, 「淸廷에 있어서의 大院君과 그의 還國(上,下)」, 『동방학지』 27
 · 28.

權五榮, 1989, 「金平默의 斥邪論과 聯名上疏」, 『韓國學報』 55.

權五榮, 1990, 「1881년의 嶺南萬人疏」, 『尹炳奭敎授華甲紀念韓國近代史論
 叢』, 知識産業社.

權五榮, 1995, 「斥邪運動에 대한 연구성과와 과제」, 『韓國史論』 25.

권희영, 2001, 「문명의 충돌과 병인양요」, 『병인양요의 역사적 재조명』.

琴章泰, 1990, 「嶺南性理學의 傳統과 爭點」, 『民族文化論叢』 11.

김경태, 1994, 「중화체제·만국공법질서의 착종과 정치세력의 분열」, 『한국
 사』 11, 한길사.

金根洙, 1978, 「斥邪文獻小考」, 『韓國學』 19, 중앙대 한국학연구소.

金大煥, 1986, 「韓末知識人의 守舊와 開化의 갈등-1874~1907」, 『韓國의 社
 會와 文化』 7.

金度亨, 1985, 「韓末 義兵戰爭의 民衆的 性格」, 『韓國民族主義論』 3, 創作
 과 批評社.

김도형, 1989, 「한국 근대 재야지배세력의 민족문제 인식과 대응」, 『역사와
 현실』 창간호.

김도형, 1990, 「척사론의 '애국' 어떻게 보고 있나」, 『역사비평』 11.

김도형, 1993, 「개항이후 보수유림의 정치·사상적 동향」, 『1894년 농민전쟁
 연구』 3, 역사비평사.

金明淑, 1987, 「朝鮮後期 暗行御史制度의 一研究」, 『歷史學報』 115.

金明淑, 1993, 「永興 龍江書院 研究」, 『韓國史研究』 80.

金明淑, 1995, 「19世紀 政治史 理解 過程에 대한 검토」, 『同大史學』 1, 同德
 女大 國史學科.

金明淑, 1996, 『勢道政治期(1800-1863)의 政治形態와 政治運營論』, 漢陽大
 博士學位論文.

金明淑, 1997, 「19世紀 反外戚勢力의 政治動向」, 『朝鮮時代史學報』 3, 朝鮮
 時代史學會.

김명호, 1993, 「환재 박규수연구(1)-수학기의 박규수」, 『민족문학사연구』 4,
 민족문학사연구소.

김명호, 1994, 「환재 박규수연구(2)-은둔기의 박규수(상)」, 『민족문학사연구』 6, 민족문학사연구소.

김명호, 1995, 「환재 박규수연구(3)-은둔기의 박규수(하)」, 『민족문학사연구』 8, 민족문학사연구소.

김명호, 1996, 「朴珪壽의 '地勢儀銘幷序'에 대하여」, 『震檀學報』 82.

김명호, 2001, 「대원군정권과 박규수」, 『震檀學報』 91.

金炳佑, 1986, 「大院君의 政治勢力과 農民抗爭收拾策」, 啓明大 석사학위논문.

金炳佑, 1991, 「大院君 執權期 政治勢力의 性格」, 『啓明史學』 2. 啓明史學會.

金炳佑, 2001, 「高宗의 親政體制 形成期 政治勢力의 動向」, 『大丘史學』 63.

金炳佑, 2002, 「興宣君의 宗親 및 宗親府 振興策」, 『朝鮮史研究』 11.

金炳佑, 2003, 「大院君의 政治的 地位와 國政運營」, 『大丘史學』 70.

金炳佑, 2003, 「大院君의 宗親府 强化와 '大院位分付'」, 『震檀學報』 96.

金炳佑, 2005, 「大院君의 統治體制 確立과 統治政策」, 『大丘史學』 80.

金炳佑, 2006, 「大院君의 執權過程과 權力行使」, 『역사와경계』 60.

金成俊, 1964, 「宗親府考」, 『史學研究』 18, 韓國史學會.

金成俊, 1985, 「朝鮮初期의 宗親府」, 『韓國中世政治法制史研究』, 일조각.

金世潤, 1980, 「大院君의 書院毀撤에 관한 一考察」, 서강대 사학과 석사학위논문.

金世恩, 1990, 「大院君 執權期 軍事制度의 整備」, 『韓國史論』 23.

金世恩, 1991, 「開港 이후 軍事制度의 改編過程」, 『軍史』 22.

金世恩, 1999, 「高宗 初期(1864~1873년)의 經筵」, 『震檀學報』 89.

金世恩, 2002, 「高宗初期(1863~1873) 陵幸의 意義」, 『朝鮮의 政治와 社會』, 집문당.

金信在, 1994, 「開化期의 政體改革論의 推移와 性格」, 『東國史學』 28.

김양식, 1996, 「대원군 일파의 정변계획과 농민군과의 관계」, 『근대한국의 사회변동과 농민전쟁』, 신서원.

金永壽, 1990, 「韓末 高宗의 政治的 役割에 대한 一研究」, 서울대 정치학과 석사학위논문

金永壽, 1991, 「大院君의 下野와 高宗의 政治的 役割」, 『韓國政治思想』, 博英社.

金英淑, 1989, 「高宗實錄과 景武臺記事」, 『鄕土서울』 47.

金泳鎬, 1972,「實學과 開化思想의 연관문제」,『韓國史研究』8.

金容九, 1980,「崔益鉉의 衛正斥邪論과 義兵運動小考」,『慶熙史學』6・7・8 합집.

金容燮, 1956,「哲宗朝 民亂發生에 對한 試考」,『歷史敎育』1.

金容燮, 1974,「哲宗朝의 應旨三政疏와 三政釐整策」,『韓國史研究』10.

金容燮, 1982,「朝鮮後期 軍役制 釐整의 推移와 戶布法」,『省谷論叢』13.

金容燮, 1982,「還穀制의 釐整과 社倉法」,『東方學志』34.

金源模, 1981,「로저스함대의 來侵과 魚在淵의 抗戰」,『東方學志』29.

金源模, 1983,「로즈함대의 來侵과 梁憲洙의 抗戰」,『東洋學』13, 단국대 동 양학연구소..

金源模, 1992,「朝美條約 締結 研究」,『東洋學』22.

金源模, 1993,「슈펠트・李鴻章의 朝鮮開港 交涉始末」,『國史館論叢』44.

金義煥, 1981,「辛未年(1871) 李弼濟亂」,『傳統時代의 民衆運動』下, 풀빛.

金義煥, 1987,「새로 발견된 '興宣大院君略傳'」,『史學研究』39.

金仁德, 1987,「日本의 征韓論과 大院君 政權의 對應」, 성균관대 석사학위논 문.

金正起, 1988,「大院君 납치와 反淸意識의 형성-1882~1894」,『韓國史論』 19, 서울대 국사학과.

金正起, 1996,「흥선대원군의 생애와 정책」,『東北亞』3, 東北亞文化研究院.

金鎭鳳, 1967,「壬戌民亂의 社會經濟的 背景」,『史學研究』19.

金太俊, 1935,「大院君의 書院撤廢令의 意義」,『신흥』8.

김형수, 2001,「고종의 친정과 개국정책연구 : 1873~1876년」,『이대사원』33 ・34합집.

南美惠, 1995,「大院君 執權期(1864~1873) 宗親府振興策의 性格」,『同大史 學』1.

盧大煥, 1994,「19세기 전반 지식인의 對淸 危機認識과 北學論」,『韓國學報』 76.

盧大煥, 1997,「1860-70년대 전반 조선 지식인의 대외인식과 洋務이해」,『韓 國文化』20.

盧大煥, 2001,「개항기 지식인 金炳昱(1808~1885)의 시세인식과 富强論」, 『韓國文化』27.

閔丙河, 1968,「朝鮮書院의 經濟構造」,『大東文化研究』5.

閔丙河, 1970,「朝鮮時代 書院政策考」,『城大論文集』15.

閔丙河, 1983, 「書院의 農場」, 『韓國史論』 8.

朴廣成, 1969, 「壬戌民亂의 硏究」, 『仁川敎大論文集』 4.

朴廣成, 1976, 「洋擾後의 江華島 防備策에 대하여」, 『畿甸文化硏究』 7(1991, 『韓國中世社會와 文化』, 인하사학회).

朴廣成, 1981, 「高宗朝 民亂硏究」, 『傳統時代의 民衆運動』 下, 풀빛.

朴星來, 1980, 「大院君시대의 科學技術」, 『한국과학사학회지』 제2권 제1호, 한국과학사학회.

朴日根, 1970, 「젠킨스에 대한 駐上海美領事 裁判-南延君 墓所盜掘 事件에 관하여」, 『釜山大論文集』 11.

朴日根, 1976, 「大院君과 로즈의 砲艦政策에 대한 小考」, 『釜山大論文集』 21.

朴贊殖, 1988, 「申櫶의 國防論」, 『歷史學報』 117.

裵亢燮, 1998, 「大院君 執權期 軍制의 整備와 軍備의 强化」, 『한국군사사연구』 1, 國防軍事硏究所.

白麟, 1962, 『규장각장서에 대한 연구』, 연세대학교 도서관학과 박사학위논문.

白鍾基, 1978, 「丙寅洋擾에 대한 史的 考察」, 『大東文化硏究』 12.

서영희, 1991, 「개항기 봉건적 국가재정의 위기와 민중수탈의 강화」, 『1894년 농민전쟁연구』 1.

徐鍾泰, 2001, 「興宣大院君과 南人-'南村解嫌日記'의 분석을 중심으로」, 『한국근현대사연구』 16.

成大慶, 1981, 「大院君執政의 原因的 諸狀況에 대하여」, 『人文科學』 10, 인문과학연구소.

成大慶, 1982, 「大院君의 保定府談草-吳汝綸 對談記」, 『鄕土서울』 40, 서울시사편찬위원회.

成大慶, 1984, 『大院君政權性格硏究』, 성균관대 박사학위논문.

成大慶, 1984, 「大院君政權의 政策」, 『大東文化硏究』 18, 성균관대 대동문화연구소.

成大慶, 1985, 「大院君政權의 科擧運營」, 『大東文化硏究』 19.

成大慶, 1986, 「大院君政權의 書院毀撤」, 『千寬宇先生還曆紀念 韓國史學論叢』, 정음문화사.

成大慶, 1987, 「大院君의 政治와 外交」, 『한민족독립운동사』 1, 국사편찬위원회.

464

成大慶, 1992, 「대원군 이하응 그는 보수정치가였다」, 『쟁점 한국근현대사연구』 1.

손형부, 1986, 「박규수의 대미개국론과 조선수교」, 『전북사학』 10.

손형부, 1989, 「박규수의 열하사행과 대서양외교론의 성립」, 『전남사학』 3.

宋亮燮, 1995, 「19세기 良役收取法의 變化-洞布制의 성립과 관련하여-」, 『韓國史研究』 89.

송병기, 1991, 「朴珪壽의 對美開國論」, 『이기백고희기념한국사학논총』(하), 일조각.

송병기, 1994, 「쇄국기의 대미인식」, 『한국인의 대미인식』, 민음사.

宋언더기, 1989, 「大院君 執政期의 財政政策」, 『숙대사론』 13·14·15합집, 숙명여대 사학과.

宋讚燮, 1992, 『19세기 還穀制 改革의 推移』, 서울대 국사학과 박사학위논문.

宋讚燮, 1997, 「大院君政權期 還穀政策과 社倉制」, 『한국방송대학교논문집』 24.

宋讚燮, 2000, 「19세기후반 金炳昱(1808~1885)의 사회개혁론」, 『한국방송대학교논문집』 29.

宋讚燮, 2001, 「대원군시기 社倉制의 운영실태」, 『古文書研究』 16·17합집.

신석호, 1930-1, 「屛虎是非에 就하여」(上·下), 『청구학총』 1·3.

安外順, 1993, 「大院君 執權期 人事政策과 支配勢力의 性格」, 『東洋古典研究』 1, 東洋古典學會.

安外順, 1994, 「大院君執政期 高宗의 對外認識」, 『東洋古典研究』 3.

安外順, 1994, 「大院君執政期 軍事政策의 性格」, 『東洋古典研究』 2.

安外順, 1995, 「大院君執政의 政治社會的 背景」, 『溫知論叢』 1, 온지학회.

安外順, 1996, 『大院君執政期 權力構造에 관한 研究』, 여화여대 정치외교학과 박사학위논문.

安鍾哲, 1998, 「親政前後 高宗의 對外觀과 對日政策」, 『韓國史論』 40.

梁敎錫, 1985, 「丙寅洋擾의 一考察」, 『史叢』 29, 고려대사학회.

延甲洙, 1992, 「大院君 執政의 성격과 權力構造의 변화」, 『韓國史論』 27.

延甲洙, 1993, 「개항기 권력집단의 정세인식과 정책」, 『1894년 농민전쟁연구』 3.

延甲洙, 1994, 「高宗 初中期(1864~1894) 정치변동과 奎章閣」, 『奎章閣』 17, 서울대 규장각.

延甲洙, 1996, 「丙寅洋擾와 興宣大院君政權의 對應」, 『軍史』 13.

연갑수, 1997, 「대원군 집권기 국방정책」, 『韓國文化』 20, 서울대 한국문화연구소.

연갑수, 1997, 「병인양요 이후 수도권 방비의 강화」, 『서울학연구』 8, 서울시립대 서울학연구소.

연갑수, 2000, 「대원군과 서양-대원군은 쇄국론자였는가」, 『역사비평』 통권 50(2000년 봄호).

吳瑛燮, 1996, 『華西學派의 保守的 民族主義 硏究』, 한림대학교 사학과 박사학위논문.

吳駿泳, 1980, 「雲峴宮과 興宣大院君」, 『鄕土서울』 38.

禹澈九, 1985, 「丙寅洋擾小考」, 『東方學志』 49.

元裕漢, 1969, 「朝鮮後期 淸錢의 輸入·流通에 대하여」, 『史學硏究』 21.

元裕漢, 1973, 「當百錢 流通構造에 대한 考察」, 『월간 화폐계』 1973-12.

元裕漢, 1973, 「大院君執政期 貨幣政策에 對한 考察」, 『사회과학연구』 1(1975, 『朝鮮後期貨幣史硏究』, 韓國硏究員).

유봉학, 1986, 「日錄「公私記攷」에 나타난 19세기 書吏의 생활상」, 『奎章閣』 13.

유봉학, 1990, 「18·9세기 老論學界와 山林」, 『한신대논문집』 3.

유봉학, 1992, 『18~19세기 연암일파 북학사상의 연구』, 서울대 박사학위논문.

柳永益, 1993, 「興宣大院君」, 『韓國史市民講座』 13, 一潮閣.

柳永益, 1996, 「大院君과 淸日戰爭」, 『청일전쟁의 재조명』, 한림대아시아문화연구소.

유원동, 1963, 「근세한불관계의 사적 고찰」, 『숙대사론』 1.

柳洪烈, 1959, 「大院君의 天主敎迫害와 리델神父의 朝鮮脫出」, 『서울대학교논문집』(인문사회과학 9)(1962, 『高宗治下西學受難의 硏究』, 乙酉文化社).

殷丁泰, 1998, 「高宗親政 이후 政治體制 改革과 政治勢力의 動向」, 『韓國史論』 40.

李光麟, 1976, 「姜瑋의 人物과 思想」, 『東方學志』 17.

李光麟, 1985, 「「近世朝鮮政鑑」에 대한 몇가지 問題」, 『(改訂版)韓國開化史硏究』, 一潮閣.

李光麟, 1985, 「「海國圖誌」의 韓國傳來와 그 影響」, 『(改訂版)韓國開化史硏究』, 一潮閣.

李光麟, 1986, 「韓國에 있어서의 「萬國公法」의 수용과 그 영향」, 『한국개화

사의 제문제』, 일조각.

李光麟, 1987, 「開化黨의 大院君觀」, 『佛敎와 諸科學』(1989, 『개화파와 개화 사상연구』, 일조각).

李敏雄, 1995, 「18세기 江華島 守備體制의 强化」, 『韓國史論』 34.

李培鎔, 1995, 「開化期 明星皇后 閔妃의 政治的 役割」, 『國史館論叢』 66.

李炳柱, 1977, 「大院君의 登場과 軍備强化」, 『韓國軍制史 : 近世朝鮮後期 篇』, 陸軍本部.

李相栢, 1962, 「大院君과 東學黨」, 『歷史學報』 17·18합집.

李瑄根, 1958, 「大院君時代의 對歐美關係硏究」, 『新興大學校論文集』 1.

李瑄根, 1959, 「近世 世道政治의 역사적 고찰」, 『국사상의 제문제』 5.

李瑄根, 1963, 「大院君世道와 內外政治」, 『韓國史』(最近世篇), 을유문화사.

李瑄根, 1968, 「朴齊炯의 近世朝鮮政鑑과 大院君時代 硏究의 再檢討」, 『芝 陽 申基碩博士 華甲記念 學術論文集』(1985, 『韓國最近世史硏究』, 徽文出版社).

李瑄根, 1981, 「大院君의 政治」, 『한국사』 16, 국사편찬위원회.

이수환, 1994, 「大院君의 書院毁撤과 嶺南儒疏」, 『嶠南史學』 6, 영남대 국사 학과.

李完宰, 1989, 「朴珪壽의 生涯와 實學思想」, 『初期開化史硏究』, 民族文化 社.

李完宰, 1992, 「大院君政權과 朴珪壽」, 『韓國學論集』 20, 한양대 한국학연구 소.

李旭, 1996, 「大院君執政期 三軍府 設置와 그 性格」, 『軍史』 32.

이원순, 2001, 「병인박해·병인양요 그리고 외규장각도서」, 『병인양요의 역사 적 재조명』.

이은상, 1934, 「대원군의 서원철폐」, 『新東亞』 36.

이종범, 1993, 「19세기 후반 호포법의 운영실태에 대한 검토」, 『동방학지』 77 ·78·79합집.

李鉉淙, 1982, 「興宣大院君의 쇄국정책-그 평가의 양면성-」, 『광장』 107.

李炫熙, 1993, 「興宣大院君의 政治改革과 그 挫折」, 『韓國近代改革政治의 歷史的 省察』.

李炫熙, 1995, 「興宣大院君의 政治改革과 結果」, 『人文科學硏究』 14, 성신여 대 인문과학연구소.

李薰玉, 1981, 「閔妃의 政治參與 過程과 對外政策」, 『亞細亞學報』 15.

林在讚, 2001,「丙寅洋擾를 전후한 大院君의 軍事政策」,『慶北史學』24.

장대원, 1963,「경복궁 중건에 대한 소고」,『향토서울』16.

장동하, 2001,「병인박해에 대한 프랑스의 대응과 강화점령사건」,『병인양요의 역사적재조명』.

張映淑, 1998,「高宗의 對外認識轉換 研究(1863~1881)」,『詳明史學』5, 상명사학회.

鄭景鉉, 1978,「19세기의 새로운 國土防衛論」,『한국사론』4.

鄭求善, 1993,「高宗朝의 官吏任用政策에 관한 一研究」,『소헌남도영고희기념 역사학논총』.

鄭萬祚, 1975,「17・18세기의 서원・사우에 대한 시론」,『한국사론』2.

井上和枝, 1990,「大院君의 地方統制策에 關하여-高宗朝 土豪別單의 再檢討」,『碧史李佑成停年紀念 民族史의 展開와 그 文化』(上).

鄭崇敎, 1995,「朴珪壽의 生涯와 思想(1807~1877)」,『東北亞』2, 동북아문화연구원.

鄭玉子, 1995,「19세기 斥邪論의 歷史的 位相」,『韓國學報』78.

鄭玉子, 1997,「興宣大院君의 王室教育 强化」,『韓國史研究』99・100합집.

鄭震英, 1998,「19세기 후반 嶺南儒林의 정치적 동향」,『韓末 嶺南儒學界의 동향』.

鄭夏明・李忠珍, 1981,「丁若鏞의 軍事防衛體制觀과「民堡議」」,『軍史』3.

제홍일, 1997,「明治初期 朝日交涉의 放棄와 朝鮮政策」,『建大史學』9.

趙珖, 1976,「丁若鏞의 民權意識研究」,『亞細亞研究』56.

趙珖, 1988,「朝鮮後期 實學者의 軍制改革論」,『東洋學』17.

趙珖, 1995,「大院君 內政改革의 특성과 한계」,『東亞史上의 保守와 改革』, 신서원.

趙珖, 2001,「병인양요에 대한 조선측의 반응」,『병인양요의 역사적 재조명』.

조성윤, 1985,「개항 직후 대원군파의 쿠데타 시도 : 이재선사건을 중심으로」,『한국근대정치사연구』, 사계절.

趙宰坤, 1997,『高宗代 褓負商 組織의 變遷과 役割』, 국민대 국사학과 박사학위논문.

朱昇澤, 1991,「姜瑋의 開化思想과 外交活動」,『韓國文化』12.

陳德圭, 1976,「書評」,『亞細亞研究』19・20합집.

陳德圭, 1978,「斥邪衛正論의 民族主義的 批判認識」,『論叢』31, 梨大 韓國文化研究院.

陳德圭, 1994, 「韓末 支配層의 對外認識에 대한 批判的 認識」, 『國史館論
　　叢』 60.

崔炳鈺, 1989, 「高宗代의 三軍府 研究」, 『軍史』 19.

崔炳鈺, 1992, 「大院君의 下野에 대하여」, 『西巖趙恒來教授華甲紀念韓國史
　　學論叢』.

崔奭祐, 1966, 「丙寅洋擾小考」, 『歷史學報』 30.

崔奭祐, 1968, 『丙寅迫害資料研究』, 한국교회사연구소.

崔奭祐, 1981, 「달레著 韓國天主教會史의 形成過程」, 『教會史研究』 3, 한국
　　교회사연구소.

崔承熙, 1989, 「1873年(高宗10)日省錄의 一部 燒失과 改修」, 『奎章閣』 12.

崔完秀, 1980, 「秋史書派考」, 『澗松文華』 19, 한국민족미술연구소.

崔完秀, 1984, 「추사실기」, 『한국의 미』 17.

崔震植, 1988, 「大院君 執權期의 御洋論 研究」, 『嶠南史學』 4, 嶺南大 國史
　　學會.

韓沽劤, 1968, 「開港當時의 危機意識과 開化思想」, 『韓國史研究』 2.

韓沽劤, 1969, 「大院君의 稅源擴張策의 一端」, 『김재원박사 회갑기념논총』,
　　을유문화사.

洪順敏, 1992, 「19세기 왕위의 승계과정과 정통성」, 『國史館論叢』 40.

洪順敏, 1996, 『朝鮮後期 宮闕經營과 兩班體制의 變化』, 서울대 국사학과
　　박사학위논문.

洪淳昶, 1992, 「大院君 李昰應 그는 개혁정치가였다」, 『쟁점한국근현대사연
　　구』 1.

洪以燮, 1975, 「高宗時代의 朝鮮社會」, 『社會科學研究』 2, 한국사회과학연구
　　회.

James B. Palais, 『Politics and Policy in Traditional Korea』, Cambridge :
　　Harvard Press(李勛相 譯, 1993, 『傳統韓國의 政治와 政策』, 신원
　　문화사).

宮嶋博史, 1986, 「近代アジアの政治變革と君主制」, 『歷史評論』 438.

金熙明, 1965~1967, 「興宣大院君と閔妃」, 『親和』 137~142.

都部學, 1968, 『朝鮮近代史』.

藤間生大, 1971, 「大院君政權の歷史的意義-東Asia近代史の方法論と關聯(1
　　・2)」, 『歷史評論』 254・255.

藤間生大, 1977, 「大院君政權の構造」, 『近代東アジア世界の形成』, 東京(楊
　　　　尙弦 編, 1985, 「대원군정권의 구조」, 『韓國近代政治史硏究』, 사계
　　　　절).

梶村樹秀, 1964, 「朝鮮近代史の若干の問題」, 『歷史學硏究』 288.

原田環, 1985, 「1880年代前半の閔氏政權と金允植」, 『朝鮮史硏究會論文集』
　　　　22.

田保橋潔, 1940, 『近代日鮮關係의 硏究』.

糟谷憲一, 1990, 「大院君政權の權力構造」, 『東洋史硏究』 49-2, 東京, 東洋史
　　　　硏究會.

糟谷憲一, 1990, 「閔氏政權上層部の構成に關する考察」, 『朝鮮史硏究會論文
　　　　集』 27.

糟谷憲一, 1995, 「閔氏政權後半期の權力構造」, 『朝鮮文化硏究』 2, 東京大
　　　　朝鮮文化硏究室.

ABSTRACT

The Political Foundation and Reform Policies of Daewongun

Kim, Byung-woo

Daewongun Lee Ha-eung is known as a reformative politician during the period of the modern Korea in transition. Studies on relations between Daewongun and political power have been limited to a kind of dichotomy described as conservatism vs. progression and affirmation vs. negation. The limitation of the studies results from the lack of verification about his domestic and foreign policies for reform. The studies on his domestic policies cannot clarify the meaning of affirmation and negation ; those on foreign policies mainly point out the fact that he did not understand the Western civilization and brought on the delay in the development of Korea. It cannot be said that the Western ideas and civilization could modernize Korea those days and that he is a conservative politician only in terms of foreign policies based on ostracism of the West. It must be evaluated that Daewongun cannot be confined by the dichotomy of affirmation and negation, but estimated by unified understanding.

This dissertation is a study on Daewongun, his political foundation, and the real state of the reform policy. First, it is on the political source of Daewongun's power, and the power structure and process of the Joseon Dynasty which enabled

Daewongun to exercise authority. Second, it is on the existence of Jongchinbu as an institute of Daewongun's power source, especially on reinforcement of Jongchinbu and the political roles of its members. Third, it is on the relation of Daewongun's political power and his political purposes, which is studied in terms that his reform policy means the extension of his political power. Last, it is on the factors of his political collapse in terms of the use of his political power and the limit of his political source.

The result of the dissertation can be summarized like the following. Daewongun established the foundation of his political authority mainly through Jongchingu and he exercised his formal and legal power through it. Daewongun's authority was practiced by the king's right to appoint cabinet members of the Dynasty and it was a process of policy and considered a legal system Before then the Kim tribe from Andong had monopolized the matters of finance, military affairs, and officialdom through Bibyeonsa. In this situation Daewongun strengthened the kindred of the king and established the basis of enforced royal authority

Daewongun was mainly concerned about the reconstruction of Jonchinbu and the improvement of the social and political positions occupied by the Jongchinbu members. This is regarded a preparatory stage for him to hold the reins of political power By his efforts the position of Jongchinbu was consolidated and the social and political status of its members was elevated. Under the changed background Daewongun held real power and exercised authority in the cause of assistance to the younger king. In order to found a legal basis for his political authority, Daewongun made Jongchinbu the highest public office and as

the chief of it, he was equal to king in political power. He took the place of king in the matter of appointment of the cabinet members and distributed ministers in his own faction to every major office.

Deawongun's power exercise was acted within the legal process of policy and administration. His political status and position was the highest "guktaegong" though it was ideal. His will to the power was embodied by so called "daewonibunbu" of Jongchinbu. So Jongchinbu became a political structure to carry on Daewongun's policies and actualize his will to the political authority. But Jongchinbu was not equipped with any administrational divisions in its structure and it meant Jongchinbu could not be an executive organ.

The political power during the period of Daewongun's seizure of power lasted in the reciprocal relation with his governing policies. The central power of Daewongun was the kindred of the king who founded their genuine status through their unique system and helped Daewongun by being distributed under the office named "euijeongbu." Daewongun held the political power to decide and execute policies formally and legally through the Jongchinbu institute for he did not assume the reins of "euijeongbu", the direct monarch system.

Therefore, Daewongun in the earlier stage of his seizure of political authority was assisted by the most powerful political group, the Kim tribe from Andong and another power group named 'noron', for his power was not strong enough to control them. His reform policy was performed in the way to discipline landed proprietors and verify the actual condition of memorial halls for Confucianist service to honour distinguished scholars

and statesmen named 'seowon.' Daewongun expanded the foundation of his rein in the process of reconstruction of Gyeongbok palace and subjugation of the Western people within Joseon and commanded armaments through the establishment of 'samgunbu'. By these organizations and change of the offices Daewongun became to hold real power since the 7th year of the King Gojong's enthronement.

In fact, it became possible for Daewongun directly to control the groups of vested rights such as the most powerful political group at that time, the Kim tribe from Andong and another power group named 'noron'. He carried out the policy to remove 'seowon' to disorganize the power groups' political and economic foundation. His abolishment policy of 'seowon' was not agreed by the King but came from himself, and it meant Daewongun grasped the kingship in person.

His seizure of the sovereign system made the existence of the King insecure and the power groups of invested rights felt worry about their political status. Their sense of unstableness in political power led them to make up an anti-Daewongun group. As a result of it, the King recovered his kingship which was entrusted to Daewongun and the assistant political organization between the King and Daewongun was dissolved. So Daewongun lost the cause and justice of his executive power and authority. The King Gojong concentrated the members of the anti-Daewongun power groups and established the direct royal rule system by the reorganization of political power distribution. But the King's direct rule system did not include the changed aspects of political power and the King, accordingly, reduced the upholding foundation from the people.

찾아보기

478

金炳佑

1961년 울산출생
계명대학교 인문대학 사학과 졸업
계명대학교 대학원 역사학과 졸업(문학석사)
경북대학교 대학원 사학과 졸업(문학박사)
현재 대구한의대학교 영상문화학부 객원교수

논저

『근대 대구·경북 49인 그들에게 민족은 무엇인가』(공저, 혜안, 1999),『조선시대 대구 사람들의 삶』(공저, 계명대출판부, 2002),『조선시대 대구의 모습』(공저, 계명대출판부, 2002),『영남을 알면 한국사가 보인다』(공저, 푸른역사, 2005),「대원군집권기 정치세력의 성격」(1991),「고종의 친정체제 형성기 정치세력의 동향」(2001),「흥선군의 종친 및 종친부 진흥책」(2002),「대원군의 정치적 지위와 국정운영」(2003),「대원군의 종친부 강화와 '대원위분부'」(2003),「대원군의 통치체제 확립과 통치정책」(2005),「대원군의 집권 과정과 권력행사」(2006) 등

大院君의 統治政策

金 炳 佑

2006년 10월 30일 초판 1쇄 발행

펴낸이·오일주
펴낸곳·도서출판 혜안
등록번호·제22-471호
등록일자·1993년 7월 30일

⌾ 121-836 서울시 마포구 서교동 326-26번지 102호
전화·3141-3711~2 / 팩시밀리·3141-3710
E-Mail hyeanpub@hanmail.net

ISBN 89-8494-286-3 93910

값 28,000원